**HISTÓRIA
DA RIQUEZA
NO BRASIL**

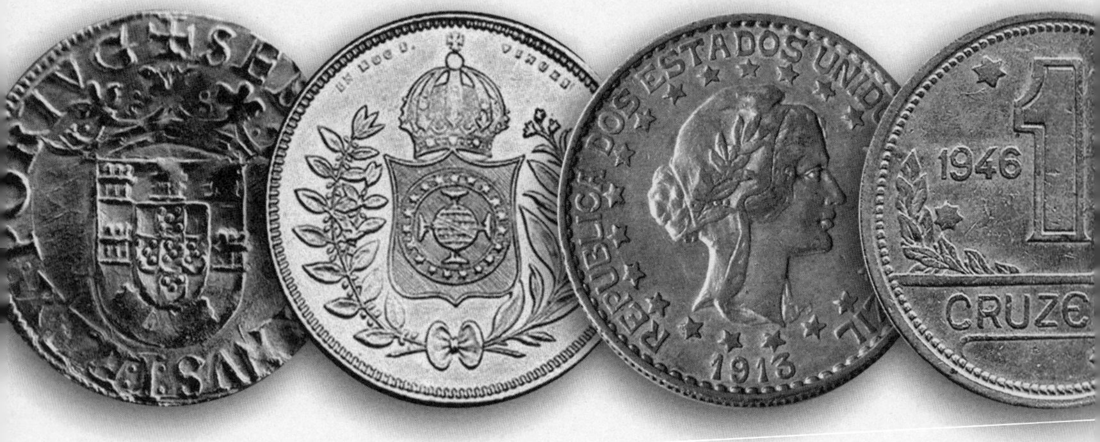

REPUBLICA DOS ESTADOS UNIDOS
1913
1946
CRUZE

Jorge Caldeira

HISTÓRIA DA RIQUEZA NO BRASIL

Cinco séculos de pessoas, costumes e governos

◆ Estação ◆
BRASIL

Copyright © 2017 por Mameluco Edições e Produções Culturais Ltda.

Todos os direitos reservados. Nenhuma parte deste livro pode ser utilizada ou reproduzida sob quaisquer meios existentes sem autorização por escrito dos editores.

Todos os esforços foram feitos para creditar devidamente todos os detentores dos direitos das imagens que ilustram este livro. Eventuais omissões de crédito e copyright não foram intencionais e serão devidamente solucionadas nas próximas edições, bastando que seus proprietários entrem em contato com os editores.

EDIÇÃO: Pascoal Soto

COPIDESQUE: Claudio Marcondes

REVISÃO: Ana Kronemberger e Luis Américo Costa

CAPA E PROJETO GRÁFICO: Victor Burton

DIAGRAMAÇÃO: Adriana Moreno e Anderson Junqueira

IMAGENS DE MIOLO: p. 182: Reprodução Revista Illustrada; p. 300: Fundação Casa de Rui Barbosa/ Arquivo; p. 522: Jean Manzon (Paris, 1915 – São Paulo, 1990) – *Hugo Borghi* c. 1950, impressão sobre papel prata/gelatina, 16,9 x 21 cm, doação Pirelli, 1995, Inv. MASP.01940/ Coleção Museu de Arte de São Paulo Assis Chateaubriand (Foto cortesia MASP/ Jean Manzon – Cepar Consultoria e Participações LTDA.); p. 523: Alice Brill/ Acervo Instituto Moreira Salles.

IMPRESSÃO E ACABAMENTO: Lis Gráfica e Editora Ltda.

CIP-BRASIL. CATALOGAÇÃO NA PUBLICAÇÃO
SINDICATO NACIONAL DOS EDITORES DE LIVROS, RJ

C151h	Caldeira, Jorge
	História da riqueza no Brasil / Jorge Caldeira; Rio de Janeiro: Estação Brasil, 2017.
	624p.; il.; 16 x 23cm.
	ISBN 978-85-5608-025-7
	1. Brasil – Usos e costumes. 2. Brasil – Civilização. 3. Antropologia. I. Título.
17-44434	CDD: 981
	CDU: 94(81)

Todos os direitos reservados, no Brasil, por
GMT Editores Ltda.
Rua Voluntários da Pátria, 45 – Gr. 1.404 – Botafogo
22270-000 – Rio de Janeiro – RJ
Tel.: (21) 2538-4100 – Fax: (21) 2286-9244
E-mail: atendimento@sextante.com.br
www.sextante.com.br

SUMÁRIO

Apresentação,
por *Mary del Priore* **9**

Prefácio **11**

I> 1500-1808
ALIANÇAS, COLÔNIA E O MUNDO DO ANTIGO REGIME

1: Costumes e problemas de escrita **23**
2: Governos com genros europeus **31**
3: Governo português: teoria, escrita e Igreja **37**
4: Vilas **45**
5: Capitanias **51**
6: Governo-geral **58**
7: Governo francês, corpo e espírito **65**
8: Aliança geral **73**
9: Governos da Espanha **80**
10: Governos da Holanda **88**
11: Economia colonial, economia metropolitana e o lugar do Brasil **95**
12: Governo central e economia **102**
13: Governos locais e costumes **109**
14: Política miserável e caranguejo **118**
15: Brasileiros **126**
16: Governo-geral no sertão **134**
17: Os favores da cabeça **142**
18: Ouro e redistribuição dos governos no território **150**
19: Riqueza e empreendedores **158**
20: Governos locais e costumes na mineração do ouro **166**
21: Costumes e lei civil após o ouro **173**

II > 1808-1889
COROAS E ESTAGNAÇÃO DURANTE O DESENVOLVIMENTO DO OCIDENTE

22: Teoria dos governos: uma revolução **185**
23: Reino colonial, sonho de reação **195**
24: Governo nacional **203**
25: A Constituição de 1824 **210**
26: Dando para si mesmo **218**
27: Poderes em confronto **226**
28: Regências e lideranças **233**
29: Executivo eleito **241**
30: Imperador **248**
31: Mauá e a reação **255**
32: O arbítrio ilustrado **264**
33: Republicanos **270**
34: Ocaso **277**
35: Fim **283**
36: Balanço do Império **290**

III > 1889-1930
PRIMEIRA REPÚBLICA: EXPLOSÃO DE CRESCIMENTO

37: Governo provisório e ditadura **301**
38: Reformas fundamentais **309**
39: Nova lei, velhos costumes **318**
40: A esfinge **327**
41: Presidente eleito **334**
42: A arte de ensacar demônios **342**
43: Primeira década: alternância e mercado **351**
44: Primeira década: sertão e capitalismo **359**
45: Primeira década: amálgamas e incrustações **366**
46: Campos Sales e o plano regressivo **373**
47: O caranguejo e a ostra **381**
48: A pérola hereditária **388**

49: Governo central reacionário **395**
50: Fosso **403**
51: O plano do café: sociedade e legislativo estadual **412**
52: O plano do café: os estados **420**
53: O plano do café: o mercado internacional **427**
54: O plano do café: oportunidade quase milagrosa **435**
55: O Convênio de Taubaté **442**
56: A guerra: o front parlamentar **449**
57: A guerra: o quebrador de ossos **458**
58: A guerra: a batalha dos cheques **466**
59: A guerra: brasileiros contra brasileiros **475**
60: Capitalismo no topo da velocidade do mundo **484**
61: 1910-1918: tempos excruciantes I **494**
62: 1917-1930: tempos excruciantes II **503**
63: 1889-1930: um balanço **512**

IV> 1930-2017
A ERA DO MURO: UMA CENTRALIZAÇÃO, DOIS RESULTADOS

64: Centralização com sentido **525**
65: A sonhada ditadura **533**
66: Democracia populista **543**
67: Ditadura militar e seus paradoxos **553**
68: O muro e a Grande Muralha **562**
69: Cuidando da franguinha **572**
70: Pasturo **579**
71: Desencalhe, reencalhe **591**

Posfácio **601**

Notas bibliográficas **603**

APRESENTAÇÃO

Um "clássico": o adjetivo foi criado no século XVI, significando "o que faz autoridade", "o que deve ser imitado", "que serve como modelo". Pois o livro que o leitor tem nas mãos é um clássico. Mais um, pois Jorge Caldeira já nos ofereceu outros: *Mauá, empresário do Império, História do Brasil com empreendedores* e *A nação mercantilista: ensaios sobre o Brasil* se tornaram, há muito, leitura obrigatória para quem quer conhecer nossa história. Caldeira é sociólogo, doutor em Ciências Políticas, mestre em Sociologia e bacharel em Ciências Sociais pela Universidade de São Paulo, além de renomado jornalista e editor de veículos importantes como a *Folha de S.Paulo*, revistas *IstoÉ* e *Bravo*. Pesquisador apaixonado, criou a Mameluco Produções, responsável pelo mais importante acervo jamais reunido sobre José Bonifácio, entre outras realizações. A tantos atributos, soma-se outro: ele é um dos mais prolíficos e consistentes historiadores brasileiros.

Seus textos não são apenas sinônimos de autoridade, mas também de prazer de descobrir. Pois para Caldeira não se trata só de escrever ou descrever, mas de emprestar a escuta aos sons ao mesmo tempo próximos e confusos que escapam dos arquivos, oferecendo ao leitor interpretações absolutamente pioneiras, capazes de ajudá-lo a enxergar o Brasil por outras lentes. Sua visão da História convida a uma abordagem singular, tanto nos métodos de trabalho quanto na delimitação dos campos a serem investigados. Ele trata, também, de fugir de cansadas explicações gerais para aprofundar a pesquisa e revelar, num tesouro de dados e documentos, o que ela traz de original. Como ele mesmo diz, "introduzir um entendimento novo do passado permite entender de um modo novo, também, os problemas atuais. Acho que conhecer História não é só um problema da academia, é um problema de todo cidadão".

História da riqueza no Brasil é ao mesmo tempo tão monumental quanto síntese. Há algumas definitivas, como as do trio Gilberto Freyre-Sérgio Buarque de Holanda-Caio Prado. A diferença? São mais de quinhentos anos relidos e explicados em nova chave. Pois, para realizar a sua, Caldeira serviu-se de disciplinas vizinhas, a antropologia e a econometria, enriquecendo interpretações que já vinha consolidando em obras anteriores. A antropologia lhe permitiu se aproximar do passado, iluminando objetos como a família, a mestiçagem, atitudes econômicas, as alianças de poder, revelando sua surpreendente permanência ao longo de cinco séculos. Quanto à econometria, essa forneceu medidas e estatísticas mal e pouco conhecidas de grande parte dos historiadores, para apreender fatos que só mediante essa abordagem são capturáveis. Neste livro, Caldeira faz emergir mais uma vez elementos originais e impressionantes. Ele demonstra, por exemplo, como o governo central do Império mantém a escravidão e freia o crescimento, jogando o país no atraso, enquanto o Ocidente revoluciona o papel do governo e o desenvolvimento capitalista. Ou como durante a I República a descentralização federal liberou o setor privado e, em uma década e meia, o Brasil passou de uma das economias mais estagnadas à que mais crescia no mundo. O sucesso – pasme, leitor – se deu por causa da diminuição da capacidade do Estado de funcionar como elemento capaz de isolar as relações entre o Brasil e o mundo. Dessa forma, empreendedores puderam se multiplicar nas brechas do sistema.

Não se trata de ideologia. Governos, explica o autor, por vezes podem funcionar como muros que vedam a comunicação positiva entre o mercado interno e a situação internacional – mas, em outros momentos, podem empregar as mesmas armas para proteger o mercado interno contra maus momentos internacionais, como aconteceu entre 1930 e a década de 1970, quando as barreiras ajudaram no crescimento da economia. Mudada a realidade mundial, no entanto, voltaram a ser muros contra o progresso do tempo, como na forma imperial, quando reforçados fosse pelo regime militar conservador fosse pelo governo petista de esquerda, impedindo em ambos os casos que o país colhesse os benefícios das oportunidades internacionais da globalização – além de gerar recessões.

Com informações inéditas, Caldeira ilumina zonas de sombra. E são elas que lhe permitem fazer o que ele faz melhor: tecer sua trama e permitir que vejamos novos atores, novas paisagens, novos fatos. Circular com Jorge Caldeira pelos caminhos da História é passear numa floresta que acreditávamos conhecer. Tudo está lá: as árvores, o céu, as alamedas. E, contudo, a caminhada é decididamente especial, singular. Os lugares ou fatos da cronologia são familiares, mas sua fisionomia é outra. Num panorama analítico, virtuoso e objetivo, Caldeira explica outra, sim, outra História. A que ainda não conhecemos. Animado por generosa pesquisa e brilhante interpretação, *História da riqueza no Brasil* é mais um livro de Jorge Caldeira que já nasce clássico.

— **Mary del Priore**

PREFÁCIO

1. História da Riqueza

Em muitos sentidos este é um livro de história bastante tradicional. A narrativa segue a cronologia de maneira linear, indo do passado ao presente, e tem como foco um território determinado. Procura ser o mais clara possível, sem recorrer a tabelas ou tecnicismos. Mantém as divisões qualitativas conhecidas para agrupar os eventos que neste território se passam e/ou se superpõem: ocupação primeva, colônia, monarquia, república. Trata de um assunto central, a acumulação de bens.

Para esclarecer esse assunto vai apresentando sucessivamente medidas dessa acumulação, números indicativos do tamanho da riqueza reunida a cada etapa dessa história. A sucessão das séries de números permite avaliações do desempenho no tempo, e dessas avaliações resultam contrastes entre momentos de crescimento e outros de estagnação ou queda.

Ao mesmo tempo, os números locais são comparados a outros. Até o final do período colonial, com aqueles relativos à economia metropolitana; daí em diante, com o desempenho de economias ocidentais – e, para o período mais recente da história, com os dados da economia global. Dessas comparações resulta outra espécie de avaliação, aquela que se manifesta como progresso ou atraso entre a economia local e, do modo possível dentro das limitações, o mundo.

Quase todos esses números derivam de trabalhos recentes – e de uma mudança no modo de fazer pesquisa em história econômica. A partir da década de 1970, a disciplina foi revolucionada por uma combinação de processamento digital, uso de bancos de dados e análise estatística – o cerne da econometria, que permitiu o reconhecimento de nexos significativos num universo de dados que, para quase todos os historiadores tradicionais, eram dispersos demais ou de impossível compilação e análise.

Apenas um exemplo: bons censos foram realizados no século XVIII, com a coleta de dados razoavelmente uniformes – mas esses dados estavam em manuscritos dispersos por centenas de arquivos locais. No passado, um historiador dedicado conseguiria consultar alguns desses arquivos e extrair umas poucas relações coerentes entre os dados consultados. Com a informática, a incorporação de dados desse tipo em bancos propiciou uma transformação radical nos métodos de análise. O aumento exponencial da capacidade de agrupamento e interpretação estatística, somado a técnicas de tratamento, permitiu a muitos historiadores econômicos irem reunindo conjuntos inovadores, alguns dos quais são apresentados aqui.

Tais conjuntos de dados, como se poderá ver, trazem resultados muito distintos daqueles consolidados no modelo metodológico anterior. O contraste entre as revelações estatísticas e o padrão histórico clássico, estabelecido até meio século atrás, é, muitas vezes, chocante. Um caso muito evidente é o das relações entre a riqueza da colônia e a da metrópole. O estudo da documentação tradicional apontava consistentemente a subordinação política e administrativa como geradora de um resultado econômico: pobreza na colônia e transferência de riqueza para o Reino. Todas as interpretações eram solidamente ancoradas nessa inferência. As diferenças ficavam para a avaliação de tendências, mas o cenário da inferioridade colonial era um só.

Os números que os econometristas foram encontrando – e que são apresentados no correr da narrativa sobre o período – apontam na direção oposta à documentação tradicional. Atualmente é consenso que a economia colonial era, no final do século XVIII, muito maior que aquela da metrópole.

Esse é o primeiro caso – mas não o único na narrativa – no qual os indicativos numéricos, vindos de centenas de estudos das mais diferentes fontes, levam a uma mudança radical de postura: não se trata mais de dar uma nova resposta a um problema estabelecido na tradição, mas, antes, de explicar um problema diferente daquele que vinha sendo colocado pelos estudiosos. As implicações, nesses casos, são tremendas.

Para ficar no caso da colônia, a inversão nas medidas derruba também toda uma série de noções consideradas unânimes. Em termos de riqueza, a mais ampla delas é aquela da economia de subsistência – que define tanto as economias nativas quanto a atividade no mercado interno como incapazes de gerar excedentes, permitir acumulação, gerar riqueza. Essa noção é indistintamente empregada por todas as correntes de historiadores que tentavam explicar o cenário comum da colônia pobre: o espectro de uso ia, sem divergências, dos conservadores mais empedernidos até os marxistas mais radicais.

A unanimidade fazia sentido, pois todos estavam tentando explicar um mercado interno pouco dinâmico e uma acumulação concentrada apenas na face exportadora da economia. Para isso, a ideia de que tanto a economia dos nativos como a do mercado interno não tinham qualquer possibilidade de gerar riqueza – apenas a de garantir a subsistência – era mais do que conveniente. Por isso sempre aceitaram essa noção, pouco mais que uma tautologia sobre a fraqueza acumulativa interna.

Evidentemente esse tipo de noção perde totalmente a razão de ser quando se trata de explicar uma economia colonial que cresce mais que a metropolitana – pois o novo quadro somente pode ser explicado pelo crescimento do mercado interno da área colonial em ritmo mais rápido que aquele do comércio com a metrópole e o mundo.

Assim, a primeira consequência de se entender os números descobertos estabelecidos é a de abandonar por completo as interpretações baseadas no conhecimento clássico. Não por divergências pontuais ou ideológicas, mas apenas porque os números mostram um cenário completamente diferente. Novos instrumentos, novas descobertas, novos problemas – novas possibilidades a serem exploradas, e também novas divergências futuras.

O esforço é concentrado na busca de explicações alternativas para esse novo quadro de problemas – e estas muitas vezes surgem de outras disciplinas que não a história. No caso da noção de economia de subsistência, por exemplo, mudanças radicais de entendimento aconteceram a partir do momento em que os antropólogos também passaram a empregar técnicas quantitativas para avaliar o trabalho e a produtividade nas economias dos povos nativos.

Embora sejam economias sem moeda – fato que levou os estudiosos tradicionais a supor uma economia incapaz de acumular riqueza –, descobriu-se que são economias perfeitamente capazes de produzir excedentes e trocá-los com outras formações, além de terem mecanismos próprios para a administração dos bens acumulados, da riqueza que produzem. Em grau ainda mais acentuado, a mesma capacidade de acumular bens, muito ao contrário do que sugeria a restrita circulação do dinheiro, foi sendo constatada em toda a economia do sertão.

Esse novo conhecimento fez ruir de vez os precários fundamentos empíricos da noção de economia de subsistência. Permitiu comprovar que tanto a produção dos nativos quanto a dos sertanejos eram capazes de gerar riqueza em ritmo crescente – ou, de outro modo, permitiu que se começasse a entender de que maneira o mercado interno tinha uma dinâmica de crescimento mais forte que a do setor exportador ou a da economia metropolitana. Ao longo da leitura o leitor poderá aquilatar o tamanho das diferenças em relação ao padrão anterior de análise também para outros períodos históricos.

2. Pessoas, costumes e governos

A necessidade de se adotar outro modo de análise quando se trata de explicar um novo problema não se limita à economia. Tanto quanto a narrativa acompanha os variados resultados na produção da riqueza evidenciados nos novos cenários, são também acompanhados os processos sociais da formação dessa riqueza, com especial ênfase no papel das pessoas, dos costumes e dos governos – e o plural aqui é tudo.

O cenário tradicional de análise permitia mais do que a unanimidade em torno de noções como a de economia de subsistência. Dava como certo que o foco principal da ação destinada a organizar a sociedade para produzir riqueza estava no centro, fosse exportador ou metropolitano. A civilização vinha de fora para dentro, da autoridade real para os súditos. A quase negação do processo interno de acumulação de riqueza levava a retratar como indistintas muitas outras esferas da vida social – na noção de sertão selvagem ficavam englobados nativos, caboclos e até mesmo autoridades interioranas.

Para se entender a nova espécie de realidade que os números mostram é preciso ir na direção contrária: começar nas pessoas, passar pelos costumes, as esferas de governo – e ver como, nas relações entre todas elas, se criaram as instituições que permitiram um desenvolvimento econômico centrado no mercado interno. Tal perspectiva serve para mostrar melhor não apenas a realidade da colônia, mas a quase totalidade do período analisado.

Um simples exemplo, um símile, ajuda a mostrar do que se trata com mais facilidade do que a linguagem técnica da ciência política. Você gira a chave na partida, o carro pega e a vida segue em frente. Vida costumeira. Noutro dia, você tenta ligar e – zás, nada, o carro encrenca. Num átimo a programação cotidiana desaba: em vez de seguir para o trabalho, é preciso cancelar tudo. Cadê o mecânico? O redirecionamento de energia provoca uma tensão imediata. Entre as reações mais sensatas estão as de fazer o possível para reduzir o estresse e trazer a vida de volta ao leito normal. Por exemplo, achar uma boa oficina e entregar o carro aos cuidados de quem conhece. Embora não seja a vida de sempre, ainda guarda um quê de normalidade, pois é provável que o mecânico solucione o problema. Mas também pode acontecer de você chegar à oficina e, sem querer, avistar o mecânico ao lado do carro, batendo boca com um engenheiro, um técnico com uniforme da fábrica. Aí você se dá conta de que o caso é realmente sério.

Entrelaçaram-se três níveis nessa cena. O cotidiano, aquele do automático, da rotina sem problemas. O da oficina, aquele dos problemas solúveis também por meios rotineiros. E, por fim, o das situações excepcionais, cuja solução exige algum tipo de especialista. Embora o "carro" que conduz a narrativa deste livro seja o do desenvolvimento econômico, não se trata de um livro de economia. O que se busca é contar a história, ao longo do tempo, das relações dessa esfera econômica com "os governos". Por que o plural? De novo o exemplo.

O primeiro nível descrito na cena, aquele que é hoje o do cotidiano das pessoas, do carro que funciona, pode também ser comparado com um nível de governo, que no livro será designado como o governo do costume, ou consuetudinário. É também uma forma de governo com profundo enraizamento no espaço e no tempo, embora seja usualmente ignorada quando se faz história de "Brasil" – e, para se entender a razão da escolha desse nível de governo, é preciso explicar algo sobre as aspas.

Em termos de enraizamento espacial, os governos montados unicamente sobre os costumes comuns e consensos entre pessoas – isto é, sem leis escritas nem áreas delimitadas de autoridade política, ou seja, sem "oficinas" nem "técnicos" – eram os únicos existentes num vasto território. Embora esse território fosse chamado Brasil desde a chegada de europeus, demorou para que outras formas de governo estendessem sua autoridade sobre esses espaços e pessoas. Ao longo dos séculos houve um domínio extenso de outras formas de governo – ainda neste ano de 2017, algo como

11% do território da atual nação são governados quase exclusivamente na forma consuetudinária.

Mas a mesma forma vale para os muitos "condutores de carro" no espaço onde imperam outras formas de governo. O costume é a forma de governo efetiva durante quase todo o tempo, aquela que determina a existência da imensa maioria dos cidadãos brasileiros. A rigor, vivendo de acordo com o costume, com a sociedade se governando muito por si mesma: as novas gerações são criadas, as leis e os regulamentos cumpridos, os impostos pagos, o trabalho realizado e a riqueza econômica acumulada. Quase o tempo todo os cidadãos usam o "carro" do governo por conta própria, sem quase nunca aparecer numa oficina estatal ou ter contato com seus agentes. E, nesse ambiente, constroem riqueza.

Mesmo quando se entra na esfera formal dos governos, quando se recorre a suas "oficinas", nem tudo é unanimidade, sobretudo quando se trata de história. Desde muito cedo houve diferentes tipos de "oficina". Em 1532 foi instalada a primeira vila, mas com um território circunscrito de governo; em 1534 implantaram-se oficinas mais abrangentes, que atuavam sobre conjuntos de vilas, as chamadas capitanias hereditárias. Em 1549 criou-se uma oficina central, o governo-geral. Desde então, sem exceções, essa estrutura com três níveis – hoje chamados de municipal, estadual e federal – conforma a esfera dos governos de molde ocidental, ainda que nem sempre de forma coesa. A coordenação mínima entre essas três esferas demandou bastante tempo – e gerou formas de acomodação entre os governos trazidos d'além-mar e os governos de costume preexistentes. O livro não tem como objeto a análise propriamente política. Mas considera os costumes e governos formais em suas possíveis relações significativas com a acumulação de riqueza – o "carro" desta narrativa, vale repetir.

Tanto quanto possível, o tratamento dessas instâncias segue o padrão da apresentação de números locais – para medir a evolução – e da comparação com situações externas, para medir atraso ou adiantamento. Mas como, nesse caso, tais indicativos são muito mais esparsos, é impossível evitar um descompasso nas apresentações.

Por fim, existe a esfera da teoria, da ação dos "engenheiros". No geral, ela ganha relevo nos momentos de grande dificuldade: o carro não pega, o mecânico não descobre as causas. É a hora de apelar para os detentores de maior conhecimento: como consertar a oficina mudando as normas? Como recolocar a vida no eixo alterando-se o próprio carro ou o conjunto das normas? A resposta a essas perguntas cabe a teóricos. Este, porém, não é um livro teórico. Não há qualquer intenção de propor ideais de governos, ditar normas, produzir manuais de instrução, vender veículos ou avaliar motoristas. O principal objetivo aqui é o de juntar num todo que faça sentido uma série de novos conhecimentos sobre os números da riqueza, de tal forma que se possa entender também o papel das instituições de governo.

A necessidade nesse ponto é semelhante àquela da revisão da noção de economia de subsistência. Os estudos das relações entre governos e desenvolvimento no Brasil, no quadro tradicional, consideravam relevantes para a acumulação apenas as atividades governamentais do centro e aquelas que influíam sobre as exportações. Nada disso serve muito quando se trata de explicar quais instituições permitiram um desenvolvimento que agora se sabe acontecer a partir justamente da área desprezada anteriormente.

3. Clássicos e escrita

Quatro décadas atrás, na época da minha formação universitária, bastava a leitura das obras tidas como clássicos para se vislumbrar um quadro histórico geral comum, no âmbito do qual cabia apenas o esforço de interpretação. Isso ajudou as pessoas de minha geração a mergulharem no processo de especialização acadêmica que então começava: o consenso em relação ao todo servia de pressuposto comum a partir do qual todas as áreas especializadas podiam aprofundar a pesquisa. Mas a própria especialização foi fazendo das suas, como se viu posteriormente nos casos da econometria e da antropologia citados antes.

Assim foi se criando um contraste com o quadro geral antes considerado unânime – com um impacto especial na área da história. A boa regra, nessa disciplina, exige o tratamento de conjuntos documentais e sua interpretação. No caso do Brasil, contudo, a busca desse ideal leva a um universo restrito. No Brasil colonial e imperial, as escolas foram escassas. Tão raras que, até a virada do século XX, o baixo índice de alfabetização determinava um comportamento peculiar de quem passava por elas: como a condição excepcional de alfabetizado permitia que o indivíduo se considerasse um ser de elevado estatuto social, esses poucos alfabetizados costumavam reforçar ao máximo as diferenças entre o falar e o escrever como sinal de sua distinção. Por isso escreviam e se comunicavam segundo normas complicadas de ortografia, sintaxe e estilo. Ironizavam a "incapacidade" dos analfabetos de entenderem a própria língua na qual se comunicavam. Tornavam difíceis as condições para a disseminação da escrita nas escolas existentes, perpetuando essa situação. Deixaram também um problema que, por muito tempo, se mostrou insolúvel. Uma vez que eram os únicos a produzir documentos escritos, os historiadores tiveram de trabalhar apenas com esse universo restrito e artificial de manifestações, sobretudo nos períodos iniciais do uso da escrita no território.

Os novos conjuntos de dados romperam uma limitação estrutural inerente à documentação escrita. Tanto as descobertas da antropologia como as da econometria permitiram a formulação de modelos que apontam na mesma direção. No primeiro caso, graças à compilação das normas dos governos consuetudinários dos povos sem escrita, tornou-se possível a reavaliação dos seus sistemas produtivos. No segundo, tratando de maneira indistinta os dados relativos a alfabetizados e analfabetos, possibilitaram uma nova perspectiva dos mercados e da acumulação de riqueza. Devido a ambas inovações no campo da pesquisa, um universo antes descartado e tido como marginal na formação da riqueza e no modo de governo – de maneira muito ampla, o chamado "sertão" (termo que aparece já na carta de Caminha, em 1500) – pôde ser analisado de outra maneira, diversa da que presidiu a produção de documentos coevos e as análises dos clássicos no século passado. Vem dessa diferença a opção por contar uma história da relação entre os governos e o desenvolvimento que não se baseia no modelo tradicional da disciplina, mas antes nas descobertas vindas de fora.

Para tanto foi preciso recorrer a uma visada transdisciplinar – o que leva a um último ponto relevante. Minha especialização técnica foi constituída formalmente num mestrado em Sociologia e num doutorado em Ciência Política. Ao completá-la, segui a norma da produção acadêmica, que implica a especialização, a delimitação progressiva de um campo pelo emprego de termos técnicos, a constante referência à bibliografia e, por fim, a avaliação pelos pares. Tenho apreço por tudo isso. Mas tive de colocar de lado tudo isso ao redigir este livro, que é basicamente uma tentativa de juntar materiais, vindos de disciplinas diversas, num todo que faça sentido para todos os leitores (e não apenas para os especialistas), num conjunto capaz de integrar os resultados obtidos por meio de novas formas de conhecimento. Não há aqui nenhum desejo de "mudar a história". Trata-se, pelo contrário, de uma modesta síntese daquilo que já existe, não havendo portanto inovações em termos de explicações antropológicas, demonstrações estatísticas, interpretações históricas, teorias políticas ou sociológicas.

Ao escrever, sempre tive em mente o exemplo de um personagem inesquecível de Monteiro Lobato: o Visconde de Sabugosa, erudito no estilo anterior ao do modernismo, sempre de casaca e cartola, empregando citações doutas, rigoroso defensor das normas cultas – e detrator da ignorância ao redor. Enquanto a vida corria solta lá fora, o visconde se enfurnava na biblioteca do Sítio do Pica-Pau Amarelo. Ali ia se enchendo de letras até embolorar; começava a falar de modo incompreensível, a fazer citações sem nexo. Apenas Tia Nastácia, sábia e analfabeta, resolvia o problema do "teórico": pendurava o sabugo para secar ao sol, as letrinhas excessivas iam caindo com o bolor e ele voltava a falar e se comportar como gente.

Para, sem ofender minha formação, contar essa história que a especialização não permite contar, tanto quanto possível sem palavras em excesso e sem jargão, espero ter perdido letras inúteis suficientes e ter me restringido ao que interessa. A história aqui apresentada procura mostrar – apenas com as referências técnicas mais essenciais – como, ao longo dos anos, foi se dando o complexo balé entre governados e governantes na busca do bem comum, a riqueza maior.

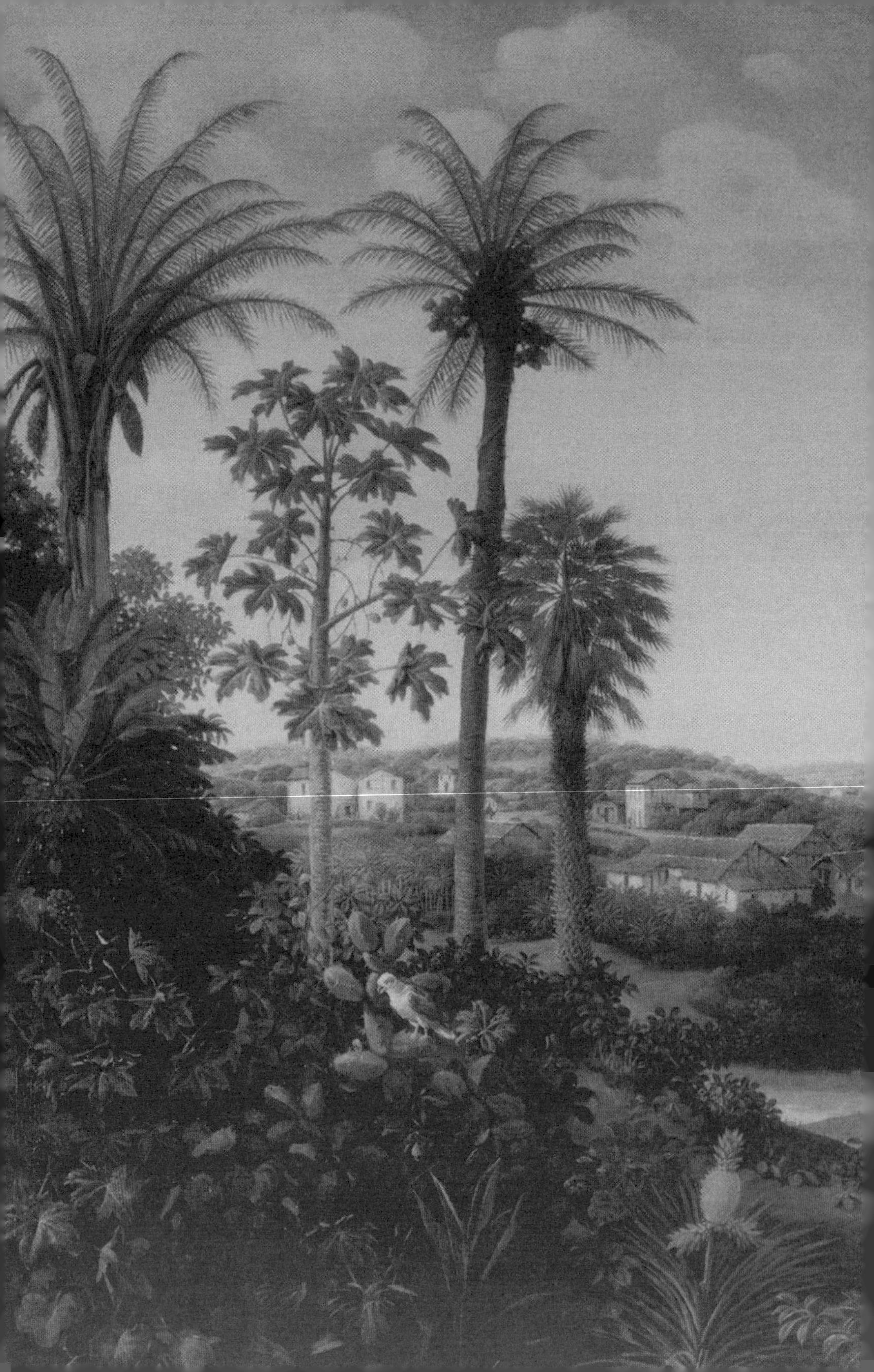

▷ 1500-1808
Alianças, colônia e o mundo do Antigo Regime

> *Uma sociedade radicalmente nova, instituições mescladas e governos locais eleitos sustentam uma economia dinâmica, em contraste com um governo central que só retira recursos e um Ocidente que cresce lentamente.*

BRASILIENSIVM VEL HOMINVM
in Peru habitus.

CLXXXI.
Die Wilden Leuth auß Brasilien / oder von den newen Insulen.

Also gehen die Wilden Leuth /
Männer vnd Weiber beider seidt.

So wohnen in Brasilien /
Oder den newen Insulen.

CAPÍTULO 1
> *Costumes e problemas de escrita*

A DESPEITO DE TODAS AS DIFICULDADES ESTATÍSTICAS, DEMÓGRAFOS HISTÓRICOS estimam que o território das chamadas Terras Baixas, a porção a leste dos Andes no continente sul-americano, teria, em 1500, uma população entre 1 milhão e 8,5 milhões de pessoas. Linguistas especializados em história identificaram mais de 170 línguas faladas por esses povos e distribuídas em quatro grandes troncos linguísticos: tupi-guarani, jê, caribe e aruaque. Essa imensa variedade linguística leva a algumas discussões sobre os primórdios da ocupação humana na região. De acordo com indícios recentes, os primeiros grupos ali se instaram há 30 mil anos (ampliando assim a estimativa anterior, de pouco mais de 10 mil anos), depois de terem eventualmente percorrido duas rotas, uma por terra desde a América do Norte e a outra pelo oceano Pacífico.

As características comuns a tantos grupos são poucas: quase todos viviam em aldeias autônomas. Sempre que o grupo atingia certo porte havia divisão, com parte dos moradores se mudando e formando um novo grupo. Desse modo, o governo era exercido apenas na área de domínio de cada aldeia. Bastante variado era o nível de desenvolvimento tecnológico: num extremo, pequenos grupos de coletores migrantes que desconheciam a agricultura; no outro, os chamados cacicados da Amazônia, com dezenas de milhares de indivíduos (no século XVI, para comparação, a população de Madri era de 30 mil pessoas) que viviam em aglomerações extensas e cultivavam terras irrigadas. Como nenhum desses grupos conhecia a metalurgia, as ferramentas de trabalho e os utensílios domésticos eram feitos de pedra e madeira.

Por outro lado, o conhecimento sobre as espécies naturais era muito avançado. Enquanto os médicos europeus manipulavam algo como uma centena e meia de espécies vegetais no século XVI, algumas populações trabalhavam com cerca de 3 mil espécies – e três quartos de todas as drogas medicinais de origem vegetal empregadas atualmente no mundo derivam desse conhecimento nativo. Nenhum dos grupos conhecia a escrita – o que está longe de significar a inexistência de leis. Assim como dominavam a fala e a linguagem, todos os grupos viviam segundo regras de comportamento precisas, embora não escritas. Para eles, as leis se mostravam nos costumes, nos comportamentos prescritos e seguidos por todos. Como dizia Rousseau, "o costume é a maior de todas as leis, pois se grava nos corações".

A imensa maioria dos costumes não era apenas local, como o espaço de governo de cada aldeia. Havia um alto nível de generalidade, mais notável no caso do macrogrupo Tupi-Guarani. Apesar da variedade geográfica e linguística, os Tupi-Guarani exibiam um nível comum de conhecimentos, domínio tecnológico e costumes. Alguns povos desse grupo alcançaram um patamar de tecnologia relativamente elevado em relação aos demais. Além do conhecimento das espécies naturais, domesticaram cultivares importantes como milho, mandioca, tabaco e algodão (espécies desconhecidas até então no Ocidente). Tinham sistemas agrícolas de boa produtividade: em apenas três ou quatro horas diárias de trabalho, os moradores das aldeias produziam não apenas o necessário para sobreviver, mas o suficiente para manterem estoques de segurança alimentar. Numa época em que a fome era um flagelo na Europa, os Tupi-Guarani se constituíam em exceção de relativa fartura.

Essa constatação de antropólogos levou a um consenso assim enunciado por Pierre Clastres, estudioso da cultura Guarani: "Estamos portanto bem longe da miserabilidade que envolve a ideia de economia de subsistência. Não só o homem das sociedades primitivas não está de forma alguma sujeito a esta existência animal que seria a busca permanente para assegurar a sobrevivência como é a preço de um tempo de atividade econômica curto que ele alcança esse resultado. Isso significa que as sociedades primitivas dispõem, se assim o desejarem, de todo o necessário para aumentar a produção de bens materiais."[1]

A noção de economia de subsistência e a consequente suposição de uma vida econômica restrita aos mínimos vitais foi empregada irrestritamente, no século XX, por economistas e historiadores de todas as tendências para descrever a produção dos povos das Terras Baixas. Mas o cenário muda radicalmente com a constatação de que os Tupi-Guarani eram capazes de produzir muito além dos níveis vitais. No que se refere a desenvolvimento, isso obriga a pensar nos nativos como produtores de excedentes, como produtores de riqueza – a tomá-los como base para a história dessa riqueza. A possibilidade de uma economia na qual se consegue a produção de excedentes leva a um novo tipo de consideração. O patamar no qual se produzem excedentes econômicos regulares para acumular ou trocar implica uma transformação importante nas organizações sociais. Quando isso ocorre, um grupo se destaca dos demais e assume o controle do estoque de excedentes. Criam-se assim dois grupos sociais, um de produtores e outro de não produtores. Nesse momento é que se forma o governo como unidade destacada do restante da sociedade. Especializada a função de governante, surgem pessoas encarregadas da gestão do Tesouro (nome dado ao estoque destacado do consumo normal e reservado para acumulação) que passam a levar uma vida diversa das pessoas comuns.

Apesar de produzir excedentes, os Tupi-Guarani adotaram uma solução peculiar para conciliar a abundância material e a igualdade social. Justificavam a solução com argumentos coerentes: "O sentido maior da preservação tornava inteligíveis outros pontos da teoria do valor Tupinambá. Todo trabalho estava relacionado à preservação. Sendo assim, não fazia sentido trabalhar mais quando isso não representasse mais preservação."[2] Com isso, todo o esforço econômico se voltava para a eficiência máxima da distribuição, a igualdade social – em vez de ampliar a produção acumulada numa sociedade dividida.

A produção começava na família. Na cultura Tupi-Guarani, "família" significava algo bastante diverso do que se entendia pelo termo no Ocidente. No aspecto produtivo, a família Tupi-Guarani se organizava em termos de uma separação radical de papéis sexuais. Os homens cuidavam da derrubada das matas, da abertura de roças e da caça; as mulheres encarregavam-se da roça e do preparo dos alimentos (como apenas elas cozinhavam, controlavam a distribuição, inclusive da caça).

Tal produção circulava em unidades familiares, de acordo com regras também baseadas nos papéis de homem e mulher. Para os Tupi-Guarani há apenas um genitor, o pai; a mãe é considerada apenas um veículo de geração da vida. Essa noção fundava um mundo de diferenças em relação às noções ocidentais. Por exemplo, os filhos de um irmão do pai são considerados por este como irmãos de seus filhos. Sendo assim, um casamento entre pessoas nessa situação é considerado incestuoso e punido com severidade. Já os filhos de uma irmã desse mesmo pai nem sequer são tidos como parentes – e não há nenhum impedimento para o casamento de uma de suas filhas. Na cultura ocidental, por outro lado, são todos indistintamente primos.

A reunião de famílias numa oca obedece a uma regra costumeira igualmente forte. Na hora de casar, um homem deve procurar mulher em outra oca – ou, na via contrária, a mulher deve receber um noivo vindo de fora. Com tal regra, toda estratégia de formação de uma família ganha cor própria.

Os filhos homens vivem em seus lares de origem apenas durante a infância e o início da puberdade. Ajudam o grupo, claro, mas não constituem o arrimo no longo prazo, uma vez que um dia vão partir. Para renovar e melhorar as condições de vida, portanto, toda a estratégia das famílias se organiza na busca de marido para as filhas – pois ele é que vai ficar morando na casa. Assim as mulheres têm um papel fundamental, mas oposto ao da responsabilidade pela geração da vida. Uma oca típica reúne, de forma permanente, apenas a linhagem feminina: avó materna, mãe, irmãs, filhas. Os maridos vêm de fora e os filhos são mandados para fora. E todos são educados para obedecer tal costume. Com isso, as mulheres aprendem a casar com um homem vindo de fora, capaz de enriquecer a vida do grupo de mulheres permanentes e homens passageiros. Não é algo fácil, pois "casamento" significa um ato de união consensual e temporária, que pode ser desfeita a qualquer momento – com a partida do homem.

Havia duas exceções fundamentais a essa organização cotidiana: os momentos de guerra e os momentos de vivência religiosa. A guerra era uma constante devido ao fato de os campos serem cultivados de maneira provisória: derrubava-se a mata, queimavam-se as árvores caídas e plantava-se no terreno. Em poucos anos, porém, diminuía a fertilidade do solo – e o grupo saía em busca de outro trecho de mata nativa.

Com milhares de grupos em movimento, os entrechoques eram inevitáveis. Ser atacado ou atacar era uma certeza. Por isso os homens treinavam constantemente para se manterem em forma. E a guerra exigia preparo meticuloso, não apenas no que se refere a armamentos e técnicas. Era preciso guardar um excedente alimentar para o grupo pelo tempo que durassem os conflitos, o que obrigava a um planejamento – e também isso implicava mudança na forma de governo. Sempre que surgia no horizonte a possibilidade de guerra, um dos membros do grupo mudava de papel. Em tempos de paz, o chefe cuidava apenas de conversar com todos, a fim de manter a unidade do grupo e o modo de vida da tribo. Nos momentos de perigo ele comandava de outra forma: mandava e era obedecido. Nessa nova função, ele ficava encarregado de controlar os excedentes do grupo, regulando sua acumulação e distribuição conforme as necessidades. Determinava colheitas, chefiava treinamentos militares, impunha táticas. Também buscava reforços, segundo os costumes do macrogrupo.

Uma das formas mais eficazes de reforço era firmar uma aliança militar com um grupo próximo (em geral, da mesma origem étnica) a fim de compartilhar tanto os riscos como os despojos em caso de vitória. Essa aliança era selada por um ritual reservado apenas para os chefes, que recebiam uma mulher (na maioria das vezes uma das filhas do chefe aliado) em matrimônio. Relações familiares e políticas se mesclavam para aumentar a concentração de poder. Era uma dupla exceção. Num primeiro plano, a mulher que ia viver no grupo do chefe fazia o percurso contrário da regra normal de casamento. O chefe, por sua vez, ficava com duas mulheres – ou mais, se repetisse o processo com outros grupos aliados. A poligamia dos chefes era aceita com naturalidade por todos, como parte das leis costumeiras – e tinha consequências econômicas. O chefe com muitas mulheres precisava trabalhar bem mais, pois se tornava responsável pela caça e a abertura de roças para todas elas e seus filhos. As mulheres, por sua vez, tinham de trabalhar proporcionalmente menos ao cuidar de um único marido e dividir os cuidados de distribuição entre todas. Era a desigualdade aceita. Passado o momento da guerra, a situação de poligamia continuava – assim como as alianças entre os grupos que se uniram para combater.

Mas, recuperada a paz, os guerreiros não mais deviam obediência ao chefe – que se tornava igual a todos os demais, exceto pelo fato de ter várias mulheres. Sua autoridade voltava a se basear na capacidade de se apresentar, para além da fama de guerreiro feroz ou trabalhador capaz de alimentar muitas mulheres e filhos, como mantenedor da amizade cívica entre os moradores. Em ocasiões de grande sucesso na guerra ou de fartura nas colheitas, outra forma de acesso desigual aos estoques se apresentava. A vida religiosa cotidiana dos Tupi-Guarani se moldava num contato bastante direto com os deuses: alguns homens com vocação eram treinados tanto para viajar pelo mundo divino como para relatar essas viagens a todos da aldeia no momento mesmo em que estavam ocorrendo – em geral à noite os pajés iam cantando em versos aquilo que encontravam no mundo dos deuses e espíritos. Todos ficavam nas redes entreouvindo os cantos. No dia seguinte, as palavras dos deuses eram comentadas com respeito pelos mais velhos, glosadas não sem ironia pelos mais jovens, viravam motivo de brincadeira entre as crianças antes assustadas. Assim reconstruídos em palavras, os deuses reviviam no cotidiano, sem a intermediação de grupos especializados – pois os pajés que cantavam à noite trabalhavam como outro qualquer na maior parte dos dias. Mas também desempenhavam papel importante na destinação do excedente econômico. Quando havia folga de excedentes, os pajés organizavam grandes festas rituais que mobilizavam o grupo todo. Dependendo dos estoques e da importância do ritual, havia convites para que grupos aliados viessem comer e participar. Em geral, os rituais da guerra e da religião eram separados, mas havia um caso no qual coincidiam: a morte ritual de prisioneiros de guerra valorosos e a ingestão antropofágica de seus corpos cozidos – tanto para que a coragem se transmitisse aos vencedores como para que fosse incorporada a força dos espíritos que guiavam o sacrificado. Para esse ritual não se economizavam excedentes nem convites a aliados. Terminada a festa, consumidos os estoques, distribuídos os excedentes econômicos que suplantassem os estoques alimentares, dissolvia-se a autoridade do pajé sobre o Tesouro, os convidados iam embora e a vida retornava ao normal.

Com esse brevíssimo resumo, nota-se que os Tupi-Guarani mantinham um tal equilíbrio entre produção econômica, alianças diplomáticas, chefia política na guerra e destinação ritual dos excedentes que não os obrigava a criar uma função especializada de governo, com a permanente divisão dos membros da sociedade entre governantes e governados. Mesmo assim havia governo: as instituições indicadas pelo costume funcionavam com regularidade e desfrutavam do respeito de todos. Era um modo tão eficiente de governo e regulagem da vida que mal foi notado pela imensa maioria dos europeus que entraram em contato com os Tupi-Guarani. Ficou famosa a frase de uma testemunha que não enxergou religião por falta de prédios que servissem de templo; nem civilidade, pela inexistência de códigos escritos para punir a inobservância dos costumes; tampouco de uma classe separada para governar: "Sem fé, sem lei, sem rei", escreveu glosando o não uso dos fonemas "F", "L" e "R" na língua geral Tupi-Guarani, o nhengatu.

Trata-se de uma observação contundente, reveladora de um problema secular para contar a história econômica dos governos nativos no atual território do Brasil. Para que europeus pudessem conhecer com algum rigor e propriedade os costumes que governam ainda hoje os Tupi-Guarani é necessário bem mais que o domínio da escrita e umas poucas horas de contato. Apenas no século XX começamos a entender melhor tais costumes. E isso só foi possível porque uma descrição cuidadosa deles exige treinamento numa disciplina técnica, a antropologia. Assim, os sistemas de produção econômica e de governo dos indígenas foram estudados por importantes intelectuais: antropólogos do porte de Darcy Ribeiro, Roberto da Matta e Eduardo Viveiros de Castro fizeram grandes descobertas sobre os Tupi desde a metade do século passado. Já no caso dos Guarani os trabalhos de Bartolomeu Melià e Pierre Clastres complementam essas descobertas.

Além disso, outros indícios permitem aos cientistas contar a história de povos sem escrita. É o caso, por exemplo, de fósseis analisados por paleontólogos, dos estudos de etnobiologia, das teses de linguística comparada, das análises de formas decorativas em artefatos e pinturas corporais feitas por historiadores da arte. A rigor, esse trabalho recente está em andamento – ou, em outras palavras, ainda estamos delineando um retrato razoável, por meio da escrita, dos costumes que funcionam como leis no coração dos Tupi-Guarani. Mas a literatura técnica já produzida é útil para avaliarmos o que está registrado na documentação histórica, nos relatos produzidos desde o contato inicial dos europeus com os indígenas.

O governo consuetudinário que se revela dessa maneira não é bem o que foi descrito no passado, nos documentos a que, durante séculos, os historiadores recorreram para fazer seu trabalho e contar a história do Brasil. E o que se nota hoje é que essa documentação está fortemente enviesada pelas crenças dos escritores, revelando até mais de seus preconceitos do que efetivamente dos costumes que procuravam descrever.

Mesmo quando tais autores viveram muito tempo em contato com essas sociedades e tinham grande capacidade de observação – era o caso, por exemplo, de José de Anchieta ou, em escala muito menor de convívio, do calvinista Jean de Léry –, questões como a crença religiosa do observador marcavam as afirmações sobre os observados.

As mudanças trazidas pela escrita de antropólogos produziram um retrato tão mais fiel dos costumes, do governo e da economia Tupi-Guarani que nem vale muito a pena repassar o senso comum remanescente desses séculos ou – pior – daquilo que se ensinou e se ensina até hoje sobre os nativos brasileiros em escolas secundárias e em cursos universitários de história. O sumaríssimo resumo dos costumes permitido pelas novas técnicas leva a outro retrato: nos primeiros séculos do milênio passado, a combinação de organização em pequenos núcleos com relações de aliança, domínio da tecnologia agrícola, formação de excedentes e administração temporária em guerras e rituais permitiu que os grupos Tupi-Guarani dominassem um território cada vez maior no interior do continente. A maior parte das terras férteis estava sob seu controle. Cada unidade se governava a si mesma, pelo costume. Todas as unidades expandiam o costume comum, fazendo pressão sobre mais de uma centena e meia de povos com outros costumes, muito diversos daqueles dos Tupi-Guarani. Podiam produzir e acumular riquezas com facilidade – caso fosse necessário. Nesse momento de sua evolução receberam inesperados visitantes.

CAPÍTULO 2
> *Governos com genros europeus*

A partir de 1500 os habitantes do litoral atlântico da América do Sul contemplaram uma cena que se repetiria com frequência cada vez maior: grandes barcos fundeavam em baías, se reabasteciam de água e mantimentos e, em troca das cargas que levavam, deixavam objetos – e também pessoas. Nos registros históricos constam vários motivos para o desembarque desses indivíduos. Havia os marujos que, cansados das viagens e dos riscos, atiravam-se por conta própria na busca de uma nova vida em meio à paisagem deslumbrante (que incluía as mulheres vestidas apenas com coberturas púbicas e pinturas corporais). Comandantes ordenavam o desembarque de tripulantes, os chamados lançados, que ficavam em terra para aprender os costumes dos moradores e relatar seus conhecimentos para um eventual próximo comboio. E também passaram a ser comuns as arribadas de náufragos. O destino dos que deram em terra foi tão variado quanto os motivos de desembarque. Muitos terminaram mortos. Mas os sobreviventes cuja história acabou sendo registrada tiveram quase sempre o mesmo destino: eles travaram relações com os grupos Tupi-Guarani.

Não se tratava de acidente. Um dos primeiros a escrever sobre essas relações foi Ulrich Schmidl, alemão que fazia parte de uma leva de 300 espanhóis que subiram o rio da Prata a partir de 1535. Durante dois anos foram topando com habitantes nativos, lutando por comida, escorraçando e sendo escorraçados. Não conseguiram estabelecer nenhuma outra forma de contato além da guerra com qualquer grupo, exceto quando afinal encontraram os Guarani. Após um breve combate, estabeleceu-se uma trégua – e, em seguida, os 300 europeus receberam 300 mulheres nativas em casamento. Não porque eram bonitos, mas porque os Guarani firmaram com eles uma aliança pelas regras consuetudinárias tradicionais, ou seja, por meio da oferta matrimonial. O determinante era a cultura Guarani: os forasteiros não haviam mantido relações com mulheres de outros povos indígenas simplesmente porque a aliança por casamento não fazia parte do costume deles.

Essa peculiaridade cultural determinou a sobrevivência dos que vieram dar no litoral atlântico, com uma pequena variante: como a maior parte da costa era dominada pelos Tupi, os despejados de navios no litoral acabaram conhecendo várias possibilidades de convivência com esse grupo. Os mais belicosos e corajosos foram mortos como guerreiros e tiveram seus corpos devidamente ingeridos em banquetes rituais, muitas vezes em festas que reuniam vários grupos. Outros se salvaram pelo medo. O alemão Hans Staden foi tratado como guerreiro valoroso e preparado para o sacrifício. Porém, quando chorou na hora em que ia ser morto, a cerimônia foi interrompida: um covarde sem honra transmitiria a covardia aos que ingerissem sua carne. Por essa atitude desprezível, Staden foi transformado em escravo.

Numa sociedade que não funcionava segundo o princípio da acumulação de bens, os escravos não tinham valor como mercadoria. Eram apenas seres humanos sem o valor dos guerreiros, portanto destinados a uma existência corriqueira no grupo. Se eram capazes de produzir alimentos e ajudar nos trabalhos, recebiam uma mulher, com quem tinham filhos, e viviam no grupo tal como os velhos que não mais iam à guerra. Mas não participavam dos grandes momentos rituais de ingestão de coragem guerreira – muito menos das guerras, reservadas para os homens valorosos.

A regularidade da passagem dos navios consolidou-se a partir de uma fórmula que combinava a capacidade de produzir excedentes econômicos dos Tupi com a busca desses excedentes pelos navegadores em torno de um elemento crucial: os utensílios de ferro. Como desconheciam a metalurgia, os Tupi apreciaram muito os machados de ferro europeus, com os quais derrubavam árvores em um décimo do tempo do que o faziam com ferramentas de pedra. Já os europeus descobriram que podiam obter elevados lucros com vários objetos, entre os quais logo se destacaram as toras de pau-brasil, de onde se extraía uma tintura vermelha para tecidos que logo teve grande demanda no mercado europeu. Não demorou para que se organizasse um esquema de trocas. Franceses, espanhóis e portugueses dispersos pelo litoral acabaram se firmando como intermediários, concentrando a recepção e o armazenamento dos utensílios de ferro trazidos de portos europeus e que depois eram usados na troca com o pau-brasil. Isso criou uma mudança na estrutura da economia local, com a introdução de uma produção regular de excedentes para a troca – e o comércio de produtos vindos de fora, até então muito limitado, passou a fazer parte das vidas e dos planos cotidianos dos grupos Tupi que passaram a consumir produtos de ferro importados.

Todos os eventos descritos até aqui e todas as adaptações posteriores se passaram sem a participação efetiva de qualquer governo europeu. Apenas e exclusivamente os governos Tupi viabilizaram esse fluxo comercial, fazendo adaptações em seus modos de produzir mas mantendo seus governos consuetudinários – aos quais os europeus, por sua vez, tiveram de se conformar. Não chegou a ser exatamente um sofrimento. A cultura Tupi-Guarani previa a absorção de forasteiros, segundo um costume bem definido, o qual era apenas uma dentre várias opções de relacionamento, como também o sacrifício ritual ou a escravização dos covardes. A aceitação de um estrangeiro se fazia, como já se viu, por um ato muito simples: o casamento de aliança com uma filha de chefe. E esse ato, num grupo em que, pelo costume, os homens vinham de fora e as mulheres eram educadas para receber em casa os homens de fora, era bem mais simples de ser arranjado quando envolvia indivíduos de plagas remotas. O grupo que aceitava o estrangeiro o fazia com o sentido costumeiro de firmar uma aliança com todo o povo do noivo – uma ideia à qual os negócios deram nova substância.

Para merecer uma filha de chefe, o noivo deveria ser capaz de trazer progressos para todo o grupo – algo que os objetos de ferro ajudavam muito a materializar. Não demorou para que os detentores da maravilha fossem capazes também de obter uma segunda mulher – o que os alçava a um plano mais elevado no modo de governar Tupi-Guarani. A poligamia era em geral reservada àqueles capazes de produzir muito, lutar com valor e fazer novas alianças de casamento – em suma, restringia-se aos chefes. Quando surgiram europeus com acesso a excedentes de ferro – e isso era poder – muitos chefes vislumbraram a oportunidade de se aliarem aos controladores desses excedentes, recorrendo ao método a que estavam acostumados, ou seja, oferecendo-lhes as filhas em casamento ou – caso isso já tivesse acontecido – arranjando uma segunda mulher para o genro. Com isso asseguravam a prioridade nos benefícios eventualmente trazidos por conterrâneos do novo genro.

O papel de genro do chefe foi aquele no qual acabaram se enquadrando todos os estrangeiros bem-sucedidos nos negócios. Em cada porto onde se deu um arranjo desse tipo, um ou alguns poucos europeus, apoiados nessas alianças, foram capazes de organizar um fluxo comercial no qual os elementos básicos, num primeiro momento, foram, de um lado, os utensílios de ferro e, de outro, o pau-brasil. Para eles, os ganhos eram evidentes: como o ferro custava bem menos do que o pau-brasil, era possível ter um bom lucro na transação. Mas seria também um bom negócio para os membros de uma sociedade na qual não tinha sentido acumular bens?

Para os nativos, os utensílios de ferro valiam muito pelo que poupavam de trabalho e pelo poder que conferiam. A tarefa mais dura que cabia aos homens era a de abrir as roças, cortando árvores com machados de pedra. A empreitada levava dias com os instrumentos tradicionais – em vez de horas com um machado de ferro. Mesmo que os Tupi não tivessem interesse econômico em sempre aumentar mais a produção, a troca de ferramenta já valeria pelo tempo de trabalho poupado – que poderia ser dedicado a mais bem viver. Mas havia também uma razão estratégica fundamental a ressaltar a importância dos machados de ferro.

A abertura de uma nova roça exigia que um grupo grande de homens fortes deixasse a aldeia e ficasse fora por todos os dias em que durasse o trabalho. E, como todos os grupos em mudança cumpriam a tarefa na mesma época do ano, esse era um fator muito considerado pelos chefes na hora de fazer a guerra. Para um grupo sem machados de ferro, a ausência do grupo empenhado em abrir uma roça longe durava muito tempo – e criava uma oportunidade para atacar a aldeia desprotegida por aqueles que faziam o mesmo trabalho em menos tempo. Portanto, o chefe que contava com um genro fornecedor de implementos de ferro desfrutava de todas essas vantagens – e não apenas em favor do grupo isolado que comandava. A partir de certa escala, as possibilidades produtivas de um único povo ou da natureza em sua área de domínio poderiam ser menores do que a demanda. Nesse caso, um chefe poderia aproveitar os utensílios de ferro para ampliar a produção em outros locais, realizando alianças matrimoniais com chefes de outros grupos da mesma etnia.

Tudo isso era necessário para "satisfazer a demanda": como um único navio podia transportar até 5 mil toras de pau-brasil, a extração da madeira tinha de ser estendida por uma área considerável. Mais ainda, o trabalho de corte e transporte era contínuo entre as visitas dos navios, de modo a deixar o carregamento pronto para facilitar e apressar o seu embarque. Os intermediários europeus logo se tornaram mais do que simples sobreviventes casados ao modo Tupi. Muitos receberam cargas de ferro suficientes para que as ofertas corressem o interior do continente. Grupos cada vez mais distantes foram sendo mobilizados pelas ofertas metalúrgicas e pelos pedidos de madeira. Também começou a surgir um sistema de logística, com muita gente envolvida na dura tarefa de carregar as toras nas costas até o litoral.

Nas áreas afetadas, as mudanças também se refletiram no próprio papel de chefe. Antes, nos tempos de paz, o controle do chefe sobre os excedentes produtivos e os demais membros do grupo era bastante diluído, resumindo-se na prática ao que conseguia por meio do convencimento. Já o comando dessa produção de excedentes para a troca constituía uma oportunidade única de manter o tempo todo o poder que antes se gozava apenas em épocas de conflitos. A mudança também se refletiu no equilíbrio com os demais grupos. Se os Tupi da costa já desfrutavam de vantagens tecnológicas e estratégicas antes da chegada dos europeus, quando tiveram maior acesso aos utensílios de ferro eles conseguiram aumentar a sua força guerreira, possibilitando-lhes o controle de praticamente todos os territórios que quisessem.

O aumento da escala produtiva e dos conflitos teve outras consequências. Os cativos de guerra, antes incorporados ao grupo, agora passaram a ser empregados nos trabalhos produtivos – e muitos começaram a ser vendidos como mercadoria pelos genros que serviam de intermediários. Já na segunda década do século XVI esses negócios se tornaram comuns em todo o litoral – e em vários portos surgiram entrepostos permanentes comandados pelos genros de chefes. Assim passaram a ter um papel que antes não existia na sociedade Tupi: o de pessoas ricas, capazes de acumular a partir de trocas comerciais. Alguns nomes de portugueses nessa situação e nesse período foram registrados por historiadores: Vasco Fernandes Lucena, em Pernambuco; Diogo Álvares Correia, o Caramuru, na Bahia; João Ramalho e Antônio Rodrigues, em São Vicente.

Mas o fato é que talvez fossem minoria entre os europeus. O número de franceses vivendo nas mesmas condições talvez fosse ainda maior, uma vez que os negócios entre os genros franceses acomodados em grupos Tupi e os navegantes de seu país estendiam-se por uma vastíssima área, que ia desde a foz do rio Amazonas até a baía de Guanabara. Havia também espanhóis em meio a esses grupos, sobretudo no sul: o Bacharel de Cananeia e Enrique Montes, este em Santa Catarina, foram os mais notórios.

E não havia exclusividade para os conterrâneos nas compras e vendas. Alguns deles, quando ganharam dinheiro suficiente, viajaram para a Europa, levando as suas diversas mulheres Tupi. Foi o que fez Diogo Álvares Correia, que seguiu para a França num navio comandado por Jacques Cartier, o futuro descobridor do Canadá. O grupo desembarcou em Rouen, onde as mulheres foram batizadas em 1528. Uma delas, Guaibimpará, filha do chefe Taparica, teve como madrinha Catherine des Granges, nobre e mulher de Cartier – e adotou o nome desta, ficando mais tarde conhecida como Catarina Paraguaçu.

O mesmo entrecruzamento de espaços e culturas acontecia no interior do continente. Em 1526, o português Aleixo Garcia, que vivia em aldeamentos na região de Cananeia, embrenhou-se pelo interior com um grande número de guerreiros seus parentes, sempre avançando por regiões dominadas por Tupi ou Guarani. Ali encontravam guias para levar a expedição adiante. As trocas tinham dois sentidos. Muitos grupos iam conhecendo o ferro; já os europeus constatavam que as histórias ouvidas no litoral não eram apenas lendas ou mitos. Depois do contato com os incas e a prata, descobriram que o "Império do Rei Branco" existia – e, melhor ainda, que havia prata em fartura. Garcia recolheu amostras bem reais do metal, e elas chegaram intactas ao ponto de partida da expedição, ainda que ele tenha morrido no caminho.

Os europeus de Cananeia receberam as amostras. Como essa espécie de notícia, acompanhada de provas, era sensacional, moradores da região – bem como suas mulheres – foram levados para a Europa, onde mostraram pessoalmente as peças para os reis de Portugal e da Espanha. Os franceses souberam de tudo. Diante da comprovação da existência de minerais preciosos, os soberanos dos três reinos chegaram à mesma conclusão: valia a pena gastar dinheiro próprio para fazer algo que até então vinha sendo totalmente desnecessário, qual seja montar postos avançados – "oficinas" no exemplo inicial – de governo no território. Até então, durante três décadas, as providências governativas para adaptar a produção crescente de mercadorias e manter a vida civilizada haviam sido tomadas apenas pelos Tupi. Como eram capazes de produzir, segundo seus costumes, mais excedentes que o padrão anterior exigido pelos europeus, o crescimento da acumulação econômica não exigiu transformações de monta nesses costumes: dentro deles, com variantes palatáveis, os genros foram ampliando as atividades e se adaptando ao modo de vida Tupi-Guarani.

CAPÍTULO 3
> *Governo português: teoria, escrita e Igreja*

Se o mais difícil na análise histórica do papel dos governos Tupi-Guarani é formular os costumes que os regem na forma escrita pela qual estamos acostumados a pensar, a dificuldade para entender o governo português do século XVI é inversa: destrinchar um resumo coerente das muitas escritas que o regiam. Nesse caso vale a pena seguir o caminho inverso, indo da teoria às leis.

Em termos de teoria, o reino português não se distinguia de outras monarquias na Europa. Desde a Antiguidade, todas seguiam uma regra máxima que definia a lógica das leis e do exercício da autoridade: a manutenção da desigualdade entre os seres humanos. Quem formulou a regra foi Aristóteles, que assim a definiu na *Política*: "Todos os homens que diferem entre si para pior, no mesmo grau em que a alma difere do corpo e o ser humano difere de um animal, são naturalmente escravos, e para eles nada melhor do que estarem sujeitos à autoridade de um senhor."[1]

Essa desigualdade radical, definida como "natural", funcionava como guia para a ação de quem detinha o poder. Com o cristianismo uma pequena alteração foi introduzida na fórmula. O governante mais sábio era aquele que não interferia nas desigualdades introduzidas por Deus na natureza, mas antes as mantinha tal como haviam sido criadas. A manutenção do desigual, se bem realizada, equivalia a fazer justiça – e o cumprimento desse objetivo nada tinha a ver com a fórmula atual de que todos são iguais perante a lei. Ao contrário, o ideal de justiça era "dar a cada qual o seu direito", ou seja, tratar desigualmente cada um segundo sua qualidade. Essa capacidade central era nomeada *fuero juzgo* no pensamento hispânico: "Faciendo derecho el rey debe haber nome de rey, et faciendo torto pierde nome de rey", na expressão de Francisco de Vitoria.[2]

O direito e o torto, no caso, não resultam da ação própria do soberano, mas antes do fato de suas ações se pautarem pelo respeito ao plano divino, o qual funciona como a régua da vida terrena. E régua que seria conhecida na Terra apenas pelo rei (cujo poder teria, portanto, origem divina). Com base nessa régua e atribuindo a justa parte a cada um, o soberano mereceria a fama de justo. Os reis de Portugal resolveram merecer seu nome fazendo algo que nem era obrigatório para quem conhecia as medidas da Justiça: desde o século XV passaram a editar as leis que mantinham a justa medida que sustentava as desigualdades entre os homens num código conhecido como as Ordenações do Reino.

Em 1521, o rei D. Manuel deu um passo adiante, empregando sua versão, as chamadas Ordenações Manuelinas, como arma de difusão e propaganda num tempo de mudanças. Aproveitou a recente invenção da tipografia para fazer cópias do conjunto de leis e distribuir essas cópias pelos incontáveis órgãos com poderes judiciários, visando a uniformidade de aplicação – que não tinha nada a ver com universalidade da lei ou igualdade. Tratava-se apenas da organização da desigualdade. O código era organizado em cinco livros, cada um deles subdividido em títulos. O conjunto visava criar uma hierarquia – algo que pode ser facilmente entendido a partir de um exemplo: as determinações do modo pelo qual uma pessoa podia ser presa.

O Livro I tratava das formas mais altas de Justiça. No caso das prisões, o título 14 definia a esfera mais alta, aquelas detenções que só o monarca podia mandar fazer através do meirinho-mor, o único que poderia prender "pessoas de Estado, quando por nós [o rei] lhe for mandado, e assim grandes fidalgos ou tais que outras justiças não possam prender".

Já o Livro II, que, de maneira geral, regulamentava as relações do poder régio mais alto com a nobreza e o clero, definia caso a caso como funcionavam as prisões de nobres – apenas o rei podia determiná-las e eram feitas com discrição – ou clérigos da alta hierarquia – cada ordem tinha os próprios privilégios e algumas delas detinham plenos poderes para julgar o preso, acima até mesmo da vontade real.

O Livro III codificava várias relações entre agentes do rei, clero e nobreza com os estratos intermediários, os cavaleiros e fidalgos. O título 4 desse livro definia que desembargadores e altos funcionários podiam trazer para a Corte todos os processos em que estivessem envolvidos – enquanto o título 6 dizia que esses funcionários só podiam ser citados ou presos com autorização direta do rei.

Os livros IV e V tratavam em geral das relações entre os fidalgos e os estratos mais baixos da sociedade: os homens de negócios e o povo. Mesmo os empresários podiam muito pouco judicialmente. O título 52 determinava os poucos casos nos quais poderia haver prisão pelo não pagamento de dívidas – e apenas quem não tinha nenhuma espécie de privilégio estava sujeito a ela.

O Livro IV definia também uma série de normas civis reservadas às pessoas sem privilégios: herança partilhada entre os filhos (as propriedades da Igreja e dos nobres não eram divididas), compra e venda de bens (inclusive a terra). Já o Livro V trazia as normas de comportamento geral – mas punições particulares. O título 31, por exemplo, trazia as punições para homens que se vestissem de mulher ou mulheres que se vestissem de homens, com as respectivas penas: pessoas sem nenhum grau de fidalguia deveriam ser açoitadas em público; escudeiros "e daí para cima" teriam pena de dois anos de degredo.

Com esses exemplos é possível entender a própria finalidade da lei escrita em Portugal: definir direitos diferentes de acordo com a posição social do indivíduo. Por isso, sobretudo a partir das Ordenações Manuelinas, a busca de lugares apropriados para cada um ganhou um nome duradouro: corporativismo. O vocábulo indicava o emprego da metáfora do corpo como modelo ideal para o funcionamento de toda a sociedade. Como definiram Barreto e Hespanha, "faz parte deste patrimônio doutrinal a ideia de que cada parte do corpo social, como cada órgão humano, tem sua própria função, de modo que a cada parte deve ser concedida autonomia para o corpo funcionar".[3]

Nessa metáfora, o governo é concebido como sendo a cabeça da sociedade, ao passo que as partes desta são os diversos órgãos a ela subordinados. O corporativismo configurava uma versão atenuada da definição aristotélica, na medida em que se calcava mais no princípio da *diferença* funcional entre órgãos do que naquele da desigualdade radical entre pessoas. Essa nuance era importante, pois deu origem a um instrumento eficaz de ação política depois da codificação escrita das leis: o recurso de buscar o Judiciário para arrancar concessões no sentido do reconhecimento de pequenos privilégios pelo enquadramento na lei. Esse fluxo inverteu até mesmo o privilégio maior do rei, amparado na origem divina de suas medidas de justiça: "Uma vez que a doutrina corporativa do poder estabelecia como núcleo dos deveres do rei o respeito à Justiça, este ficava obrigado a observar o direito, quer enquanto conjunto de comandos (dever de obediência à Lei), quer enquanto instância geradora de direitos particulares (dever de respeito aos direitos adquiridos)."[4]

Como a expressão "corporativismo", o termo "direitos adquiridos" tem vida longa. Na origem, o significado da expressão vinha a ser exatamente o contrário da igualdade. Marcava, antes, o privilégio particular que distinguia um indivíduo de outro (o fato de só poder ser preso de determinado modo, ser condenado a penas menores etc.), identificava uma função corporal na sociedade – e funcionava como cimento para a ideia de que as diferenças eram a verdade política criada pela natureza, sancionada pela Justiça e mantida pelo rei.

O uso do Judiciário como instância maior de defesa do corporativismo e do reconhecimento de direitos adquiridos levou esse poder a funcionar em Portugal como uma espécie de órgão emissor da moeda da diferença social – algo que não acontecia nas versões mais castiças da filosofia aristotélica, nas quais tal papel era reservado apenas a Deus e ao olho divino do rei. Como resultado dessa "descentralização", os limites se alargaram: "O princípio da intangibilidade dos privilégios era uma peça central nas estratégias jurídicas de defesa do *status quo* político. A tal ponto que mesmo Pascoal de Melo continua a afirmar que 'também os privilégios concedidos individualmente a alguém se chamam leis; pois ninguém pode perturbar aquele cidadão na fruição de seu direito'."[5]

Todos os privilégios tidos como direito deixaram de ser apenas tradicionais para se transformarem em assunto de tribunal: "A derrogação de um direito adquirido – fosse a propriedade de bens, a posse de ofícios, a detenção de um privilégio irrevogável, o direito de não pagar impostos ilegalmente criados – só era possível em sede judicial. Dito isso, já se vê como os tribunais, como instâncias de salvaguarda da justiça e de defesa dos direitos de cada um, ocupam, na constituição jurídica do Antigo Regime, uma função constitucional determinante."[6]

A codificação de leis e a judicialização dos conflitos inerentes ao reconhecimento de diferenças e direitos adquiridos não eram as únicas peculiaridades da formalização escrita do governo português da época. A empresa dos descobrimentos e a administração das novas terras estavam ligadas a uma singular estrutura – capaz de dar conta, ao mesmo tempo, de uma operação tecnológica de ponta e uma diplomacia religiosa: a Ordem de Cristo. Essa instituição tinha uma história reveladora. Embora conquistada pelos cristãos na Primeira Cruzada em 1098, Jerusalém viu-se de novo cercada pelos árabes em 1116. Foi nessa ocasião que os nobres franceses Hugo de Poiens e Geoffroi de Saint-Omer juraram, na igreja do Santo Sepulcro (o templo dos cristãos na cidade), viver em perpétua pobreza e defender os peregrinos que iam à Terra Santa. Nascia assim a Ordem dos Cavaleiros Pobres de Cristo, renomeada, em 1119, como Ordem dos Cavaleiros do Templo, quando a sede foi transferida para o Templo de Salomão – e por isso ficou conhecida como a Ordem dos Templários.

Na época, várias organizações católicas congregavam devotos sob regimento próprio. A dos templários, entretanto, tinha um regimento particular: seus membros eram monges-guerreiros que se empenhavam em combates militares. As regras da ordem eram secretas e só conhecidas, na totalidade, pelo comandante-chefe (o grão-mestre) e pelo papa. Desde o início, os templários foram desobrigados de obedecer aos reis. Podiam, assim, ter interesses próprios. Ao entrar na ordem, o novato só conhecia parte das regras e, à medida que era promovido, sempre em batalha, tinha acesso a outros conhecimentos, reservados aos graus hierárquicos superiores. Ritos de iniciação marcavam as promoções.

Essa estrutura com graus de iniciação permitiu que os templários atuassem em frentes pouco comuns para uma ordem religiosa. Enquanto as cruzadas empolgaram a Europa, os templários receberam milhares de propriedades por doação ou herança – o que gerou uma oportunidade administrativa e financeira. Cada sede foi orientada a criar uma caixa-forte para depósitos de ouro e outros objetos preciosos. Elas aceitavam joias de viajantes, entregando uma letra com o valor do depósito; o viajante entregava a letra em qualquer sede e recebia o valor: eram as primeiras letras de câmbio e o início de um banco de empréstimos com agências internacionais. Os ritos de iniciação também permitiram que se especializassem em arquitetura e engenharia. O mito central que envolvia as atividades era o de que os templários haviam descoberto a planta do Templo de Salomão (que teria sido riscada por Deus) e com isso os iniciados como pedreiros, homens que dominavam régua, esquadro e compasso, seriam capazes de construir as melhores fortalezas e catedrais do mundo.

A necessidade de ligação constante entre o Oriente e a Europa levou a outra forma de iniciação: cavaleiros que construíam navios e conheciam os segredos da navegação cuidavam da frota que interligava as duas regiões – uma das instalações mais importantes eram os estaleiros de Lisboa. E assim em muitas áreas. Os templários precisavam o tempo todo de cavalos, e acabaram desenvolvendo métodos de cruzamento e seleção de raças em seus estábulos. Outro desenvolvimento veio com a obtenção e o processamento regular de informações. Estabeleceu-se um fluxo de informações sobre terras, caminhos e riquezas que era ordenado a partir do centro. Um dos textos dessa espécie que acabou circulando na ordem foi o das viagens de Marco Polo – aliás, sobrinho de um grão-mestre – ao Oriente.

Mas todos esses avanços tecnológicos estavam ligados a uma causa central. Enquanto houve cruzadas, os templários exibiram orgulhosamente o manto branco com a cruz quadrada vermelha. Com a queda da Cidade Santa, em 1244, e a expulsão das tropas cristãs da Palestina, em 1291, a mística se dissipou. As derrotas no Oriente Médio desencadearam uma onda de acusações, segundo as quais os cavaleiros teriam feito acordos com os muçulmanos, fugido de campos de batalha e traído os cristãos. Aproveitando o clima, em 13 de outubro de 1307 o rei francês Felipe, o Belo, invadiu, de surpresa, as sedes templárias em toda a França. Só em Paris foram detidos 500 cavaleiros, muitos dos quais acabaram degolados. Todos os bens da ordem foram confiscados. Esperava-se uma fortuna, mas, como pouco foi efetivamente recolhido, criou-se a lenda de que tesouros teriam sido transferidos em segurança para outro país. Para muitos, esses país teria sido Portugal. O rei D. Dinis (1261-1325) decidiu de outro modo. Em 1317, reiterando que os templários não haviam cometido crime em Portugal, D. Dinis transferiu o patrimônio deles para uma organização recém-fundada: a Ordem de Cristo.

Assim, Portugal serviu de refúgio para perseguidos em toda a Europa. De vários países chegavam fugitivos carregando o que podiam. O castelo de Tomar virou a caixa-forte dos segredos que a Inquisição não conseguiu arrancar. Nas primeiras décadas de existência da Ordem de Cristo, os ex-templários mantiveram os estaleiros em Lisboa, fizeram contratos de manutenção de navios e dedicaram-se à tecnologia náutica, aproveitando o conhecimento adquirido no transporte marítimo de peregrinos entre a Europa e o Levante. Alimentaram planos para voltar à ação, contornando a África por mar e, aliando-se a cristãos orientais, expulsar os mouros do comércio de especiarias. Convenceram alguém importante. O infante D. Henrique sagrou-se cavaleiro em 1415, na batalha de Ceuta, no atual Marrocos, em que os portugueses expulsaram os muçulmanos da cidade. No ano seguinte, o príncipe foi nomeado comandante da Ordem de Cristo. Solteiro e casto, dividia o tempo entre o castelo de Tomar, sede da ordem, e a vila de Lagos, no Algarve. Em Tomar, cuidava das finanças, da diplomacia e da carreira dos pilotos iniciados nos segredos do empreendimento cruzado. O castelo era um repositório de recursos e informações secretas. Lagos era a base naval e uma corte aberta.

Desde Tomar, D. Henrique chefiou as negociações com o Vaticano. Em 1418 conseguiu sagrar uma importante aliança: uma bula papal deu aval para o projeto de navegação, classificando-o como uma cruzada. Em termos técnicos, o reconhecimento desse estatuto na bula transferia à Ordem de Cristo o poder de organizar e administrar a Igreja nos territórios conquistados. Da cobrança dos impostos eclesiásticos à criação de bispados ou paróquias, tudo dependia do grão-mestre da ordem. Ao mesmo tempo o papa reconhecia o direito desta aos territórios conquistados aos infiéis e se comprometia a lutar pelo reconhecimento desses direitos entre outros reis católicos. Daí em diante, cada avanço para o sul e para o oeste será seguido da negociação de novos direitos. Em um século, os papas emitiram onze bulas privilegiando a Ordem de Cristo com monopólios de navegação na África, posse de terras, isenção de impostos eclesiásticos e autonomia para organizar a ação da Igreja nos locais descobertos. Já em Lagos a vida era muito cosmopolita para o tempo. Vinham viajantes de todo o mundo, de "desvairadas nações de gentes tão afastadas de nosso uso", como diz Gomes Eanes de Zurara, na *Crônica da tomada da Guiné*. Entre outros, o autor cita moradores das ilhas Canárias, caravaneiros do Saara, mercadores de Timbuctu (hoje no Mali), monges de Jerusalém, navegadores venezianos, alemães e dinamarqueses, cartógrafos italianos e astrônomos judeus.

Até a metade do século XV todos os volumosos investimentos para transformar essa variedade de informações em conhecimentos capazes de permitir a navegação oceânica foram bancados pela Ordem de Cristo

– e os resultados (mapas, instrumentos de navegação, relatos de viagens) guardados em Tomar e mostrados apenas aos cavaleiros iniciados que agora comandavam navios e missões diplomáticas. Enquanto o tesouro de dados marítimos esteve sob a sua guarda, a estrutura secreta da ordem garantiu a exclusividade para os portugueses. Em Tomar e em Lagos, os navegadores progrediam na hierarquia apenas depois que a sua lealdade era comprovada, se possível em batalha. Só então tinham acesso aos relatórios reservados de pilotos que já haviam explorado regiões desconhecidas e a preciosidades como as tábuas de declinação magnética, que permitiam calcular a diferença entre o polo norte verdadeiro e o polo norte magnético assinalado pelas bússolas. E, à medida que as conquistas avançavam no Atlântico, eram feitos novos mapas de navegação astronômica, que forneciam orientação pelas estrelas do hemisfério Sul, a que também unicamente os iniciados tinham acesso.

Todavia, com a consolidação do comércio na rota das Índias, a partir da sua descoberta em 1498, a Coroa foi aos poucos absorvendo os poderes da ordem. Já no reinado de D. Manuel, de 1495 a 1521, o rei de Portugal era também o comandante dela – em caráter privado, pois a instituição não se fundiu com o restante do governo. As terras americanas estavam até então subordinadas apenas à Ordem de Cristo. À frente dessa complexa estrutura legal e administrativa, o rei D. João III, herdeiro de D. Manuel, se viu às voltas com maridos de mulheres Tupi – e decidiu que espécie de governo iria instalar no Brasil.

CAPÍTULO 4
> *Vilas*

Os moradores de Cananeia que herdaram as amostras de prata obtidas por Aleixo Garcia foram levados para Sevilha, na Espanha, em 1530 – com todas as suas mulheres, com seus filhos e parentes. O rei Carlos V, então o homem mais poderoso da Europa, dono das coroas de Castela, Aragão, Leão, Navarra, Catalunha, Alemanha, Áustria, Borgonha, Sicília, Sardenha, Nápoles e Milão, ligou pouco para a poligamia que exibiam abertamente e muito para o metal. Recebeu os recém-chegados, ouviu-lhes os relatos, cobriu-os de honrarias – e tratou de modificar sua estratégia. Enquanto Carlos V tomava providências, espiões portugueses ficaram sabendo do encontro e avisaram o rei D. João III em Lisboa. Este ordenou a seu embaixador que fizesse o possível para convencer algum dos náufragos a lhes contar a mesma história. O embaixador mostrou-se convincente o bastante para que Gonçalo da Costa aceitasse rever seu Portugal natal. Finda a conversa, o monarca ofereceu mundos e fundos para que ele deixasse de lado as benesses espanholas e servisse a um novo senhor. Porém, como o acordo proposto não incluía a permissão para que vivesse com as duas mulheres Tupi e os filhos, Gonçalo achou mais prudente fugir de fininho.

O embaixador repetiu o processo de aliciamento com Henrique Montes, igualmente português. Mais sensível ao dinheiro que aos casamentos, abandonou as suas mulheres na Espanha e foi para Lisboa no início de novembro de 1530. Já no dia 15 foi nomeado cavaleiro da Casa Real – um fidalgo de nobre estirpe – e passou a ganhar 2,4 mil-réis por ano. No mesmo ato foi nomeado provedor da armada de Martim Afonso de Sousa, quase pronta para levantar âncoras, o que ocorreu no dia 3 de dezembro de 1530. Ao longo de 30 anos a monarquia portuguesa vinha recebendo notícias, bens e pessoas do Brasil. Nada disso levara o rei a mover um dedo no sentido de instalar qualquer dispositivo de governo no território: nem ao menos um modesto funcionário ou um casebre haviam sido instalados para competir com a autoridade governativa dos chefes Tupi-Guarani.

Martim Afonso de Sousa, um amigo de infância do rei, recebeu de D. João III algo mais que o comando das naus. Levava uma carta que o designava capitão-mor de todo o Brasil. Em outras palavras, o texto delegava ao comandante uma série de poderes que só o rei poderia exercer. Entre esses poderes, o mais importante era o de tomar posse do território: Martim Afonso de Sousa deveria percorrer todo o litoral, desde a foz do Amazonas até a foz do Prata, e fincar marcos de pedra nos mais diversos pontos, como prova material do domínio português. O comandante gastou um ano cumprindo essas ordens. Era um serviço para o rei em disputa com outros soberanos europeus – mas, como marcos de pedra não significavam muita coisa para os moradores da terra, nenhum deles deu muita atenção aos artefatos reais.

Em 1º de agosto de 1531 a armada chegou a Cananeia – o ponto de partida da expedição pioneira de Aleixo Garcia. Dali todos se lançaram à região da prata por dois caminhos: um grupo de 70 homens – sem experiência no convívio com os nativos – foi enviado por terra aos domínios do Rei Branco. Já os navios seguiram a rota determinada pelo rei: descer pelo mar até a foz do rio da Prata e subir continente adentro por ele e pelo rio Paraná. Os dois projetos fracassaram. A tropa terrestre desapareceu sem notícias, o navio de Martim Afonso naufragou em baixios, os outros não conseguiram ir muito longe rio acima. Juntando as sobras, o capitão voltou no rumo norte – e foi dar em dia exato num local que já fora batizado em português. No dia 22 de janeiro de 1502 as naus de Gonçalo Coelho haviam aportado numa baía – e como era dia de são Vicente, padroeiro de Portugal, deram o nome dele ao local.

Durante o longo intervalo de três décadas nenhuma autoridade havia aparecido por lá, e assim o nome original caíra no esquecimento. Mais práticos, os frequentadores o conheciam pelo tipo de atividade ali praticada: Porto dos Escravos. Na falta de pau-brasil abundante na região, outra "mercadoria", embora menos rentável que a madeira de tintura, mostrara-se atraente o suficiente para ser trocada por utensílios de ferro. Para estabelecer esse fluxo foi necessária apenas uma adaptação nos hábitos guerreiros locais. Em vez de deixarem soltos os prisioneiros de guerra, os europeus associados aos chefes passaram a se apossar deles, levá-los até o porto e promover as convenientes trocas. Em tudo o mais, procediam ao modo Tupi: forneciam artefatos, recebiam mulheres, apoiavam os chefes no preparo das guerras que davam substância a seu poder de mando.

Os principais chefes da aliança local perfilaram-se para receber o capitão que desembarcava: Tibiriçá, Caiubi e Piquerobi, todos Tupi. João Ramalho e Antônio Rodrigues, náufragos que ali viviam por duas décadas e casados com inumeráveis mulheres das muitas tribos que se aliaram para formar a rede de negócios, também estavam presentes. Estima-se que comandassem 20 mil homens, que espalhavam utensílios de ferro e terror continente adentro. Com isso Martim Afonso de Sousa sentiu-se seguro o suficiente para aceitar um convite e visitar a taba de Tibiriçá, que ficava num local conhecido como Piratininga – onde mais tarde os jesuítas fundariam o colégio de São Paulo. Subiu a serra do Mar, conheceu o rio Anhembi (mais tarde Tietê), que os exércitos da aliança usavam para penetrar no interior.

Martim Afonso voltou para São Vicente. Nesse cenário que combinava o augúrio do santo protetor com a rudeza dos moradores, por um motivo até hoje desconhecido, o comandante tomou uma medida diversa daquelas que vinha tomando antes. Por mais de um ano andara de porto em porto, conhecera diversas instalações de genros de chefes Tupi, avaliara suas condições – sem fazer mais que observações. Diante da grande autoridade do grupo que o recebia com honras – a cada dia chegavam ao local mais chefes e genros europeus convocados por eles –, decidiu que era hora de uma nova atitude. Ofereceu uma possibilidade para alguns de seus homens: desembarcar, casar com uma mulher indicada por João Ramalho e passar a viver na terra. Houve aceitação em número suficiente para o comandante desencadear um longo rol de providências escritas, capazes de criar não apenas um governo regido por leis, mas a substância de uma vida sob essa espécie de governo. Mandou chamar o escrivão da armada e fez com que formalizasse por escrito os títulos de sesmarias. Cada genro importante recebeu o seu título, de modo que todos passaram a ostentar também a condição de proprietários da terra na qual morariam – garantida por alguém que assinava em nome do próprio rei. Até mesmo Henrique Montes recebeu uma sesmaria.

Depois, Martim Afonso convocou o capelão para que batizasse as nativas. Como os sacerdotes não podiam batizar fiéis de outras religiões, a saída foi considerar as índias como inocentes, ou seja, como desprovidas de qualquer tipo de religião. Desse modo, depois de batizadas elas passaram a ser enquadradas na categoria de cristãs-velhas, isto é, de descendentes de cristãos pelos quatro costados e, portanto, aptas a receber títulos de nobreza.

O batismo permitiu que as nativas fossem casadas no ritual católico – interpretado nos moldes de sua cultura: como um ato que as vinculava a filhos de chefe, com dignidade suficiente para que invertessem a regra usual e mudassem para a casa dos maridos. E agora iriam viver nas terras cedidas – também pelos nativos, como parte da aliança – aos casais. Em seguida, um juiz preparou a lista dos "homens bons" do local. Na definição do tempo, tais "homens bons" seriam cristãos-velhos (netos de cristãos pelos quatro costados, tal como suas mulheres), proprietários de bens de raiz (garantidos pelos recém-concedidos títulos de terras), pessoas que não viviam do comércio com dinheiro (na falta deste, a atividade central do porto deixava de ser empecilho) e pessoas que viviam de acordo com a lei da Igreja; como a poligamia dos que estavam há tempos na terra também foi esquecida, eles entraram na lista – e se tornaram imediatamente aptos a exercer um direito importante.

Homens bons funcionavam como eleitores das autoridades que poderiam governar uma vila – e um decreto de Martim Afonso de Sousa transformou São Vicente em vila. Na realidade portuguesa, o governo de uma vila por pessoas eleitas era o mais adequado para locais nos quais não existiam nobres, clérigos ou fidalgos com direitos sobre terras e pessoas – apenas pessoas do terceiro estado, povo e aspirantes a fidalguia, como os novos homens bons, o que era o caso do Brasil. Portanto, os homens bons procederam segundo a lei, elegendo aqueles que teriam o poder de governar em nome do rei, fazendo cumprir as Ordenações do Reino. E, reunidos em uma câmara, os homens bons escolheram aqueles que seriam vereadores (e fariam as leis); administradores (e fariam cumprir as leis, inclusive com o poder de prender os recalcitrantes) e juízes (e julgavam aqueles que transgrediam as leis). Tudo foi registrado em ata, inclusive as decisões dos três primeiros eleitos para governar. Juntos se revezariam nas funções administrativas e judiciais. Assim, numa sequência de rituais, textos padronizados nos formatos usuais, atos preparatórios e sagrações, instalou-se a vila de São Vicente – a primeira oficina do governo português no território brasileiro.

Pelo conjunto de atos registrados em documentos escritos formais, os genros que antes controlavam o Porto dos Escravos se transformaram em fidalgos. Não mudaram de roupa, não abandonaram as mulheres e continuaram a viver exatamente como antes. Mas nem tudo era como antes. Martim Afonso de Sousa sabia empregar muito bem as fórmulas rituais. Os antigos náufragos foram enobrecidos para garantir uma sólida aliança com os desembarcados. Estes ficariam na terra como esteio de um projeto que incluía algo mais do que as trocas comandadas pelos genros europeus. A vila garantia domínio suficiente para que Martim Afonso de Sousa iniciasse um investimento de longo prazo no local, com a instalação de um engenho de açúcar. Não se trata apenas de aproveitar as oportunidades locais, mas de criar oportunidades produtivas de longo prazo. O nome popular do local já indica que o fornecimento de trabalho cativo para o plantio e a colheita da cana não seria um problema. A vila instalada serviu de garantia para que um dos grupos financeiros mais importantes da época, os Fugger alemães, se associasse ao flamengo Erasmo Schetz para financiar as compras de equipamentos e instalações.

Com tais projetos assentados, Martim Afonso de Sousa partiu. Por mais duas décadas a vila de São Vicente manteve-se isolada e sem contatos com qualquer representante da autoridade real. Tempo suficiente para que os rituais e as formalidades fossem esquecidos. Tempo para que o Porto dos Escravos voltasse a ser o que eram todos os assentamentos com europeus no território: ponto de negócios comandados por genros de chefes. Mas não foi assim. Aquela gente preservou um ritual. As autoridades eleitas governaram, distribuíram títulos mal escritos pelos raríssimos alfabetizados, prenderam, multaram e julgaram. Passados os três anos dos mandatos regulares os vereadores convocaram eleições, os eleitos tomaram posse, aqueles que deixaram o governo voltaram para a condição de simples governados, os novos governantes passaram a exercer a autoridade.

Eram quase todos analfabetos, indivíduos de origem humilde, nobilitados apenas no papel, casados com índias ou filhas de índias. Estas mulheres estavam mais que acostumadas com a autoridade dos governos do costume – eleita e provisória, competente na busca de consenso – e com a vida em coletividades nas quais mandavam os homens, ainda que a casa permanente se organizasse em torno da linhagem feminina. Nesse grupo misto operou-se o milagre da multiplicação das eleições e do governo cuja autoridade derivava da escolha dos governados. Assim a instituição portuguesa da vila sobreviveu num ambiente inteiramente diverso daquele no qual havia sido criada. Em Portugal, a autoridade dos vereadores eleitos era apenas uma entre muitas – e de pouca importância na hierarquia. Os escolhidos só podiam decidir questões que não afetassem os poderes do rei, dos nobres, da Igreja e dos fidalgos – ou seja, quase nada. No Brasil, como não havia nenhuma dessas autoridades superiores, os eleitos se tornaram os únicos governantes formais no território. Dividiam a autoridade com seus aliados, os chefes Tupi ao redor. Mas o fato é que os genros desses chefes passaram a ser também homens bons – e eventualmente ganhavam mandatos de vereador, que cumpriam apenas até o final do prazo – e assim se tornaram interessados na nova forma de governo. Dessa maneira, ocorreu uma sobreposição do governo regular mas sem escrita das aldeias e do governo baseado em fórmulas escritas legais, sem contrastes invencíveis entre um e outro.

Antes que tal construção de grande plasticidade passasse pela prova do tempo, no entanto, mudaram as regras do jogo. Ainda com partes da armada de Martim Afonso de Sousa no Brasil, o rei D. João III criou no território outra instância de governo. Em carta a Martim Afonso de Sousa, disse que tinha encontrado outro caminho. Cancelou as franquias concedidas ao capitão e amigo de infância para governar todo o território em seu nome e resolveu fatiar o domínio em "capitanias hereditárias". Na carta, o soberano não deixou de lembrar que reservara "as melhores fatias" para o comandante e para o irmão deste, Pero Lopes de Sousa, os quais receberam capitanias alternadas no litoral sul; e, além disso, Pero Lopes tornou-se capitão de Itamaracá, em Pernambuco. Os títulos começaram a ser distribuídos a partir de 1534. Em pouco mais de dois anos, todo o território foi redistribuído. Começava uma nova era, na qual os pedaços de papel fundavam novos cálculos de governo – que a prática do contato com a economia mista dos Tupi e dos genros trataria de transformar em destinos.

CAPÍTULO 5
> *Capitanias*

AS AMOSTRAS DE PRATA E AS HISTÓRIAS DE HENRIQUE MONTES LEVARAM O REI D. João III a gastar dinheiro do Tesouro para financiar a viagem do amigo Martim Afonso de Sousa. Mas os relatos do capitão-mor listando fracassos e as mortes dos buscadores de metal o levaram a enfrentar uma dura realidade. Os governos se mantêm graças ao que arrecadam dos governados e ao que conseguem emprestado. D. João III avançara sobre os recursos do reino para pagar a expedição e não podia contar com a sonhada prata para repor com lucro esse dispêndio. Pior ainda, gastara num período em que a agricultura portuguesa enfrentava problemas devido ao clima, em que os franceses faziam provocações diplomáticas e em que as viagens para a Índia não estavam rendendo o previsto. Tudo isso também significava aumento de despesas. Fechando a conta e constatando o déficit, os conselheiros do rei o chamaram para uma reunião em Évora, no verão de 1532. Saiu dela convencido de que não valia a pena gastar muito dinheiro do Tesouro para instalar um governo no Brasil. E foi convencido porque os conselheiros apresentaram-lhe um plano de repassar a missão a particulares.

Nos moldes da época, era uma fórmula clássica. O rei concedia parte de seus poderes a empreendedores que realizavam, por conta própria, serviços governamentais, em troca dos quais cobravam impostos dos beneficiários, embolsando a diferença na forma de lucros. Já havia sido empregada com êxito nas ilhas dos Açores e da Madeira, de modo que era só adaptar a ideia para a nova terra. O segredo estava no equilíbrio adequado entre o que o rei cedia ao interessado e o que reservava para si mesmo como autoridade. A parte cedida ficava registrada numa carta de doação: o domínio sobre uma porção de terra (a capitania); as regras de transmissão desse domínio para herdeiros (por isso, hereditárias); os poderes de governo reservados ao donatário em relação ao controle da justiça e da vida civil, exercidos como autoridade no lugar do rei. Já a parte da autoridade partilhada era definida em outra carta, o foral. No princípio, o termo designava uma concessão régia pela qual os moradores das vilas ficavam, num território delimitado, diretamente sob a autoridade do rei e fora da jurisdição de senhores feudais ou clérigos. A instituição foi adaptada para o caso brasileiro com algumas variações.

Juntamente com a capitania, o rei concedia ao donatário os poderes de criar vilas ou escravizar nativos para o cultivo da terra. Além disso, o donatário ficava isento de parte dos impostos a que estaria obrigado, como o dízimo e a contribuição para a Ordem de Cristo, assim como das taxas incidentes no comércio de pau-brasil e pescados. Todavia, os demais impostos deveriam ser pagos ao rei, de modo que a ideia central era assegurar uma renda para o Tesouro, evitar despesas e, ainda assim, estabelecer no território alguma espécie de governo submetido a Lisboa. Como tudo isso era dado de graça, não faltaram interessados na doação das capitanias. Porém, com as cartas nas mãos, esses interessados teriam de viabilizar o governo nos novos domínios, o que implicava investir dinheiro na montagem da operação a fim de colher lucros. Nas ilhas do Atlântico, a fórmula dera certo com a instalação de engenhos de açúcar. Estes eram construídos e geridos por operadores interessados em enriquecer. Quando começava a produção e vinham os lucros, os operadores pagavam impostos ao donatário, que por sua vez repassava ao rei parte do dinheiro. No Brasil, surgiram interessados em 15 fatias – e cada um deles experimentou fórmulas próprias para transformar os dois pedaços de papel em governo efetivo e dinheiro nos bolsos.

Começando do Norte, o donatário de uma das duas capitanias intituladas Maranhão era João de Barros. Tesoureiro da Casa da Índia, não tinha dificuldades para obter recursos, mas faltava-lhe tempo para cuidar do assunto. Arranjou-se então com seu vizinho na segunda capitania do Maranhão, Fernando Álvares de Andrade, e seu sócio na capitania do Maranhão, Aires da Cunha. Os investimentos seriam feitos em conjunto, começando pela ocupação da capitania do Maranhão. O trio armou dez navios, que levantaram âncora em 1535. A maior parte da frota se perdeu numa tempestade e alguns sobreviventes foram dar no Caribe. Só um pequeno grupo desembarcou no Maranhão. Como ali os aliados dos Tupi eram franceses, foram recebidos a flecha e acabaram expulsos. O prejuízo dizimou as fortunas dos donatários. Apenas em 1554 reuniram dinheiro para tentar de novo, dessa vez com dois navios. E de novo foram expulsos pelos nativos aliados aos franceses.

A capitania do Ceará foi doada a Antônio Cardoso de Barros, alto funcionário do Tesouro. As notícias do fracasso maranhense e da existência de feitorias francesas em seu quinhão foram decisivas ao pesar os prós e os contras: entre a proximidade segura de um tesouro real e os riscos para fazer o seu, resolveu ficar com o que já punha no bolso e deixou o governo e os negócios cearenses em mãos dos Tupi e franceses. No caso da capitania de Rio Grande, ela foi dada em sociedade para João de Barros e Aires da Cunha – justamente os dois que perderam muito investindo no Maranhão. Por conta disso os sócios tiveram a mesma atitude do vizinho setentrional: deixaram o governo e os negócios para os nativos e franceses. Pero Lopes de Sousa, o donatário de Itamaracá, tinha uma relação bem diferente com seu território. No comando de navios da frota do irmão Martim Afonso de Sousa, ele atacara e tomara duas vezes a feitoria francesa ali existente. Instalara gente de confiança na administração – mas o diabo é que a clientela que vinha de navio era toda francesa, de modo que ficou muito difícil criar um fluxo de comércio em outra direção. O melhor que conseguiu foi reforçar a posição minoritária de náufragos portugueses que eram sócios dos investidores franceses, contentando-se com alguns trocados.

O vizinho ao sul era Duarte Coelho, donatário da capitania de Pernambuco. Ele decidiu vir pessoalmente, trazendo a mulher, Brites de Albuquerque; o cunhado, Jerônimo de Albuquerque; e todos os técnicos que julgava necessários para instalar engenhos – além de ter encontrado financiadores e fornecedores europeus para garantir a operação. Ainda assim passou apertado, pelo motivo de sempre: nativos pouco interessados em abandonar as terras que controlavam ou em abrir roças para os outros (pois sabiam o quanto isso era trabalhoso). As disputas pela mão de obra de nativos aliados continuaram, até serem resolvidas ao modo da terra: Vasco Fernandes Lucena, náufrago português com vasta experiência no trato com governos nativos, convenceu Jerônimo de Albuquerque a se casar com Muira Ubi, filha de um chefe Tabajara. Selada a aliança, o sogro mudou de lado – e as coisas mudaram de rumo. Enquanto Jerônimo ia tendo filho atrás de filho com sua mulher, batizada de Maria do Espírito Santo Arcoverde, e com outras filhas de chefe que garantiram a ampliação da aliança original, tudo se resolvia. O território governado pelos sogros dos franceses foi limitado, apareceram escravos para trabalhar, os campos foram cultivados, os negócios progrediram e um governo português se firmou no território – com duas instâncias distintas.

Além da capitania, em 1541 foi instalada a vila de Olinda, com a repetição de todas as formalidades de São Vicente: títulos de sesmarias, lista de homens bons aptos a votar, eleição de vereadores, alternância no poder. A diferença era que havia entre eles produtores regulares – plantadores de cana, artesãos, senhores de engenho – e, portanto, uma volumosa produção de excedentes fora do controle dos nativos. Mas a vila era apenas uma instância menor de governo. Em Pernambuco passou a funcionar de maneira efetiva a autoridade do donatário, em dois sentidos. No das receitas, implantou a cobrança de impostos, inclusive com repasses ao rei, e tais recursos financiavam serviços delegados ao donatário, como o de atuar como instância mais alta que o Judiciário da vila e o de controlar a vida civil.

Dezoito anos depois da chegada, em 1553, Duarte Coelho voltou à Europa levando os filhos para estudar e deixou a mulher, Brites de Albuquerque – que era alfabetizada, coisa muito rara na época – no exercício do cargo de "capitoa e governadora", como diziam os pernambucanos. O marido morreu no ano seguinte, de modo que Brites governou Pernambuco até sua morte, em 1584 – como casta viúva e em sociedade com o seu irmão casado com muitas mulheres. (Jerônimo teve um mínimo de três dúzias de filhos com muitas índias, algumas escravas africanas e a mulher portuguesa que lhe enviou a rainha Catarina quando ele tinha 52 anos, com ordens para desposá-la e "deixar de viver na lei de Moisés, com suas trezentas concubinas"; a parte do casamento foi cumprida e ele teve uma dúzia de filhos com a enviada – mas não se desfez das concubinas.)

Se tivesse prestado um mínimo de atenção nas alianças de casamento com nativas, o vizinho ao sul dos Coelho / Albuquerque / Arcoverde talvez tivesse sido o mais bem-sucedido de todos os donatários. Francisco Pereira Coutinho desembarcou na baía de Todos os Santos em 1536 e foi bem recebido por Diogo Álvares Correia, o Caramuru, suas mulheres e os sogros indígenas. Viu a igreja da Graça, que os parentes índios haviam erguido para a mulher de Caramuru, Guaibimpará, agora rebatizada como Catarina Paraguaçu. Conseguiu com facilidade terras e escravos para implantar engenhos. Por dez anos reinou a prosperidade – tanto dos engenhos e dos ganhos de Coutinho como dos negócios com os franceses que faziam a дляtuna de Caramuru. Por algum motivo, contudo, o donatário fez valer seu apelido de Rusticão, obtido em batalhas pela Ásia e África – e a situação degringolou. Em 1545, os parentes nativos de Diogo e Catarina atacaram os engenhos e a pequena aglomeração urbana (Coutinho, ao contrário de Coelho, não dividiu seus poderes com os moradores fundando uma vila), expulsando os portugueses para Porto Seguro. Tentando retomar a capitania, Coutinho organizou uma expedição em 1547. O navio no qual vinham naufragou e todos foram dar na ilha de Taparica, assim nomeada porque ali vivia o sogro de Caramuru. Então comprovou-se que o Rusticão era de fato um guerreiro valente: foi morto ritualmente a golpes de borduna, teve o corpo cozido e as partes devidamente deglutidas para infundir coragem em seus vencedores, entre eles Caramuru.

A mesma relação inicial entre sucesso econômico e boas relações com os governos Tupi marcou a evolução da capitania de Ilhéus, cujo donatário era Jorge Figueiredo Correia. Ele organizou a expedição, mas deixou o comando nas mãos de Francisco Romero e voltou para Portugal. Este seguiu o roteiro de sucesso: fez aliança com os índios, instalou os engenhos (foram nove), organizou vilas (quatro). As coisas andaram tão bem que um simples proprietário local, Lucas Giraldes, acabou comprando a capitania dos descendentes do donatário original depois da morte deste, em 1552. Mas tudo desandou quando os Aimoré se desentenderam com os novos ocupantes e passaram a empreender ataques seguidos, desarticulando a produção e retomando o governo efetivo da maior parte do território.

Pero de Campos Tourinho, o donatário de Porto Seguro, desembarcou com 700 homens e muitas famílias. O potencial da capitania era grande: terras férteis e muito pau-brasil, além de um mar especialmente piscoso por causa dos corais de Abrolhos. Os problemas eram os mesmos de outros donatários: os franceses dominavam os negócios de pau-brasil porque se haviam aliado por casamento aos Tupi locais. Homem rude e conhecido pela propensão e profusão de blasfêmias, o donatário foi se virando como pôde. Aliou-se aos nativos para mexer na estrutura francesa dos negócios de pau-brasil. Conseguiu espaço suficiente para criar vilas, montar uma produção pesqueira de certo porte (vendia peixe salgado para a Bahia), abrir roças – mas não conseguiu instalar nenhum engenho de grande porte. Por fim, acabou prejudicado por sua boca: mesmo tendo fundado oito igrejas, foi preso por blasfemar e obrigado a responder a processo em Lisboa. Inocentado, viu-se proibido de voltar à capitania, que teve de transferir para o filho. Já Vasco Fernandes Coutinho, o donatário da capitania do Espírito Santo, era o menos abastado de todos. Desembarcou com um pequeno grupo de 60 degredados – e só os que sobreviveram aos primeiros embates com os nativos conseguiram se aliar a eles pelo casamento, sobrevivendo de modo semelhante aos paulistas: fornecendo objetos de ferro para seus parentes que governavam.

Dali para o sul começava uma região de forte associação entre franceses e nativos. Por toda parte essa aliança se fez valer. O donatário de São Tomé, Pero de Góis, foi expulso em 1536. Martim Afonso de Sousa e Pero Lopes de Sousa, donatários respectivamente do primeiro quinhão de São Vicente (no litoral do atual estado do Rio) e de Santo Amaro (parte no atual estado do Rio e parte no atual litoral norte de São Paulo), não fizeram nada nesses domínios. Mas a vila de São Vicente prosperou o suficiente para que a capitania de Martim Afonso fosse se firmando – basicamente porque ali não havia conflito com os nativos, uma vez que o controle do governo da vila estava nas mãos dos genros de chefes importantes e de seus parentes. Um representante local do donatário colhia umas poucas receitas de impostos – mas estas eram lucro, já que ele mesmo não tinha gasto nada para instalar o governo. Na mais meridional das capitanias, a de Santana, não aconteceu nada.

Para resumir, sete dos quinze lotes permaneceram o tempo todo sob governo dos nativos e dos negócios franceses. Em Itamaracá e Porto Seguro, houve ocupação portuguesa, mas os franceses continuaram negociando pau-brasil. Nas regiões de alianças entre nativos e genros portugueses os resultados foram variados. Na Bahia e em Ilhéus os donatários começaram bem mas se perderam, pois não souberam lidar com aqueles que os precederam. No Espírito Santo mal e mal os recém-chegados sobreviveram. Do lado dos resultados políticos, em todas as capitanias nas quais vingou a ocupação instalaram-se vilas e funcionaram os governos eleitos – em uma realidade de mestiçagem progressiva com os aliados nativos. No campo dos resultados econômicos, muitos investimentos se perderam e poucos impostos chegaram aos cofres do rei. Apenas em duas capitanias a aliança entre chefes Tupi e genros portugueses permitiu certo progresso em conjunção com o governo do donatário. Pernambuco, sob o comando de Brites de Albuquerque, foi de longe a tentativa mais bem-sucedida. Depois do acerto com os locais implantou-se a produção de açúcar. A riqueza crescente garantiu o fornecimento de utensílios de ferro para os nativos, boa vida para o donatário, ricos animados na vila de Olinda e impostos para o rei. Em escala muito mais modesta, o mesmo se deu em São Vicente.

Esse balanço foi realizado por D. João III – e dele resultou uma fórmula pessoal para outra tentativa de governo. A maior parte do território era governada pelos habitantes nativos, a seu modo tradicional e apenas com contatos esporádicos de alguns deles para as trocas por ferro, que exigiam pequenas adaptações dos costumes. No litoral, esses governos consuetudinários tinham participação importante de aliados franceses (na maior extensão) e portugueses. O governo propriamente português tinha autoridade sobre uma parcela ínfima do território, aquela ocupada pelas vilas (com a única exceção de São Vicente, onde muitas das autoridades locais exerciam grande influência sobre os governos Tupi ao redor). Apenas nesse espaço valia a autoridade dos donatários. E só em Pernambuco consolidou-se a projetada combinação de duas esferas de governo, a das vilas e a do donatário. Nessa realidade é que o rei vai instalar uma representação da Coroa – um governo de natureza bem mais sofisticada que os existentes.

CAPÍTULO 6
> *Governo-geral*

Ao decidir instalar uma nova esfera de governo no Brasil, o primeiro ato de D. João III foi o de comprar de volta a capitania da Bahia, recuperando os seus plenos direitos em troca de uma compensação financeira à família do falecido donatário Francisco Pereira Coutinho. Ao praticar esse ato, deixou de praticar outros igualmente possíveis nos limites de seus muitos poderes de monarca. Para começar, não demarcou os domínios como sendo propriedade real, como eram suas possessões metropolitanas. Também não escolheu um nobre para lhe conceder poderes de mando no campo da justiça civil e criminal. Preferiu instalar o governo-geral como uma esfera adicional no âmbito da capitania, cujo capitão-mor por acaso era o rei. Dessa forma enquadrou a administração de todo o Brasil como governo sobre terras nas quais não existiriam nobres nem clérigos com poderes especiais. E isso numa época em que as possessões da Índia eram governadas por um vice-rei, um nobre dotado de muito mais poder.

Assim, o governador-geral do Brasil tinha também de governar uma capitania real com os mesmos poderes dos demais donatários: criar vilas, distribuir títulos de terras, cobrar determinados impostos, ter certas franquias judiciárias. As terras cedidas eram todas negociáveis, de modo que sobre elas não se estabelecia qualquer direito de transmissão para um herdeiro. Uma vez que todas as demais instituições de governo seguiam esse modelo, não se transferiu ao Brasil nenhum dos privilégios maiores da nobreza, do alto clero – ou até da fidalguia de maior qualidade. Apenas como exemplo, a terra cedida era mercadoria vendável (algo que só foi disseminado no Ocidente no século XIX) e o sistema de heranças obrigatório era o mesmo do estrato mais baixo da sociedade metropolitana, do povo: divisão igualitária de bens entre os herdeiros.

Esse desenho do governo-geral estabeleceu um exemplo contundente. Se o próprio rei, cabeça espiritual do poder, não empregava os poderes de conceder domínios de terra e jurisdição apartados para si mesmo, por que haveria de fazer concessões similares para a nobreza? Desse modo, a ação direta do governo ficava nas mãos de agentes que circulavam em torno das ordens militares, da pequena fidalguia e dos primeiros técnicos de governo – a chamada nobreza togada, a nobreza dos direitos adquiridos, resultantes da mistura entre empreendimento e nobilitação menor. Esse enquadramento não era corriqueiro nem mesmo para D. João III. Ao assumir o trono em 1521, os conflitos entre a nobreza togada e a nobreza hereditária estavam provocando uma ruptura importante. Ao longo do século XV, Portugal fizera um esforço tecnológico admirável com base em adesões conseguidas pela Ordem de Cristo: cartógrafos judeus, matemáticos árabes, pilotos italianos, financiadores de toda a Europa.

O objetivo central foi atingido: a navegação oceânica permitiu ligar povos e países de todo o mundo. Os navios levavam nos porões mercadorias que criavam novos fluxos de comércio – gerando lucros e concentração de capital para seus proprietários em proporções capazes de mudar a vida econômica do Ocidente. Lisboa foi o primeiro centro mundial a viver essas novas circunstâncias. Porém, assim que os lucros começaram a fluir, o governo português passou a dividir aquilo que lhe custara muito a congregar. A capacidade de absorver inovações esbarrou em limites quando se tratou de criar um ambiente de negócios capaz de dar conta das gigantescas possibilidades abertas pela navegação marítima.

Novas tecnologias e novos negócios se traduziam na multiplicação de pessoas de formação técnica e de empresários – e, em termos de governo, em pressão para ampliar o âmbito de poder dessas pessoas. A adaptação a essa mudança começou ainda antes do reinado de D. João III, mas não exatamente na direção favorável a tal expansão. As expulsões de judeus, primeiro da Espanha e depois de Portugal, ocorreram na altura em que se abriam as rotas marítimas. Os expulsos levaram seus capitais para as cidades da Flandres, que logo se tornaram pontos efervescentes de comércio internacional. Uma das primeiras medidas do novo monarca, em sua condição de administrador da Igreja, foi a de instalar a Inquisição em Portugal, ajudando a expulsar não apenas as pessoas, mas também os capitais e as tecnologias que dominavam – para alegria da nobreza tradicional ameaçada e desespero dos empreendedores.

Em tal cenário, a sobreposição do governo-geral ao esquema das capitanias apontava no sentido contrário à tradição feudal. E o passo seguinte do monarca levou as coisas ainda mais nessa direção. Como primeiro governador-geral, ele escolheu Tomé de Sousa, que recebeu poderes temporários, ligados ao cumprimento de certos objetivos determinados pelo soberano. Tudo isso era explicitado num Regimento entregue ao futuro governador. Ou seja, cabia a ele sobretudo executar ordens. No terreno econômico, o principal objetivo era o mesmo das doações de capitanias: reunir gente e meios capazes de permitir a instalação de atividades produtivas geradoras de lucro (no âmbito empresarial) e impostos (naquele do governo). Tais objetivos econômicos não vinham a ser exatamente aqueles que caracterizavam as relações do monarca com os nobres em Portugal.

Nas instruções de ação política, o ar de novidade era ainda maior. Elas eram detalhadas passo a passo no Regimento – a partir de uma constatação essencial: "Tanto que chegardes à dita baía [de Todos os Santos] tomareis posse da cerca que nela está que fez Francisco Pereira Coutinho, a qual sou informado que está ora povoada de meus vassalos e que é favorecida de alguns gentios da terra e está de maneira que pacificamente e sem resistência podereis desembarcar e aposentar-vos nela com a gente que convosco vai."[1]

A construção do governo teria um alicerce duplo: o favor dos gentios da terra – como eram chamados os índios – e os vassalos existentes. Em apenas uma frase o monarca reconhecia um poder de fato, aquele dos nativos, capaz de dar apoio ao governador com tais "vassalos existentes". D. João III explicitava o que entendia por reconhecimento desse poder dos nativos. O texto do Regimento citava os conflitos entre o primeiro donatário e os nativos, que terminaram com as partes do corpo de Coutinho trinchadas e moqueadas, para mostrar que, mesmo sendo monarca de um Império poderoso, sabia tirar lições dos erros e apontar novos caminhos com ordens bastante diretas: "Portanto vos mando que como chegardes a dita baía vos informeis de quais são os gentios que mantiveram a paz e os favoreçais de maneira que sendo-vos necessário sua ajuda a tenhais certa."[2] Assim, com palavras, o monarca aceitava aquilo que todos os sobreviventes no Brasil haviam aceitado: a aliança com os governantes Tupi. E, mesmo sem palavras diretas, dispunha-se a consagrar a sábia decisão dos sobreviventes. No lugar de simplesmente entregar territórios por cartas, sem ligar a mínima para "vassalos existentes", preferiu entender-se com o maior deles.

Alguns historiadores dizem que, antes de entregar o Regimento a Tomé de Sousa, D. João III escreveu uma carta a Diogo Álvares Correia, o Caramuru. Sem nenhum cargo formal de governo, ele sustentava as alianças essenciais com os Tupi a partir de seus casamentos. Pelas alturas de 1549 era já um homem rico – e algumas de suas filhas, especialmente aquelas tidas com Guaibimpará, agora Catarina Paraguaçu, estavam casadas com homens ricos. Tudo isso se constituía em poder – que foi reconhecido pelo monarca, tenha ou não escrito a carta. Assim que desembarcou, o novo governador fez, em nome do rei, aliança com a família luso-Tupi. Três dos filhos homens do casal foram nobilitados quase no ato do desembarque, alçados a membros da nobreza togada. Logo em seguida, alguns recém-chegados abastados e prestigiosos casaram-se com filhas do casal.

Assim se constituiu muito rapidamente uma ocupação econômica. As terras para a agricultura foram distribuídas sem atritos com os territórios das aldeias aliadas, os utensílios de ferro chegaram ali em abundância – e parte deles foi trocada por escravos que os aliados dos aliados agora traziam do interior, de modo que não faltava mão de obra para abrir matas, plantar cana e construir engenhos. Salvador foi transformada em vila com a repetição dos rituais de São Vicente e Olinda: uma série de títulos de propriedade distribuídos e uma eleição para dar substância e poder ao governo local recém-instalado – e que passava a processar os interesses representados na eleição. Mas a vila não seria como as outras já instaladas no Brasil. Estabelecer uma capitania produtiva para o real donatário era apenas parte do plano.

O Regimento também era claro sobre o que fazer em caso de êxito: "Tanto que os negócios que na dita baía haveis de fazer estiverem para os poderdes deixar, [...] vós com os navios e gente que vos bem parecer ireis visitar as outras capitanias. E porque a do Espírito Santo que é a de Vasco Fernandes Coutinho está levantada ireis a ela com a mais brevidade que puderdes e tomareis a informação por o dito Vasco Fernandes Coutinho e por quaisquer outras pessoas que vos disso saibam dar razão da maneira que estão com os ditos gentios e o que cumpre fazer-se para se a dita capitania tornar a reformar e povoar e o que assentardes poreis em obra trabalhando tudo o que for em vós porque a terra se segure e fique pacífica e de maneira que ao diante se não levantem mais os ditos gentios e na dita capitania do Espírito Santo estareis o tempo que vos parecer necessário para fazerdes o que é dito."[3]

A lição do reconhecimento da aliança Tupi como alicerce sobre o qual assentaria o progresso deveria se estender, transformada em realidade política onde quer que chegasse a ação do governo-geral. Como parte dessa transformação havia mais um ponto expresso no Regimento: "A principal tentativa minha é que se convertam à nossa santa fé, logo é razão que se tenha com eles todos os modos que puderem ser para que o façais assim. E o principal há de ser escusardes fazer-lhes guerra porque com ela se não pode ter a comunicação que convém que se com eles tenha."[4]

As novidades foram além. Até então o comandante da cruzada empreendida pela Ordem de Cristo não tinha feito o menor gesto para instalar a Igreja que comandava naquela terra onde agora instalava uma representação da esfera real de governo. Até 1549 os documentos revelam apenas a construção de igrejas por encomenda de moradores, fossem europeus (como em Iguape, onde existe menção de uma capela de Nossa Senhora da Conceição das Neves em 1534) ou nativos convertidos (como a igreja erguida por ordem de Catarina Paraguaçu). No entanto, tudo mudou de figura depois que Tomé de Sousa conseguiu acertar as coisas durante a viagem em que passou pelos pontos então ocupados. Em 1553, ele saiu de Salvador para executar um plano diretamente associado à combinação de conversão religiosa dos nativos com domínio político ampliado do território.

Esse plano havia sido concebido por membros de uma ordem religiosa fundada em 1540, a Companhia de Jesus. Ainda em seus primórdios, a organização caiu nas graças de D. João III, que, como chefe da Igreja em seus domínios, foi entregando sucessivas missões aos jesuítas, a começar pela reforma da universidade de Coimbra. As relações entre o rei que encomendava serviços e os padres que os realizavam eram muito diferentes das tradicionais. Em vez de ficarem em conventos, os jesuítas eram treinados para andar no mundo; o rei se aproveitava desse treino para encarregá-los de missões específicas, diretamente financiadas com recursos do Tesouro. Sem precisar perder tempo buscando dinheiro de esmolas, os padres iam direto ao ponto. E o ponto, no caso dos seis jesuítas que vieram com o governador-geral, era o de estudar cuidadosamente a cultura dos índios num local onde ainda vivessem a seu modo e montar um projeto exequível de conversão em massa.

Ao passar por São Vicente, Tomé de Sousa conheceu João Ramalho, e assim o descreveu ao rei: "Tem tantas mulheres, filhos, netos e bisnetos e descendentes que não ouso dizer o número a Vossa Alteza. Não tem cãs na cabeça e anda nove léguas a pé todos os dias antes do jantar." Por educação deixou de fora o número de mulheres e a nudez – mas não hesitou em fazer uma série de concessões de fidalguia: transformou a taba onde João Ramalho vivia na vila de Santo André, concedeu títulos de homens bons aos parentes indianizados, conferiu ao andarilho o título de capitão e reconheceu-lhe o mandato de vereador. Em troca de tudo isso conseguiu que ele arranjasse junto a seu sogro Tibiriçá uma forma de acomodar os padres europeus na tribo sem que tivessem de casar – algo que causava muita estranheza a um Tupi. Mas afinal tudo se ajeitou, de forma que o estudo da cultura Tupi foi adiante como parte da ação do governo-geral no Brasil.

Coube ao padre Manuel da Nóbrega chefiar a missão, que contou com grande ajuda de José de Anchieta, capaz de destrinchar em pouco tempo tanto a língua como o sistema de parentesco dos nativos, cumprindo tarefas dignas de um antropólogo moderno. Para o que interessa ao plano de conversão, uma indagação básica precisava ser respondida: os nativos eram seres racionais capazes de reconhecer Deus ou apenas brutos danados? Ao fim do estudo, Nóbrega chegou à conclusão de que, embora fossem "descendentes de Caim e por isso ficam nus", não chegavam a ser, como seres humanos, substancialmente diferentes de europeus e povoadores: "Toda esta gente, uma e outra, naquilo que se cria, tem uma mesma alma e um mesmo entendimento."[5]

Porque tinham alma racional e capacidade de entendimento, o padre jesuíta não via diferenças humanas essenciais entre antropófagos e europeus. Mas, exatamente por não vislumbrar tanta diferença, esboçou um programa de catequese, expresso no *Diálogo sobre a conversão do gentio*, pelo qual os índios deveriam ser transformados à força em cristãos e colocados num lugar determinado na nova sociedade a ser criada: "A lei que lhe hão de dar é defender-lhes de comer carne humana e guerrear sem licença do governador; fazer-lhes ter uma só mulher; vestirem-se, pois têm muito algodão; depois de [transformá-los em] cristãos, tirar-lhes os feiticeiros; mantê-los em justiça entre si e para com os demais cristãos; fazê-los viver quietos e sem mudarem para outras partes, tendo terras repartidas que lhes bastem e padres da Companhia para doutriná-los."[6]

Na altura em que traçou tal plano, a realidade prática do governo no território ainda era marcada pelo domínio das formas anteriores à chegada dos primeiros navios, pelo governo autônomo de pequenos grupos. Mas o comércio de ferro e madeira por navios, marca da nova era, havia promovido as transformações das alianças entre europeus e grupos cada vez mais extensos de Tupi – uma realidade que até mesmo D. João III reconheceu como fundamento para a política. Os territórios das principais áreas de contato entre portugueses e Tupi ganharam o estatuto de vilas, mesmo quando não passavam de tabas, como a Santo André de João Ramalho. Aglomerados regionais de vilas eram supervisionados por donatários. O governo-geral começou como uma capitania de sucesso e como um centro de dispersão das decisões de fundar a política de fato nas alianças com nativos – e nos planos de controle dele. Parecia muito pouco – mas logo apareceu a oportunidade de mudar radicalmente o quadro.

CAPÍTULO 7
> *Governo francês, corpo e espírito*

A ALIANÇA ENTRE FRANCESES E TUPI DEU CERTO EM TODO O TRECHO DO LITORAL que vai do Maranhão ao Rio de Janeiro. Os métodos políticos foram exatamente os mesmos: o casamento de franceses com filhas de chefes fundamentou um fluxo de comércio no qual o algodão e o pau-brasil eram trocados por utensílios de ferro. Os efeitos também foram os mesmos: aglutinação de grupos em torno do fluxo mercantil, guerras seguidas contra os demais ocupantes do território. Os registros sobre o governo em terras americanas são escassos, entre outros motivos porque há pouco interesse de historiadores franceses em estudar os compatriotas que se tupinizaram e as relações deles com seus parentes poderosos em nível local. Uma das exceções é Ferdinand Denis, que escreveu: "O francês que se decidia a viver entre os Tupinambá começava a se conformar, pouco a pouco, em todas as coisas, com o modo de vida de seus companheiros. Adotado por uma aldeia, tomava como seus os interesses dela e seguia os seus costumes. Tal se tornava seu desprezo pelos hábitos que abandonara que, por vezes, se pintavam como selvagens e viviam em florestas. Seguindo o exemplo dos chefes, com quem gostava de se comparar, esposava muitas mulheres."[1]

Francês, português, espanhol, não importa o europeu. A regra do sucesso econômico e social era a mesma: aculturação no governo de costume Tupi e a concomitante criação de um fluxo de negócios. A medida desse fluxo na vertente francesa aparece mais em outro tipo de documentação: desde o início do século XVI, há registros de nativos brasileiros vivendo na França, sobretudo em torno de Rouen. Os negócios com o Brasil passaram a envolver negociantes poderosos dessa cidade – que reclamavam junto ao rei quando seus navios eram apreendidos como invasores do Brasil. Francisco I não hesitou em defender os súditos. Pediu ao papa para ver "o testamento de Adão" que teria justificado o Tratado de Tordesilhas, que dividia entre portugueses e espanhóis o mundo então acessível por navios. O soberano francês também ajudou em processos de perdas movidos pelos armadores e promoveu todo tipo de intriga diplomática. Havia razões econômicas. Os negócios franceses andavam tão bem que, em 1548, Luís de Góis, morador de São Vicente, escreveu a D. João III: "Não sei que fim terá esta carta, pois de dois anos para cá vem a esta parte sete ou oito naus francesas a cada ano, direto para Cabo Frio e o Rio de Janeiro, e não há navio português que ouse aparecer pois muitos têm sido tomados pelos franceses."[2]

As naus francesas não levavam apenas pau-brasil. Os muitos produtos agrícolas domesticados pelos nativos iam encontrando mercado. O algodão tornava-se conhecido entre tecelões. Até mesmo a rainha Catarina de Médici adotou o hábito de fumar tabaco. Havia tantos Tupi vivendo em Rouen que as autoridades da cidade resolveram transformá-los em atração das festividades de recepção ao rei Henrique II e à rainha fumante, que em 1550 visitaram a cidade. E era atração forte o suficiente para atrair gente importante: Maria Stuart, rainha da Escócia; os embaixadores da Espanha, Veneza, Inglaterra e Alemanha, entre outros; além de sete cardeais e nobres de alta estirpe. O espetáculo foi apresentado ao ar livre. O cenário era aquele de uma aldeia que tinha tabas, redes, moquém, instrumentos de todo tipo. Cinco dezenas de Tupi nus (e duas centenas de figurantes franceses) iam mostrando como era a vida cotidiana, inclusive o modo de cortar pau-brasil. O ponto alto do espetáculo ficou para o final: o ataque simulado de uma tribo inimiga, aliada dos portugueses, repelido com ajuda dos franceses.

O fluxo de mercadorias e signos entre o Brasil e a França dependia por completo, no lado americano, dos governos Tupi. Cada grupo nativo, segundo seu costume, dava conta de processar as mudanças econômicas de monta. Tudo funcionava tão bem que nenhum francês teve a ideia de implantar algum tipo de governo na terra. Com o governo-geral, porém, a situação mudou. Em 1554, o cavaleiro Nicolas Durand de Villegagnon, depois de uma incursão a Cabo Frio, convenceu o rei de que afinal seria vantajoso instalar um governo francês. Mesmo sem a perspectiva de muito lucro, Henrique II topou. Ajudando aqui e ali, permitiu que Villegagnon armasse uma esquadra, embarcasse 600 homens e tomasse o rumo da baía de Guanabara. Ao desembarcar ali em novembro de 1555, foi recebido pelos franceses casados na terra. Escolheu o local que lhe pareceu adequado para edificar uma fortaleza, que seria a primeira obra de seu governo: uma laje de pedra no meio da baía (onde hoje funciona a Escola Naval, ao lado do aterro onde foi construída a pista do aeroporto Santos Dumont). Apesar da esquisitice do lugar quente e sem água, não faltaram meios para instalar os aliados dos aliados: com ajuda dos Tupinambá, em três meses o forte estava pronto. Bastou esse curto intervalo para que os soldados e marujos percebessem que podiam ter uma vida muito boa se casassem com as índias que lhes eram oferecidas a cada dia – pois a aliança matrimonial era a linguagem política dos Tupinambá.

Villegagnon, porém, ficou com medo de perder autoridade e acabar governado pelos moradores, e por isso baixou medidas draconianas para separar as partes. A consequência foram os motins e as fugas. Tentando recuperar o comando, Villegagnon começou a escrever cartas a conhecidos por toda a Europa. Num dia de 1556, uma delas chegou a Genebra. Escrita para um antigo companheiro de colégio chamado João Calvino, ausente, foi aberta por seus auxiliares, e os resultados da leitura foram registrados por Charles Baird: "Um culto solene teve lugar na catedral. Todos, naturalmente desejosos de difundir sua religião, deram graças a Deus por aquilo que viam como um caminho aberto para estabelecer sua doutrina e permitir que a luz do Evangelho brilhasse entre os povos bárbaros, sem Deus nem lei nem religião."[3]

Vários jovens estudantes cheios de fé, um dos quais o sapateiro Jean de Léry, se ofereceram para o trabalho de instruir os selvagens a respeito do cristianismo revelado. Formou-se assim o primeiro grupo de protestantes a cruzar o Atlântico. Depois de muitas peripécias, chegaram ao Rio de Janeiro em março de 1557. Foram recebidos por Villegagnon. Depois, ainda segundo Baird: "Concluída a sóbria refeição, o grupo foi deixado nas instalações providenciadas para todos. Consistiam em estacas cravadas na beira da água, as quais os selvagens a serviço do governador cobriram de grama. No lugar de camas tinham redes suspensas no ar, segundo o costume local. Podemos supor que foi uma noite insone para uma parte do grupo. O ar era tépido, como costuma ser em maio na Europa. O céu sem nuvens permitia a vista de novas constelações. A baía, com suas costas irregulares recobertas por graciosas palmeiras e as montanhas que lembravam os Alpes, deve ter deixado insone parte do grupo. Para os pastores, ao menos, os projetos acalentados eram ainda mais impressionantes. Estavam no Novo Mundo, onde a Palavra do Filho de Deus, tão recentemente revelada em toda sua pureza para as nações da Europa, iria ser levada para as tribos selvagens imersas na escuridão. Agora, com a primeira missão do protestantismo, a pura doutrina da Cristandade poderia ser anunciada antes que os emissários de Loyola pudessem introduzir suas crenças corruptas."[4]

Na verdade, os discípulos de Loyola já haviam chegado e estavam pregando para as tribos no Colégio de São Paulo. E a missão dos pastores era bem mais complexa que a dos padres: em um grupo humano que desconhecia a Bíblia e a escrita, eles contavam com a capacidade de distinguir uma interpretação específica do texto bíblico, por eles tida como verdade revelada; e também que os nativos entendessem que tal interpretação contrariava outra considerada corrupta; e vislumbrassem nesse modo novo de interpretar o texto do livro a verdade da razão – e, afinal, se convertessem por vontade própria. De acordo com o roteiro protestante, eles deveriam abandonar sua cultura e seu modo de vida, passando a viver como cristãos renovados sob a direção espiritual dos pastores. Tanta exigência teve poucos resultados: menos de um mês após a chegada, nas palavras de Baird, a avaliação dos homens de fé sobre os nativos estava muito longe daquela em que eram vistos como inocentes à espera da Palavra: "A respeito dos bárbaros habitantes da terra, os pastores escreveram com indisfarçável horror. Não apenas estavam acostumados a comer carne humana, mas de vários modos haviam caído ao nível dos animais. Não distinguiam o bem do mal, não tinham a concepção da existência de um Deus. Os pastores sentiam-se deprimidos pela incapacidade de incutir em tais pagãos as boas novas da Redenção."[5]

Frustração maior, condenação maior. Até mesmo Jean de Léry, um dos que mais conviveram com os índios, não se furtou a um julgamento muito negativo sobre os canibais: "Em verdade penso que pouco diferem dos brutos e que no mundo não há pessoas mais afastadas das ideias religiosas. [...] São descendentes de Caim e trazem o estigma da maldição de Deus. [...] Por mim reputo certo descender esta gente da raça maldita de Adão."[6] Tal juízo decorria do mesmo roteiro inquiridor traçado pelo padre Manuel da Nóbrega: tratava-se, primeiro, de saber se os índios tinham capacidade de entendimento (para católicos e protestantes, isso equivalia a entender a existência do Deus da Bíblia); a partir dessa resposta, era preciso avaliar se eles andavam nus por serem inocentes ou porque eram os filhos danados de Caim; em função de tudo, decidir se podiam ser convertidos ou deveriam ser declarados inimigos da fé. O pastor foi bem mais duro do que o padre Manuel da Nóbrega: incluiu os Tupinambá entre os descendentes de Caim, relegando-os à esfera dos animais desprovidos de razão (e não à dos homens com alma racional, tal como todos os demais, conforme o julgamento de Nóbrega) e dos malditos.

Nóbrega entendia "racional" como capaz de, ouvindo, sentir a divindade. Léry entendia "racional" como sinônimo da capacidade de se curvar à palavra escrita e revelada pela interpretação, sendo esta o grande ente de razão. Como seus interlocutores não mostraram disposição para se converter ouvindo a Palavra, foram incluídos entre os animais ferozes. O que veio em seguida foi pior que frustração. No agrupamento francês havia tanto padres e fiéis católicos quanto pastores e fiéis protestantes. Convivendo com antropófagos reais, os dois grupos logo se engalfinharam num acirrado debate teológico – cujo tema era um milenar ritual de antropofagia simbólica, assim descrita por Carl Gustav Jung: "Os horrores da morte na cruz são imprescindíveis como condição preliminar da transformação na missa. Esta consiste, primeiramente, na vivificação de substâncias inanimadas e, depois, na mudança intrínseca e essencial dessas mesmas substâncias no sentido de uma espiritualização como matéria sutil. Tal concepção se expressa na participação concreta no corpo e sangue de Cristo, pela comunhão."[7]

Até o encontro com os Tupinambá da Guanabara, a ritualização da união entre corpo e espírito num ritual antropofágico simbólico era tão diáfana para todos os cristãos quanto a espiritualização do pão e do vinho. Mas, depois dele, tornou-se impossível evitar a impressão material causada pela ingestão da carne dos prisioneiros sacrificados. Sérgio Buarque de Holanda narrou com certo detalhe as controvérsias teológicas surgidas na ilha: "A crise surgiria no Pentecostes de 1557, quando nasceram dúvidas sobre se era lícito deitar água no vinho na cerimônia da consagração. Villegagnon optou pela afirmativa evocando a tradição, particularmente são Cipriano, são Clemente e os sagrados concílios. [O pastor] Pierre Richier, valendo-se das Escrituras, contradizia firmemente essa opinião."[8]

Villegagnon tinha tanta certeza de que sua posição teológica não apenas seria correta, mas de acordo com as novas doutrinas, que a defendeu em carta enviada ao próprio Calvino, na qual criticava as posições de outro pastor, Guillaume Chartier: "Ensinava ele que a realidade interior é intelectual, não corporal, a ser percebida pela fé. Desse modo, se vos for oferecido o Cristo crucificado da morte e ressuscitado e crerdes que O recebereis será isso mesmo; de outra forma, será apenas pão que comeis. [...] Que Cristo deve ser adorado apenas no espírito, e não na carne, para não se adorar o elemento terreno."[9]

Enquanto os guerreiros Tupi exaltavam em seus discursos a união de corpo e espírito ao ingerirem a carne dos prisioneiros sacrificados ritualmente, os franceses se desentendiam cada vez mais a respeito dessa relação simbolizada na missa, como narra Sérgio Buarque de Holanda: "A controvérsia estava lançada e degenerou logo em violentos debates sobre a natureza da presença de Cristo nas espécies da Eucaristia. [...] Aos poucos foram-se avolumando essas desinteligências e Villegagnon pretendeu impor a qualquer preço sua autoridade, desmandando-se em atos que fecharam o caminho a qualquer reconciliação. [...] O convívio entre as facções em que se dividia a colônia foi ficando cada vez mais insustentável, agravando-se com as notícias, bem ou mal fundadas, de insubordinação e revoltas."[10]

Depois de vários episódios de conflito, o ato final assemelhou-se ao sacrifício dos prisioneiros Tupi – dessa vez com a integridade espiritual exposta pelos prisioneiros protestantes interrogados por Villegagnon antes do sacrifício: "Submeteu todos a um rigoroso questionário que versou sobre pontos de teologia referentes aos sacramentos. E como três deles se mostrassem obstinados no apego às opiniões dos reformados, condenou-os por hereges, mandando suplicá-los e depois lançá-los ao mar."[11] A disputa cindiu o governo francês na Guanabara – que assim chegou a resultados opostos aos acordos com nativos que haviam permitido o estabelecimento do governo-geral português em Salvador. No lugar de reforçar alianças e tolerar os costumes de governo Tupi, os governantes franceses passaram a condenar os casamentos com índias, impedir alianças – e brigar entre si por motivos religiosos. Foi um fracasso total. Católicos e protestantes foram abandonando a Guanabara. O projeto ruiu antes mesmo do primeiro ataque português. E as desavenças de católicos e protestantes em torno da simbologia antropofágica de união de corpo e espírito na missa prosseguiram no retorno à França. De lá a controvérsia se espalhou pela Europa, com os desentendimentos levando à primeira guerra entre católicos e calvinistas na França – e pelo menos outras oito ocorreriam até o final da década de 1570.

Assim, a simbologia Tupinambá entrou na cultura europeia. Um francês da região de Rouen, Michel Eyquem, senhor do castelo de Montaigne, conheceu os Tupinambá (dizem que tinha um criado trazido do Rio de Janeiro) e as guerras religiosas. Com isso na memória, em algum momento da década de 1570 ele escreveu um ensaio intitulado "Dos Canibais", no qual dizia:

"O benefício da vitória [dos canibais na guerra] consiste na glória que auferem dela e na vantagem de se terem mostrado superiores em valentia e coragem, pois não saberiam o que fazer dos bens dos vencidos. [...] Quando vencidos, seus inimigos procedem de igual maneira. Aos prisioneiros não se exige senão que se confessem vencidos. Mas não se encontra um só, em um século, que não prefira a morte a assumir uma atitude ou uma palavra capazes de desmentir uma coragem que timbram em ostentar acima de tudo. Não se vê quem não prefira ser morto e comido a pedir mercê. Dão-lhes todas as comodidades imagináveis para que a vida lhes seja mais grata, mas ameaçam-nos frequentemente com a morte futura, com os tormentos que os esperam, com os preparativos feitos para tal fim, com a destruição dos seus membros e o festim que celebrarão à sua custa. Fazem tudo isso para lhes arrancar da boca alguma palavra de fraqueza ou de humilhação, ou induzi-los a fugir, vangloriando-se então de os terem amedrontado e quebrantado a sua firmeza. Porque, em verdade, só nisto consiste a verdadeira vitória: 'A vitória verdadeira é a que constrange o inimigo a declarar-se vencido.'"[12]

Como tal espécie de vitória nem sempre acontecia, a escolha mais comum dos prisioneiros seria outra: "Longe de se renderem diante do que se lhes faz, conservam um ar alegre nos dois ou três meses que estão em poder do inimigo; incitam seus captores a apressar-lhes a morte; desafiam-nos, injuriam-nos, lançam-lhes na cara a sua covardia e relembram as inúmeras batalhas por eles perdidas contra os seus. Conservo uma canção feita por um desses prisioneiros, onde se encontra este dito: 'Que venham todos quanto antes, e se reúnam para comer minha carne, porque comerão ao mesmo tempo aquela de seus pais e avós, que outrora alimentaram e nutriram meu corpo. Estes músculos, esta carne e estas veias são as vossas, pobres loucos; não reconheceis que a substância dos membros dos vossos antepassados ainda está em mim? Saboreai-os bem e achareis o gosto da vossa própria carne.' Não há o menor traço de barbárie neste discurso.

As testemunhas que descrevem os moribundos no momento do sacrifício pintam o prisioneiro cuspindo na cara de seus matadores e fazendo-lhes caretas. Não deixam, até ao último suspiro, de os insultar e desafiar por palavras e obras."[13]

A descrição da morte ritual termina antes do ritual do repasto antropofágico – pois o autor coloca nesse momento a questão essencial que está sendo examinada no ensaio: "Empregando nossos olhos, diríamos sem dúvida: eis aqui homens completamente selvagens. Mas, de fato, ou eles o são na realidade ou o somos nós. Isso porque existe uma maravilhosa distância entre a maneira de ser deles e a nossa."[14] Esse ensaio marcou a primeira grande influência da cultura Tupi-Guarani no pensamento europeu. Para Montaigne, seriam os Tupi, e não os reis ou religiosos europeus, aqueles que manteriam a integridade mística entre corpo e espírito – aquela que se perdia com as guerras no âmbito da cristandade. Essa integridade resistiu a governos e religiosos no meio século em que os Tupi puderam controlar o avanço do governo formal e da palavra escrita por meio do controle dos genros aliados. Em seguida, porém, não mais conseguiriam manter monopólio de governo em sua terra natal.

CAPÍTULO 8
> *Aliança geral*

Em 1557, o trono de Portugal passou para um menino de três anos, D. Sebastião, já então apelidado de "O Desejado". Um dos primeiros atos da regente, D. Catarina, a avó do menino, foi indicar Mem de Sá, filho de padre (num tempo em que padres ainda podiam casar e ter filhos), funcionário do alto escalão, juiz de instâncias superiores, legislador, embaixador, para ocupar o cargo de governador-geral do Brasil. Tinha 58 anos de idade – bem mais que a média de vida da época. Ao desembarcar em Salvador, no dia 27 de dezembro de 1557, em vez de seguir para o palácio do governo, internou-se no convento dos jesuítas. Durante vários dias discutiu ponto por ponto os planos para a colônia elaborados pelo padre Manuel da Nóbrega. O jesuíta Serafim Leite definiu desta forma o resultado das conversas: "Adotou e cumpriu sem reservas, não obstante a oposição."[1] Uma de suas primeiras medidas, em 1559, foi alterar as tarifas alfandegárias, reduzindo em quase 40% a alíquota para a entrada de escravos africanos, tornando mais barata a importação. Quem mais ganhava com isso eram os comerciantes que pagavam parte das compras de açúcar com escravos africanos. E quem mais perdia eram os produtores que empregavam a mão de obra nativa e seus fornecedores.

Quase ao mesmo tempo, o novo governador-geral promoveu algo inédito ao reunir exércitos Tupi aliados de toda a colônia para uma investida contra o governo francês no Rio de Janeiro. Até então a capacidade de arregimentar tropas aliadas restringia-se à esfera de cada aliança local, via casamentos. Mas algo havia mudado: os jesuítas haviam estabelecido relações entre os vários espaços portugueses – preparando o terreno para um alistamento geral em todas as áreas nas quais viviam portugueses indianizados. Em 1560, a ordem de reunir os aliados foram cumpridas – e visavam um objetivo claramente ligado a um projeto de governo que ia além das alianças com governos locais Tupi e conferia um caráter nacional a conflitos tribais e mercantis. Nesse novo tipo de guerra, o primeiro alvo era o forte francês na baía de Guanabara. A vitória foi rápida, até porque ali restara apenas uma pequena fração dos ocupantes originais. Mas a ela seguiu-se um longo e demorado embate com a verdadeira base da atividade econômica francesa: os miscigenados e Tamoio (esse é o nome dado pelos demais Tupi aos Tupinambá da região que se haviam aliado aos franceses), que afinal eram os governantes de fato do território.

O conflito se estendeu por uma área enorme. Numa primeira etapa, as tropas dos muitos Tamoio avançam por todo o litoral ao sul da Guanabara e o vale do Paraíba, em 1562. Só foram detidos por João Ramalho, quando tentavam invadir São Paulo. Os jesuítas foram arregimentando os índios que podiam e enviando notícias a Salvador, onde o governador preparava um novo grupo de ataque, que ficaria sob o comando do seu sobrinho, Estácio de Sá. Além disso, no Espírito Santo, os jesuítas conseguiram uma ajuda de peso.

Arariboia vivia com a sua gente nos fundos da baía de Guanabara – mas acabou tendo de fugir dali para o Espírito Santo após a chegada do grupo do governador francês. Internou-se pelos matos, arregimentou pessoal. Aceitou com fúria o convite para se reunir ao grupo organizado para retomar sua região nativa, em 1564. No ano seguinte, as tropas portuguesas comandadas por Estácio de Sá e por aliados indígenas entraram na baía de Guanabara. A guerra longamente preparada foi bem-sucedida. Depois de um primeiro ataque caíram as posições dos franceses miscigenados de Uruçumirim (hoje praia do Flamengo). Numa segunda onda de ataques, Estácio de Sá acabou ferido no rosto por uma flecha envenenada, vindo a morrer pouco depois. Mas a taba de Paranapuã também caiu, e a vitória foi completa. O que houve em seguida foi também a inauguração de novos métodos de tratamento dos vencidos. Em vez de fazer escravos, o objetivo do combate Tupi, os Tamoio foram massacrados a sangue-frio. Seguiram o destino dos franceses, "pendurados em paus para escarmento", nas palavras do jesuíta Simão de Vasconcelos.

Os combates ainda continuaram pelos anos seguintes. Em 1575, os Tamoio foram expulsos de Cabo Frio. Com essa vitória, a guerra tribal em escala ampliada promovida pelo governo-geral cumpriu seu efeito mundial: refugiando-se no interior, os Tamoio perderam contato com o aliado europeu com quem trocavam mercadorias – e os franceses perderam tanto o negócio como o domínio, por falta de produtos para trocar. A partir desse momento cessaram os fluxos do Rio de Janeiro para Rouen, as exibições para a Corte francesa, as possibilidades de comprar pau-brasil, algodão e tabaco.

A instalação de Tupi aliados dos portugueses no novo território não seguiu o modelo tradicional da expansão das alianças de fundo matrimonial. Os vencedores eram agora representantes diretos do rei e, portanto, capazes de "dar a cada um conforme o seu" numa escala mais ampla – e conforme aos moldes da época. Primeiro deram ao rei. Em teoria, o território conquistado deveria pertencer a dois capitães donatários: os descendentes de Martim Afonso de Sousa (um quinhão de São Vicente) e Pero Góis da Silveira (São Tomé). Mas o governador-geral promulgou uma lei na qual se dizia que, uma vez que a terra tinha sido abandonada, justificava-se a criação de uma nova capitania real, a do Rio de Janeiro.

Também por decreto o governador-geral nomeou o sobrinho Estácio de Sá capitão-mor da capitania recém-criada. Para ele e outros amigos, o governador-geral distribuiu as melhores terras como sesmarias, fazendo da região quase uma capitania hereditária dos Sá. Mem de Sá não se esqueceu dos aliados. Os jesuítas receberam generosas doações de terras, nas quais montaram engenhos e fazendas. Ao longo dos séculos seguintes, as propriedades jesuíticas do Rio de Janeiro, em especial o Engenho de Dentro e a Fazenda Santa Cruz, seriam das mais rentáveis da região. O governador-geral e os jesuítas souberam criar uma situação especial para seu principal aliado militar. Primeiro, conseguiram a conversão de Arariboia, que foi batizado com o nome de Martim Afonso de Sousa. Além disso, pediram ao rei que lhe conferisse um título de nobreza togada extraordinário, o de cavaleiro da Ordem de Cristo, com pensão de 12 mil-réis anuais.

Para merecer um título como esse o pretendente precisava provar que era "cristão-velho", ou seja, neto de cristãos pelos quatro avós. A definição que Manuel da Nóbrega criara, aquela do índio inocente e dotado de razão, serviu para contornar o caso: ela transformava o batizado de um inocente num atalho para a nobilitação. Poucos conseguiam o título na ordem chefiada pelo rei – e quase ninguém era ainda por cima agraciado com uma pensão. Receber dinheiro era um privilégio tão grande no século XVI que apenas nove testamentos do período em São Paulo registram herança nessa espécie. Além da nobilitação, Arariboia ainda ganhou duas sesmarias. A maior delas, conhecida como São Gonçalo dos Índios, na atual Niterói, virou uma mescla de aldeamento jesuítico com propriedade comunal, misturando as funções de arregimentação de defesa e fornecimento de mão de obra. Os vencedores também providenciaram para o agraciado uma casa na cidade, perto daquelas das autoridades. Cada vez que vinha à casa o proprietário era tratado com a deferência reservada a um fidalgo – embora o registro definitivo na Ordem de Cristo nunca tenha sido realizado.

Seja como for, o arranjo marcou um novo tempo. No Brasil como um todo, a atuação do governo-geral levou a um realinhamento das alianças tribais. A mobilização geral de várias alianças locais em torno de um único objetivo nacional português mostrou-se viável. A reorganização da produção após a vitória permitiu uma escala inusitada de concentração de riqueza, na qual a proximidade ao centro de poder servia de acesso às benesses. Essa reorganização geral explica o destino negativo de outros combatentes na guerra. João Ramalho arregimentou tropas, arriscou a vida, defendeu seu espaço, escorraçou os Tamoio. Mas só ganhou reprimendas dos jesuítas, que não julgavam mais necessitar dele agora que tinham o governo-geral como instrumento de apoio mais poderoso: são desse período as seguidas cartas condenatórias dos "maus costumes" do representante da aliança matrimonial. Não se tratava de nada pessoal. Manuel da Nóbrega tinha traçado um plano completo para o Brasil – e nele as alianças locais deveriam ser controladas. A nobilitação potencial dos Tupi aliados fora das alianças tradicionais – como foi o caso de Arariboia – era um passo necessário na implementação da mudança.

Na segunda metade da década de 1560, Manuel da Nóbrega escreveu uma série de estudos teológicos sobre a inocência dos índios. Num deles, procurando responder à pergunta "Pode um pai vender a seu filho ou vender-se a si mesmo?", dizia que um inocente não poderia fazer isso porque o ato feriria a "liberdade natural dos homens". Essa era uma ideia totalmente estranha aos costumes políticos e jurídicos da época, baseados na tradição aristotélica, na qual a desigualdade natural entre senhores e escravos era o fundamento de toda a vida social. Mas o desenvolvimento do princípio não levava ao corolário de que todos os homens livres eram iguais. Aplicada restritamente aos Tupi, que teriam liberdade natural mas não todo o entendimento racional (o conhecimento de Deus) para usufruí-la, havia a necessidade de serem tutelados em sua transição para o pleno exercício dela. Quem tutelaria? Jamais os moradores, que eram definidos como movidos apenas pelo interesse. Esse era o papel adequado aos jesuítas, que poderiam manter os tutelados em aldeamentos de modo a lhes garantir a liberdade parcial.

O conceito inovador e interessado foi vendido ao rei e transformado em alvará em 1570. Nele aparecia outra novidade: depois de sete décadas, os nativos eram incluídos entre os súditos de Portugal – mas não exatamente como os mais capazes. O artigo mais famoso do decreto dizia: "Mando que daqui em diante não se use nas ditas partes do Brasil o modo que se usou até agora em fazer cativos os ditos gentios, nem se possa cativar de modo e de maneira alguma, salvo aqueles que forem tomados em guerra justa, que os portugueses fizerem ao dito gentio com autoridade ou licença minha ou do governador das ditas partes."[2]

A rigor, a lei não acabava com as guerras. Mas a decisão quanto à legalidade de uma guerra era transferida dos aliados portugueses e dos chefes tribais para um representante do rei. Tipicamente, o decreto ampliava ao máximo a margem discricionária da autoridade, quase sem mexer na realidade. No momento em que a lei foi escrita, era pouco mais que um pedaço de papel que dizia algo sobre uma porção ínfima do território. Mas deixava transparecer uma pretensão de governo que ia muito além da recomendação ao primeiro governador-geral para se entender com os nativos. Dizia muito também sobre os cativos tomados em guerra: em tese, deveriam ser entregues aos jesuítas e viver nos aldeamentos. Como ali todas as trocas de excedentes eram comandadas pelos padres (que também embolsavam as rendas auferidas), os índios "livres" se tornavam produtores de bens para seus tutores. Isso tornou os jesuítas – funcionários diretamente ligados à Coroa, não custa relembrar – na autoridade central mais efetiva do território.

Ao mesmo tempo que criava uma legalidade à feição da época, "dando a cada um o seu", a lei criava uma larga área de ilegalidade, na qual incluía todos os índios e todos os moradores que realizavam alianças matrimoniais – do lado pessoal – e todo o resultado da troca de excedentes econômicos entre as duas partes. Até a véspera da lei eles vinham conhecendo um período de relativa aceitação por parte do governo. Mas os tempos em que até mesmo a rainha reconhecia candidamente a necessidade de um fidalgo viver "na lei de Moisés, com suas trezentas concubinas" duraram apenas o necessário para a acomodação de um representante da autoridade central com capacidade própria de ação.

Claro, a lei não tinha como alterar a realidade. Tanto quanto antes, o fluxo de excedentes econômicos gerados nas relações com os Tupi promovia uma acumulação cada vez maior entre os moradores. Em termos da política, tal crescimento se refletia no número de vilas, que não parava de aumentar. Quase todas ficavam muito longe da ação regular do governo-geral, a maior parte distante também da interferência dos senhores de capitanias – o poder era todo dos moradores, que elegiam seus representantes para governar. No lado econômico, as trocas começavam a gerar fortunas monetárias de todo tipo. O homem mais rico de Salvador era Garcia d'Ávila, que acumulou sua riqueza com uma mistura de fazendas de gado tocadas por índios, venda de farinhas e algodão – tudo construído a partir de casamentos com nativas, a despeito de ter trazido mulher do Reino. Esse exemplo serve para lembrar que nem só a atividade de exportar açúcar gerava renda monetária no Brasil do século XVI.

Mas o exemplo também não nega o fato de que a atuação do governo-geral foi capaz de direcionar os fluxos de riqueza na direção da combinação escravos africanos e exportação. Como lembra Joseph Miller, essa combinação permitia vencer o principal obstáculo para a manutenção de um fluxo de comércio com a Europa: "Os construtores do sistema não só tiveram de organizar especulações comerciais caras e altamente especializadas, mas também de custear as despesas relativas à compra e manutenção de sua força laboral, abrir, manter e defender vastas áreas, construir e operar complexas máquinas industriais [...] sem o desembolso dos escassos (e por conseguinte preciosos) metais monetários. Não apenas a baixo custo, mas especificamente sem fazer uso do ouro e da prata."[3]

Um único exemplo explica essa necessidade imperiosa. Em 1640, o valor total da produção de açúcar brasileiro foi equivalente a 17.790 quilos de ouro; no mesmo ano, a entrada total de ouro na Casa da Moeda de Lisboa foi de 300,4 quilos, o equivalente a 1,6% da produção. Com isso se percebe que não existia outra alternativa senão a introdução do pagamento com outras mercadorias – e que o esforço governamental para utilizar o escravo africano (e afastar os nativos dessa produção) tinha um sentido que ia além das questões teológicas. Toda a acumulação de riqueza em moeda na colônia, seja resultante dos negócios internos, seja derivada da atividade no setor exportador, teria de ser feita internamente. Mais ainda, teria de ser feita à margem do estatuto legal.

Ninguém notou isso com mais acuidade do que frei Vicente do Salvador, autor do primeiro livro com o título "História do Brasil", de 1625, ao relatar a impressão de um empresário que visitou Salvador em 1585:

"Notava ele que, se mandava comprar um frango, quatro ovos e um peixe para comer nada lhe traziam, porque não se achava na praça nem no açougue. Mas se mandava pedir as ditas coisas às casas particulares, lhes mandavam."[4]

Em vez da proteção jurídica para a existência pública, os negócios produtivos internos eram relegados ao espaço da informalidade, onde eram invisíveis para o governo – eram postos no âmbito dos costumes, e não da lei. E, no sentido oposto, todos aqueles que produziam para o mercado e negociavam a produção interna procuravam viver o mais longe possível da autoridade central portuguesa. Esta, por sua vez, só cuidava de "dar a cada um" para as pessoas próximas do governo-geral, pouco se importando com os demais. O resultado, nas palavras do padre, era uma inversão que não se limitava aos mercados: "Nessa terra andam as coisas trocadas, porque toda ela não é república, sendo-o cada casa. [...] Pois o que é fontes, pontes, caminhos e outras coisas públicas é uma piedade."[5] Uma das razões dessa inversão no Brasil era justamente a realidade dos governos pós-D. João III: "Depois da morte de D. João III, que soube estimá-lo e curá-lo, não houve outro que dele curasse, senão para colher suas rendas e direitos."[6]

Nesse cenário, encontrar um representante do governo central significava provavelmente dar de cara com um cobrador de impostos, e não com alguém disposto a prestar serviços gerais. Com isso, surgiu uma dupla legalidade. De um lado, aquela que refletia o interesse dos moradores, dos produtores locais interessados em enriquecer, fosse com produção interna ou exportação, e o interesse de seus aliados Tupi em trocar excedentes, que permitiam que isso acontecesse. De outro, aquela que refletia os interesses do centro, representados no Brasil pelo governo-geral e pelos jesuítas. Também foi surgindo uma divisão espacial. Tanto o governo-geral como os administradores de capitanias, as mais altas instâncias da autoridade metropolitana, de fato mal e mal arranhavam o litoral. Já as câmaras eram a autoridade efetiva única no sertão. Onde havia negócios de exportação havia escravos e alfândega – abastecedores do comércio europeu e dos governos. Fora de Salvador e das sedes de capitanias, o governo era de responsabilidade dos moradores miscigenados das vilas. No restante do imenso território continuavam a existir apenas os governos de costume. Comerciando, guerreando ou se casando, estabeleciam-se as relações entre essas duas últimas partes – ambas em expansão.

CAPÍTULO 9
> *Governos da Espanha*

Uma das confusões mais comuns quando se trata da história de Portugal e Espanha é a generalização da atuação do clero católico. Até mesmo estudiosos de peso costumam atribuir todas as decisões "ao papado", a "Roma" ou mesmo "aos jesuítas", como se tais instâncias tivessem todo o poder para avançar seus interesses. Mas as generalizações desse tipo tornam quase impossível o entendimento de fenômenos muito importantes. Tome-se, por exemplo, o seguinte conjunto único de generalidades: um mesmo rei governando Portugal e Espanha, como ocorreu a partir de 1580; a notória união entre os jesuítas de todo o mundo; relações muito especiais com o papado; duas colonizações que fundamentavam suas pretensões jurídicas em bulas papais. Tudo isso pode levar a imaginar que se tratava de uma realidade católica única, sobretudo no que se refere a questões de governo. Mas tal impressão não se sustenta diante dos fatos históricos.

Os jesuítas desembarcaram no Brasil em 1549, diretamente a serviço do rei D. João III. Como eram financiados pela Coroa, não perderam tempo disputando esmolas de fiéis e concentraram-se na conversão da população nativa – o que não quer dizer que descuidassem do resto. Também montaram uma rede de colégios para formar na terra os seus sacerdotes, tudo financiado com dinheiro do rei. Tornaram-se empresários, explorando propriedades muito lucrativas, sobretudo na Bahia e no Rio de Janeiro. Criaram e se beneficiaram da política de aldeamentos. Ao fim do século XVI havia nada menos que 169 jesuítas empenhados em todo esse projeto.

Sendo uma ordem centralizada e geradora de um fluxo regular de informações (todos os inacianos eram obrigados a redigir relatórios trimestrais de suas atividades; todos os colégios reuniam a informação de sua área e produziam relatórios consolidados; todas as províncias faziam o mesmo em relação a Roma) – algo raro na época –, tinha nesse sentido uma atuação fortemente coordenada. Mas havia também barreiras importantes. No mesmo ano de 1600, apenas oito jesuítas espanhóis atuavam em toda a bacia do Prata, concentrados na área de Córdoba. Em toda a

América hispânica, do México à Patagônia, o número total de jesuítas era inferior ao do Brasil.

Nenhum desses jesuítas tinha qualquer privilégio do rei, de modo que, para sobreviver, precisavam disputar com outros clérigos o bolo das esmolas dos moradores. E eram alvo sobretudo dos 2 mil franciscanos agraciados com favores imperiais e espalhados por todos os territórios hispânicos. As críticas concentravam-se quase sempre na política dos inacianos de não dispersarem esforços em missões de evangelização dos nativos, que implicavam custos e não geravam receitas, e se dedicarem apenas aos colégios e suas rendas.

Tal diferença da situação financeira dos inacianos no Brasil e na América espanhola não se devia a uma decisão da ordem, e sim ao modo como haviam sido avaliados pelos reis espanhóis. Santo Inácio de Loyola nunca fez milagre em casa: ainda vivo, a ordem que fundou foi considerada estranha e pouco obediente aos monarcas de seu país natal. Por causa disso, os jesuítas tiveram de esperar até 1566 para receber a autorização para se instalarem no Peru. A atuação deles incluiu períodos favoráveis (com os colégios funcionando) e desfavoráveis (expulsões gerais). Só a partir da década de 1580, no reinado de Felipe II, teve início o que se poderia chamar de participação mais regular. Então, em 1598, com Felipe III, os jesuítas passaram a desfrutar a confiança do monarca. Quase em seguida à ascensão deste ao trono, jesuítas graduados foram inspecionar as propriedades e conventos da ordem na região do rio da Prata. Nos locais em que os padres instalaram unidades de produção, a realidade era uniforme: trabalho forçado dos nativos, através de uma instituição chamada *encomienda* – legal em todo o território e de emprego generalizado. Para surpresa dos padres, os superiores ordenaram que fossem libertados todos os encomendados que até então os haviam servido sem qualquer reclamação.

Em 1607, o rei financiou o transporte e a instalação em Buenos Aires de oito jesuítas encarregados de ali fundar um colégio – dobrando o número dos inacianos na região. Dois anos depois, não apenas mandou pagar as despesas de outros 20 padres como determinou ao governador de Tucumán que entregasse à ordem um colégio já existente e lhe assegurasse 2 mil pesos de renda anual. Em 1610, outra leva, de mais 27 padres. Numa década, o número passou de oito para 63. Nessa etapa inicial, foi estabelecida uma rede de colégios e fazendas que interligavam a bacia do rio da Prata com a região mineradora de prata de Potosí – então possivelmente a cidade mais populosa do mundo (200 mil habitantes, contra 60 mil de Roma, por exemplo). Foi nessa altura que se delineou para eles um alvo: o Paraguai. Desde 1537, ali predominava uma aliança entre espanhóis e Guarani que era mais forte e mais dinâmica do que aquelas firmadas entre portugueses e índios Tupi – entre outros motivos, pelo ímpeto inicial, pois formada a partir do casamento de 300 espanhóis com mulheres Guarani. Tendo Assunção como centro, espraiara-se por uma série de vilas no interior do continente. Com o tempo, a área transformou-se em abastecedora da região mineradora peruana. Milho, algodão, tabaco e – especialmente – a nativa erva-mate passaram a ser cada vez mais cultivados. Mas o fluxo também eventualmente incluía escravos, inclusive vários Tupi brasileiros – que eram registrados ao passarem pela alfândega em Tucumán, já no caminho de Potosi.

A vida política seguia em plena normalidade nas três esferas de governo hispânicas: câmaras eleitas governando nas vilas, um governador na província do Paraguai, um vice-rei em Lima. A legislação espanhola também seguia o tradicional modelo corporativo, ainda que com as necessárias adaptações. E, no Paraguai, a mais notável adaptação era o uso da *encomienda* como reguladora das relações entre moradores e nativos – em quase tudo iguais àquelas vigentes com os Tupi brasileiros.

As alianças eram firmadas por meio de casamentos com as mulheres dos grupos nativos e sobre tal base se estabeleciam os fluxos econômicos de excedentes e militares que asseguravam o domínio territorial. Enquanto chefes e pajés comandavam os grupos, os genros cuidavam do comércio. Com tal aliança os Guarani tornaram-se senhores únicos de uma vasta área, mesmo tendo de enfrentar inimigos mais organizados do que a maioria dos Tupi brasileiros. Os utensílios de ferro ajudavam a consolidar o domínio, enquanto os produtos de troca enriqueciam os aparentados das vilas. Os paraguaios alimentavam planos próprios de expansão. Em 1603, enviaram uma comitiva a São Paulo, com a finalidade de formar uma aliança entre as duas vilas que fosse capaz de garantir um caminho seguro de abastecimento entre o porto de Santos e Potosí – algo plausível uma vez que ambos eram súditos do mesmo monarca.

Não durou muito tal otimismo. Em 1609 apareceu em Assunção o padre Diego Torres, superior jesuíta, levando planos para abrir missões em três frentes na região. Para tanto, recebeu ajuda dos franciscanos, que havia décadas mantinham missões entre os Guarani, gramáticas Guarani escritas pelo frei Bolaños e até catecúmenos emprestados para ajudar. No início do ano seguinte, enquanto o governador era substituído, correram em Madri acusações de que os franciscanos paraguaios se aproveitavam do trabalho nativo.

No final de setembro de 1610, o superior Torres, em carta ao rei Felipe III, afirmou que o serviço dos nativos era "contra o direito natural e divino". Era a senha para a repetição de uma institucionalização semelhante à que ocorrera no Brasil, mas na qual os jesuítas espanhóis teriam outro papel. O rei enviou então ao Paraguai o visitador Domingo de Alfaro e, no dia 12 de outubro de 1611, este promulgou uma nova legislação, inteiramente contrária à tradição (a fonte de legitimidade para as leis naquele tempo). Conhecidas como "Ordenações de Alfaro", elas dispunham que um único direito passaria a vigorar para os Guarani: o direito natural à liberdade. Esse novo direito deveria substituir o antigo vínculo da *encomienda*. Com a implantação do novo quadro jurídico, os moradores ficavam legalmente proibidos de muitos atos que haviam sido legais na véspera, como obter trabalho, cobrar tributos, comerciar, morar próximo, manter gado perto de aldeias, ter nativos operando moinhos, participar de guerras ou incursões pela mata, empregar índias como ama de leite – e, claro, casar com índias segundo os costumes Guarani ou reconhecer os filhos desses casamentos. Além de todas essas proibições para os moradores, as Ordenações de Alfaro traziam uma longa lista de privilégios para os Guarani que fossem morar nas reduções dos padres jesuítas – entre eles, isenção total de tributos por dez anos.

A despeito dos protestos de toda espécie, os inacianos conseguiram se impor depressa – para além do apoio do rei, mostraram-se preparados para a missão que haviam cuidadosamente planejado. E contavam com um conhecimento obtido na prática. O modelo de atuação português, desenvolvido em décadas com apoio dos monarcas de Lisboa (inclusive os Felipes espanhóis), baseava-se no aldeamento. Este funcionava sem que os padres entrassem no sertão: os jesuítas portugueses eram obrigados a seguir um regulamento que os proibia de sair da área central das vilas; com isso os aldeamentos só recebiam nativos trazidos por moradores.

O modelo da redução, apresentado pelos jesuítas espanhóis à Coroa castelhana, ia muito mais longe. Previa a entrada dos padres no ambiente nativo dos Guarani, visando o domínio exclusivo e monopolista de todas as relações (espirituais e materiais) destes com o mundo colonial. Para funcionar, os padres teriam de alcançar dois objetivos simultâneos: converter e chefiar. Não era exatamente fácil, mas foi feito depressa, por um caminho preciso. Em vez de se aliarem a chefes, como faziam os moradores, os padres tomaram o lugar dos pajés. Como conheciam a cultura religiosa dos Guarani, os padres apareciam falando como os grandes profetas, os caraíbas. Prometiam transformar a redução na Terra Sem Mal, o paraíso que só os caraíbas conheciam. Listavam os males que seriam afastados com a adesão do grupo às reduções: não haveria mais guerras nem exploração por parte dos espanhóis e portugueses. Falavam do bem: fartura de alimentos, vida em paz. Os pajés que criticavam o discurso eram chamados de mentirosos, presos e supliciados. Bem-sucedido, o missionário anulava uma esfera de poder na cultura tradicional – e assumia também uma posição que lhe permitia controlar os excedentes produtivos e a vida econômica. Havia argumentos para convencer também os chefes: mais fartura a oferecer nas alianças, sob a forma de utensílios de ferro, de sementes ou de gado. Para os demais, havia a receita descoberta por José de Anchieta: estabilizar a vida da maioria das famílias com os casamentos monogâmicos de primos cruzados.

Tudo isso promoveu um progresso acentuado nas reduções. A produção logo crescia com a introdução do gado e de técnicas de plantio europeias. Uma vez produzidos os excedentes, entrava a questão de como distribuí-los – antes resolvida por chefes ou pajés, agora pelos padres. Toda produção ia para eles, que substituíam chefes e pajés na função de redistribuir os excedentes – e eles tinham muito para redistribuir. Cumpriam a promessa de evitar guerras, de modo que sobrava força para o trabalho; tornaram o trabalho mais produtivo com a mescla de novas técnicas. Os efeitos do imenso crescimento da produção possivelmente beneficiaram as duas partes no momento de redistribuir. Aos índios reduzidos, pela melhora da dieta sem exigir sobrecarga de trabalho. Aos padres, pela imensa riqueza que acumularam com a parte do excedente de produção que retinham para si e comercializavam em Potosí – distribuído com ajuda da rede de propriedades por todo o caminho. As consequências foram notáveis. Em apenas três anos, passaram a funcionar nada menos de 19 reduções jesuíticas no Prata, nas quais atuavam 101 padres. Com uma década de ação, em 1622, havia na Província do Paraguai 11 colégios, duas casas comunais, uma de noviciado. Além disso, as fazendas e propriedades distribuídas pelo vice-reinado do Peru chegavam às dezenas (a maior propriedade, a do

Colégio de Buenos Aires, estendia-se por 2 mil quilômetros quadrados) – e o total de padres na região chegou a 194.

Em apenas uma década, a influência ativa da Coroa em todo o processo permitiu que a Companhia de Jesus construísse uma estrutura no Paraguai maior do que a implantada em 70 anos de atuação no Brasil. Além do domínio monopolístico das relações com os Guarani reduzidos, parte do êxito financeiro do empreendimento se devia ao fato de que os padres tinham isenção tributária em todos os negócios – não apenas naqueles com os índios. Mas houve também quem perdeu – e muito – com a mudança. Os ganhos obtidos nos negócios com os excedentes Guarani antes eram apropriados pela população paraguaia – o que evidentemente deixou de ocorrer. Para piorar a situação dos moradores, os jesuítas não pagavam impostos – o que lhes conferia enorme vantagem em relação aos comerciantes locais. Como resumiu o historiador paraguaio Blas Garay, "todo o benefício recebido pelos jesuítas implicava prejuízos para os espanhóis, cujos comércios minguavam enquanto aquele prosperava".[1]

A primeira reação de peso para aliviar a situação dos moradores veio da parte do bispo de Assunção, Tomás de Torres, outro dos perdedores. Antes da chegada dos jesuítas, o bispo comandava o clero e recebia rendas; depois, tornou-se figura sem poder. Para mudar as coisas, tentou transformar algumas reduções em territórios sob sua jurisdição, em 1623. Acabou tendo de deixar a cidade em meio a uma concentração de tropas Guarani trazidas das reduções – que saltaram de 19, em 1622, para 40, em 1628. Nessa altura, a expansão para leste começava a ultrapassar o território Guarani e surgiram as primeiras tentativas de instalar reduções entre os Caingangue – povos Jê que dominavam o território intermediário entre o dos Guarani associados a espanhóis do Paraguai e o dos Tupi associados a portugueses em São Paulo. Logo depois surgiram reduções que recebiam Tupi fugidos de São Paulo em busca de proteção – e planos para entrar no antigo território da Coroa portuguesa.

A justificativa para tal ação apareceu pela primeira vez numa carta privada do padre Nicolás Durán, firmada em Buenos Aires em 24 de outubro de 1627. Ela informava da existência de reduções "a dez dias de marcha" de São Paulo e que esta vila era habitada por moradores de tal forma selvagens que "uma vez tomados índios cativos os tratam com tanta crueldade que não parecem cristãos, matando as crianças e os velhos que não podem andar e dando-os como alimento para seus cães".[2] O argumento foi repetido literalmente numa carta enviada pelo procurador-chefe dos jesuítas espanhóis ao Conselho das Índias em 31 de agosto de 1628, pela qual pedia licença para dar "castigo exemplar" a tais pecadores.[3] O Conselho aprovou a ideia, mesmo sabendo perfeitamente que estava dando ordens para súditos espanhóis agirem em território da Coroa portuguesa. Menos de duas semanas depois, em 12 de setembro de 1628, o rei Felipe IV ordenava ao governador de Buenos Aires que "por todos os meios possíveis capture e castigue os delinquentes" paulistas, que tratavam índios "com tanta crueldade que dão as crianças e os velhos que não podem andar como comida para seus cães".[4]

São Paulo, a vila a ser atacada, por sua vez, passava por uma mudança. Até 1620 havia sido governada apenas pelos homens bons eleitos para a Câmara. Os representantes dos donatários eram figuras distantes, até a chegada de Fernão Vieira Tavares, que apareceu com uma carta que o nomeava representante do donatário da capitania de Santo Amaro, doada 86 anos antes a Pero Lopes de Sousa e desde então abandonada. Recorrendo a truques, e com o apoio de outros interessados, forjou uns tantos papéis que colocavam as vilas de São Vicente e São Paulo nos domínios dessa capitania. Os moradores da vila eram parceiros de negócios daqueles que viviam no lado espanhol e sentiram os efeitos do empobrecimento deles. Quando as reduções ultrapassaram a fronteira Guarani, o sucessor do novo representante do donatário, seu filho Antônio Raposo Tavares, juntou-se à Câmara para declarar guerra justa contra os espanhóis – em 1628, sem saber que, no mesmo momento, o rei espanhol dava ordens militares de mesmo sentido. Nesse exato momento surge em São Paulo um providencial representante do acaso: Luis de Céspedes Xería havia sido nomeado governador do Paraguai em 1625. Devido à invasão da Bahia pelos holandeses, a sua viagem foi repleta de peripécias e contratempos. Depois de roubado e preso, o governador desembarcou no Rio de Janeiro em 1628. Ali acabou acertando um casamento com Vitória de Sá, bisneta de Estácio de Sá e irmã do governador Martim de Sá. Luis de Céspedes também nada sabia das ordens de seu rei.

A fim de alcançar o quanto antes os seus domínios, resolveu cortar caminho por São Paulo, aonde chegou em junho de 1628 (três meses antes de o soberano espanhol conclamar à punição dos paulistas). Partiu quase ao mesmo tempo que as tropas formadas por Tupi aliados e moradores. Em Guairá, no centro da área de reduções, escreveu ao superior das missões, padre Antonio Ruiz de Montoya, pedindo que organizasse uma comitiva para visitá-las. Ficou furioso com a recepção que lhe deram: "Recebi míseros 15 índios com duas canoas."[5] Foi um momento crítico. Houve pequenas escaramuças militares em três reduções (com duas vitórias espanholas) e um máximo de 14 mortes (se admitidas todas as relacionadas pelos jesuítas). Mas a conjunção da presença de um governador, das tropas paulistas e do apoio dos moradores locais reforçou o discurso repetido por todos os atacantes: o padre Montoya era um falso caraíba, a prometida Terra Sem Mal não existia – e os moradores das reduções já não eram guerreiros, mas apenas covardes.

O padre Montoya sabia que era visto como caraíba: "Entre os Guarani corre o boato de que eu sou Tepã-Eté, o verdadeiro Deus." Sabia também das vantagens (ser ouvido como Deus) e desvantagens (ser morto em caso de mentir) da posição. Perdeu parcialmente a guerra das palavras. Os padres Stuck e Mansilla, autores de uma denúncia contra os paulistas, mostraram o efeito das palavras destes entre os índios das reduções: "Devido ao que ouviram, imaginam que somos traidores e que temos relações secretas com os portugueses e, por isso, andam em grupos procurando os padres para os matarem."[6]

As palavras mostraram-se mais eficazes do que as armas. Se os mortos foram 14, as dissensões levaram 60 mil índios a abandonar as reduções. Todo o conjunto de missões do Guairá foi desarticulado. Com vistas a salvar as reduções mais antigas, nas quais toda uma geração havia crescido em contato com os padres e onde a palavra destes não foi posta em dúvida, Montoya chefiou a transferência de todos para uma nova Terra Sem Mal, no vale do rio Uruguai. No sentido inverso, desfizeram-se as vilas espanholas de Guairá e Vila Rica, com os moradores transferindo-se para São Paulo com todos os aliados nativos que puderam levar. Essa vitória ampliou de forma exponencial o território governado pelos moradores da vila de São Paulo e seus aliados nativos. Uma vasta área que incluía os territórios dos Caingangue e dos Guarani – o espinhaço central e as bacias leste dos rios Paraná e Paraguai – passou a ser incluída no domínio paulista. Na própria São Paulo, quase metade da população da vila era de espanhóis e Guarani. Sem nenhuma ação do governo-geral, contra o rei, apenas pela ação dos moradores marginalizados legalmente, crescia o domínio português numa época crucial.

CAPÍTULO 10
> Governos da Holanda

O INVESTIMENTO HOLANDÊS PARA IMPLANTAR UM GOVERNO NO BRASIL SEGUIU UM caminho único, organizando-se em torno de uma empresa, a Companhia das Índias Ocidentais, fundada em 1621. Esta reuniu capital com a venda de ações e tinha o lucro como objetivo – assim, o governo de novas terras era um meio de obtenção de renda. Mas a organização tinha outras peculiaridades. A formação da empresa era parte de um longo esforço de guerra, pelo qual o país tentava libertar-se da Espanha. E a guerra tinha fundamentos religiosos, na medida em que a Igreja calvinista se constituíra em religião oficial do Estado holandês. Por causa disso, o governo era acionista e a Igreja tinha papel dominante na condução da companhia. Os primeiros anos de sua existência foram de altos e baixos, em decorrência da modalidade de atuação escolhida: a pirataria. Essa opção, por sua vez, devia-se ao fato de os holandeses contarem com muitos navios armados e pouca gente para os empreendimentos de longo prazo. Dadas essas condições, em certo momento o Brasil passou a ser visto como alvo promissor de um ataque.

Em 1624 uma esquadra da companhia investiu contra a cidade de Salvador, que foi tomada e devidamente saqueada – os armazéns repletos e as alfaias de prata das igrejas acabaram pagando com lucros a parte inicial do plano. Pelos cálculos dos invasores, a tomada da capital obrigaria os moradores da região a vir comerciar na cidade, onde teriam de pagar o que lhes fosse pedido pelas mercadorias trazidas na frota, aumentando o lucro da incursão. Mas as coisas não saíram conforme o planejado. A imensa maioria dos moradores refugiou-se no interior. Ali havia todo o necessário para viver bem – e também reservas de tropas a serem mobilizadas. Assim foram organizados grupos de índios e europeus que fustigavam os invasores toda vez que estes se aventuravam fora da cidade. Em consequência, os invasores é que ficaram na dependência do abastecimento naval. Por isso não foi difícil para uma frota luso-espanhola forçar a retirada dos holandeses, em 1625. No caminho de volta alguns navios atracaram na Paraíba, encontraram um grupo Tupi que os recebeu amigavelmente – e levaram cinco nativos para serem devidamente educados em outros moldes.

Os indígenas foram entregues a pastores que então viviam momentos de transição. As doutrinas protestantes eram fundadas na exegese do texto bíblico. Exigiam a adesão consciente a uma interpretação dele – algo que, desde Jean de Léry, era evidente que estava fora do alcance de povos iletrados. O primeiro território de contato maciço de missionários reformados com nativos americanos havia sido os Estados Unidos – e desse contato não resultaram exatamente conversões e compreensão, como notou a historiadora Betty Wood: "Os puritanos passaram a interpretar o comportamento dos nativos de modo a reforçar sua imagem de 'bárbaros' ou 'incivilizados'. Estes não só ameaçavam a civilização inglesa como punham em risco a própria sociedade puritana. [...] Os colonos passaram a dizer que os nativos teriam recebido a custódia da terra de Deus, mas eram 'incapazes de ter noção exata das finalidades para as quais ela foi criada', de modo que 'podiam ser declarados como tendo perdido o direito sobre a terra onde estavam'."[1]

Essas justificativas teológicas serviram de fundamento a várias políticas: proibição de casamentos inter-raciais, guerras de extermínio, tratamento dos nativos como membros de nações inimigas – nada muito diferente do que os católicos faziam no sul do continente, com a exceção dos casamentos de aliança. A presunção de maior humanidade protestante, no início do século XVII, aplicava-se mais à escravidão. Esta era quase inexistente nos Estados Unidos e considerada em geral como instituição selvagem e ao gosto do primitivismo católico. Alinhados a essa posição, os estatutos da Companhia das Índias Ocidentais, revistos por pastores, proibiam expressamente que a empresa se dedicasse ao tráfico de escravos. Enquanto a Companhia das Índias Ocidentais procurava se consolidar, chegou uma grande notícia: o almirante Peter Heyn conseguira 85 toneladas de prata ao atacar a frota anual que levava para a Espanha a produção de toda a América. Com isso os planos para atacar Pernambuco foram acelerados. A frota, com 67 navios e 7 mil soldados, vinha preparada para uma campanha prolongada. Depois de algumas tentativas, os invasores conseguiram tomar Olinda e Recife. Repetiram o procedimento de saque e devastação das igrejas e armazéns. Tal como havia ocorrido na Bahia, os moradores que puderam se retiraram para o interior. A produção de açúcar passou a ser despachada de portos alternativos. Diante da paralisia econômica, os holandeses adotaram uma medida drástica: arrasaram Olinda, a fim de diminuir as guarnições necessárias. Expulsaram definitivamente tanto os padres regulares como os pertencentes às ordens dos jesuítas, franciscanos, carmelitas e beneditinos que viviam em mosteiros. Os jesuítas foram presos e mandados para a Holanda.

No entanto, não agiram com o mesmo rigor nos aldeamentos. Durante a estadia na Holanda, os nativos Potiguar não apenas se converteram, mas mostraram que fazia sentido para sua cultura a vida regrada em torno de uma igreja – e assim se tornaram arautos de uma outra modalidade de aliança, com o apoio das autoridades holandesas. Tal como os jesuítas, os governantes declararam os índios livres por direito natural (algo que não acontecia na América protestante). Além de ampliar o escopo da doutrina, isso tornou possível uma ajuda essencial. Os convertidos convenceram muitos parentes a lutar ao lado dos holandeses, de forma que não demorou muito para que um terço das tropas em combate fosse de índios Potiguar. Essa ajuda foi essencial para que as tropas holandesas, treinadas para lutar em condições europeias, se adaptassem aos ataques de guerrilha e ações na mata dos adversários.

Com isso, depois de dois anos de cerco, alterou-se o equilíbrio das forças. A área de produção no interior foi invadida e os engenhos foram tomados. A resistência foi sendo quebrada de ponto em ponto. Até o final de 1636, toda a vasta área de domínio dos pernambucanos – do Maranhão até a foz do rio São Francisco – caiu sob domínio holandês. Por todo o período, praticamente nenhuma ajuda veio de fora. O domínio do território trouxe a necessidade de reestruturar o governo dos holandeses. Enquanto a emergência militar presidia as ações, tudo se justificava pela lógica dos combates – dos saques aos aprisionamentos, as ações governativas eram decididas por uma junta de autoridades militares, políticas e eclesiásticas. A vitória significou não apenas o fim das oportunidades fortuitas como a necessidade de reiniciar a produção, que havia sido desarticulada. E isso teria de ser feito nos moldes empresariais que estavam por trás de todo o empreendimento. A mudança de atitude foi decidida nas assembleias da Companhia das Índias Ocidentais, nas quais os acionistas e os pastores que votavam nem sempre tinham os mesmos objetivos em mente.

Havia vários dilemas a resolver. Do ponto de vista do negócio, o problema era o de fazer mais investimentos, bem num momento em que as fontes de recursos que sustinham a empreitada – os saques – começavam a rarear. Além disso, para retomar a produção seria preciso agregar gente e capacidades – algo mais complexo do que construir uma nova infraestrutura, uma vez que os prédios e instalações dos engenhos haviam sido preservados. Como não havia gente nem capacidade entre soldados, era necessário encontrá-las onde fosse possível. Para atrair operadores de engenho e mão de obra, alguma oferta deveria ser feita.

Também havia impasses entre os acionistas religiosos: a Igreja calvinista era parte do governo, de modo que os pastores esperavam algum tipo de ganho no terreno das almas. Por isso tinham apoiado medidas repressivas, como a interdição de missas católicas em lugares públicos e com portas abertas – apenas os cultos tinham essa permissão. Em suma, queriam conversões. Mas enfrentavam, diante dos católicos que falavam português, os mesmos obstáculos que os afastavam dos nativos: dificuldades de língua e de métodos para mostrar a verdade revelada a partir do texto sagrado – pois os moradores eram quase todos analfabetos. Não queriam relaxar o tratamento aos recalcitrantes: tinham muito pouca disposição para permitir a livre prática do catolicismo e facilitar negócios com os seguidores dessa fé.

A solução de compromisso foi entregar o governo de Pernambuco a um nobre holandês, o príncipe Maurício de Nassau. Ele tinha prestígio suficiente entre os acionistas para receber uma delegação contratual de autoridade, que lhe permitiria decidir com autonomia. Como o acordo também lhe propiciaria muito dinheiro, ele contratou uma corte inteira de serviçais para acompanhá-lo: médicos, naturalistas, pintores, administradores, artesãos e até lavadeiras. O príncipe atraiu ainda um grupo muito especial: os judeus sefarditas de Amsterdã, com suas conexões, seus conhecimentos do mercado e seus capitais, assegurando-lhes um ambiente de tolerância religiosa, de modo que puderam instalar no Recife a primeira sinagoga das Américas. Essa tolerância não foi bem-vista pelo clero calvinista da cidade. Por algum tempo, os religiosos acusaram os judeus de controlar o comércio e a produção de açúcar, e açambarcar as melhores oportunidades de negócio. Mas o máximo que obtiveram foi a restrição de que os cultos ocorressem em ambiente fechado.

Quanto aos católicos, os cultos públicos foram efetivamente proibidos apenas no Recife, onde os fiéis só podiam assistir a missas em recintos fechados, da mesma forma que os judeus nas sinagogas. Mas a política para o interior foi de cegueira ostensiva: autoridades, soldados e pastores fingiam não ver toda espécie de rito nas vilas e engenhos, desde as missas solenes até as procissões com índios e os cultos africanos. Tais atos eram duros de engolir pelos pastores – mas a necessidade de integrar todos à produção falou mais alto. A pregação protestante acabou avançando sobretudo nos aldeamentos. Ali aproveitaram as capelas simples e sem aparatos para os cultos. Havia nativos já convertidos que pregavam em nhengatu, a língua geral Tupi-Guarani – e logo dois pastores holandeses se mostraram capazes de fazer o mesmo com grande sucesso. As idiossincrasias locais acabaram indicando um caminho adaptado às condições existentes. Nassau ajudou na produção de uma cartilha trilíngue (holandês / nhengatu / português) que era distribuída como instrumento para tentar firmar uma conversão consciente – baseada na leitura da Bíblia, como era da raiz do protestantismo. Somando tudo, a ação de Maurício de Nassau foi suficiente para permitir que a complicada engrenagem religiosa gerida pelo trio governo-companhia-igreja girasse sem atritos nem solavancos excessivos – e que ele concentrasse a atenção na tarefa de reorganizar a produção. Ele acelerou a redistribuição dos engenhos tomados a novos proprietários, privilegiando os que tinham conhecimento anterior e capacidade de reunir a mão de obra essencial para produzir cana e açúcar. Havia muito a fazer, pois a produção despencara para um terço do volume anterior à instalação do novo governo.

Em seguida, Nassau atacou depressa um ponto essencial: os combates haviam desarticulado as equipes treinadas que movimentavam o complexo maquinário dos engenhos, que não eram formadas apenas por técnicos. A produção dependia de trabalho de equipes em turnos – e a maioria desses trabalhadores era de escravos africanos. Nassau não hesitou em passar por cima dos estatutos da empresa que proibiam o tráfico. Uma das suas primeiras providências foi a de enviar uma esquadra com tropas mistas de índios e soldados para tomar o forte de São Jorge da Mina, o maior entreposto escravista português na África. No primeiro ano de sua gestão os desembarques dobraram. Pastores e empresários que formavam o Conselho dos 19, órgão máximo de direção em Amsterdã, entenderam que as necessidades da produção estavam então muito acima de eventuais considerações religiosas, de modo que mais essa adaptação se fez com pouco ruído. No que de fato interessava, os objetivos de produção da Companhia das Índias Ocidentais logo foram atingidos. Já em 1642, depois da tomada de Angola, as entregas de escravos africanos em Pernambuco atingiram 14 mil cativos – e a produção recuperou o nível anterior à invasão.

Como se tratava de uma companhia, a expectativa era a de que a elevada produção resultasse em lucros no balanço – mas o que se viu foi exatamente o contrário. E esse balanço trazia uma totalidade complexa, assim descrita pelo historiador Niels Steensgard: "O governo era gerido como um negócio, não como um império. Garantindo a sua própria proteção, as companhias não apenas se apropriavam de tributos mas também se tornavam capazes de determinar a qualidade e o custo da defesa. Este era trazido para a órbita do custo racional e não deixado ao sabor dos 'atos de Deus e dos inimigos do rei'."[2] Na órbita do custo racional, as despesas com defesa do governo holandês no Brasil eram bem maiores que as necessárias para manter a raquítica máquina do governo-geral português. A defesa holandesa era garantida por uma tropa remunerada de europeus – que lutavam contra exércitos organizados por conta de moradores, que não custavam um real ao governo português. O governo holandês era caro em relação ao português, porque pagava em dinheiro uma despesa que sempre fora coberta pelos moradores.

Essa realidade aparecia no balanço da companhia como despesa – e os acionistas esperavam recuperá-la como lucro por meio da cobrança de impostos dos produtores. Mas, também pelo lado desses produtores, havia outro problema no balanço da companhia. Para recolocar as moendas em funcionamento, não bastou o dinheiro dos investidores da Holanda. Muitos dos novos proprietários julgaram prudente comprar escravos e instrumentos a crédito – e a companhia aceitou bancar os pedidos com seu caixa. Depois, os novos senhores conseguiram financiar o custeio das safras com a companhia. Sob o governo português, eles mesmos bancavam tudo isso. Quando chegou a produção e fechou-se afinal o balanço, veio o susto: o déficit resultante dos custos de defesa, financiamento de escravos e custeio das safras era alarmante. Da análise do balanço nasceu uma crise de governo: os acionistas ficaram descontentes com a pouca disposição do príncipe para sair cobrando dívidas dos produtores e decidiram que era hora de fazer caixa. Nassau foi chamado de volta e os novos administradores saíram executando dívidas dos mercadores do Recife, que apertaram os comerciantes do interior, que apertaram os produtores – que reagiram de modo inesperado.

Chefiada por João Fernandes Vieira, o segundo maior devedor da companhia, uma revolta explodiu em 1645. Em poucas semanas, todo o território do interior, tão duramente conquistado, foi perdido. O governo holandês viu o seu espaço de domínio limitado ao Recife – e o balanço da Companhia das Índias Ocidentais foi acumulando registros de prejuízo em praticamente todos os empréstimos feitos a empresários, além de refletir o aumento nos custos de defesa. Os empresários holandeses não perderam tudo. Os anos de experiência foram suficientes para que percebessem a elevadíssima produtividade (comparada à época) do trabalho escravo organizado em turmas. Muitos se mudaram para o Caribe, onde a produção de açúcar era entremeada com a de tabaco e milho em pequenas propriedades. Aonde chegavam, mudavam tudo depressa. O historiador Eric Williams narra um dos muitos casos: "Os holandeses expulsos do Brasil chegaram a Barbados para ensinar aos habitantes os segredos da cultura e da manufatura do açúcar. Havia 11 mil proprietários na ilha; por volta de 1667 estavam reduzidos a 745 e o número de escravos elevado de 6 mil para o formidável número de 82 mil, o que fez da ilha 'a mais preciosa pérola da Coroa britânica'."[3] O mesmo ocorreu em todo o Caribe – e até mesmo nos Estados Unidos, onde judeus saídos de Pernambuco compraram a ilha de Manhattan. Em pouco tempo, toda a produção foi adaptada para o trabalho de grandes turmas de escravos, em especial nas plantações de tabaco da Virgínia.

Essas mudanças na estrutura produtiva de toda a América – a partir de variações de um mecanismo desenvolvido no Brasil – marcam duplamente um novo momento. No cenário econômico do continente, mercantilismo e escravismo serão as notas dominantes de uma forte concorrência entre territórios coloniais das diferentes nações que se engalfinharam em algum momento pelo domínio do Brasil, mais a Inglaterra. Todavia, no cenário interno, a partir da segunda metade do século XVII, haverá um único governo central atuando no território: aquele de Portugal.

Mais de um século e meio havia se passado desde o primeiro contato dos portugueses com a terra; um século se passara desde a instalação formal do governo-geral em Salvador. Nesse longo intervalo a evolução política e econômica do Brasil acontecera num ritmo inverso ao da metrópole. Esse contraste é atualmente conhecido em grandes números, muito diferentes das suposições que formaram a base da interpretação dos clássicos. Essa diferença de ritmos coloca em novas bases a avaliação do papel do governo metropolitano e de sua oficina brasileira, o governo central.

CAPÍTULO 11
> *Economia colonial, economia metropolitana e o lugar do Brasil*

Quando passou a ser governado pela Coroa espanhola em 1580, Portugal ainda era o mais avançado centro de navegação do planeta; seus navios mantinham domínios no Brasil, na costa africana, na Índia, em Macau e no Japão. O país só viria recuperar a independência política em 1640 e estabilizar-se como nação soberana em 1661, ao assinar um tratado de paz com a Holanda. No intervalo perdeu o domínio da tecnologia naval para a Inglaterra (sobretudo devido à invenção do cronômetro e ao cálculo da longitude) e a maior parte das suas possessões africanas e asiáticas. Tornara-se apenas uma potência secundária no cenário europeu.

A evolução brasileira seguiu um rumo oposto. Em 1560, o domínio português mal e mal firmara-se em três pontos isolados no imenso litoral: Pernambuco, Bahia e São Vicente. Além desses locais sobreviviam os assentamentos do Espírito Santo, Porto Seguro e Ilhéus. Havia apenas uma vila no interior, São Paulo. Todo o restante do litoral, na vasta faixa que se estendia desde o Amazonas até o Rio de Janeiro, era na prática território de negócios franceses. Pelo interior do continente, havia uma sólida base espanhola em Assunção, a partir da qual se negociava erva-mate no território dos atuais estados do Mato Grosso e Paraná, além de fornecimentos variados para Potosí.

A expansão de domínio territorial e negócios a partir de cada um dos pontos centrais da aliança entre Tupi e portugueses foi notável. Começando por Pernambuco: em 1550, o domínio restringia-se às cercanias de Olinda. Nos setenta anos que se seguiram, de Pernambuco partiram os conquistadores da Paraíba, Rio Grande do Norte, Ceará, Maranhão e Pará. O conjunto absorveu o impacto da invasão holandesa, preservando o espaço amazônico. Depois de 1645, todo esse território, com exceção de Recife, voltou a ficar sob domínio dos pernambucanos. E tudo por obra dos moradores locais. Da Bahia partiram incursões de criadores de gado, com as quais ficou assegurado o domínio de todo o vale oeste do rio São Francisco. A produção do Recôncavo baiano se diversificou com o cultivo do tabaco, outra herança Tupi. Em meados do século XVII, Salvador abrigava 30 mil habitantes, uma população equivalente à de uma grande cidade europeia, e 70 mil moradores se distribuíam pelas vilas do interior. Perto de uma centena de engenhos de açúcar instalados estavam em funcionamento na região.

Em 1580, mal e mal os moradores de São Paulo navegavam o Tietê. Em 1661, os paulistas mantinham negócios com os nativos em toda a bacia oriental do Prata/Paraná (área dos atuais estados do Paraná, São Paulo, Mato Grosso do Sul e Mato Grosso), nos vales do Araguaia e Tocantins (Goiás, Tocantins e Pará), nos vales dos afluentes do Tietê e na região dos formadores do rio São Francisco (Minas Gerais). Na esteira da expansão fundaram uma dezena de vilas pelo interior, nas quais se fixaram algo como 50 mil pessoas.

Outro ponto de expansão se formou após a fundação do Rio de Janeiro, em 1565 – mas não na direção do interior –, graças a Salvador Correia de Sá, o maior empresário brasileiro do século XVII. Ainda jovem, foi a Assunção levar a irmã que iria se casar com o governador Luis de Céspedes Xería. Convidado para participar de incursões contra nativos locais, virou herói em Tucumán, onde se casou com uma rica herdeira. A fim de ampliar os negócios da mulher, foi até Potosí, o centro da mineração de prata e de toda economia mercantil da América do Sul. De volta ao Rio de Janeiro estabeleceu uma rede de trocas alternativa à dos paulistas pelo interior: comprava escravos em Angola e os vendia para os espanhóis em Buenos Aires – acumulando lucros sob a forma de moedas de prata. Com a Restauração, em 1640, conseguiu ser designado por D. João IV para reconquistar Luanda, que havia sido tomada pelos holandeses. Com um exército de índios reunido no Rio de Janeiro para lutar na África, ele cumpriu a missão e foi nomeado governador – o primeiro de uma série de nativos da colônia a ocuparem o posto. Remontou a estrutura de tráfico de escravos com capitais brasileiros, de modo que toda a economia africana das possessões portuguesas se tornou uma extensão dos negócios de comerciantes estabelecidos na colônia brasileira.

A expansão internacional viabilizou a instalação local de meia centena de engenhos de açúcar, alguns ao redor da cidade do Rio de Janeiro e a maioria na região de Campos dos Goitacazes. O conjunto de atividades gerou volume de negócios suficiente para Salvador de Sá entrar em novos empreendimentos. Na década de 1650, criou um estaleiro na ilha do Governador e nele iniciou, com a contribuição de carpinteiros indígenas, a construção do maior navio do mundo da época, o galeão *Padre Eterno*. Investimentos como esse exigiam muito capital. O comércio com Buenos Aires e as incursões paulistas pelo vale do Paraguai constituíam uma rede de captação de prata – e os indivíduos enriquecidos pelo interior deixaram de ser apenas aqueles casados com muitas mulheres índias e donos de muito gado e muitos títulos de terra.

Tanto quanto os produtores de açúcar e os comerciantes do litoral, o surgimento de fortunas monetárias sob a forma de prata refletia uma acumulação de capital nos circuitos econômicos internos da América. A prata originária da área espanhola não só permitia a acumulação de capital no interior do continente, mas era essencial para manter a produção exportadora. A expressão mais artística dessa forma de riqueza sobrevive até hoje em muitos pontos do país, na miríade de objetos sacros de prata do século XVII. Não se tratava apenas de religiosidade, mas também de uma maneira de os proprietários de capital colocarem essa riqueza fora do alcance do Fisco – o que leva à peculiar administração da Igreja pelo governo português.

Embora não permitisse que organizações religiosas tivessem propriedades com privilégios de nobreza na colônia, o governo admitia exceções: protegidas do Fisco estavam as riquezas, incorporadas em objetos sacros, das Santas Casas e das Ordens Terceiras do clero regular. Graças a isso, tais instituições puderam atuar como bancos. Tinham capital em prata e emprestavam a juros, transformando-se em financiadoras da produção, inclusive do açúcar e do tráfico de escravos. As análises dos balanços feitas posteriormente revelaram indícios fortes de uma contínua acumulação de capital no século XVI e na primeira metade do XVII. Essa lógica de acumulação conferia unidade à expansão contínua da aliança entre portugueses e Tupi. Em 1661, essa aliança preservava o domínio dos negócios e o controle territorial em uma área que, no caso do litoral, estendia-se desde o Amapá até o sul de Santa Catarina.

No interior, essa expansão havia sido ainda mais intensa. A partir de São Paulo, os domínios continuaram a se dilatar. Surgiram negócios com toda a área Jê do Espinhaço Central; a mineração e a criação de gado levaram à ocupação do leste do Paraná; em 1680, os paulistas fundaram Laguna, no sul de Santa Catarina. A partir de Pernambuco, os domínios haviam se ampliado pela margem esquerda do São Francisco, com os currais chegando ao Piauí no final do século XVII. Após a fundação de Belém pelo grupo que tomou o Maranhão em 1620, as alianças com os Tupi permitiram acelerada expansão pela bacia amazônica, avançando pelos vales dos rios Negro, Tapajós e Araguaia / Tocantins. Em 1639, Pedro Teixeira comandou um grupo que chegou até Quito, no Equador.

Uma figura interligou simbolicamente todo esse território. Antônio Raposo Tavares estava entre aqueles que desarticularam as reduções espanholas em 1629; em seguida, participou de uma incursão ao Rio Grande do Sul; lutou contra os holandeses; desembarcou no Rio Grande do Norte em 1639 e percorreu 3 mil quilômetros pelo sertão nordestino até chegar a Salvador. Partindo de São Paulo em 1648, embrenhou-se pelo território Guarani, atravessou o Pantanal mato-grossense, adentrou o espaço da atual Bolívia, atravessou o divisor das bacias do Prata e do Amazonas, desceu o Guaporé e o Madeira – e foi dar em Belém, três anos e 18 mil quilômetros depois da partida. Marcou assim novos limites interiores da área controlada pela aliança que agora era dos Tupi-Guarani com os portugueses.

Diante do acentuado contraste nos ritmos econômicos do Brasil e de Portugal nesse período, duas perguntas se impõem: qual a relação existente entre as economias da colônia e da metrópole? Qual o papel dos governos nessa realidade? Uma resposta adequada à primeira pergunta mostra hoje muita produção local, contrabando de moeda com a área espanhola para formar reservas metálicas – que eram o capital da época – e financiar a expansão. Tudo confirmado pelo novo tratamento de dados documentais extraídos de contratos, testamentos, documentos fiscais ou contábeis. Essas demonstrações de acumulação crescente de riqueza e desenvolvimento só ganham sentido para explicar esse período quando combinadas com as conclusões de antropólogos sobre a capacidade de produção de excedentes nas sociedades Tupi-Guarani: desde os primórdios da aliança, as trocas comerciais com as sociedades nativas eram em escala suficiente para permitir a acumulação de riqueza sob a forma de dinheiro e capital nas vilas.

Essa acumulação derivava sobretudo de várias atividades da produção interna – pecuária, agricultura alimentar (farinhas, feijão etc.), indústrias manufatureiras como tecelagem de algodão ou metalurgia do ferro, transportes etc. Mesmo na área exportadora, algumas das maiores fortunas monetárias foram obtidas por criadores de gado e comerciantes da produção local – alguns deles chegaram a reunir fortunas maiores que as dos senhores de engenhos. Os estudos quantitativos revelam que todas as atividades, internas ou externas, geravam riquezas; que os mais ricos, em todas as localidades, eram os comerciantes. E que os mais ricos entre os comerciantes eram os traficantes de escravos africanos. Os produtores agrícolas, na exportação ou no mercado interno, tinham fortunas menores. Em áreas mais distantes da exportação, como São Paulo, as grandes fortunas monetárias eram obtidas a partir das trocas com os nativos e com a área espanhola vinculada à mineração da prata. Tudo isso permite mostrar um retrato muito diferente – não apenas nas áreas de governo Tupi, mas também naquelas das vilas do sertão – daquele obtido com o emprego da noção de economia de subsistência – unanimemente adotada pelos clássicos. Tal noção gerou a descrição tradicional da economia das vilas ou do sertão nesse período como sendo uma economia de baixa produtividade, incapaz de gerar excedentes, sem dinâmica mercantil – ao mesmo tempo que atribuía toda a dinâmica mercantil ao setor exportador.

Um único dado basta para mostrar que, nesse período, o setor exportador não era capaz de gerar dinâmica no mercado interno: a produção de açúcar no Brasil em 1624, ano da primeira invasão holandesa, foi de 960 mil arrobas; esse volume somente seria atingido novamente mais de um século depois, em 1737, quando foram produzidas 937 mil arrobas. E os preços caíram continuamente na maior parte do período: de 1,7 mil-réis por arroba em 1637 para 778 réis por arroba em 1689. Desse modo, a grande expansão da área de domínio e também da riqueza, mostradas pelos estudos quantitativos como existente desde o século XVI, só pode ser devidamente explicada com uma radical mudança na forma de se entender tanto a produção interna como os governos e a vida no sertão.

Ainda que se ressalve o acentuado crescimento da produção de açúcar entre 1580 e 1624, quando o produto tornou-se o mais importante das trocas entre as Américas e a Europa, os levantamentos quantitativos sugerem que não há como sustentar o conceito de uma economia colonial dual, formada por um setor interno sem dinâmica mercantil e um setor exportador concentrando o aspecto acumulador da produção. Quando se reconhece na economia nativa a capacidade de gerar excedentes – e a circulação desses excedentes –, tudo muda. O que então se nota, graças aos novos conhecimentos, é um contínuo de acumulação que começa nas trocas de ferro entre tribos sem contato direto com europeus, passa pelos ranchos nos quais os produtos eram guardados para serem trocados por ferro quando viessem parentes aliados desses grupos Tupi (nativos ou moradores de vilas), continua na atividade local de produção das vilas (metalurgia, gado etc.), na acumulação de dinheiro que financiava a produção exportadora – e segue para além do espaço da aliança com o controle do tráfico de escravos africanos pelos capitais brasileiros ou o envio regular de navios com escravos para Buenos Aires e as trocas de prata pelo interior, completando um circuito multinacional de acumulação centrado no Brasil.

Tal retrato econômico implica igualmente a necessidade de uma revisão sociológica. A noção de economia de subsistência associada ao conceito de uma dualidade radical, entre produção interna desprovida de dinamismo e setor exportador acumulador, acabou por gerar uma série de definições dos papéis sociais, segundo as quais a escravidão africana seria o indicador maior de dinâmica produtiva – e, portanto, a clivagem central para entender a estratificação social e as disputas de classes pelos resultados da produção. Para essa análise tradicional, a sociedade do sertão seria apenas um conjunto indistinto de pessoas que viviam em regime de subsistência, enquanto a produção exportadora concentraria a geração de excedentes significativos – e, portanto, toda acumulação de capital seria fruto da espoliação daquilo que os escravos produziam para os seus senhores.

Nada disso, porém, faz muito sentido em face das descobertas mais recentes possibilitadas pelas novas metodologias. Uma tradução sociológica mais acurada dessas descobertas tem de levar em conta uma gama de frações acumuladoras. Havia aquelas realizadas por agentes que funcionam como produtores coletivos (no caso dos excedentes gerados por nativos). Mas a maior fração da produção econômica colonial cabia aos produtores independentes, donos de seus meios de produção e tomadores de risco – ou seja, aos empreendedores. Do ponto de vista sociológico, os estudos quantitativos mostram que a unidade produtiva mais comum era a pequena posse (largamente dominante) ou propriedade, seja individual ou familiar, em múltiplas formas: um curral de gado no sertão, uma pequena roça próxima de uma vila, os ganhos nas caravanas de trocas com nativos, tecelagem artesanal, venda de quitutes nas ruas nas vilas maiores, pequeno comércio, transporte, trabalhos especializados (fundição de ferro, carpintaria, construção etc.). Até o século XVII, a regra praticamente geral era a de produzir tudo isso sem o emprego de escravos nas vilas espalhadas pelo vasto território da aliança. Apenas nos maiores centros exportadores havia a presença da mão de obra cativa e mais cara em trabalhos competitivos com os empreendedores independentes. Com tal retrato econômico e sociológico se pode avaliar de outra forma o papel dos diversos governos atuantes no período.

CAPÍTULO 12
> *Governo central e economia*

Assim como concentravam valor explicativo no setor exportador, os clássicos focavam inteiramente na esfera central de governo – a Coroa e o governo-geral – como a única relevante na determinação dos rumos da colônia. Os novos conhecimentos obrigam a uma nova mirada sobre tal pressuposto, tão unânime como a aplicação da noção de economia de subsistência. Uma das maneiras mais simples para avaliar qualitativamente a atuação da esfera central de governo na economia do período é examinar o modo como operava os seus recursos financeiros, captando impostos e gastando com serviços.

Desde o início do domínio espanhol em 1580 até pouco além da retomada da normalidade com o tratado de 1661 – no final do século XVII –, os dados disponíveis mais constantes referem-se na prática ao governo português como um todo, no âmbito do império, do qual o Brasil fazia parte. No que tange às receitas que o império português obtinha com o Brasil, o mais relevante eram as exportações da colônia. E isso porque o governo central (a soma de governo-geral no Brasil com o metropolitano) captava dinheiro de impostos da economia brasileira basicamente nas alfândegas locais ou na de Lisboa e – sobretudo após a retomada de Angola em 1641 – dos traficantes brasileiros que faziam negócios na África.

No princípio, o rendimento com o Brasil era relativamente insignificante no contexto do império. Em 1607, quando a produção exportável ainda estava sendo organizada, as receitas brasileiras representavam apenas 5% do total arrecadado no vasto império mundial. Nessa altura, é provável que houvesse certo equilíbrio entre despesas e receitas – e a ação econômica da esfera central na economia local seria de relativa neutralidade. Em 1681, pouco depois da estabilidade, as receitas tributárias extraídas do Brasil representavam metade de toda a arrecadação do império português. Proporcionalmente, a colônia passou a pagar dez vezes mais impostos do que no início do século. Desde que o balanço com as despesas fosse preservado, isso não seria problemático.

Mas não foi o que aconteceu. No final do século XVII, o Brasil fornecia cerca de 60% da receita tributária global de Portugal, enquanto as demais partes do império ultramarino (as possessões africanas, com destaque para Angola, onde traficantes brasileiros pagavam impostos, além de uns poucos domínios asiáticos restantes) forneciam 20%. No total, 80% das receitas tributárias do império vinham das possessões e apenas 20% dos moradores metropolitanos. Naquilo que se refere às despesas, 75% delas eram realizadas no Reino e 25% no ultramar. Nesse cenário, na melhor das hipóteses (gasto zero na África e Ásia) dois terços daquilo que os brasileiros pagavam em impostos eram transferidos para fora e gastos na economia metropolitana ou em outras partes do império.

Em outros termos, ao longo do século XVII o governo central português se transformou numa máquina que extorquia muitos impostos e gastava apenas uma fração do arrecadado na economia brasileira. Do ponto de vista fiscal, o Brasil foi transformado naquilo que o rei D. João IV definiu, com total clareza, como "a vaca leiteira do Reino". Essa mudança radical da posição do Brasil no cenário das finanças públicas do império português era um reflexo direto da decadência deste no cenário internacional durante o período. Em 1621, sob quatro décadas de domínio espanhol, as receitas ultramarinas e as despesas globais portuguesas ainda mantinham certo equilíbrio. Apenas sete anos depois, em 1628, as receitas alfandegárias haviam caído 30% e as da Casa da Índia se reduzido praticamente a zero. A primeira reação do governo foi contratar empréstimos para cobrir o rombo, na esperança de uma retomada. Nesse primeiro momento, a Coroa também aumentou os impostos pagos pelos metropolitanos. Em 1632, no auge da crise da invasão holandesa, os reinóis pagaram impostos para fornecer 58% das receitas. Ainda assim, a situação relativa lhes era favorável. Somando receitas e despesas desse ano, os metropolitanos pagaram 58% dos impostos e receberam de volta 81% dos gastos – uma diferença favorável de 23%, financiada sobretudo com empréstimos e receitas asiáticas.

Aos poucos foi ficando claro que a retomada das receitas ultramarinas não estava no horizonte – e também que a política tributária apontava numa direção clara: entre 1621 e 1641 os impostos pagos pelos metropolitanos tiveram um aumento de 55%, especialmente na região agrícola do interior. Os gastos também mostraram uma direção clara: 46% das despesas de 1641 foram para o pagamento de juros, quase todos devidos à burguesia mercantil de Lisboa. Esse aumento relativo dos ganhos de uma burguesia mercantil, que não tinha mais acesso a boa parte de seus antigos mercados fora do reino, e feito à custa da nobreza e do funcionalismo, se expressava num dado: o pagamento de juros superou as despesas de manutenção de funcionários e nobres, que em 1641 chegaram a 35% dos gastos governamentais. O balanço entre esses dois maiores beneficiários da despesa pública mudou radicalmente com a Revolução de 1640, que levou um português de volta ao trono.

Uma das primeiras medidas do novo governo foi uma forte diminuição da carga tributária na metrópole, que passou a responder por pouco mais de 20% da receita total – quase um terço da proporção vigente apenas oito anos antes. A partir daí, sobrevivendo como pôde, o governo manteve o mesmo rumo, aumentando impostos no Brasil e diminuindo o quanto possível o pagamento de juros para a burguesia lisboeta – em 1681, ano em que os tributos brasileiros representaram 50% das receitas totais do reino, o pagamento de juros representou 25% do total das receitas (contra 46% do que era pago na época em que mudou a dinastia) – e aumentando o quanto possível os pagamentos a nobres e funcionários – nesse mesmo ano alcançaram 40% das despesas (eram 25% em 1641).

Essa política fiscal mostra com clareza o sentido da ação metropolitana: arrancar dinheiro da economia produtiva do Brasil e transferir o máximo possível para o funcionalismo e a nobreza agrária do interior da metrópole. Para isso valia quase tudo. Em 1647, dois anos depois do início da revolta no território holandês, com os moradores do Brasil bancando toda a luta e a produção ainda desarticulada, o governo metropolitano instalou cobradores de impostos na região – para a qual não havia enviado soldados. Pior ainda, a política fiscal não era a única ação prejudicial ao desempenho da economia colonial. A partir de 1649, como forma de compensar as perdas da burguesia comercial lisboeta, o monarca determinou a criação da Companhia Geral do Estado do Brasil, criada a partir de um empréstimo do Tesouro – ou seja, dinheiro do governo. Os acionistas que se beneficiaram do dinheiro eram os que emprestavam ao governo, que passou a lhes garantir um monopólio e expulsou os comerciantes menores da rota.

Como resultado do monopólio, aumentaram os preços das mercadorias metropolitanas para o Brasil e diminuíram os pagamentos para produtores. A eficácia também diminuiu muito: nos primeiros tempos a empresa só conseguia mandar uma frota a cada dois anos, interrompendo na prática as importações e exportações por longos intervalos. No caso do tabaco o tratamento foi ainda mais feroz. Em 1675, o monarca transformou o comércio do produto em monopólio real. Os resultados produtivos foram ruins: as exportações caíram de 100 mil arrobas, nesse ano, para 80 mil arrobas, em 1690. O preço pago pelo monopolista régio aos produtores caiu de 2 mil-réis por arroba em 1674 (último ano antes do monopólio) para 1,2 mil-réis em 1700 – nada menos que 40%. Mas o essencial para os objetivos metropolitanos foi o fato de que cada arroba exportada rendia agora 2,13 mil-réis para o governo metropolitano – 80% a mais do que recebiam os produtores.

Em escala menor, o mesmo tipo de medida monopolista foi adotado numa das capitanias administradas diretamente pelo rei, a do Grão-Pará e do Maranhão. Em 1681 o governo criou o monopólio de comércio para a capitania e no ano seguinte o repassou a um particular. O aumento extorsivo do preço dos produtos trazidos de Lisboa e a queda violenta dos pagamentos aos produtores locais foi a consequência direta do monopólio. Este só cessou em 1684, quando eclodiu uma revolta popular que forçou o governo a abandonar a ideia. Mas nem por isso acabou a ordenha fiscal nesse nível intermediário de governo. O primeiro capitão-mor enviado conseguiu aprovar na Câmara um aumento dos impostos locais para compensar o alívio no comércio. Em 1693, a arrecadação da capitania foi de 13 contos de réis; os gastos, de cinco – e a diferença, mandada para Lisboa.

A contínua transferência de recursos fiscais para o centro e a miséria nos investimentos do governo central na colônia torna muito difícil supor que essa esfera tenha de fato influência no crescimento da economia colonial. Ainda que se argumente com o papel organizador da produção nos tempos de Mem de Sá e no período até a virada final do século XVII, parece claro que o governo central foi, no balanço geral dos dois primeiros séculos, muito mais um obstáculo do que uma alavanca para o desenvolvimento. Apesar disso, um ponto deve ser considerado: tal governo se impôs em meio a forte competição. Houve tentativas de implantação de governos franceses e holandeses, além de disputas diretas com o governo espanhol. Bem ou mal, com ou sem investimentos, o governo central português foi capaz, em meio a esses conflitos, de assegurar uma área de domínio que se ampliou constantemente – na maior parte das vezes por guerras e combates. Nesses casos os moradores eventualmente tiveram opções: Caramuru fez negócios com franceses e portugueses, mas acabou atraído para a órbita do governo-geral. Os pernambucanos produziram sob ordenamento jurídico português e holandês, e terminaram optando pelo primeiro. Moradores espanhóis do Paraguai e portugueses de São Paulo oscilaram entre as duas ordens, até que a portuguesa se estabeleceu em parte do território antes sob controle espanhol. O vencedor, em todos os casos, foi um só.

Apesar de esses governos alternativos derrotados eventualmente serem menos prejudiciais do ponto de vista fiscal, tiveram dificuldades para se estabelecer. Os franceses, por causa do específico momento de divergência religiosa; os holandeses, pelas dificuldades em manter o equilíbrio nos balanços de uma empresa que pagava as contas do governo e as necessidades da produção; os espanhóis, pela cessão de poderes aos inacianos que empurrou moradores para a aliança vitoriosa com o governo do outro lado da fronteira. Com exceção parcial da expulsão dos franceses do Rio de Janeiro, quando o governo-geral arregimentou os índios que lutaram, em nenhum dos outros a instância central teve sequer um papel secundário no resultado. Os moradores de São Paulo e Assunção moldaram o cenário a seu modo, os pernambucanos – como dizia a Câmara de Olinda – expulsaram os holandeses "à custa de nosso sangue e fazendas [bens]".

A regra que vale para as lutas contra governos estrangeiros vale em grau maior ainda para toda a expansão rumo ao interior. O governo-geral não tinha meios para nada. Tropas, planos, resultados, tudo dependia das capitanias (sobretudo Pernambuco e São Paulo), dos moradores das vilas – e dos nativos. Por quase dois séculos o governo central português se limitou a cobrar muito em impostos, devolver quase nada em serviços; teve uma presença que praticamente se restringia à capital (apenas os jesuítas, funcionários públicos pagos pelo rei, tiveram um papel no território como um todo). Portanto, para se entender a expansão interna mostrada pelas novas metodologias, todo o desenvolvimento precisa ser entendido a partir dos governos intermediários das capitanias, dos governos locais das vilas – mas sobretudo dos governos consuetudinários, em especial os Tupi-Guarani. Para isso, no entanto, é necessária uma forte mudança de sinais.

No modo tradicional de contar a história não é apenas a economia que aparece segmentada entre um setor dinâmico e outro anêmico, seja de nativos ou de moradores. Sem acesso à visão de uma produção dinâmica permitida pela combinação dos estudos antropológicos e econométricos, não era possível para esses historiadores perceber que os interesses derivados dessa riqueza – inexistentes por definição devido ao uso da noção de economia de subsistência – sustentassem formas próprias de governo. Por não terem acesso aos interesses, a história política derivada da visão de estagnação na economia de subsistência é aquela da quase total desconsideração das esferas descentralizadas de poder. Assim como a história econômica tende a se confundir com a do setor exportador, a história política dos clássicos se confunde, muitas vezes, com a história da instância central. A constatação da existência de uma dinâmica econômica interna requer também – na presença de um governo central que não contribuía para o progresso desse âmbito – o entendimento de como os governos locais se portavam com relação ao desenvolvimento econômico.

Em vez da complementaridade surge então uma tensão, gerada pela disputa por riqueza entre os moradores (e os governos que eles controlavam ou influenciavam) e o governo central. Para que tal tensão seja percebida, no entanto, é necessário reconhecer o valor de uma série de instituições locais que representavam interesses locais – reconhecimento totalmente ignorado pela formulação clássica. Entre tais instituições estavam, por exemplo, as Santas Casas, que eram formalmente instituições não governamentais locais para atender gratuitamente doentes, sustentadas por doações dos moradores de uma vila. Cada uma era independente da outra, embora funcionassem de acordo com a mesma regra: o dinheiro das doações era isento de tributos, de modo que escapava da ação dos captadores metropolitanos. Muita gente importante se aproveitava da brecha. Ricos faziam doações, muitas vezes grandes o suficiente para influírem na administração do patrimônio da entidade. Tal patrimônio era muitas vezes aplicado em empréstimos – e isso tornava as Santas Casas (e as Ordens Terceiras, sujeitas ao mesmo regimento) nos bancos locais da economia.

A tensão entre os interesses do capital local mobilizado pelas Santas Casas e os interesses do governo-geral podem ser medidas na situação da maior delas, a Santa Casa de Misericórdia de Salvador. Sua capitalização foi crescente desde a fundação, nos tempos da instalação do governo-geral na cidade. O auge da crise portuguesa e das exportações brasileiras, entre 1624 e 1650, coincidiu com um período áureo de capitalização, com o recebimento de 12,8 contos de réis de legados. Essa base sólida de capitalização permitiu empréstimos de 40 contos em 1650. A partir daí, no período da máxima expansão fiscal do governo central, uma conjunção de legados em queda com inadimplência em alta levou a uma crise na instituição. Em 1675, os empréstimos haviam caído para 12,5 contos, menos que no primeiro quarto do século. Esse é apenas um exemplo relevante das tensões entre a capitalização interna da economia e a ação do governo central na direção contrária.

Mas a capacidade de pressão metropolitana por recursos fiscais era limitada. Nos locais em que o governo central tinha dificuldade para arrecadar impostos, como por exemplo em São Paulo, os efeitos da ordenha – e as tensões – eram menores. Como o governo local era relativamente muito mais poderoso, as relações com o centro se revestiam de uma formalidade curiosa: para os habitantes valia a pena fingir que obedeciam ao centro; na via inversa, os atos governamentais da Coroa se resumiam a trocar cartas pedindo favores com o dinheiro alheio e retribuindo com títulos de fidalguia totalmente simbólicos. Um curioso resumo dessa situação aparece num documento que circulou na Corte em 1690, intitulado "Apologia dos Paulistas". Na parte positiva dizia que "os paulistas são os verdadeiros exploradores do Brasil e nisso fizeram grandes serviços a Vossa Majestade com seu destemor e armas". Mas a seguir vinha uma constatação de que eram "gente incapaz de se reduzir a termos especulativos, porquanto entre eles suas leis são as da sua conveniência". Sem as possibilidades de pensar trazidas pela observância da lei escrita, diz o texto, "podem ser facilmente manejados animando-os Vossa Majestade com a mercê de honrá-los, porque são ainda daquela inclinação dos primeiros moradores diante de qualquer pano vermelho que lhes mostravam".[1]

Era sarcasmo – mas sarcasmo capaz de permitir entender que o ponto definidor das relações entre o governo metropolitano e o governo local não era tanto o dos panos vermelhos, vistosos na narração, mas a constatação de que o governo efetivo da vila era aquele da conveniência mútua das partes. Os panos vermelhos e os papéis de fidalguia permitiam um reconhecimento mútuo formal de costumes. Os paulistas reconheciam a autoridade do rei como centro do poder, o rei limitava sua atuação efetiva aos panos vermelhos. Assim o governo efetivo exercido naquele espaço era apenas aquele dos moradores – que sagrava seus costumes, suas leis gravadas no coração. Para saber como esse governo sancionava o progresso, é necessário olhar em detalhe as relações entre ele e os costumes.

CAPÍTULO **13**
> *Governos locais e costumes*

Em termos formais, todos os governos das vilas estavam obrigados a seguir as normas escritas, pautando o governo de acordo com as Ordenações do Reino. Porém, como o faziam numa realidade que nada tinha a ver com o mundo ordenado dos valores medievais, havia necessidade de adaptações. A primeira vila do Brasil, São Vicente, foi criada em 1532. Após a partida do capitão Martim Afonso de Sousa, os moradores assumiram o comando do próprio destino. A economia andou: o Porto dos Escravos manteve sua atividade de sempre – ao lado de um engenho de cana de relativa prosperidade. Os costumes também se mantiveram, com os habitantes vivendo de acordo com as normas vigentes entre os aliados Tupi, embora fossem donos da própria "taba". Poderiam muito bem ter deixado de lado os rituais eleitorais prescritos nas Ordenações do Reino ou a utilização da lei escrita, mas não foi o que aconteceu: também fazia parte da cultura local a busca do consenso comandada por um chefe ou a confiança nos poderes que lhe eram delegados em casos de guerra.

Assim é que as eleições continuaram a ser realizadas a cada três anos, com os eleitos tomando posse e transmitindo o cargo aos sucessores. Ninguém de fora se intrometeu no governo. Com isso os vereadores aplicaram as leis a costumes que não eram bem aqueles definidos como apropriados pelo código. João Ramalho viveu muito bem com suas 30 mulheres e nenhum vereador o perturbou. Esses matrimônios, do ponto de vista Tupi, estavam dentro dos códigos dos bons costumes e da mais elevada moral. Por causa dessas mulheres ele era respeitado não apenas na vila, mas entre os membros dos muitos grupos Tupi que compunham as redes de aliados criadas pelos casamentos, como figura poderosa e pródiga de bens e como líder capaz de comandar guerreiros que dominavam um vasto território. Além disso, era muito influente na vila. Do ponto de vista social, porque arranjara os casamentos de quase todos os moradores – e soubera também fazer essas uniões ganharem um significado relevante no universo administrativo do governo local Tupi. Do ponto de vista político, porque sabia mobilizar a parentela nas eleições. Do ponto de vista econômico, porque sem seu beneplácito ninguém negociava com os nativos.

Por isso nenhuma autoridade se lembrou de enquadrar o potentado na lei portuguesa, que ele transgredia de maneira evidente: afinal, João Ramalho era um homem casado na Igreja, que abandonara a mulher legítima em Portugal para viver em pecado aberto. Tal comportamento transgredia vários títulos das Ordenações, de modo que o dever de quem velava por tal lei seria processá-lo e condená-lo por tais desvios.

A primeira autoridade do governo central a lidar com o dilema foi o governador-geral Tomé de Sousa. Como já se viu, esteve com João Ramalho em 1553 e viu com os próprios olhos que ele andava nu pelas ruas, seguido por mulheres e filhos. Notou ainda o enorme poder econômico e social que detinha. Apesar de tudo o que viu, em vez de julgar pelas transgressões explícitas, preferiu levar em conta outros aspectos relevantes de sua missão. Entre eles estavam as ordens para instalar os jesuítas no sertão, a fim de que estudassem a melhor maneira de converter os nativos. Tanto o governador como os padres resolveram esquecer certas determinações das Ordenações do Reino e tentaram atender os próprios interesses de governo.

Se o próprio governador-geral mostrava tolerância, os jesuítas não tinham por que agir de outro modo. Instalados em Piratininga sob proteção de João Ramalho, no princípio esforçaram-se ao máximo para tratar bem seu protetor. Em carta, Manuel da Nóbrega faz uma avaliação positiva dele, mencionando sua intenção de abandonar as mulheres nativas e trazer a legítima esposa de Portugal. Todavia, assim que perceberam a extensão de sua influência entre os nativos – que não era exatamente na direção da monogamia nem da submissão à autoridade de padres –, foram mudando de tratamento. Até 1562 – quando o vereador João Ramalho comandou as tropas que salvaram a vila de um ataque Tamoio – mostraram-se comedidos. Depois, com o controle de toda a região nas mãos dos aliados Tupi dos portugueses, os padres retomaram a preocupação moral e passaram a descrevê-lo como um pecador contumaz que havia abandonado a mulher para levar uma vida devassa.

Por esse exemplo nota-se que um mesmo costume é objeto de tratamento muito diferente conforme a cultura em que está inserido. Que as leis do costume Tupi não eram todas enquadráveis na lei escrita portuguesa. Que, dependendo das circunstâncias efetivas, até mesmo os encarregados de fazer valer a lei escrita não podiam tudo. Que a realidade dos costumes muitas vezes se impunha às normas codificadas. E até mesmo que os costumes podiam dar um novo sentido positivo a tais normas – como se viu no caso das eleições repetidas, costume português que "pegou" no Brasil. Onde quer que se criasse uma vila no Brasil, a história se repetia: eleições de três em três anos, posse dos eleitos, nova eleição, transmissão do cargo. Não há notícias de comportamento diverso em nenhuma vila da colônia – apenas as quantificações são mais raras. Também não há notícias de outro comportamento que não a tolerância mais aberta para conciliar as discrepâncias entre as prescrições do livro e a realidade.

O caso de São Paulo (nome que a vila de João Ramalho recebeu depois de 1560) também serve de exemplo para outra regra: havia rotatividade no poder. Apenas entre 1596 e 1625 foram 222 pessoas diferentes ocupando cargos eletivos de governo – quando o número de famílias (na época o termo definia um agrupamento político no sentido aristotélico: um chefe com sua mulher, filhos, criados e escravos) não passava de 190. Um quinto dos moradores mais ricos jamais ocupou cargos, enquanto pessoas que praticamente não deixaram bens em testamento o fizeram repetidas vezes – João Ramalho entre elas.

Em todo esse período, o isolamento foi a marca da vila: apenas um ex-governador-geral ali se instalou e uma única autoridade ligada ao governo-geral (um juiz) por lá passou alguns dias, depois de meio século sem nenhuma visita de autoridades externas. Apenas os jesuítas permaneceram. Montaram aldeamentos (os moradores entregavam os índios), pregavam contra o pecado em que todos viviam e conseguiram influenciar alguns moradores. Mas a regra da mistura de costumes – e de enquadramento destes pelo governo local segundo as conveniências da vida – continuou. No decorrer do tempo, foram se consolidando não apenas costumes de pessoas miscigenadas, mas todo um modo de adequar as Ordenações do Reino a essa realidade mesclada.

Isso não valia só para as questões de moralidade sexual ou para os momentos iniciais de contato. A recuperação das normas que regem os costumes Tupi por parte dos antropólogos permitiu, entre outras coisas, que estudiosos e leitores contemporâneos, com acesso apenas à escrita para formar seus juízos, possam entender a documentação histórica com nova mirada, muitas vezes reveladora de uma extensão muito maior das fusões e amalgamentos entre sistemas normativos (pois o comportamento dos Tupi não era errático, mas seguia as normas consuetudinárias depois explicitadas pelos antropólogos) e costumes diversos.

O padre Guilherme Pompeu de Almeida, paulista da segunda metade do século XVII, altamente letrado (era doutor em teologia, formado no Colégio dos Jesuítas de Salvador) e empresário abastado, anotou a seguinte genealogia: "João Ramalho, filho do Reino, teve uma filha que se casou com Bartolomeu Camacho; este teve uma filha que se casou com Jerônimo Dias Cortes; este teve outra filha que se casou com Domingos Luiz, o Carvoeiro; este teve uma filha que se casou com João da Costa; este teve uma filha Maria de Lima que se casou com João Pedroso; estes tiveram a filha Ana Lima, casada com o capitão-mor Guilherme Pompeu de Almeida."[1]

Além de se tratar de um dos raros documentos em primeira pessoa da época colonial, ele mostra uma estrutura que soa estranha aos costumes ocidentais: menciona apenas os nomes de homens por muitas gerações, mas segue a linhagem descendente feminina, indo das mães para as filhas. Essa peculiaridade genealógica ganha outro significado quando vista à luz das referências antropológicas à cultura Tupi-Guarani. Nessa cultura, a filha é só do pai – mas são as mulheres que constituem a estrutura permanente do grupo, acolhendo os homens de fora. Em linguagem técnica atual, a genealogia apresentada pelo padre é, ao modo da concepção Tupi, patrilinear e matrifocal por quatro gerações. Apenas na quinta aparece uma fusão parcial com o modo ocidental de pensar, com as filhas sendo atribuídas a pai e mãe, como no Ocidente, além de serem nomeadas. Mas a estrutura maior continua sendo a da linhagem de mulheres ancestrais que acaba no padre-autor.

Uma vez reconhecido, esse modo de pensar Tupi pode ser aplicado a realidades mais amplas. O pai do padre, o capitão-mor Guilherme Pompeu de Almeida, embora filho de letrado, casou-se com uma mulher pobre e mestiça. Ao modo dos Tupi, mudou-se em 1630 para a recém-fundada vila de Santana de Parnaíba – a casa de sua mulher. Foi viver ao lado do sogro bastante indianizado, cujo apelido era "Terror dos Índios". Comprou uma mina de ferro abandonada, montou uma pequena oficina e passou a fornecer ferro para os parentes da mulher que circulavam pelo sertão, recebendo como pagamento parte das mercadorias que traziam na volta. Ficou rico depressa e soube investir. Na segunda metade do século era dono de uma grande manufatura com cinco oficinas especializadas, empregando pelo menos 200 artesãos, a grande maioria escravos nativos, mas com alguns mestiços e europeus (bem pagos, apesar de formalmente escravos) nas funções mais técnicas. Juntou dinheiro suficiente para financiar negócios de grande monta e grande amplitude espacial. Entre eles estavam empreendimentos como a instalação de parentes mineradores em Curitiba, a transferência de 5 mil moradores de uma vila espanhola do atual território da Bolívia para São Paulo (faziam parte do grupo de artesãos especializados que construíram os grandes tesouros artísticos e arquitetônicos paulistas da época) e a construção da Colônia do Sacramento, um ponto de contrabando diante de Buenos Aires.

Quase todos esses negócios, apesar do volume crescente de dinheiro, eram baseados apenas no costume, com o fornecimento de crédito e a liquidação dos débitos sem qualquer contrato escrito – o fiado era a forma dominante de investimento de capital no sertão. Nos tempos do capitão, a única forma de registro de tais empreendimentos eram as menções de dívidas nos inventários e testamentos de pessoas que morriam com os negócios ainda em andamento ou em esporádicas menções de atas das câmaras municipais. Já o filho letrado tinha o hábito de registrar as transações que fazia em cadernos – e um deles sobreviveu, tornando-se um dos raríssimos registros escritos dos negócios feitos segundo o costume no sertão.

Mas que costume? Colocadas num banco de dados, as referências aos negócios de pai e filho mostram pouca lógica quando cruzadas com uma genealogia elaborada nos moldes ocidentais, que é patrifocal. Porém, quando as referências são cruzadas com uma genealogia Tupi, construída com as mesmas categorias que definem a família tanto para o padre como para os Tupi, todos os investimentos de capital se encaixam. Em outras palavras, os investimentos de capital acumulado em padrão ocidental eram alocados, segundo a lógica de menor risco de inadimplência, na parentela Tupi.

Por aí se vê que a junção dos conhecimentos antropológicos com as técnicas de pesquisa quantitativa pode revelar algo sobre aquilo que a "Apologia dos Paulistas" define como viver de acordo com "leis da sua conveniência". Os costumes Tupi operavam em São Paulo em camadas bem mais fundas que as formas legais das Ordenações, até mesmo no que se refere ao enriquecimento, aplicação de capitais e financiamento de uma economia cada vez mais mercantil. O fato de que o padre-empresário respeitado por todos vivesse com uma índia e tivesse um filho com ela era apenas um detalhe nessa estrutura.

As diferenças entre as esferas da norma escrita portuguesa e do costume fortemente marcado pela cultura Tupi-Guarani, nesse caso, operavam num amplo cenário espacial. O capitão e o padre eram empresários e acumularam grandes fortunas para o padrão da época. Eram também sertanejos, vivendo em pequenas vilas do interior (o padre instalou-se em Araçariguama). Negociavam com o sertão, financiando caravanas de parentes indianizados, e com o exterior (a fortuna de ambos era acumulada na forma de prata trazida de Potosí – mais de 100 quilos, no caso do padre). Pensavam com conceitos e categorias (de família, de fornecimento de crédito) em que se mesclavam ambas as esferas. Com isso ganharam relevo no governo local. Os reis de Portugal escreveram diretamente ao capitão, fazendo ofertas de fidalguia – que ele aceitou, embora não exatamente como "inclinação a qualquer pano vermelho". Uma dessas cartas reais transformou o primeiro Guilherme Pompeu de Almeida em capitão-mor da vila de Santana de Parnaíba, outra o levou a investir na Colônia do Sacramento – com o devido cuidado. O rei lhe prometeu que podia financiar parte do empreendimento com impostos, pelo que o capitão resolveu se eleger vereador da vila pela primeira vez na vida, coordenando a cobrança. O rei entrou com o papel, o capitão com a substância política e econômica.

Assim se aprofunda um grau de fusão entre, de um lado, a lei escrita portuguesa seguida pelos governos locais e, de outro, as necessidades e os interesses da acumulação de riqueza – garantidos pelas alianças com os nativos na maior parte do território. Fusões dessa natureza podiam ser encontradas até mesmo nos maiores centros exportadores da colônia – desde que se empreguem métodos capazes de detectá-las.

A historiadora norte-americana Rae Jean Dell Flory foi uma das pioneiras no emprego de banco de dados para cruzar registros documentais. Trabalhando na década de 1970, quando a técnica começou a ser aplicada, ela juntou num único banco os registros de nomes de pessoas citadas em contratos comerciais, documentos de registro civil (certidões de batismo e enterro nas igrejas, que eram documentos oficiais numa época em que a Igreja fazia parte do governo) e documentação oficial de governo na região do Recôncavo baiano, no período de 1685 a 1725. Com base nesses dados, ela conseguiu traçar um retrato da economia de mercado local. Segundo Dell

Flory, a pesquisa tinha um limite, abrangendo apenas o topo da atividade empresarial e deixando de fora uma base de negócios mais ampla, além de sociologicamente não incluir as relações produtivas com nativos livres e escravos. Desse modo, apresenta um viés, descrevendo mais o perfil da elite do que o da população como um todo. Ainda assim os resultados são relevantes.

Num tempo em que se estimava a população da região em 100 mil pessoas (30 mil em Salvador), os registros informam a existência de uma média de 110 engenhos de açúcar em funcionamento, 450 grandes comerciantes em atividade, 2 mil plantadores de cana autônomos e 2 mil plantadores de tabaco. Com isso, o topo empresarial da cidade teria, na época, cerca de 4,6 mil responsáveis por empresas maiores, ou 4,6% da população total estimada. Descontadas as mortes e somados os casos omissos na documentação, o número não deixa de ser significativo. Caso a média de pessoas por família fosse de cinco membros (uma estimativa muito conservadora para o período), o contingente ligado a essa posição produtiva elevada abrangeria uma parcela de pessoas que, com as famílias, chegava a um mínimo de 22,5% da população da capital.

Abaixo desse grupo havia uma larga base de empreendedores, de pequenos empresários que se dedicavam a atividades variadas: pequenos comerciantes, vendeiros do interior, quituteiras, artesãos independentes, transportadores (havia algo como 2 mil barcos na região, além de muitos estaleiros), estivadores etc. Todos fazendo seus negócios (parte deles eram escravos, como muitos artesãos ou quituteiras) longe da vista ou do registro na papelada oficial de governo – de modo que os historiadores tradicionais não tinham como analisar tal estrutura antes da introdução das novas técnicas.

As consequências analíticas dessas descobertas são imensas. Os historiadores tradicionais, com base apenas na leitura da documentação, desta extraíram a interpretação sociológica de que a sociedade nordestina da época seria dominada por latifundiários e pela produção escravista, com o restante da população, nativa ou mista, relegado à esfera da economia de subsistência. Resultado da análise dos contratos de compra e venda de terras agrícolas, uma das conclusões mais salientes de Dell Flory vai no sentido oposto dessa concepção tradicional, mostrando uma sociedade de pequenos e grandes produtores e um mercado pujante: "A formação de lotes pequenos ou de tamanho moderado está presente em 204 das 285 transferências de propriedade registradas no período. Aproximadamente dois terços das transações geravam propriedades com menos de mil hectares – a maioria tinha entre 100 e 600."[2]

Essa tendência de divisão da propriedade e aumento do número de produtores independentes fica clara na análise dos dados sobre o tabaco: o número de cultivadores quadruplicou no período estudado, enquanto a produção média de cada unidade caiu para menos da metade da quantidade – um claro processo de desconcentração. Outras análises dos dados levaram a notar certas características muito relevantes do topo da sociedade baiana. Para começar, as medidas de riqueza permitiram afirmar que os mais ricos eram os comerciantes atacadistas e, em seguida, os senhores de engenho. Cruzando esses dados com registros civis, ela constatou que nada menos de 87% dos grandes mercadores então atuantes na cidade haviam nascido em Portugal. Entre estes, nada menos de 88% casavam-se com mulheres de famílias abastadas da cidade. Como resultado, a autora formula a seguinte descrição: "Caracteristicamente os senhores de engenho casavam-se com filhas de outros senhores ou de plantadores de cana, enquanto um número considerável de filhas de senhores de engenho casava-se com imigrantes. O casamento tinha importantes implicações, pois permitia consolidar propriedades. Em muitos casos, especialmente na execução dos inventários, o casamento com imigrante com dinheiro era o dado fundamental para essa consolidação."[3]

A historiadora não recorre a conceitos da antropologia em suas análises. Mas, quando estes são levados em conta, é possível acrescentar que, no topo econômico da mais rica vila do Brasil, quase todos os filhos de senhores de engenho só se casavam (ao modo Tupi) com as poucas mulheres "de fora" disponíveis, todas elas sem fortuna própria, na melhor das hipóteses herdeiras juntamente com os irmãos. Enquanto isso, as filhas tinham a possibilidade de ser "oferecidas" para alguém rico, noutra aliança típica da cultura Tupi, na qual porém não mais contava o domínio dos utensílios de ferro, e sim o dinheiro.

Entre os cadernos de negócio de um padre no interior de São Paulo e os dados estatísticos da documentação do Recôncavo baiano podem ser encontrados traços de costumes Tupi capazes de sugerir explicações para o desenvolvimento de mercados à margem do governo-geral e da formalização jurídica – ainda que em realidades muito distintas naquela altura. A expansão da economia e do domínio territorial do sertão nos séculos XVI e XVII refletiu basicamente a expansão da área de negócios e das guerras entre os Tupi e os demais povos que se governavam pelo costume, e os resultados que se acumulavam nas vilas sob a forma de riqueza. O processo ampliou o domínio Tupi no território interior, levou à destruição de outras populações e gerou um fluxo de excedentes econômicos em torno das trocas por utensílios de ferro. As áreas das vilas em que não havia exportação se expandiram atrás dessa onda. Nelas se instalaram muitos tipos de produção, com destaque para a pecuária no Nordeste e os produtos de abastecimento e artesanato em todo o território. A pequena produção era a regra – manufaturas como a do capitão Guilherme Pompeu de Almeida ou os engenhos do Nordeste, a exceção. A busca da riqueza dava sentido à vida. O empreendedor era a figura central.

Os governos locais serviam de apoio a essa tendência. Providenciavam força militar para a expansão, defesa, transporte, obediência às leis (tolerando os costumes mistos), legitimidade (pela eleição, que era a regra geral de acesso ao poder). Tudo por sua conta – e ainda pagando impostos gerais para sustentar a metrópole. Como resultado, permitiam a acumulação de riqueza em todo o território. Essa acumulação progressiva explica a multiplicação de vilas e de negócios. Eram também as câmaras municipais que organizavam a representação dos interesses dos produtores de mercadorias exportáveis nas áreas em que havia esse tipo de atividade. As câmaras de Salvador e Olinda mantinham representação em Lisboa especialmente para defender os interesses dos produtores locais.

Tanto quanto o governo central, as câmaras invadiam esferas de competência. Na maior parte dos casos, porque eram o único governo existente. A câmara de São Paulo não apenas declarou uma guerra internacional contra áreas sob domínio hispânico: em 1690 decretou um valor próprio para a moeda, algo que era poder privativo do monarca. Todos os moradores seguiram o decreto de seus vereadores. Com isso, o governo central, embora cobrando muito e não prestando nenhum serviço relevante, acabava sendo aceito – em parte pela autonomia de que desfrutavam os governos locais – e se impondo aos concorrentes estrangeiros que apareceram. Fica então um mistério: por que, sendo governos da escrita, esse papel das instâncias locais não foi reconhecido pelos clássicos?

CAPÍTULO 14
> *Política miserável e caranguejo*

A ESCRITA, ASSIM COMO A METALURGIA – AO CONTRÁRIO DO CONHECIMENTO DA natureza e dos caminhos na terra –, era uma importante vantagem tecnológica ocidental com relação à cultura nativa no campo da produção e difusão de conhecimentos. Esse era também um setor que conheceu, na Europa dos séculos XVI e XVII, uma revolução tão importante quanto a ocasionada pela navegação oceânica. Tanto a produção de conhecimento por letrados como a leitura do que se produzia eram muito limitadas por um gargalo nos meios de transmissão desses conhecimentos. O mais importante deles era o livro, cuja reprodução se fazia por cópia manual, o que exigia até anos de trabalho paciente de um especialista. Alguns desses copistas trabalhavam para ricos interessados, mas a maioria vivia em mosteiros – que eram os grandes centros bibliográficos.

Afora a Igreja, só em poucas cidades da Europa havia, de tempos em tempos, condições de juntar todas as peças da engrenagem no mundo laico. Na península Ibérica, a mais importante foi Toledo, na Espanha. Entre os séculos XI e XIV, o espírito de tolerância e de convivência entre cristãos, muçulmanos e judeus permitiu a tradução para o latim de grandes bibliotecas árabes, que continham todo o saber da Antiguidade. Por essa via, por exemplo, a obra de Aristóteles foi traduzida para o latim e voltou a fazer parte da cultura ocidental. Portugal beneficiou-se desses centros a partir do princípio do século XIV, neles arregimentando letrados e pesquisadores para suas instituições. Em 1290, o rei D. Dinis fundou uma das primeiras universidades ocidentais, que passou a funcionar entre Coimbra e Lisboa. Em 1307, criou a Ordem de Cristo, que alistou em torno de seu projeto tecnológico. As duas instituições atraíram produtores de conhecimento e leitores que não estavam subordinados à Igreja e propiciaram o salto tecnológico e cultural do Reino.

No entanto, a grande mudança geral na Europa ocorreu em 1450, com a invenção da prensa com tipos móveis de Gutenberg. Com ela superou-se o grande gargalo da produção de livros e difusão da leitura, permitindo a confecção de muitos exemplares de uma obra em muito menos tempo, uma enorme redução nos custos e o crescimento monumental na quantidade de leitores. Uma das consequências foi a perda da importância da Igreja no processo de transmissão de conhecimentos, assim como o aumento de poder dos produtores e leitores laicos. Por outro lado, a revolução da tipografia também atingiu a Igreja: a facilidade de conhecer a palavra sagrada por escrito, por meio de Bíblias impressas, estava na raiz do protestantismo. Publicada em 1503, a obra *Novus Mundus*, em que Américo Vespúcio narrava as suas viagens ao continente recém-descoberto, teve treze edições em latim esgotadas em dois anos; dez em alemão nos dois anos seguintes; além de outras em italiano, francês e algumas na Holanda. Em pouco mais de uma década, estima-se que tenham sido vendidos 15 mil exemplares, o que fez da obra o primeiro best-seller laico – e levou os leitores a identificar o novo continente com o nome de um navegador medíocre que fez poucas descobertas, mas era um mestre da narrativa.

Esse impacto da descoberta refletiu-se em Portugal, que passou a sofrer um assédio compreensível: em todas as nações nas quais se difundia a leitura dos livros impressos, os governantes se mobilizaram para atrair navegantes que dominassem a tecnologia da navegação oceânica, os comerciantes se interessaram em carregar os navios de mercadorias e os aventureiros prepararam-se para sair em busca de tesouros. A reação portuguesa foi basicamente de procurar manter em segredo as informações estratégicas. Isso se fez em muitas áreas, mas sempre com o mesmo sentido: de fechamento, de inversão do esforço de abertura do período anterior, todo ele laico, mercantil e universalista. A tolerância religiosa e cultural que estava na base do desenvolvimento tecnológico e seu financiamento parcial por mercadores foi substituída pela instalação da Inquisição como órgão da estrutura de governo e a expulsão dos judeus. A Ordem de Cristo perdeu autonomia após um acordo com o monarca, tornando-se parte da burocracia estatal. A Universidade de Coimbra teve o mesmo destino e parte dela foi entregue aos jesuítas. A mesma diretriz foi adotada no que se referia à tecnologia que desencadeara tantas mudanças no fluxo dos conhecimentos. A Inquisição ficou encarregada de controlar o funcionamento de tipografias – embora fossem empreendimentos particulares, só podiam abrir as portas com autorização desse órgão do governo –, o comércio e a importação de livros, a publicação (só podiam ser publicados textos aprovados pelos inquisidores) e até mesmo as vendas de livros. Ainda que alguns desses controles existissem também em outros países, poucos somaram tanta restrição à mudança quanto Portugal.

O Brasil foi visado de maneira feroz em cada um desses desdobramentos da política reacionária que acompanhou a decadência do império português. A política de segredo, de tentar impedir o conhecimento da terra e de seus habitantes pelos europeus – já facilitada no ponto de partida pela inexistência da escrita – ganhou detalhes de crueldade. Um deles pode ser notado em um trecho do frei Vicente do Salvador: "O nome de Brasil lhe ajuntaram ao estado, e o chamam Estado do Brasil. [...] Disto dão culpa alguns aos reis de Portugal, outros aos povoadores: aos reis pelo pouco caso que têm de tão grande estado, que nem o título dele quiseram, preferindo intitular-se senhores de Guiné por uma caravelinha que lá vai, nem houve um que o curasse, senão para colher rendas e direitos."[1]

O trecho critica o fato de que o nome da terra nunca apareceu na fórmula de praxe para identificação dos monarcas em documentos oficiais: "Fulano de tal, rei de Portugal e Algarves, senhor (das Índias, Molucas, Goa etc.)." Como bem notou o padre, até a Guiné aparecia entre os senhorios citados – mas nem "Terra de Santa Cruz" nem "Brasil" (quando a denominação popular foi oficializada) jamais foram mencionados em qualquer bula, decreto ou alvará dos reis de Portugal, mesmo naqueles que traziam ordens para o Brasil. O objetivo do segredo justificava outra política dura. A Inquisição permitiu a instalação de uma tipografia em Goa, que funcionou a partir de 1556, e concedeu o monopólio de impressão aos jesuítas no Oriente, em 1574. Mas jamais permitiu a instalação de uma tipografia no Brasil: todos aqueles que tentaram trazer máquinas e tipos foram presos, processados e tiveram seu material destruído – e isso continuou a ocorrer até o tardio ano de 1808. Para efeito de comparação, na América espanhola, onde também havia uma política similar de controle inquisitório, quase toda a correspondência oficial relevante era impressa em tipografias nos mais diversos pontos do continente. A cidade de Lima, no Peru, tinha um jornal regular impresso em tipografia já no século XVI – e até mesmo as reduções jesuíticas no Paraguai receberam autorização para levar o equipamento e imprimir bíblias em guarani para serem lidas pelos que viviam nas reduções.

Com a proibição total de tipografias, os moradores do Brasil só podiam mandar imprimir livros em Lisboa, e mesmo assim depois de conseguirem a autorização dos censores. Como estes tinham a preocupação de evitar que leitores estrangeiros tivessem acesso a informações consideradas estratégicas, as permissões concedidas nos dois séculos inicias da colônia podiam contar-se nos dedos das mãos. E, no caso da leitura dos textos escritos, até mesmo a compra de exemplares impressos dependia de outra espécie de censura. A Inquisição tinha poderes também para impedir a circulação de livros, sobretudo estrangeiros. Nos portos, havia controles das importações e apreensões – sempre com o objetivo de impedir o envio de exemplares à colônia.

Idêntica atitude de caráter retrógrado impedia a fundação de instituições produtoras de conhecimentos. Desde o século XVI, havia na colônia moradores ricos o suficiente para investir na formação local de seus filhos e bancar a conta. Mas todas as tentativas foram frustradas e negados todos os pedidos para a instalação de faculdades ou universidades. Em comparação, a primeira universidade da América espanhola, a de São Domingos, começou a funcionar em 1536. Mais ao sul, a pioneira foi a universidade de Lima, que passou a oferecer cursos a partir de 1551 – apenas dez anos depois de Pizarro ter dominado o império inca. Dois anos depois era inaugurada uma universidade no México. Nos Estados Unidos, onde tudo dependia da iniciativa de colonos enriquecidos, as primeiras faculdades começaram a funcionar a partir de 1636, pouco mais de três décadas após o início da ocupação inglesa – só no século seguinte houve recursos suficientes para montar universidades. Até mesmo a etapa mais elementar de todo o processo, o ensino básico da leitura e escrita, foi restringida pelo governo metropolitano. Apenas os colégios dos jesuítas recebiam estipêndios do Tesouro, em troca dos quais ficavam obrigados a manter escolas gratuitas para alunos, inclusive do ensino básico. Mas os regulamentos também diziam claramente que o objetivo das escolas não era o de prover ensino para quem quisesse, e sim o de preparar futuros membros para a ordem religiosa – e com isso as vagas eram severamente limitadas.

Apenas uma das instalações jesuíticas, o Colégio de Salvador, mantinha um curso superior de teologia, com aulas dadas por padres de melhor formação – o grande destaque no século XVII foi o padre Antônio

Vieira, um dos grandes eruditos da época e um dos mestres da língua portuguesa. Mas era um curso que formava em média um aluno por ano, quase sempre já aceito na ordem. Outras ordens de clérigos regulares – beneditinos, franciscanos e carmelitas – mantinham instalações educacionais, mas também só para fornecer uma formação intelectual um pouco mais sólida para seus membros. Para a imensa maioria dos moradores restava a proximidade caridosa a alguma dessas fontes para aprender a ler e escrever. A pequena fração daqueles que conseguiam vencer as barreiras e escapavam da carreira eclesiástica acabava sendo recrutada por uma das poucas oficinas do governo-geral – ou como autoridade possível nas vilas, ocupando cargos administrativos e cuidando da papelada civil do governo: atas de câmaras, processos judiciais, pedidos de favores, testamentos etc.

As consequências de tantas restrições ao acesso à escrita desde esse período foram catastróficas em termos de documentação a respeito da vida e do comportamento das pessoas. Hoje tudo precisa ser minerado na rala documentação oficial: quase não há depoimentos pessoais, comentários, cartas particulares ou desenhos. Casos como o de São Paulo nos três primeiros séculos não são incomuns: nenhum retrato de morador, nenhuma carta particular, nenhum depoimento pessoal em forma literária. A produção de conhecimento formal nessas condições tão inóspitas era a possível, exigindo uma retórica tortuosa. Fazer história exigia desvios narrativos de monta. Veja-se por exemplo a frase que ficou para a memória na *História do Brasil* do frei Vicente do Salvador: "Da largura que a terra do Brasil tem para o sertão eu não trato, porque até agora não houve quem a andasse por negligência dos portugueses, que, sendo grandes conquistadores de terras, não se aproveitam delas, mas contentam-se em andar arranhando ao longo do mar como caranguejos."[2]

Ele atribui a total falta de conhecimento do interior aos "portugueses". É um vocábulo ambíguo, pois "português" era tecnicamente o autor da frase e eram então todos os moradores da terra. Nesse contexto, porém, "português" se confunde com "metropolitano" – e os conhecimentos passíveis de serem divulgados por via escrita seriam apenas aqueles que passassem por seu crivo (pois nenhum autor podia ignorar os censores). A história escrita tinha de se adequar a tais "portugueses" num grau muito maior do que a vida política local, onde a adaptação entre lei e costume ficava por conta dos moradores. Uma série de procedimentos narrativos reforçam a imagem da terra e de seus moradores como gente vil, danada pelo amor ao mercado e o dinheiro. Essa danação ganha inclusive a forma de um mito de fundação: "O capitão Pedro Álvares Cabral levantou a cruz no dia 3 de maio, quando se celebra a Santa Cruz em que Cristo morreu por nós, e por esta causa pôs nome [de Terra de Santa Cruz] à terra. Porém o demônio, que com o sinal da Cruz perdeu todo o domínio que tinha sobre os homens, receando também perder o muito que tinha nos desta terra, trabalhou para que se esquecesse o primeiro nome e lhe ficasse o de Brasil, por causa de um pau de cor abrasada que há muito nesta terra e com que se tingem os panos. Com o que importava mais o nome de um pau de tingir que aquele do sagrado lenho que deu toda a virtude a todos os sacramentos da Igreja."[3]

Perdidos de Deus e dominados pelo demônio, interessados apenas na matéria, os que nela ficaram seriam construtores de desastres morais e sociais: "E de mesmo modo se hão os povoadores, os quais, por mais arraigados que na terra estejam, tudo pretendem levar para Portugal. Se as fazendas e bens que possuem soubessem falar, diriam como os papagaios, para os quais as primeiras palavras que ensinam são: 'papagaio real pera Portugal'. Ainda os que cá nasceram não são senhores, mas usufrutuários que desfrutam e deixam a terra destruída. Donde nasce também que nenhum homem nesta terra é república, nela zela ou trata do bem comum, senão cada um do particular."[4]

As técnicas de pesquisa recentes permitem mostrar que a imensa maioria daqueles que chegavam ao Brasil empreendiam, casavam, ficavam, viviam uma sociabilidade nova, incluindo o padre escritor. O objetivo de voltar rico para Portugal era buscado por uma minoria, mas descrevia com eficácia simbólica o propósito do governo-geral arrecadador e dos agentes dele que ficavam na terra provisoriamente. Assim a retórica abre um fosso conveniente. A diferença entre o que se pode falar de "Brasil" em palavras escritas e a realidade do tempo é imensa – umas encapsuladas na casca de caranguejo, outra do tamanho do "sertão" ignoto.

Vale notar que, na altura em que escrevia o frei, o termo "sertão" já designava toda a porção do território que ia além do litoral – que a retórica confunde com área que "os portugueses não conhecem". Assim se faz a mágica da frase famosa, que afirma uma diferença entre o sabido (ou aquilo que oficialmente se pode dizer em palavras impressas) e o incógnito (os costumes pecaminosos onipresentes, inclusive o de enriquecer, que entretanto não se deve mencionar). O conhecimento do interior do sertão não era inexistente (e o próprio livro fala dele). Entretanto, como não é certificado pelos "conquistadores portugueses" (que autorizam a publicar), não pode ser afirmado como algo que tenha o valor moral capaz de elevá-lo a parte da história. A gigantesca porção de território existia, as pessoas viviam nela, mas o historiador se obrigava a calar sobre detalhes da "largura para o interior" para não ferir a política de segredo, não chamar atenção da censura. O conhecimento que vinha dos coloniais vulgares não atravessava imune a carapuça do caranguejo, ficava de fora da narrativa, não era história que se contasse.

Só era possível narrar ao modo do livro. Toda a ocupação do território é contada como emanação de ordens dos governadores-gerais: para empregar de novo a metáfora, eles "acenavam panos vermelhos" por carta. Tal aceno era descrito pelo narrador como causalidade: o governo central ordenou, os súditos cumpriram. Assim aparecem contados os eventos do Rio de Janeiro, a ocupação da Paraíba, as entradas no sertão a partir de Salvador. Esse milagre da escrita, transformando em demiurgo um governo que pouco agia e muito arrecadava, passou a ser o ideal de Estado, o objetivo perseguido pela miserável política de restrição à escrita e ao conhecimento. O analfabetismo foi uma construção rigorosa, resultando na falta de expressão dos costumes na consciência, no não reconhecimento de uma moralidade própria que pudesse ser lei.

Assim foi se impondo a narrativa do caranguejo, do mito de um governo-geral que comandava tudo, que enfrentava o comportamento depravado e argentário dos moradores, que tentava civilizar. Em termos de representação escrita, um olhar positivo para aquilo que havia de próprio na vida colonial encontra-se apenas de maneira esparsa, na documentação produzida pelos "outros" governos – os governos eleitos de vilas, únicos com capacidade de transformar os costumes dos moradores em argumentos escritos para defender leis ou interesses. Ali se encontram outras constantes, como esta formulada pelo historiador Evaldo Cabral de Mello ao analisar a produção da câmara de Olinda depois da expulsão dos holandeses: "A restauração forjara-se sobre a aliança de grupos étnicos que compunham a população local, não evidentemente em pé de igualdade mas sob a direção da 'nobreza da terra' e dos reinóis. Trata-se de uma noção já consagrada pelo imaginário nativista nos começos do século XVIII, mediante o simbolismo de uma tetrarquia de heróis a que se devia o culto cívico tributado aos verdadeiros 'pais da pátria'."[5]

A ideia de uma pátria que se forma pela aliança de grupos étnicos na luta contra a dominação estrangeira resultou no culto à tetrarquia formada por João Fernandes Vieira (reinol), André Vidal de Negreiros (nobre da terra), Felipe Camarão (Tupi) e Henrique Dias (negro), que se juntaram para expulsar o inimigo externo sem qualquer ajuda do governo metropolitano. Nesse universo começou a aparecer de maneira incipiente o emprego do gentílico "brasileiros" – uma identidade positiva, uma forma geral de consciência, uma afirmação de substância da vida ali onde a miserável política metropolitana para a escrita a todo custo tentava evitar.

CAPÍTULO 15
> *Brasileiros*

A POLÍTICA DE RESTRIÇÃO DRACONIANA À PRODUÇÃO E CONSUMO DE MATERIAL ESCRITO na colônia dificultou muito a expressão do território mental próprio para além do litoral e que se espraiava pela imensidão dos sertões. Nessa imensidão de ausência de escrita e pensamento, os governos locais não só se tornavam os únicos encarregados de prestar serviços e processar interesses muito diversos como faziam isso de modo a conciliar contradições como no caso de João Ramalho e da instalação dos jesuítas em São Paulo. Eles tinham de encarar de frente a realidade e os interesses locais – o que obrigava uma câmara como a de Olinda, por exemplo, a recorrer à criação de representações históricas sobre a reconquista a fim de reivindicar o atendimento de interesses dos moradores.

Nesse ponto, a atividade política bordeja as fronteiras do mundo cultural, da criação de símbolos e representações. Respeitando tal fronteira, é possível demarcar um limiar no qual surge uma identificação entre a experiência de vida das pessoas e a terra na qual viviam. Da perspectiva da experiência, havia já muito material refletindo as características da terra. No âmbito econômico, uma acumulação de riqueza em volume significativo, com as trocas de excedentes se ampliando desde o mais fundo das matas até a capital. No âmbito político, governos de costumes nativos, baseados em alianças interétnicas, e governos locais de vilas eleitos como forma dominante em muitos territórios. No âmbito social, um predomínio de pequenos empreendedores e grandes empresários, produtores independentes e com crescente participação de cativos africanos ali onde havia exportação. No âmbito cultural, tratava-se de uma das primeiras sociedades nas quais, por livre vontade ou por coerção, seres humanos de todo o planeta conviviam nos mesmos espaços.

Tanta variedade de experiência contrastava com a falta de um sinal de unidade. Embora o termo genérico "Brasil" fosse empregado para designar essa região do planeta, o gentílico "brasileiro" era tão ausente na rala documentação escrita quanto os textos em primeira pessoa. Devido à sua excepcionalidade, portanto, merece comentário um dos mais antigos exemplos do uso desse termo por parte de um pintor excepcional. Albert Eckhout nasceu em Groningen, na Holanda, por volta de 1607. Há poucas informações sobre a infância e o período de formação em sua cidade natal; sabe-se com certeza que, no início da década de 1630, estava estabelecido em Amsterdã, onde ficou conhecido como retratista e pintor da natureza. Por isso foi convidado para fazer parte da comitiva do príncipe Maurício de Nassau, que chegou ao Brasil em janeiro de 1637. No princípio, Eckhout não se destacou entre os artistas do grupo. Seu trabalho consistia sobretudo em acompanhar os naturalistas Piso e Marcgraf, desenhando em pequenos cadernos os animais e as plantas que os dois descreviam. Mas Eckhout registrava também as pessoas, dos índios aos nobres. Assim revelou-se a sua habilidade, que o levou a ser encarregado até mesmo de missões diplomáticas junto ao inimigo português – em Salvador, chegou a pintar um retrato do governador-geral do Brasil.

Embora não haja certeza a respeito, estima-se que, por volta de 1643, ele tenha recebido de Nassau a incumbência de pintar telas monumentais para a decoração de um salão no palácio que o príncipe construía no Recife. Com a volta de ambos para a Europa, o teor da encomenda muda: as telas seriam um presente para o eleitor de Brandemburgo, dando ao agraciado uma impressão geral de como era o Brasil. As pinturas exibem uma estrutura quadripartida: quatro casais em quatro estágios de civilização, indo dos povos mais brutos aos mais civilizados. Com isso o pintor fez mais do que os primeiros grandes retratos de pessoas vivendo no Brasil: criou uma interpretação para ilustrar uma civilização que nasceria do casamento entre pessoas de origem étnica diversa. A mesma concepção dos vereadores de Olinda, com uma pequena variação.

Na escala mais baixa de civilização estão os retratos intitulados "Homem tapuia" e "Mulher tapuia". O primeiro exibe alguns signos do tempo que designavam a selvageria: tem como único adereço de vestuário o estojo peniano; usa botoques na face e no queixo; porta um tacape, empregado nas mortes cerimoniais; a seus pés estão animais peçonhentos, a cobra e a aranha. O retrato da mulher segue o padrão: poucos sinais de civilização, como folhas cobrindo a região genital ou uma pequena pedra no lábio. Em contraste, os adereços indicativos de selvageria são dramáticos, com as partes amputadas de corpos humanos, uma vez que competia às mulheres (como únicas detentoras do poder de cozinhar no grupo) moquear as vítimas para o banquete ritual da antropofagia.

A "Mulher africana" já aparece vestida, leva uma cesta com alimentos e está acompanhada de um filho. O cenário é claramente brasileiro, com uma carnaubeira, frutas nativas na cesta, a espiga de milho nas mãos do filho, que, de pele mais clara que a mãe, pode ser fruto de miscigenação. O "Homem africano" destoa um pouco: não há no fundo nenhum elemento natural exclusivo do Brasil, mas antes dois indicativos da África: a tamareira e a presa de elefante aos pés do retratado. Toda a indumentária é de origem africana, e a espada, indicativa da nobreza da Guiné.

Seguem-se o "Homem brasileiro" e a "Mulher brasileira". O primeiro aparece com vários adereços civilizatórios: roupas brancas cobrindo a cintura, uma cabaça para carregar água, uma cesta com utensílios. A pele lisa não apresenta sinais de pintura corporal nem marcas de adornos. Ao lado aparece uma bananeira, planta introduzida pelos europeus; ao fundo, um engenho com fileiras de árvores e terras cultivadas. Algo semelhante se passa no caso da "Mulher brasileira": trata-se de uma índia Tupinambá de aldeamento, acostumada a viver no espaço europeu – e a mistura é ressaltada nos elementos do fundo.

Antes de detalhar o emprego do termo, vale a pena conhecer o último casal, formado pelo "Mulato" e pela "Mameluca". O filho mestiço de negra e europeu aparece num grau de civilização mais alto, assemelhado ao europeu. É apresentado como um militar, com roupas, armamentos (inclusive a espada, de uso então restrito a nobres) e gibão. Está entre mamoeiros, produtos plantados da flora local, e a cana-de-açúcar, a safra europeia de maior significado econômico da nova terra. Já a "Mameluca", mestiça de índia e europeu, também é representada como ápice civilizatório. Aparece trajada com um vestido longo de corte europeu – mas que porta com sensualidade, expondo um pedaço da perna e os pés nus. Um olhar sorridente e convidativo acentua essa sensualidade. No mais, tudo em volta são exemplares da beleza da flora local – dos cajueiros no alto às flores no cesto. Ao fundo veem-se campos cultivados, de um lado, e um casal de porquinhos-da-índia, de outro. Toda a composição segue o modelo europeu contemporâneo das pinturas da deusa Flora, símbolo da primavera e da fertilidade.

Embora aplicado ao casal de índios de aldeamento, o gentílico faz sentido em um contexto no qual se narram como próprios do Brasil os costumes do mundo das relações inter-raciais – de alguma forma focadas no modelo dos índios, os sujeitos históricos nessa matéria – e do hibridismo que se reflete na escolha de plantas e animais de diversas origens geográficas e nas cenas de fundo.

Assim, o gentílico é aplicado como uma observação afável de quem mostra o que está se passando. Não à toa, essa impressão teve grande impacto nos observadores dos quadros. Estes se tornaram fontes seminais, servindo de modelo para centenas de obras de pintores e artesãos europeus nos séculos seguintes. Todos os elementos da composição foram reproduzidos em quadros, tapeçarias, artes decorativas – e esse conjunto de elementos firmou a imagem básica de "Brasil" e "brasileiro" que se difundiu pelo continente europeu. Essa visão positiva da miscigenação assemelha-se à dos textos produzidos pela câmara de Olinda. Mas vale notar que, embora formulassem uma associação entre pátria e união de várias etnias, estes evitavam escrupulosamente o emprego de um gentílico capaz de dar unidade a toda a variedade. O contraste entre as duas situações podia ser extremo – e fazia sentido dada a política de restrição extrema às letras, eventualmente facilitadoras da elaboração consciente de uma nova identidade a partir da experiência inédita da vida no Brasil.

Nesse sentido, outro exemplo esclarecedor é o do poeta Gregório de Matos, cujo problema não era exatamente a falta de domínio da palavra. Nascido em Salvador em 1636, o pai dele era um empreiteiro e senhor de engenhos abastado que mandou o filho estudar em Coimbra, uma vez que o governo português não permitia faculdades no Brasil. Formado em direito e teologia, fez carreira como magistrado de instâncias elevadas, no círculo próximo da cabeça mística do reino – o pedaço de mundo vedado ao espaço colonial –, e chegou até mesmo a publicar livros, algo reservado para muito poucos.

A certa altura, porém, viu barrada a pretensão de ocupar um posto nos tribunais superiores da metrópole. Voltou para a cidade natal em 1681, como padre, num cargo da administração eclesiástica (algo plausível em um governo que controlava a administração da Igreja e dada a sua condição de viúvo). Desembarcou, portanto, como autoridade do governo central – e escrevia como tal. Empregou a sólida formação literária e retórica para fazer poesia nos moldes da época para pessoas da mesma situação social elevada: produziu assim uma espécie de crônica social do poder, com elogios a autoridades amigas e poesias religiosas nas quais mostrava o domínio da retórica barroca. Mas, ao sofrer reveses políticos e perder o emprego, a sua vida muda radicalmente. José Miguel Wisnick resume: "Casou-se com Maria dos Povos, vendeu as terras que recebera como dote, jogando dinheiro num saco e gastando-o ao acaso e fartamente. Sai pelo Recôncavo 'povoado de pessoas generosas' como cantador itinerante, convivendo com todas as camadas da população, metendo-se no meio das festas populares, banqueteando-se sempre que convidado. 'Do gênio que já tinha tirou a máscara para manusear obscenas e petulantes obras', diz Manuel de Castro Rabelo. Nessa fase engrossa o volume de sua poesia satírica, o barroco popular oposto ao acadêmico e a poesia satírica ao lirismo cortês."[1]

Mas não se tornou um João Ramalho poético. As festas populares, a variedade de etnias, a animação sexual de fato surgem como assuntos da poesia. Mas a entrega do poeta a esse mundo tem limites. Se antes a obra era marcada pelo apuro técnico da escrita, na nova fase aparecem definições de cunho popular que marcam fortemente as diferenças entre a vida local e a metropolitana. Esse diferencial é resumido de modo muito direto no mote de um poema: "De dous efes se compõe esta cidade, a meu ver: um furtar, outro foder." Com relação ao "furtar", o poema descreve com acrimônia o fato de a vida brasileira ser muito mais mercantil do que suportava sua visão de mundo, marcada indelevelmente pelos anos de exercício dos poderes do centro: pobres se tornam ricos, tomam o governo, vivem como fidalgos sem ter condições de nascimento para tanto. Já quanto ao "foder", desanca com frequência a realidade dos casamentos de aliança, pelos quais um enriquecido se entrelaçava com a família de uma noiva pertencente à "nobreza da terra" – continuando a tradição Tupi na sociedade agora mercantil –, enquanto descreve a vida sexual muito animada (inclusive a própria) fora do casamento oficial, que gera mestiços de todo tipo.

O máximo que se permite é dar um tratamento rudemente satírico a tudo aquilo que não se enquadra rigidamente na casca do caranguejo. A influência da cultura Tupi na vida brasileira, a miscigenação que dava origem ao argumento de que o ato inaugurava uma sociedade própria – o mesmo campo tentado pela representação da câmara de Olinda – era um dos temas para os quais tal enquadramento normativo chegava a extremos de dureza. Tal tratamento aparece em sonetos como este:

Aos principais da Bahia, chamados os Caramurus.

Há cousa como ver um Paiaiá,
Mui prezado de ser Caramuru,
Descendente de sangue de tatu,
Cujo torpe idioma é cobepá.

A linha feminina é carimá
Moqueca, pititinga, caruru
Mingau de puba, e vinho de caju
Pisado num pilão de Pirajá.

A masculina é um Aricobé
Cuja filha Cobé, cum branco Paí
Dormiu no promontório de Passé.

O branco é um marau, que veio aqui;
Ela é uma índia de Maré
Cobépá, Aricobé, Cobé, Paí.

O branco pai e a matriarca indígena formavam uma referência ancestral que a elite local procurava empregar como marca de dignidade (pois não ousavam chamar essa tradição de "brasileira"), transformando o casamento de Guaibimpará (Catarina Paraguaçu) e Caramuru (Diogo Álvares Correia) em fundação simbólica de uma realidade própria, de uma "nobreza da terra" (era o máximo de identidade então aceito), de gente vivendo segundo os costumes mistos que procurava apresentar a origem local como justificativa das próprias "leis de sua conveniência".

Gregório de Matos podia viver na lei da terra, conhecia-lhe a intimidade e as palavras próprias. Mas não era seguido pelo narrador poético, que ainda manejava as categorias da conveniência dos governantes centrais – e via as boas normas como exteriores à condição colonial. Ao mostrar com grande rudeza que os atributos da terra eram apenas os da selvageria (inclusive no limitado valor das gírias e nas fortes aliterações e oxítonas), e nunca aqueles dos bons costumes da nobreza, surge uma questão de monta.

Mesmo vivendo como um dos "Adãos de Massapé" que ironizava, mesmo adotando os costumes sexuais polígamos e abertos, mesmo tocando viola nas festas, mesmo empregando a linguagem popular, mesmo sendo o poeta que melhor retratou os costumes que marcavam a vida brasileira para além das normas portuguesas, Gregório de Matos não conseguia pensar em si mesmo como mais um dos muitos transformados pela experiência local, como mais um que abandonava normas legais inadequadas para pensar de maneira mais identitária os próprios costumes – ele não empregava o gentílico "brasileiro". Não podia aplicar ao seu narrador poético o mesmo tipo de desvio que se permitira na vida pessoal. Era um narrador normativo, tão normativo quanto um juiz que enquadra na lei os desviantes. Ainda que numa orgia, não perdia a compostura de doutor, de desigual àqueles analfabetos ao redor.

O conteúdo efetivo de sua poesia, assim como o conteúdo efetivo da maneira de pensar a família do padre Guilherme Pompeu de Almeida – a discrepância entre os costumes que regem a vida e o enquadramento desse modo de viver como norma de conduta apropriada, costume que deve ser sancionado como lei –, gera como limite para a escrita a sanção da norma (ainda que inadequada à realidade) e a condenação do costume (ainda que sadio).

Com essa fissura – que impede pensar a experiência brasileira como totalidade eventualmente expressa por um gentílico –, vale a pena repassar o modelo simbólico elaborado por frei Vicente do Salvador. Primeiro, relembrando a referência ao estatuto do mercado na sociedade local, definida no texto já mostrado em que reproduziu uma impressão de um empresário que visitou Salvador em 1585: "Notava ele que, se mandava comprar um frango, quatro ovos e um peixe para comer nada lhe traziam, porque não se achava na praça nem no açougue. Mas se mandava pedir as ditas coisas às casas particulares, lhe mandavam."[2]

Onde deveria existir substância no espaço público, a área simbólica do governo central, havia apenas formalidade e vazio. Já na dimensão social que deveria ser limitada, aquela dos moradores que desconheciam a nobreza, na parte inferior da escala pelo padrão aristotélico, a vida seguia e o desenvolvimento da economia se dava. Em vez de contar com a proteção da lei, o mercado existia substancialmente à margem da lei, na esfera dos costumes (de moradores e nativos), das leis não escritas que eram "da conveniência dos moradores". Pela conveniência do desenvolvimento dos mercados, era preciso passar o mais longe possível das autoridades formais, fazer tudo "em casa". Inversamente, esperar algo do governo na esfera da manutenção das estruturas comuns era perda de tempo, como também notou o padre: "Nessa terra andam as coisas trocadas, porque toda ela não é república, sendo-o cada casa. [...] Pois o que é fontes, pontes, caminhos e outras coisas públicas é uma piedade."[3]

Tudo isso evidencia que a crescente riqueza e a acumulação de capital na economia brasileira dos séculos XVI e XVII – apontadas com clareza pelos dados estatísticos obtidos nas pesquisas recentes – não derivavam da ação econômica do governo-geral. A pequena incursão no mundo simbólico permite lembrar que essa ausência tinha sentido, que a documentação era construída para que a atividade da terra ficasse na margem, fosse afirmada como condenação. Presos irremediavelmente a esse tipo de texto, os historiadores clássicos acabaram reproduzindo conceitualmente o fosso em várias áreas: a fissura entre norma (na cultura), lei escrita (na esfera jurídica), governo e sociedade (na política), crescimento e ação central (na economia).

Muito pelo contrário, a sugestão mais evidente para entender acumulação de riqueza, mercado e governos nos dois primeiros séculos parece ser aquela indicada pelo observador citado por frei Vicente do Salvador: deixando-se de lado a esfera da lei escrita, da ação administrativa do governo-geral, e buscando as mercadorias e as instituições que sustentam os mercados no âmbito doméstico, privado, no costume – nas "leis que eram da conveniência dos moradores" – e tudo isso apenas com sanção parcial na ação dos governos locais.

Nos dois primeiros séculos essa realidade foi tornada mentalmente plausível por uma efetiva divisão espacial. De fato, o governo-geral era um caranguejo que arranhava o litoral e quase não perturbava a vida nos vastos sertões. Os governos locais eram autoridade no sertão que progredia, dos que produziam inclusive domínio e defesa do território, além de organizarem os mercados. O governo-geral tinha presença efetiva apenas na capital e nas alfândegas, no carreamento de riqueza fiscal para manter a nobreza rural do Reino. Mas tudo iria mudar com a descoberta do ouro.

CAPÍTULO 16
> *Governo-geral no sertão*

CORRIA O ANO DE 1697 QUANDO OS MORADORES DE SÃO PAULO ASSISTIRAM A UMA cena inusitada: depois de chegar pelo caminho que vinha de Santos, um governador-geral do Brasil subiu a ladeira do Carmo e instalou-se na vila. Na última ocasião em que isso acontecera vivia-se o ano de 1560, o governador era Mem de Sá e a sede da vila ainda era o arraial de João Ramalho, com o nome de Santo André. Ao longo de 137 anos, os governadores-gerais comportaram-se como caranguejos, mal arranhando o litoral. Apenas uns poucos funcionários dessa instância central haviam passado alguns dias na vila.

Na visita de 1560, a vila de João Ramalho era um posto de fronteira. Em 1697, a capitania de São Paulo dominava de modo efetivo um território que ia, pelo litoral, desde o sul de Santa Catarina (Laguna fora fundada por paulistas em 1680) até Parati. No interior, o domínio se estendia por toda a bacia ocidental do rio Paraná – grosso modo, as áreas dos atuais estados de Santa Catarina, Paraná, São Paulo, Mato Grosso do Sul, Mato Grosso, Goiás (nestes dois últimos, avançando na bacia amazônica) e Tocantins, além das cabeceiras dos rios São Francisco e Doce, no sul de Minas Gerais. Sem a presença do governo-geral nem de qualquer donatário, todo o domínio, todo o investimento econômico e toda a autoridade de governo nessa vasta região, que englobava dezenas de vilas, era resultado exclusivo da ação dos moradores e governos locais.

Foi nessa época que se deu a viagem de Artur de Sá e Menezes. Governante e moradores tinham plena consciência do que o levara ali: a existência de veios significativos de ouro. Por causa dessa descoberta, passaria a ser outro o relacionamento consolidado entre a população que vivia por conta própria e a autoridade real que se mantivera distante. Por dois séculos, apenas os grupos nativos e as incursões de Tupi-Guarani com seus aliados comerciais, os moradores das vilas, tiveram a capacidade de moldar a formação do sertão. As andanças desses últimos seguiam roteiros determinados pelas possibilidades dos grupos Tupi-Guarani, percorrendo o território dos aliados e evitando entrar em áreas sob o controle de outras etnias.

Nas andanças a torrente paulista estava se fundindo com outra nesse momento. O sertão nordestino havia se forjado com a pecuária, uma atividade que permitia tanto a ocupação fixa como o trânsito de gente desvinculada da aliança. Nesse final do século XVII, a complexidade ali era grande. Os maiores criadores pernambucanos passaram a contratar paulistas com seus aliados Tupi para fazer as guerras de extermínio de nativos que resultavam na abertura de novos territórios para a atividade – como no caso da chamada "guerra dos bárbaros". Alguns se fixaram em espaços como o do Piauí, mas tinham companhia diversa. Entre os vaqueiros viam-se as mais variadas etnias: havia índios e seus filhos mestiços com portugueses, mas também mulatos, negros africanos dos quilombos, cafusos (filhos de negros com índias). Desse modo, a vida no sertão nordestino apresentava já uma nova forma, mais semelhante ao modelo pluriétnico retratado por Eckhout que ao da aliança luso-Tupi-Guarani do Sul. A autoridade do governo também exibia características próprias. Havia vilas e vereadores, mas, sobretudo nos domínios da Casa da Torre, o domínio do proprietário na organização política era efetivo. Tal domínio passou também a ser exercido por concorrentes, que atuavam por meio de procuradores.

Não se tratava apenas de política. Os procuradores reuniam tropas que não eram mais de índios, mas de pessoas dependentes que iriam tomar conta dos rebanhos e viver na terra, tudo controlado por tropas armadas para cobrar rendas e impor domínio – um controle que não mais dependia da aliança por casamento, mas antes de subordinação econômica por bens ou dinheiro. A notícia da descoberta do ouro atraiu, em primeiro lugar, a gente da região dos descobridores. Paulistas juntaram todos os aliados Tupi e os transformaram em mineradores. Logo ganharam companhia. Juntando exércitos e boiadas, os criadores de gado do vale do São Francisco subiam em direção às nascentes do rio, onde ficavam as minas. Traficantes de escravos do Rio de Janeiro mandavam navios a Angola e organizavam caravanas para entregar cativos a mineradores em vendas fiadas, ficando com parte do ouro encontrado. Os traficantes da Bahia não ficaram atrás e passaram a trazer cativos da região da Costa da Mina – muito valiosos, porque sabiam minerar. Moradores do Reino faziam de tudo para embarcar nos navios que vinham para o Brasil.

A avalanche foi gigantesca, criando em poucos anos uma nova realidade de miscigenação, descrita por João Ferreira Carrato com o foco nas uniões pessoais: "O grande resvaladouro da frágil virtude daquelas gentes aventureiras é a geral mancebia em que viviam quase todos os homens e mulheres, inclusive sacerdotes. A falta de mulheres brancas é aguda; os aventureiros acham difícil conjugar a vida andeja com o regime estável do casamento; as minas estão cheias de pretas escravas, mulatas forras, solteiras, concorrendo com os homens nas minas, com seu convite para [...] a coabitação sem responsabilidades nem consequências."[1] A aliança entre portugueses e Tupi-Guarani deixava de ser condição essencial para a vida no sertão. A união de pessoas de origens diversas ganhou uma dinâmica própria na área mineradora. A miscigenação tornou-se o meio generalizado para formação de famílias nucleares com pessoas de origens diversas. A lógica de todo o processo passou a ser exclusivamente a riqueza, a fortuna em ouro. O papel do casamento como instrumento de alianças de grupos perdeu força. Quem tinha ouro podia ter tudo.

A chegada de Artur de Sá e Menezes aconteceu no momento dessa mudança geral. Embora com relativo atraso, ela marcava o ponto inicial de uma política metropolitana de longo prazo para o sertão até então ignorado. Assim que chegou, o governador-geral se reuniu com as autoridades da vila e da capitania. Ao fim dos entendimentos, enviou uma carta ao rei na qual repassava os objetivos centrais de sua missão e repetia alguns dos argumentos a que recorrera para convencer os moradores: "É de tão grande utilidade para os vassalos a riqueza que estas minas produzem e Vossa Majestade tão generosamente lhes concede, e eles, esquecendo-se das suas obrigações, extraviam aquela pequena parte que Vossa Majestade manda reservar para a sua Real Fazenda; e é justo que se busque todo o remédio para que a ela se pague o que cada um deve."[2]

O governador vinha para arrecadar impostos – em outras palavras, aumentar as receitas do governo central. A retórica melíflua revelava o essencial: como o governador pretendia que as despesas com a arrecadação corressem por conta dos paulistas, as palavras sobre eles eram brandas. Os moradores foram lembrados de que sangue, suor e lágrimas gastos para chegar até o ouro não eram tudo. Embora distante por tantos anos, o rei era o concessionário generoso daquela riqueza – e o governador ali estava para ficar com um modesto quinto de toda ela. Para um negócio como esse ser palatável aos moradores, ao menos um grupo deles precisava receber o suficiente para fazer o trabalho. E isso explica algumas concessões um tanto heterodoxas feitas pelo governador para chegar a um acordo. O paulista que melhor conhecia a localização dos veios de ouro chamava-se Manuel Borba Gato. Era genro de Fernão Dias Paes, com quem percorrera os sertões por anos a fio em busca do metal. Homem habituado à realidade local, ficara inconformado quando um abelhudo a serviço real aparecera para bisbilhotar os trabalhos. Não se contivera e assassinara o emissário.

Certo de que seria preso se aparecesse outra autoridade, lançou-se num caminho só conhecido daqueles que frequentavam os Tupi, embrenhando-se nas matas do vale do Rio Doce, onde casou com algumas filhas de chefe (sinal também de que recebia mercadorias e ferro para garantir a aliança) e ficou vivendo nas aldeias. Uma década mais tarde sentiu-se seguro o suficiente para se instalar na aldeia de Paraitinga (atual São Luís do Paraitinga, em São Paulo). Julgando-se protegido pelas dificuldades naturais de acesso, mandou um recado aos parentes da vila de São Paulo, contando a alguns deles informações como chegar até o ouro. Alguns desses parentes participaram da reunião com o governador – e ambas as partes acabaram decidindo que Borba Gato era o homem que poderia resolver todos os problemas. A primeira parte de todo o combinado ganhou registro escrito num decreto do governador que alterava de modo radical a condição social do agraciado. Deixava de ser um criminoso foragido para se tornar guarda-mor das Minas de Caetés, fidalgo a quem todos deveriam mostrar respeito: "Confiado de sua prudência e de que se haverá muito conforme ao real serviço, como dono do posto gozará de todas as honras, privilégios, liberdades e isenções; em razão disso mando a todos os oficiais de guerra e justiça que o honrem, estimem e a todos que o acompanharem que o obedeçam."[3]

A transformação formal do assassino procurado em fidalgo honrado permitiu a organização da caravana que levaria o governador-geral à região das minas. Sem isso, a elevada autoridade não teria como atravessar os matos. E, uma vez nas minas, revelou-se outra parte do acordo, referente a atividades em nada relacionadas a seu posto, assim descritas por Costa Matoso: "Na repartição das minas, tomou o governador Artur de Sá e Menezes datas para si no lugar que lhe assinalou Borba Gato e, nelas, dizem que tirou trinta e tantas arrobas de ouro, voltando rico para Lisboa."[4] O historiador não informa, mas é possível que o governador enriquecido não tenha se esquecido de entregar a parte do rei. Também Borba Gato deve ter mandado um carregamento de ouro a Lisboa, pois o fato é que se transformou no fidalgo com mais poder na região mineradora, a autoridade mais graduada, que atuava diretamente por ordem do monarca. Assim se cumpriu o objetivo da visita, que era o de criar um fluxo de receitas em ouro para Lisboa sem que igualmente se criassem despesas de arrecadação. Havia lucro para a metrópole, a princípio suficiente para se fazer vista grossa aos vazamentos mais que evidentes na arrecadação.

Com vazamentos ou por méritos, Borba Gato foi progredindo – até o ponto de julgar razoável fazer do cunhado, Gaspar Rodrigues Paes, sócio de uma empreitada em parceria com o governo metropolitano. Por um acordo escrito e firmado pelo governador-geral, Paes se comprometeu a construir, com recursos próprios, a primeira estrada encomendada pelo governo-geral em dois séculos de colonização no território do Brasil, ligando a região mineradora ao Rio de Janeiro. Em troca, recebeu a garantia escrita de que poderia cobrar pedágio de todos que a utilizassem por um período de dois anos.

Enquanto o cunhado dava início ao projeto, Borba Gato recorreu à sua autoridade para aumentar ainda mais o lucro potencial da estrada. Havia concorrência na abertura de caminhos, sobretudo da parte de Manuel Nunes Viana, o procurador da Casa da Ponte, uma grande cadeia de criadores de gado comandada desde Salvador. Mesmo antes da descoberta do ouro, ele vinha se destacando por inovar no método de acumular fortuna, formando um exército comandado por um escravo africano conhecido como Bigode. Oriundo de uma sociedade hierarquizada, Bigode moldou as tropas com disciplina realmente militar, com postos hierárquicos e obediência estrita. Viana se instalou na região mineradora com as suas tropas, que se mostraram muito úteis nos negócios. Ele trocava por ouro as reses que mandava vir do Nordeste, pouco se importando com o fato de que esse comércio era proibido por lei. Em pouco tempo passou a trazer também todo tipo de mercadoria da capital, Salvador, transformando-se em comerciante atacadista. Por uma década a operação funcionou sem problemas.

De olho nos ganhos da sua estrada, Borba Gato lembrou-se da ilegalidade do caminho empregado por Manuel Viana e expulsou o concorrente da região, alegando que se tratava de um contrabandista. Viana colocou seu exército para lutar, derrotou as tropas menos treinadas dos paulistas – e dobrou a aposta nos negócios. Mandou um emissário até Lisboa, propondo ao rei um aumento das remessas de impostos em troca de apoio. No trono desde 1706, D. João V ficou encantado com aquela oportunidade de mudar muito gastando pouco. Para tanto, comprou de volta todos os poderes que seus antepassados haviam cedido de maneira hereditária ao donatário da capitania de São Vicente. Com isso, recuperou franquias como as de instalar vilas, supervisionar a atuação dos vereadores eleitos, nomear funcionários administrativos e organizar milícias.

E usou os novos poderes segundo um plano determinado. D. João V afastou Borba Gato do cargo e o entregou a um aliado de Manuel Viana. Embora a estrada estivesse quase pronta, o rei tirou Garcia Paes do comando do empreendimento e apropriou-se deste sem nenhuma compensação financeira. Além disso, dividiu em duas a capitania de São Paulo. Enviou um capitão para substituir o representante do donatário na parte antiga – com ordens para trocar todos os ocupantes de cargos por pessoas dependentes da nova autoridade, e não de acordos com moradores ou da indicação das câmaras. Com a estrada pronta, agora até as tropas régias podiam circular pelo interior do Brasil. Um dos contingentes a percorrer o trajeto foi a comitiva do novo governador, protegida pela primeira milícia paga pelo governo-geral para atuar no interior. Era um investimento para tornar mais rentável a arrecadação da região mineradora – que logo se mostrou frutuoso. Os carregamentos de ouro para Lisboa subiram em proporção bem maior do que as despesas com o pagamento de tropas e funcionários.

Depois, o rei tratou de evitar possíveis vazamentos de impostos pelos moradores. Empregando os poderes de administrador da Igreja, criou um regulamento próprio para a nova capitania das Minas Gerais, proibindo os jesuítas, até então os favoritos para executar as tarefas reais, de nela se instalarem. Diante de tanto ouro, achou melhor manter afastados não só os inacianos, mas também outras ordens regulares. Tanto os jesuítas como os carmelitas, franciscanos e beneditinos recebiam do rei franquias de imunidade tributária e fiscal, que costumavam transferir para as Ordens Terceiras. Dirigidas por leigos, essas ordens acumulavam um capital que ficava fora de alcance dos arrecadadores – e era empregado como ativo bancário em empréstimos. Em pouco tempo, a cadeia de comando que subordinava os súditos ao rei ganhou uma forma bem distinta daquela dos tempos das solicitações de cartas e títulos de fidalguia. A máquina arrecadadora era do rei, requerendo a obediência de todos os moradores. Quando se consolidou a capacidade de ação militar do governo central, Manuel Nunes Viana conheceu o mesmo destino daqueles que ajudara a afastar: acusado de um crime administrativo, foi expulso das Minas Gerais e processado.

Os passos para a instalação dessa forma de governo repetiram-se quase como um roteiro fixo em todos os pontos do interior onde foi achado ouro. Num único parágrafo o historiador Affonso Taunay resumiu o que se passou com Bartolomeu Bueno da Silva em Goiás: "Descobrira o terceiro Eldorado brasileiro! Trouxe 25 quilos de ouro de sua viagem. Com eles ia instalar os poderes que o governador de São Paulo lhe prometera por escrito: domínio sobre 600 mil alqueires de terra, pedágios em onze rios, guardamoria e superintendência das novas minas. Em 1727 assumiu o governo da capitania de São Paulo Antônio da Silva Pimentel; obcecado pela ideia de fazer a América, esboçou o projeto de espoliar o descobridor de Goiás dos proventos de tão grandes sacrifícios. [...] Inventando haver descoberto um plano de insurreição dos paulistas de Goiás, maquinado por um de seus sócios, Bartolomeu Pais, mandou-o encerrar, coberto de grilhões, num calabouço e o manteve um ano e meio encarcerado."[5]

Com base na acusação, Bueno da Silva teve seus poderes anulados. Enquanto tentava se defender, o rei, empregando seus poderes sobre o território da capitania de São Paulo adquiridos do donatário, criou a capitania de Goiás e instalou um governo com autoridade amparada por tropas. O mesmo aconteceu em Mato Grosso, também separado da capitania de São Paulo após a descoberta do ouro, e com o Distrito Diamantino, separado da capitania de Minas Gerais e administrado diretamente pela Coroa. O ouro e os diamantes tornaram-se fatores de introdução da autoridade do rei, do governo-geral no sertão – sempre com o mesmo objetivo, o de recolher impostos. O historiador José Francisco da Rocha Pombo descreveu, no início do século XX, os resultados: "À medida que iam se descobrindo minas, se iam criando estações arrecadadoras bem guarnecidas de força. A forma usual de cobrança, por meio de rendeiros, agravava enormemente os danos provenientes do excesso de contribuições e da dureza do fisco. Já nas licitações para a arrecadação davam-se fraudes das mais escandalosas: ora os provedores faziam vingar suas preferências escolhendo os licitantes que mais lhes convinham, ora alteravam as condições do contrato para favorecer os ricos. As classes dominantes, os ricos e poderosos, encontravam sempre meios de fazer recair no trabalho, e portanto nos menos favorecidos, o peso das imposições. Era-lhes mais fácil pleitear isenções de impostos e favores excepcionais, que só aproveitavam ao alto comércio. As populações em geral eram tosquiadas sem dó nem piedade e de todos os modos. Mesmo no suntuoso período das minas não se sabe dizer quem mais andaria, na terra do ouro ou dos diamantes, mais agitado com aquela abundância surpreendente e maravilhosa: se a legião de mineiros ou se o exército – que os acossa, persegue e castiga – dos extratores do Real Erário."[6]

Como nota o historiador, o papel que coube aos moradores foi o de sócio menor na arrecadação. Este sócio fazia um contrato para cobrar impostos com apoio das tropas e recolher a receita – eventualmente desviando o que pudesse no caminho – nos postos fiscais. Como a posição dependia de uma escolha com alto grau de arbitrariedade da parte dos governadores, os candidatos tendiam a ser muito respeitosos com estes. E, como era uma função provisória, os escolhidos precisavam ganhar o quanto podiam o mais rápido possível.

A arrecadação em larga escala levou a passos maiores na reforma da estrutura administrativa da colônia. Em 1714, o rei D. João V transformou o governo-geral em vice-reinado. A partir de então o posto ficou reservado aos titulares das casas mais altas do Reino, com predomínio de condes e marqueses. Abriu-se espaço para que membros da alta nobreza se tornassem, com frequência cada vez maior, os escolhidos para governar as capitanias mineradoras. Desde a posse em Minas Gerais do conde de Assumar, em 1717, esse tipo de escolha tornou-se cada vez mais constante. O mesmo aconteceu em Mato Grosso, ficando apenas Goiás sob o comando de meros fidalgos. Com isso completou-se o plano iniciado modestamente por Artur de Sá e Menezes: o ouro passou a fluir do corpo do Brasil para os cofres reais – e dali para caminhos que merecem ser conhecidos.

CAPÍTULO 17
> *Os favores da cabeça*

A MUDANÇA NA FORMA DE GOVERNAR, COM O GOVERNO CENTRAL ABSORVENDO OS poderes da instância intermediária das capitanias nas regiões mineradoras, logo alcançou seu propósito maior: um aumento significativo na arrecadação do império português. Melhor ainda, criou um fluxo que era basicamente de ouro. Acumular no Tesouro uma reserva de metais preciosos era o grande sonho dos reis europeus do século XVIII. Para os economistas da era mercantilista o desafio estava em encontrar as melhores receitas para encher os cofres reais de moeda metálica. D. João V logo se viu na situação de ser, pela cartilha econômica da época, um dos mais bem-sucedidos governantes. Ficou rica a "cabeça mística" do Reino, que até há pouco vivia apenas do leite de sua vaquinha.

O fluxo de ouro provocou uma mudança importante na estrutura das receitas fiscais de Portugal. Algo entre dois terços e três quartos do total do que entrava nos cofres passou a vir do Brasil. Por outro lado, os impostos pagos pelos moradores do Reino tornaram-se uma parcela cada vez menor do bolo tributário, equivalendo a cerca de um quinto dos tributos recolhidos. Ao arrecadar mais, o rei ganhava também a possibilidade de gastar mais. E fez isso segundo a mais escorreita cartilha da teoria dominante em Portugal, o corporativismo. Esta pregava que a sociedade se organizava como um corpo, cuja "cabeça mística" era o rei, e as demais corporações vinham abaixo, cada qual com sua função – até a colônia plebeia que ficava nos pés. O rei era o único que detinha o conhecimento da dose justa de retribuição que cada órgão desse corpo merecia.

Numa situação de fartura, as figuras mais próximas da cabeça do reino – nobreza, alto clero, burocracia lisboeta – começaram a empregar as letras que dominavam para elaborar argumentos: ao dar a cada um o seu, cabia ao rei lembrar-se antes dos maiores. Os argumentos foram expostos num livreto intitulado "Advertimento dos meios mais eficazes e convenientes que há para desempenho do patrimônio real", de autoria de Baltazar de Faria Servetim: "Ordinariamente fazem uma descrição das grandes virtudes que há de ter o Príncipe: como há de ser justo, temente a Deus, misericordioso, liberal, afável, prudente e valoroso. Tratam mui difusamente da conveniência do Rei ter muitas rendas, grandes riquezas e tesouros e dizem muitas outras coisas que servem somente para pintar um perfeito Príncipe e uma perfeita República. São especulativos, não considerando mais que a bondade dos fins."[1]

Não era preciso mais que adular a magnanimidade do soberano e relembrar a sua bondade em atender os fins propostos especulativamente pelos autores. Com isso, a maior parte que saía do Tesouro, abastecido pelos colonos brasileiros, seguia para os bolsos dos detentores dos chamados direitos adquiridos – ou seja, aqueles para os quais as Ordenações determinavam um tratamento preferencial. Um rei justo premiava os nobres, um rei temente ajudava a Igreja, um rei liberal mandava pagar boas tenças e pensões a seus preciosos funcionários, um rei afável agradava os fidalgos. D. João V levou em conta cada um desses pontos das cartilhas que louvavam as virtudes reais na hora de gastar o ouro acumulado, de "dar a cada um o seu", a fim de preservar as diferenças que a natureza marcara entre pessoas desiguais. Nesse sentido, privilegiou as partes do corpo social mais próximas da cabeça, aquelas tidas como as de maior virtude na sociedade. José Hermano Saraiva resumiu as despesas em poucos números: "À Igreja pertenceriam rendimentos de montante semelhante ao Estado, à nobreza outro tanto, dividindo-se portanto a renda global em três partes de valor aproximado entre os três setores."[2]

Igreja e nobreza de sangue eram consideradas as partes mais próximas da "cabeça mística" do Estado na forma de entender vinda da Antiguidade e mantida na Idade Média – e ficavam com dois terços do arrecadado em ouro. A administração, o comércio, as formas econômicas de produção de riqueza, a fidalguia, os vassalos e os escravos formavam indistintamente o todo beneficiado com os gastos pela rubrica que o autor denomina "Estado". As formas para manter as diferenças da Igreja metropolitana, detentora de direitos inexistentes na colônia, seguiam diretrizes diversas do rigor visto na implantação de ordens religiosas nos territórios mineradores. A maior obra do reinado de D. João V foi a construção do gigantesco convento de Mafra, que empregou 40 mil homens e consumiu o equivalente a 140 toneladas de ouro, ou vinte anos de arrecadação do quinto de ouro no Brasil. Essa foi apenas a parte maior, mas não a mais conspícua dos gastos. Entre os regalos de Sua Majestade aos prelados, nenhum causou mais furor que os recebidos pelos cardeais Pereira e Cunha: 50 dúzias de pratos de ouro – para cada um. A mesma atenção recebeu a nobreza, como se nota no crescimento do pagamento de pensões, que saltou do equivalente a 4,5 toneladas de ouro anuais em 1681 para 8,5 toneladas em 1716 – e nada menos que 27,4 toneladas anuais em 1748.

Portanto, D. João V promoveu a montagem de um sistema tributário colonial com ênfase na arrecadação e a associou a uma política de gastos de caráter estamental. Retirava o ouro produzido pelos que constituíam as partes mais baixas do corpo social e o entregava aos estratos mais elevados. Só no final de seu longo reinado o monarca teve a preocupação em fazer um investimento para melhorar o estatuto do Brasil. Em 1743, o rei nomeou seu secretário Alexandre de Gusmão, nascido em Santos, vila da capitania de São Paulo, para o Conselho Ultramarino, a mais alta instância de governo do mundo colonial português. Ao assumir o cargo, Alexandre de Gusmão começou a pesquisar no arquivo da instituição com uma estratégia clara: buscar todas as evidências documentais das andanças pelo sertão de todos os grupos resultantes da aliança entre Tupi e portugueses. E foi assinalando em mapas os pontos citados nos documentos, até vislumbrar uma demarcação contínua do território. Depois, reuniu argumentos para transformar papéis e mapas em documentos capazes de fundamentar pretensões de domínio territorial reconhecidas pelo direito internacional. Completou o trabalho com o envio de espiões para verificar a situação de zonas fronteiriças – e fazer relatos e mapas favoráveis para reforçar os argumentos nos casos duvidosos. Após quatro anos de trabalho, foi encarregado, em 1747, de negociar as fronteiras entre os territórios americanos de Espanha e Portugal. Apresentou sua tese: em vez de discutir o direito ao território com base na documentação tradicional – bulas papais e o Tratado de Tordesilhas –, por que não empregar a posse como critério, traçando a linha de fronteira pelos pontos que separavam os territórios ocupados pelos súditos de cada reino?

Gusmão alcançou seu objetivo: no Tratado de Madri, firmado em 1750, a posse efetiva do território serviu de critério para a delimitação de fronteiras, quase todas delineadas em função de limites físicos (rios, divisores de água) das ocupações e incursões de moradores, restando apenas uma linha imaginária ligando o extremo sudoeste do Amazonas ao norte de Mato Grosso. A nova configuração das divisas, indicada num mapa anexado ao tratado, delimitou uma área que coincidia em grande parte com o espaço Tupi-Guarani – ficando entremeados a este os territórios das vilas e também aqueles dominados pelos Caribe, Jê e Aruaque, a maioria ainda desconhecidos dos Tupi-Guarani e portugueses. Desse modo, a área de domínio da aliança luso-Tupi-Guarani se transformava em unidade reconhecida juridicamente pelo direito internacional e identificada pelo nome de Brasil. Os muitos atos de casamento entre mulheres nativas e lusitanos, o apoio dos chefes aliados aos genros e vice-versa, as incursões de guerra, escravidão ou negócios, a destruição de outras etnias, o controle de espaços e a busca de riqueza passavam todos para outro plano. Tidos até a véspera como impróprios ou ilegais, adquiriram o estatuto de atos fundadores do domínio jurídico, do reconhecimento internacional das fronteiras do território, e de marcadores de uma unidade soberana portuguesa.

A morte de D. João V, no mesmo ano da assinatura do tratado, assinalou também o fim da concentração dos gastos na nobreza e no clero. Seu sucessor, D. José, preferiu governar por meio de um valido, o marquês de Pombal, que tinha outra concepção das prioridades do Reino. Ele estava convencido de que era melhor dar dinheiro a comerciantes e empresários, para que multiplicassem a riqueza econômica por meio de investimentos rentáveis. Todavia, alterar a destinação dos recursos não era nada simples numa sociedade em que a lei funcionava como instrumento de garantia de privilégios estamentais – até mesmo para um homem com os poderes de rei. Para dar a quem necessitava, seria preciso tirar de quem não queria perder. E cada um contemplado pelo monarca anterior tinha tomado bastante cuidado para registrar a benesse como direito adquirido. Como notam Manuel Hespanha e Angela Barreto: "A derrogação de um direito adquirido – a propriedade de bens, posse de ofícios, detenção de um privilégio irrevogável, o direito de não pagar certos impostos – só era possível em sede judicial. Dito isto já se vê como os tribunais, como instância de salvaguarda da justiça e da defesa dos direitos adquiridos de cada um, ocupam, na esfera do Antigo Regime, uma função constitucional determinante." [3]

A palavra "constitucional" não tem o sentido atual, uma vez que as leis maiores do reino, as Ordenações, eram uma coletânea de normas consuetudinárias, daquilo que havia sido adquirido como direito por grupos específicos, e não um conjunto de normas gerais. Esse modo de governar no qual a lei era talhada na medida de cada favorecido tornou-se um obstáculo espinhoso quando Pombal quis mudar o feitio do gasto governamental. Só podia dispor de certas partes da receita do Estado, pois cada ceitil que não fosse entregue aos detentores de direitos adquiridos quase certamente seria objeto de processos contra o Erário. Na busca por um alvo que fosse, ao mesmo tempo, relacionável aos estratos superiores e com menos direitos adquiridos, acabou por se fixar nos jesuítas, em especial aqueles a quem os soberanos haviam delegado poderes equiparáveis aos dos funcionários da Coroa – o que de fato haviam sido.

Já em 1751, o marquês tomou uma medida similar à deliberada por D. João V: transferiu competências de instâncias menores de governo para o poder central, subordinando ainda mais o Estado do Grão-Pará diretamente à Coroa. Em seguida, nomeou o próprio irmão, Francisco Furtado Mendonça, para o seu governo. No ano seguinte, o governador arrancou assinaturas de comerciantes locais para um pedido de incentivo ao comércio. A tal ajuda viria em 1755, na forma de uma companhia monopolista de comércio constituída por capitais particulares – mas que também desfrutava de concessões governamentais, que iam desde o monopólio comercial em todo o novo estado até um conjunto de isenções de impostos e privilégios alfandegários. Evidentemente, eclodiram protestos da parte dos negociantes prejudicados pelo privilégio legal, mas também houve gritaria da parte dos jesuítas, que tinham bons lucros com a venda da produção dos diversos aldeamentos no Maranhão e no Pará.

Dessa vez os argumentos não foram entendidos como defesa de direitos adquiridos. Pombal aproveitou a segurança jurídica oferecida pelo reconhecimento do domínio português no Tratado de Madri e promulgou uma lei que transformava todos os nativos tutelados do território em súditos da Coroa. Ao estender a eles a condição de homens efetivamente livres, Pombal anulava a política que vinha desde os tempos de Mem de Sá, dois séculos antes. Para regulamentar a situação, promulgou também um Diretório dos Índios, detalhando o novo estatuto legal dos nativos no Estado do Grão-Pará (e não em todo o Brasil). Pela nova lei, as aldeias onde viviam os nativos transformaram-se em vilas. Os nativos viraram súditos, sujeitos a obrigações que iam desde o modo correto de morar até o serviço militar, passando pelas modalidades autorizadas de comércio. Antecipando a objeção de que os nativos desconheciam a lei, esta previa a nomeação de um diretor para cada aldeia, um português encarregado de fazer os moradores se adaptarem ao novo figurino – com poderes muito mais amplos que os dos padres que administravam aldeamentos.

Pombal derrogou todos os fundamentos construídos pelos jesuítas. Quando estes reclamaram, o marquês os chamou de insubordinados (algo possível para quem era administrador de toda a Igreja no reino), iniciou um processo em Roma e atacou firme. Em 1759 expulsou-os de todos os domínios portugueses – e transferiu para a Coroa todas as propriedades e bens da Companhia de Jesus em seu território. Tomando para a Coroa o governo e a administração em áreas da colônia em que não havia ouro, Pombal inaugurou uma fórmula para arrebanhar uma parcela ainda maior da produção brasileira: arrochar a riqueza local e encher os bolsos de governantes e comerciantes privilegiados com favores monopolistas do governo. A estratégia repetiu-se no Sul, com a redivisão da capitania de São Paulo e a transformação das novas capitanias de Santa Catarina e São Pedro do Rio Grande em áreas de assentamento de colonos açorianos e sob o controle direto do governo metropolitano.

O alvo seguinte foi Pernambuco, nessa altura o último espaço economicamente relevante do Brasil no qual a instância intermediária de governo, a capitania, ainda operava com a autonomia derivada da força política dos herdeiros do donatário original. Primeiro, o marquês concedeu favores aos comerciantes metropolitanos que constituíram a Companhia de Pernambuco e da Paraíba. Como esses favores não permitiram afastar a concorrência em área sem monopólio, o empreendimento não teve o mesmo sucesso. Apesar disso, o método voltou a ser aplicado. Em 1799, na tentativa de contornar os direitos adquiridos existentes, o governo central dividiu o território pernambucano com a criação das capitanias do Ceará e da Paraíba – e nesta o comércio foi entregue a uma companhia monopolista formada em Lisboa. Assim se completou o chamado Século do Ouro, no qual a Coroa foi atribuindo para si poderes crescentes. Na área administrativa, com a elevação de estatuto do seu maior representante (agora um vice-rei) e o controle direto pelo monarca do governo de quase todas as capitanias (e de seus cargos administrativos), seja pelo uso de tropas militares em funções de polícia, seja pelo privilégio legal concedido a comerciantes próximos ao centro do poder. Essa concentração de poder administrativo coincidiu com um grande aumento na receita de impostos originários do Brasil, que passou a quase pagar toda a conta de manutenção do império português. Esses impostos, por sua vez, geraram despesas nas quais a metrópole era privilegiada: as pessoas próximas ao Rei recebiam benesses, seja no caso do clero e da nobreza como nos tempos de D. João V, seja no dos comerciantes e empresários na época de Pombal.

Em qualquer dos casos, os brasileiros passaram a pagar muito mais impostos do que aquilo que recebiam como serviços ou investimentos do governo metropolitano. De modo a atualizar o velho objetivo do governo central de arrecadar muito e gastar pouco no Brasil, havia sido montada, sobretudo nas regiões mineradoras, uma estrutura peculiar. Um funcionário temporário vinha na função de governador. Sabia que, desde que o rei recebesse sua cota de impostos, pouco se importaria com o fato de ele mesmo aproveitar a oportunidade para enriquecer também. A melhor oportunidade era escolher novos comerciantes com os quais se associar na função de cobradores de impostos. Os interessados aprenderam depressa a considerar o convite uma oportunidade de curto prazo, de modo que tratavam de agir com os mesmos métodos do governante. Para todos os envolvidos no alto escalão – rei, vice-rei, governadores e arrecadadores locais – o objetivo maior era o já citado de arrecadar muito e gastar o mínimo possível. Com a rotatividade nesses cargos, o Brasil se tornava um fornecedor de mais dinheiro para a metrópole – e, no sentido inverso, a metrópole se reafirmava como território recebedor de dinheiro arrancado da colônia pelo governo central, reforçando a tendência que vinha do século XVI.

Maior poder político e muito maior disponibilidade de dinheiro para o governo central levam a imaginar que a economia metropolitana, para a qual se faziam tantos favores, teria colhido os benefícios do governo que a privilegiava – em outras palavras, que seria bem mais pujante que a do Brasil, de onde se arrancavam os tributos e lucros com mercadorias exportadas. Durante séculos, essa foi a suposição dominante entre os historiadores. Lendo os documentos que falavam das violências do governo metropolitano e dos seus prepostos nas capitanias, assim como dos gemidos dos moradores, tais historiadores escreveram sobre o período como se não tivesse havido ganhos no mercado local. Todavia, a partir da década de 1970, com os novos métodos estatísticos aplicados à história econômica, veio a surpresa: ao longo de todo o século XVIII, apesar da ação de transferir rendas do governo central, o desempenho da economia colonial superou o da economia metropolitana. No final do século, quando decaiu a produção das minas, essa diferença se acentuou ainda mais, com a economia brasileira em franco crescimento, ao passo que a da metrópole entrava em crise.[4] Para se entender como ocorreu esse desenvolvimento maior, não há como recorrer a velhas hipóteses como a que postula o apoio do governo metropolitano à colônia. Em vez disso, a resposta está nas estruturas remanescentes dos governos das vilas e dos costumes dos moradores governando-se a si mesmos.

CAPÍTULO **18**
> *Ouro e redistribuição dos governos no território*

A EXPANSÃO DA ESFERA CENTRAL DE GOVERNO FOI IMENSA NO SÉCULO XVIII COMO um todo. Na altura da viagem de Artur de Sá e Menezes, em 1697, o governo-geral desfrutava de uma margem de manobra quase nula no interior do território. Mal e mal tinha atuação regular em Salvador, única cidade na qual contava com "oficinas". Afora isso, apenas os jesuítas, pagos pelo rei e sem depender de moradores, eram agentes regulares da esfera central – pois os demais padres, embora funcionários públicos, dependiam dos moradores para ter rendas. Na esfera intermediária, o centro comandava apenas as capitanias do Rio de Janeiro e da Bahia. A substituição do governo-geral pelo vice-reinado foi o primeiro passo na organização de uma nova estrutura de comando. A arrecadação de impostos nas zonas minerais, o pivô das mudanças, levou o governo central a se mexer: em 1763, a capital foi transferida de Salvador para o Rio de Janeiro, refletindo as novas prioridades.

O reforço da esfera central não se limitou a essa alteração de estatuto. O maior avanço ocorreu no domínio da esfera intermediária. A recompra da capitania de São Paulo permitiu a criação de novas capitanias no interior, subordinadas diretamente à Coroa e desprovidas de autonomia administrativa. Essa foi a forma de governo que passou a predominar nos sertões. São Paulo, Minas Gerais, Mato Grosso e Goiás – as quatro capitanias que não tinham sede no litoral – passaram a ser governadas por delegados temporários vindos de fora, sem raízes locais e com objetivos que não coincidiam com aqueles dos moradores. Mas esse tipo de ação não se restringiu à zona mineradora. O Pará também virou uma zona sob o controle mais direto de Lisboa. Santa Catarina e São Pedro do Rio Grande, no Sul, foram separadas de São Paulo e tornaram-se capitanias dependentes da autoridade central. Na Bahia, as capitanias de Ilhéus e Porto Seguro converteram-se em unidades subordinadas a Salvador. No final do século XVIII, o domínio da Coroa sobre as capitanias era quase total. Apenas Pernambuco mantinha umas tantas prerrogativas próprias – e por isso mesmo o seu território acabou sendo fatiado, com cada nova capitania perdendo a sua autonomia.

Essa inegável expansão da autoridade do governo central, no entanto, pode indicar a formação de um governo unificado no Brasil – ou que a população tinha um só governo. Para comprovar isso, o melhor é examinar a situação a partir do território. Até nessa área houve uma mudança conceitual importante. Na virada para o século XVIII a área abrangida pela aliança luso-Tupi era fluida, apenas uma parte indeterminada das Terras Baixas na zona tropical do continente. A partir de 1750, com o Tratado de Madri, a área foi delimitada, com fixação dos limites da autoridade metropolitana no espaço territorial. E era muito espaço: nos termos oficialmente reconhecidos, nada menos que cerca de 8 milhões de quilômetros quadrados. Tal território, em tese, marcaria o âmbito da ação de um governo central com controle e comando. Na prática, porém, não era bem assim. Havia muita gente no território que jamais vira em vida um europeu ou mesmo um descendente miscigenado deles. Essa população nativa continuava governando a si mesma, em cada aldeia, segundo seus costumes. Do mesmo modo, esses costumes guiavam o relacionamento com grupos mais próximos em termos culturais, povos de mesma etnia ou língua. E continuavam travando guerras ou firmando alianças com povos de etnias ou línguas diversas.

Ainda no final do século XVIII, os governos de aldeia continuaram sendo os únicos conhecidos em quase toda a bacia amazônica, que ocupava mais da metade do território. Imensas porções dos atuais estados de Mato Grosso, Mato Grosso do Sul, Goiás, Tocantins, São Paulo, Paraná, Santa Catarina e Rio Grande do Sul eram controladas por povos que não mantinham relações de aliança com os Tupi-Guarani. Na maior parte dos casos, os territórios nos quais viviam eram pouco conhecidos e pouco frequentados pelos Tupi-Guarani ou por seus aliados das vilas. No entanto, ao longo do século, a pressão vinda da porção que se mercantilizava, a área sob o domínio das vilas, levou cada vez mais adiante as incursões dos Tupi-Guarani que ali viviam. Os parentes distantes dos aliados por casamento iam na frente, abrindo o caminho para cada vez mais caravanas mercantis formadas por europeus, nativos e miscigenados.

No início do século XVIII, esses grupos percorriam apenas alguns rios maiores. Ao longo do período, em especial na Amazônia, os vales dos principais afluentes conheceram uma devastação imensa em decorrência dessas incursões. Quem tentava resistir – o Aruaque Ajuricaba, à frente de uma coligação de muitos povos do rio Negro, na terceira década desse século, é o exemplo mais conhecido – era massacrado, obrigando os sobreviventes a buscar refúgio em áreas inacessíveis às canoas dos forasteiros. Parte dessa pressão devia-se ao fato de que o território original dos Tupi-Guarani também conhecera transformações relevantes. A área de influência das vilas era restrita no final do século XVII, mal e mal chegando a uns poucos quilômetros além das praças da matriz. Além disso, quase só existiam vilas na faixa litorânea. Qualquer incursão mais distante no interior requeria a organização de caravanas de aliados nativos.

No final do século XVIII, por outro lado, havia muitos caminhos no interior do continente pelos quais as caravanas originárias das vilas levavam mercadorias, com o auxílio secundário dos aliados vivendo na mata. Alguns percursos ainda eram aventurosos – como as monções que seguiam de São Paulo ou Belém para, em viagens de seis meses, levar artigos adquiridos pelos enriquecidos com o ouro de Cuiabá. Muitas dificuldades foram vencidas – e as antigas trilhas Tupi se tornaram picadas viáveis para imigrantes que afluíam em massa de Portugal ou para as caravanas de escravos africanos que seriam vendidos no interior do continente. Antes de examinar esse tipo de negócio, no entanto, cabe dizer algo sobre a situação dos Tupi e dos outros nativos que tiveram de ser afastados para tornar possível esse tráfego. Todos esses grupos indígenas sofreram com o aumento da ocupação. A existência anterior, sob os governos consuetudinários, só continuava possível em franjas marginais. Ao longo do século XVIII, porém, consolidaram-se também formas de convivência que permitiam aos Tupi-Guarani sobreviver em bolsões situados nas áreas sob controle das vilas.

O projeto original dos jesuítas, o de reunir índios aliados no espaço segregado do aldeamento, aos poucos tornou-se uma instituição corriqueira nas vilas de todo o Brasil. Os que ali viviam passaram a ser chamados "índios bons" – numa referência indireta ao estatuto dos "homens bons", os fidalgos eleitores. A ideia da liberdade natural, antes tão estranha, ganhou uma tradução pela qual a situação do nativo aliado, ainda que não fosse de liberdade plena, não se confundia com a escravidão. O arranjo se fez por meio de regulamentações no instituto da tutela, no início reservado apenas para os jesuítas, encarregados de assegurar a liberdade dos nativos. No decorrer do século, o conceito de tutela foi tendo o seu sentido alterado. O termo "escravidão" foi definido como o ato de comprar e vender pessoas como mercadorias, em troca de dinheiro – e isso continuou sendo proibido. Também continuou proibida a transmissão de nativos por herança. Todavia, por meio da chamada "administração", a tutela exercida apenas pelos religiosos foi estendida à população civil. Agora, o indígena recebia um tutor que deveria educá-lo para a religião católica e representá-lo perante as autoridades civis, e por isso em troca adquiria o direito de ficar com parte do resultado do trabalho do administrado – que, em teoria, era livre para ir e vir, além de poder recusar trabalhos.

O instituto do aldeamento – ou seja, a terra demarcada que era propriedade dos nativos e onde podiam viver segundo alguns de seus costumes – foi reformulado como "administração" e sobreviveu à transformação do estatuto dos nativos, que passaram de tutelados a súditos, assim como à expulsão dos jesuítas. No final do século XVIII, encontravam-se aldeamentos até mesmo nas maiores cidades – e remontam a essa época os primeiros censos da população. Um dos mais detalhados, feito na Bahia por José Antônio Caldas em 1759, indicava a população de 29 aldeamentos nas capitanias da Bahia, Ilhéus e Porto Seguro: 2,9 mil casais e um total de 10,2 mil moradores.[1] Nesse mesmo ano, haveria nas vilas 28,6 mil fogos (unidades produtivas familiares) e 205 mil moradores.[2] Com isso as famílias de nativos seriam equivalentes a 10,3% das unidades produtivas e os moradores de aldeamento equivaleriam a 4,9% da população total.

Tais números apresentam discrepâncias e boa dose de imprecisão. Ainda assim, mostram que os aldeamentos continuavam fazendo parte da realidade social e produtiva até mesmo na área sob controle das vilas. Com muitas alterações na sociabilidade e nos costumes, ainda era um espaço no qual havia algum grau de autonomia governamental para os aliados históricos que haviam garantido a ocupação e a segurança do território. E, nunca é demais relembrar, parte da sobrevivência dos aldeamentos deve-se ao fato de que os colonos auferiam lucros monetários nas relações com os nativos. Mesmo em áreas remotas, estes constituíam um mercado potencial para os utensílios de ferro e eram fornecedores de diversos produtos e de mão de obra. Continuaram propiciando oportunidades de acumulação de capital. Continuaram sendo essenciais para a segurança. Continuaram fornecendo conhecimento da natureza tropical.

O governo das vilas era exercido num espaço mesclado com a área dos aldeamentos e os territórios não demarcados onde predominavam os aliados nativos. A parcela maior de domínio territorial compunha-se de pontos descontínuos e dispersos por todo o sertão. Muitos não passavam de ranchos a partir dos quais os moradores de vilas organizavam incursões de troca com os aliados. Outras áreas descontínuas eram os currais de gado (no caso do Nordeste, em especial), locais de descanso para tropas (sobretudo no Sudeste) ou as roças que geravam pequenas aglomerações de caboclos que se estabeleciam ao longo dos trajetos das caravanas comerciais. Aqui e ali, despontavam áreas de produção econômica regular e moradores permanentes, produzindo para o mercado e comprando-lhe os produtos. No século XVIII já estavam espalhadas por todo o território, do Rio Grande do Sul ao Amapá, da Paraíba ao interior do Amazonas.

Com frequência, a comunicação entre os mercados se fazia por meio de um novo tipo de caravana: a tropa de mulas, conduzida por um pequeno empresário, que cobrava frete para as cargas em função do peso da mercadoria e da distância do trajeto, recebendo sempre em dinheiro. Mas também reservava parte das bruacas para suas mercadorias, negociando ele próprio pelos caminhos. À diferença de quase todos os comerciantes estabelecidos, os tropeiros não se pautavam pela instituição do fiado. Compravam e vendiam à vista, acumulando os lucros sob a forma de dinheiro sonante. Estabelecidas no decorrer do século XVIII, as rotas de tropeiros tornaram-se assim indicativos claros da localização e do tamanho dos mercados. No final do século, nenhum caminho de tropas era mais movimentado do que aquele ligando o Rio de Janeiro às mais importantes cidades mineradoras das Minas Gerais. Em seu tronco principal circulavam até 400 tropas por semana, transportando mercadorias de todo tipo; no final do século, voltavam com a produção agrícola e industrial (tecidos, especialmente), que já era relevante na região e tinha mercado na capital. Esse contingente de tropeiros respondia por apenas uma fração do abastecimento de Minas Gerais. Outra rota importante era a existente entre a região mineira e a vila de São Paulo. Neste caso, também eram significativos os lucros com a venda das próprias mulas – um negócio que ia além das fronteiras geográficas brasileiras. Os criadores estavam quase todos no território espanhol da bacia do Prata. A descoberta do ouro fez com que, em poucos anos, tenha surgido um caminho até lá pelo interior do continente. Já em 1720 os paulistas compravam regularmente mulas jovens nos domínios espanhóis, de onde eram conduzidas até os pastos de recria nas cercanias de Curitiba. Adultas, eram conduzidas até Sorocaba, local de uma grande feira anual.

Não demorou para que a feira de Sorocaba refletisse o dinamismo da economia no território agora reduzido da capitania de São Paulo – e era um indicador sempre positivo. Na segunda metade do século XVIII, eram ali negociadas mais de 10 mil mulas por ano, o suficiente para abastecer no mesmo período 1,25 mil tropas novas. Os compradores adestravam os animais misturando-os com as pachorrentas bestas mais velhas. Os carregamentos seguiam sobretudo para a região mineradora, mas o plantel era revendido para todo o Brasil. Com isso, as Minas Gerais passaram a ser outro centro de redistribuição, do qual saíam caminhos para todos os pontos do interior. No final do século, até Goiás e Mato Grosso passaram a receber tropas saídas de Minas Gerais e que levavam mercadorias trazidas do Rio de Janeiro. No início, os baianos também eram compradores importantes das mulas paulistas – empregadas em tropas que abasteciam as regiões mineradoras do estado com produtos de Salvador. No retorno para a antiga capital, muitas dessas tropas cruzavam com caravanas que levavam outra mercadoria produzida com capitais brasileiros fora do espaço territorial local: os escravos africanos.

A exploração do ouro desencadeou um crescimento vertiginoso do tráfico de escravos, o qual se estendeu por toda a costa africana – até mesmo em áreas fora do domínio português. Assim que viram a escala da demanda, os traficantes de Salvador aceleraram ao máximo o envio de navios negreiros ao litoral africano. Por volta de 1730, a região começou a receber frotas navais regulares de comerciantes baianos. E logo estes abriram uma rota ainda mais lucrativa ao empregar o tabaco como moeda de troca na Costa da Mina. Formalmente o território era holandês. Na prática, como os navios enviados levavam propinas – sob a forma de mercadorias destinadas aos oficiais holandeses –, não havia nenhum empecilho oficial para o tráfico nos centros dedicados a esse negócio no litoral. Tamanha era a frequência que se arranjou o estabelecimento de um posto permanente, exclusivo dos traficantes baianos: a fortaleza de Ajudá, onde aportavam a cada ano cerca de duas dúzias de navios vindos da Bahia.

Assim como no Brasil, a economia local era movida por uma combinação de trocas diretas de mercadorias, negócios pagos com moeda, guerras, casamentos e acordos políticos. Isso permitia inclusive que mestiços brasileiros cuidassem de negócios numa cultura com que já estavam familiarizados. Um deles foi Félix Soares de Souza, filho de português com índia, que se mudou para Ajudá e lá se estabeleceu. Começou a carreira de comerciante em posições inferiores. Mas mostrou-se muito hábil para tirar proveito de alianças matrimoniais, das guerras e dos negócios, ganhando fama pelo proverbial cumprimento da palavra empenhada. Subiu tanto na vida que acabou virando rei do Benim. Morreu já no século XIX, deixando 53 viúvas, 100 filhos, 2 mil escravos para vender e uma fortuna em dinheiro. O domínio de brasileiros era igualmente forte nas possessões africanas de Portugal: Angola e Moçambique recebiam navios enviados do Rio de Janeiro, Salvador e Pernambuco. Eles levavam mercadorias diversas e o ouro que financiava os captores africanos e o comércio local, e na volta traziam os escravos. Na África, a administração metropolitana era da mesma natureza que a brasileira, limitando-se a cobrar impostos.

O dinamismo econômico e social na colônia durante o século XVIII parece sugerir que havia sentido na intuição exposta por frei Vicente do Salvador: havia um mercado em funcionamento fora da esfera governamental, desde as ocas dos índios até as casas dos grandes traficantes – os homens mais ricos do Brasil, mais ricos até do que os mineradores bem-sucedidos. Mas é essencial notar uma mudança. Ao falar de governo, o frei referia-se a um governo-geral que mal passava de um adendo administrativo na capital da colônia. Por outro lado, no fim do século XVIII, havia de fato um governo central operante no Brasil, com capacidade para comandar as instâncias intermediárias de poder. Mas continuava, como dizia o frei, só "curando para receber suas rendas e seus direitos", o que obrigava os colonos a zelar apenas por seus negócios particulares. Com isso, tal como no caso das alianças de casamento com nativos, a era da mistura geral de raças, da ampliação da presença do escravo africano num ambiente de desigualdade econômica e social – o que movia o século do ouro era a mescla de governo local e costumes, ou, visto da perspectiva oposta, o governo formal, ainda que ampliado para as capitanias – pouco teria a ver com a dinâmica mercantil da ocupação do território. Mas o que era invisível para o frei tornou-se evidente para estudiosos de história econômica, possibilitando um retrato numérico dessa realidade.

CAPÍTULO 19
> *Riqueza e empreendedores*

Uma das orientações do marquês de Pombal, que chefiou o governo metropolitano a partir de 1750, foi a de que os funcionários produzissem censos regulares da sociedade e da economia. No caso brasileiro, as informações censitárias mais amplas foram aquelas registradas pelos funcionários mais conspícuos do governo, os padres, que passaram a receber dados de cada paróquia em cada vila brasileira – e com eles puderam compilar os chamados "maços de população". Esses dados eram arquivados com outros produzidos nas paróquias e depois consolidados, na medida do possível, a partir de cópias enviadas a Lisboa.

Num tempo em que os documentos eram manuscritos, tinham de ser lidos um a um. Como não havia processos mecânicos de cálculo, as contas para avaliar os dados eram limitadas. Sem imprensa, cada cópia de cada página tinha de ser feita manualmente e os envios eram demorados. Com tudo isso a consolidação de dados era precária e acabava circulando apenas num circuito muito limitado. Para os historiadores que vieram depois, as dificuldades se mantiveram: a dispersão das informações inviabilizava qualquer tentativa de análises mais generalizantes. Liam então os documentos produzidos pelos governantes, que em geral realçavam o próprio papel e denegriam a situação local. Sem alternativas, argumentavam em torno daquilo a que tinham acesso. Mas tudo mudou quando esses dados foram digitalizados e organizados, permitindo que fossem acessados com maior facilidade e analisados como totalidades. Com isso, o conjunto passou a fornecer um retrato estatístico de certa coerência – e as revelações foram surpreendentes. Ainda na década de 1970, o historiador francês Fréderic Mauro recorreu a técnicas quantitativas para examinar as relações entre as economias do Brasil e de Portugal no final do século XVIII. Na visão tradicional de história econômica esse seria um período caracterizado por uma produção decrescente de ouro. E, pensando a economia colonial apenas como um reflexo das suas exportações, imaginou-se que essa queda nas exportações implicaria uma tendência de empobrecimento do Brasil.

Todavia, o que Mauro constatou, com base nos números, foi bem o contrário. Enquanto a economia brasileira registrava uma curva ascendente de crescimento, entre 1787 e 1825, a economia portuguesa vivia um ciclo descendente, iniciado em 1770 e que se estenderia até 1790, ano em que teria início uma ascensão até a segunda década do século seguinte. Os dados apontavam para um período de progresso na economia brasileira que teria se iniciado numa época de franca decadência da produção de ouro. O historiador foi cauteloso na hora de tirar as conclusões: "Seríamos tentados a falar que, após a crise do ouro, o Brasil teria mergulhado numa economia estacionária. Mas é o período em que se desenvolve a criação – poderíamos falar num ciclo do gado – e as culturas de substituição: cacau no Pará; algodão e arroz, no Nordeste e no Sul."[1] Ao estudar as balanças comerciais entre Brasil e Portugal no mesmo período, José Jobson Arruda levanta uma hipótese para explicar os fatos revelados em pesquisas quantitativas: "O que aconteceu no período que vai de 1796 em diante? Se o ouro estava em fase de declínio e o açúcar conhecia uma leve ascensão, como pôde crescer o movimento das exportações neste período? Como se explica o salto de 3,2 milhões de libras, em 1796, para 3,8 milhões, em 1807? Só há uma resposta. Uma diversificação."[2]

Pouco depois, ao enfocar o mercado do Rio de Janeiro, João Luís Fragoso notou uma discrepância ainda maior. No período de 1799 a 1811, enquanto as exportações locais registravam uma queda muito forte, a uma taxa média de 17,9% ao ano – resultante sobretudo da diminuição dos embarques de ouro –, as taxas de crescimento dos produtos de mercado interno, como a farinha e o charque, continuavam positivas. Mais ainda, as vendas de escravos africanos cresceram a uma elevada taxa de 5,1% ao ano.[3] Com a acumulação dos dados, ficou cada vez mais evidente que, no final do século XVIII, a economia colonial brasileira era pujante, e pujante em decorrência do crescimento de seu mercado interno. Mais ainda, era uma economia bem maior que a da metrópole. Entre 1796 e 1807, as exportações brasileiras corresponderam a nada menos que 83,7% do total de todas as exportações coloniais para a metrópole; no mesmo período, as reexportações dessas mercadorias geraram 56,6% das receitas do império português (colônia e metrópole) com o comércio exterior. No sentido inverso, o Brasil consumia 74,8% dos produtos enviados da metrópole a todas as colônias e 59,1% dos produtos importados pelo Reino.

Em poucas palavras, os números revelam o oposto do que pressupunham as interpretações anteriores: a economia brasileira tinha dinamismo próprio e a economia da metrópole dependia disso. Quando as estimativas chegaram a um resultado consolidado dessa economia interna, o percentual da produção voltada para o mercado interno (que a interpretação tradicional, em decorrência do emprego da noção de economia de subsistência, postulava como insignificante) gerava nada menos de 85% da riqueza brasileira, bem mais do que os 15% assegurados pelas exportações.[4] Evidenciou-se, portanto, que o mercado interno era o centro dinâmico da economia colonial – algo que estudos posteriores confirmaram como regra que valia desde o início da colonização. Essa certeza de uma dinâmica interna se firmaria ainda quando, já no final do século XX, os historiadores econômicos começaram a analisar estatisticamente os dados dos censos do século XVIII, inclusive fazendo agregações para todo o Brasil. Embora estas ainda contenham alguma imprecisão, as tendências parecem claras, como se vê, por exemplo, a partir da análise do censo de 1819. Ainda que referente a um período um pouco posterior ao final do século XVIII, mostra um retrato demográfico e sociológico da sociedade brasileira válido para o entendimento de processos de longo prazo.

Na época, a população total brasileira contava cerca de 4,39 milhões de pessoas. Embora estes sejam os números finais, uma parcela importante é pura estimativa: 800 mil índios. Aí estão incluídos os moradores de aldeamentos, portanto devidamente contabilizados. Todavia, aquela que seria a maior fração da rubrica, a dos grupos sem contato e que se governavam pelo costume, não podia ser recenseada – embora as trocas com eles fossem parte da economia. Por isso é bem possível que a quantidade de indígenas tenha sido bastante subestimada. Mesmo assim, levando em conta esses números, nota-se que os índios livres representavam 18,2% da população. Já os 3,59 milhões de outros habitantes apareciam em grandes grupos separados pela escravidão. A população de moradores livres das vilas era de 2,48 milhões de pessoas – 56,6% do total. Foram contados 1,1 milhão de escravos, ou seja, 25,3% da população recenseada. No global, portanto, 74,8% eram pessoas livres.

Ainda que ampliando a imprecisão, uma maneira possível de mostrar o perfil sociológico dessa população na economia é recorrer a uma estimativa hipotética. Os censos da época empregavam a categoria "fogos" para classificar as unidades produtivas. Cada fogo era definido segundo a tradição aristotélica: uma família constituída pelo chefe e seus dependentes (mulher, filhos, escravos e agregados livres). Um resultado censitário elaborado com tal conceito foi obtido para a população baiana de 1759. Dividindo-se a população total calculada por José Antônio Caldas (205 mil pessoas) pelo número de fogos (28,6 mil), resulta que cada fogo teria uma média de 7,6 pessoas. Supondo hipoteticamente que a proporção fosse a mesma em todo o espaço brasileiro, os 3,59 milhões de pessoas livres do Brasil de 1819 formariam 501,3 mil fogos ou unidades produtivas. A distribuição dos escravos entre essas unidades já foi calculada com precisão bem maior, a partir dos estudos censitários, os quais indicam que a média de escravos por proprietário, na virada do século XIX, era de cinco cativos. Aplicado ao dado censitário, o número de proprietários de escravos seria de 220 mil. Assim, 9% do contingente de homens livres – ou 44% dos chefes de fogos, o que talvez fosse mais razoável como forma de raciocínio – seriam proprietários de escravos.

Essa larga distribuição do trabalho escravo pelas unidades produtivas contrapõe-se à ideia de latifúndio e da concentração de riqueza numa minoria populacional. O que os números revelam, isso sim, é um gradiente definido: uma grande maioria de produtores independentes, de unidades familiares sem escravos que são também unidades produtivas de empreendedores. Mesclado sociologicamente a elas está um grupo muito grande de pequenos proprietários de escravos – sendo a média aritmética de cinco escravos por proprietário, fica claro que a imensa maioria dos proprietários tinha menos de cinco (em termos estatísticos, a mediana é bem inferior à média).

Ainda que se empregue a média (claramente um número menor que a realidade) para agregar num único grupo os não proprietários e os pequenos proprietários (neste caso, cinco escravos ou menos), a soma daria 391 mil fogos – ou 78% do total. Este é o mínimo para um agrupamento que formava o universo central da produção brasileira no período: o das pequenas unidades produtivas independentes. Tal espécie de unidade produtiva foi objeto de um estudo específico de Iraci Del Nero da Costa, intitulado *Arraia miúda*, que compara dados censitários de várias regiões da colônia e em épocas diferentes do século XVIII e início do XIX. O trabalho adota um procedimento metodológico essencial: separa a população livre em dois grupos: um de pequenos proprietários de escravos e outro de não proprietários de escravos. Fez isso, inclusive, nos subgrupos dos dependentes e agregados. Em seguida, os dois grupos foram contrapostos em função de uma série de variáveis, que iam do tipo de produção econômica de que cada qual participava até os dados de renda e família.

Dessa maneira, o autor traçou um retrato de base empírica mostrando que não havia proprietários de escravos ricos num extremo da sociedade e uma massa de não proprietários com pouca ou nenhuma renda no outro. Pelo contrário, com base na estatística, ele conclui: "Os não proprietários compunham parcela majoritária da população livre; ademais, os mesmos não perderam tal posto em face a expressivas mudanças econômicas e demográficas observadas no passar do tempo. O crescimento econômico, mesmo quando orientado pela expansão do comércio exterior, vinha acompanhado de oportunidades das quais usufruíam também os não proprietários, de sorte que os mesmos não eram excluídos das áreas economicamente mais dinâmicas, nem perdiam sua posição numericamente dominante. [...] A conclusão maior é que, tanto da órbita demográfica como daquela marcada por elementos de natureza socioeconômica, não havia hiato absoluto a distinguir proprietários e não detentores de cativos. A impressão deixada pela análise era a de que estávamos a tratar de duas amostras da mesma população."[5]

Mesmo se tratando de um único estudo, ele tem bases censitárias bastante sólidas e diversificadas, tanto no espaço como no tempo. Sendo assim, é estatisticamente improvável que esse indicador não tenha relação significativa com a realidade global da economia brasileira do século XVIII – ainda que variantes possam surgir após outros estudos. Segundo um resumo das pesquisas quantitativas realizado por Francisco Luna e Herbert Klein, os "estudos recentes indicam uma sociedade mais complexa, com um mercado interno ativo no qual gêneros básicos eram comercializados para suprir esse mercado, e também identificam um amplo sistema de comércio regional e ofícios artesanais. Em todas essas atividades – agricultura, comércio e artesanato – encontramos proprietários e não proprietários de escravos, bem como trabalhadores livres e cativos. Encontramos inclusive proprietários trabalhando ao lado de seus escravos. Por toda parte havia cativos, até mesmo nos domicílios caracterizados como pobres. Não havia região ou atividade econômica sem escravos. Mas é importante enfatizar que em todas as atividades, exceto na produção de açúcar, também havia trabalhadores livres sem escravos".⁶

Além de indicarem uma produção econômica baseada no mercado interno, os estudos quantitativos mostraram com clareza que, ainda que houvesse concentração de riqueza, a produção econômica se estruturava em torno de muitos produtores independentes – ou seja, de empreendedores individuais –, a maioria dos quais trabalhava sem escravos ou com contingentes muito reduzidos de cativos. Com tal retrato renovado da produção econômica no final do século XVIII, a estatística permitiu comparações de magnitude entre economias diversas. Uma dessas comparações é esclarecedora. Os Estados Unidos exportavam, na virada para o século XIX, algo em torno de 4 milhões de libras esterlinas anuais; como se viu, as exportações brasileiras de 1807 foram de 3,8 milhões de libras esterlinas. A diferença de tamanho entre as duas economias, portanto, estaria mais relacionada ao mercado interno do que ao externo. Uma avaliação dessa diferença poderia começar pelas comparações demográficas.

Em termos de urbanização, as três maiores cidades dos Estados Unidos (Nova York, Filadélfia e Baltimore) tinham por volta de 65 mil habitantes em 1810, uma população equivalente à das três maiores cidades brasileiras (Rio de Janeiro, Salvador e Recife) na mesma época. Em 1800, a população dos Estados Unidos era, de acordo com os critérios censitários locais, de 5,3 milhões de pessoas, sendo 4,1 milhões registradas como "caucasianos" (81%) e 1,1 milhão de "outros" (19%). Em termos gerais, a população era cerca de 20% maior que a brasileira. A proporção entre homens livres e escravos também era semelhante. As diferenças maiores estavam nos conceitos. O critério de classificação norte-americano pressupõe uma identidade completa entre a situação étnica de caucasiano e o estatuto social de pessoa livre. Desse modo, a classificação étnica funcionava como sinônima da posição social – o mesmo valendo para o papel de escravo. O emprego do termo "outros" para se referir a escravos negros era então bastante amplo, constando até mesmo do texto da Constituição norte-americana. E o corte que fazia coincidir a situação racial com o cativeiro tinha um sentido empírico: com baixíssima taxa de alforria e leis locais baseadas na raça (por exemplo, os negros eram proibidos de votar, fossem ou não escravos), os negros livres compunham um grupo muito pequeno naquela sociedade. Outra diferença radical é a ausência de índios no censo norte-americano.

Isso acontecia porque estes eram considerados pessoas de outras nações, estrangeiros. Tal tratamento conceitual refletia uma prática consagrada. Desde o início da colonização, os protestantes, sobretudo os puritanos, adotaram a definição adotada por Jean de Léry no Rio de Janeiro em 1553: consideravam os nativos como pessoas desprovidas de razão, incapazes de ler a Bíblia e compreender a verdade revelada – eram, portanto, pessoas que não poderiam fazer parte da sociedade. Em consequência, a política que se adotou em relação a eles foi de extermínio, que não deixou rastros nem nas estatísticas.

Dessa maneira, as diferenças de pensamento geraram censos que mostravam diferenças sociológicas imensas, assim descritas por Herbert Klein: "Embora a sociedade escravista brasileira do século XIX diferisse pouco da existente no Sul dos Estados Unidos em termos de tamanho e peso relativo da população cativa e seus senhores, houve diferenças significativas entre essas duas sociedades no tamanho de sua população livre. Enquanto nos Estados Unidos mais de 95% da população livre era branca, na maior parte do Brasil os brancos tendiam a compor menos da metade da população livre. No início do século XIX o Brasil possuía a maior população livre de cor de todas as sociedades escravistas da América."[7]

Vale lembrar que o termo "pessoas livres de cor" é uma agregação estatística recente. Os censos brasileiros do século XVIII adotavam categorias intermediárias para dar conta de mesclas étnicas. As categorias mais comuns eram "pardo" (filho de europeu e índia, nas áreas de maior influência Tupi; multietnia inespecífica, na maior parte do território), "mulato" (filho de europeu e africano), "cabra" ou "cafuso" (filho de africano e índia). Eram categorias fluidas: muitas vezes uma pessoa que enriquecia ou tratava com fidalgos recebia uma classificação a cada censo. Assim, a mulata Francisca Silva de Oliveira, a Xica da Silva, à medida que ganhava prestígio social, foi sucessivamente classificada como "Francisca Mulata", "Francisca da Silva, parda forra" e "Francisca Silva de Oliveira" – sem qualificativos – pelos recenseadores de Diamantina. A explicação é simples e reflete a evolução do seu relacionamento estável com João Fernandes de Oliveira, o contratador, a maior autoridade da vila.

O sentido é claro: embora as economias do Brasil e dos Estados Unidos tivessem exportações, população e proporção entre homens livres e escravos comparáveis (o que eventualmente pode levar a supor um resultado econômico total comparável, dada a grande participação do mercado interno no total da produção brasileira, possivelmente da mesma magnitude que na economia norte-americana), o domínio de empreendedores na estrutura produtiva e a acumulação de capital centrada na produção escravista, os processos de formação da cultura eram diferentes. Não se tratava apenas de diversidade no tamanho da produção e da estrutura sociológica. Talvez a grande diferença estivesse no comércio exterior. A independência política, em 1776, permitiu que os Estados Unidos diversificassem o destino das suas exportações. As colônias sulinas, dependentes da produção escravista, enviavam a sua produção para a Inglaterra (o algodão comandava a pauta), que comprava 90% do total; as colônias do centro exportavam sobretudo para a Europa continental (55% das vendas, lideradas pelo tabaco); já as colônias setentrionais especializaram-se em exportações de produtos alimentares e de abastecimento para o Caribe (75% do total).

Marcadas as semelhanças e as diferenças entre as duas maiores economias do continente na virada para o século XIX, fica mais claro o que era próprio da formação brasileira: a peculiar relação entre um governo que se pautava pela teoria e a lei escrita do Antigo Regime e uma sociedade com estrutura étnica caracterizada pela miscigenação e por costumes que não eram exatamente os previstos nas leis. Tal contraste se tornou ainda maior com o controle da escrita – forte ao ponto de influenciar historiadores e suas análises sobre o período por vários séculos.

CAPÍTULO 20
› *Governos locais e costumes na mineração do ouro*

O CONDE DE ASSUMAR FOI UM DOS PRIMEIROS NOBRES TITULADOS A GOVERNAR Minas Gerais. Tomou posse em 1717 e deixou o governo três anos depois, sem descuidar da arrecadação para o rei e da saúde do próprio bolso. Deixou impressões contundentes sobre a experiência: "A terra parece que evapora tumultos; a água exala motins; o ouro toca desaforos; destilam liberdade os ares; vomitam insolências as nuvens; influem desordem os astros; o clima é tumba da paz e berço da rebelião; a natureza anda inquieta consigo e, amotinada por dentro, é como no inferno."[1] O texto atualiza para o século XVIII aquilo que se poderia chamar de "visão do caranguejo". A chave dessas impressões está na atribuição à natureza do sentido que lhe conferia Aristóteles: como autora da divisão entre senhores e escravos que fundava toda a ordem política e social.

Se os atentados contra essa divisão eram motivo de ironia na pena de Gregório de Matos, eles despertam o horror em um nobre habituado a palácios e cortesãos. O narrador é um governante plenamente identificado com a concepção de mundo do Antigo Regime, com uma sociedade dividida pela natureza entre desiguais. A partir desse critério, tenta explicar uma sociedade constituída por mineradores afanosos na busca de um quinhão de riqueza, que se juntam em uniões que não levam em conta raça ou posição social, que empreendem como podem, que enriquecem em liberdade. Para o governante, contudo, não passam de desclassificados. Assim haveria, no Brasil, uma contradição entre os costumes de baixo e as leis do alto. Recorrendo às categorias de um mundo para falar de outro, o conde empregava a escrita como típico narrador-caranguejo: tendo como critério os fundamentos da desigualdade que supostamente marcaria a civilização, coloca no balaio do mal, do desvio e da selvageria tudo o que faziam os súditos. Tal postura existia já desde um século quando foi expressa pelo conde. E não destoava em nada do que dizem os documentos sobre os ocupantes do governo central – e até agora havia poucas razões para que historiadores questionassem esse tipo de opinião.

No entanto, como vimos, as pesquisas recentes mostram uma realidade distinta, na qual as atividades econômicas são regidas pelo mercado; a economia apresenta dinamismo próprio; a sociedade é constituída de produtores independentes, tanto pequenos empreendedores como grandes empresários; a escravidão é essencialmente de pequenos proprietários, indistintos do grupo dos produtores independentes; há um domínio financeiro sobre a África (com grandes empresários, os mais ricos do Brasil, controlando o negócio); e com um ritmo de crescimento maior que o da metrópole arrecadadora – enfim, tudo isso nos obriga a deixar de lado a concepção da colônia como um espaço subalterno.

Sem alternativa, os historiadores tradicionais seguiam o caminho: imaginavam uma economia sem dinâmica, pessoas incapazes ou revoltadas – e o "Brasil" que explicavam era uma colônia pobre e de gente baixa. Nesse sentido, as suas narrativas seguiam na mesma direção do conde. Mas as novas descobertas requerem uma mudança analítica radical. Não se trata mais de dar uma resposta nova à interpretação que dominou por séculos até os clássicos, mas de abandonar o caminho e reformular o problema: explicar como se deu esse crescimento da economia colonial enquanto o governo central expandia os seus poderes às capitanias, extorquia recursos como nunca em proveito da metrópole e tentava enquadrar os moradores numa ordem pouco adequada para sua realidade de produtores capazes de criar uma economia produtiva. Para tanto, faz pouco sentido apelar para o já conhecido – seja o coevo de definições como as do conde de Assumar e tantos outros (até mesmo Gregório de Matos) ou as interpretações posteriores que empregavam a noção de economia de subsistência. Ou descrever o governo central (o caranguejo do litoral) como sendo a boa norma e o mundo do sertão como desvio. Ou, ainda, a ordem como resultado da aplicação das Ordenações do Reino e os costumes locais como depravação.

Sem se atentar para a originalidade do que ocorre na colônia, para os novos costumes de busca da riqueza e liberdade de comportamento (em relação ao padrão europeu), os governos locais e as instituições, o novo problema ficaria sem resposta. Para entender o progresso da economia na formação demográfica e social da colônia é preciso seguir outro caminho. Não só explicitar o papel dos governos locais como reavaliar o julgamento negativo dos costumes, predominante na documentação e retransmitido por historiadores que não podiam lidar com as descobertas das pesquisas recentes.

Uma reavaliação desse tipo partiria da própria lei portuguesa vigente na colônia. Se as Ordenações do Reino como um todo determinavam juízos como o do conde de Assumar, cabe notar que apenas parte desse ordenamento – basicamente os livros IV e V – era aplicada aos moradores do Brasil, o que faz muita diferença na hora de avaliar o lugar do mercado na vida social. A diferença na organização começava já nos poderes reservados aos ocupantes dos estratos mais baixos, aqueles sem nobreza nem pertencentes ao clero regular, que constituíam o governo eleito das autoridades nas vilas. Por meio das eleições eram escolhidos representantes, isto é, pessoas que recebiam delegação para governar segundo as leis. E "governar", para esses vereadores, significava exercer ao mesmo tempo três poderes: formular por escrito as leis (como os atuais membros do poder Legislativo), comandar a sua aplicação (como os atuais detentores do poder Executivo) e chefiar a aplicação da justiça, nomeando juízes.

No Brasil colonial, por toda parte onde se implantou uma vila, o mecanismo da eleição mostrou-se efetivo e regular como um relógio – com ou sem autoridade régia presente. As condições de vida da grande maioria dessas vilas regidas com alternância de poder, ao longo dos três séculos da era colonial, foram mais ou menos as mesmas: povos miscigenados, com raríssimos alfabetizados (analfabetos votavam e eram votados), vivendo isolados e longe da autoridade central. Caberia aqui uma questão: até que ponto os governantes locais mandavam? Se comparados aos vereadores eleitos nas vilas de Portugal, mandavam muito mais. No Reino, apesar de os moradores das vilas elegerem os seus representantes, os poderes destes eram severamente limitados não apenas pelo rei, mas pelos direitos hereditários dos nobres, dos senhores de terra, do clero, dos fidalgos de diversas espécies – todos definidos nos títulos das Ordenações que não eram aplicados no Brasil. Sobrava muito pouco para os vereadores em Portugal.

Já na maioria das vilas brasileiras os poderes que se contrapunham aos dos mandatários eleitos eram muito menos presentes. Apenas donatários e governadores-gerais (depois do ouro, no geral capitães-mores nomeados pelo governo central) se sobrepunham aos vereadores. Ainda com a mudança, na melhor das hipóteses, o poder de interferência dessas autoridades era constante apenas na vila onde moravam – e intermitente ali onde enviavam representantes. No Brasil colônia, o governo local por meio de autoridades eleitas foi uma estrutura de poder permanente, geral e homogênea, traço cultural essencial numa realidade social. Foram governos com uma dose de consenso e consulta popular, capazes de operar com legitimidade. Havia no Brasil um grau de soberania popular maior do que na metrópole. Nesse caso, a lei geral que regulava o assunto não era apenas norma exótica. Ganhou um conteúdo efetivo ao se tornar costumeira, com o hábito de eleger e confiar no governo coletivo. E esse foi um costume popular, coletivo, constante. Não veio do alto, não dependeu de iluminados metropolitanos – basta isto para se entender o século e meio de isolamento da São Paulo de analfabetos e mamelucos: de três em três anos essa gente organizou eleições, deu posse aos governos, seguiu-lhes as determinações – e os governantes entregaram os cargos aos eleitos.

Essa esfera de governo era simplesmente desprezada em textos de governantes como o conde de Assumar – embora fosse a única esfera de governo atuante em grande parte do território. Ao final do século XVIII, os governos de vila exercem autoridade sobre um espaço de magnitude comparável aos governos consuetudinários dos diversos povos nativos. Constituíam-se em padrão regular, seguindo fielmente partes determinadas das Ordenações do Reino – mas com substância conferida pela herança da autoridade delegada dos chefes Tupi, repassada aos mestiços analfabetos. As câmaras processavam diferenças culturais imensas, abismos de posição social, interesses materiais contraditórios. Sobre elas recaía o peso da defesa do território (ainda que mitigado pelo surgimento de milícias do governo central) e do provimento de serviços de toda espécie. Elas obtinham legitimidade suficiente para manter algum consenso interno, uma vida suportável para todos.

Além do poder temporal, havia um poder espiritual. A Igreja era a única parte do governo capaz de atuar em todo o território em conformidade com um ordenamento uniforme – mas isso exigiu concessões de monta à realidade local. A parte mais conhecida da adaptação foi desenvolvida pelos jesuítas, grandes produtores de documentação escrita para os padrões da época – e não à toa, pois eram subsidiados pelo governo central em função de contratos que traziam objetivos claros de ação. O primeiro grande resultado desse trabalho foi a criação do arcabouço legal que permitiu a conversão dos Tupi e o seu emprego pelos inacianos e pelo governo como agentes sociais e políticos relevantes. A ação requereu até mesmo mudança em regras gerais da Igreja, como, por exemplo, a licença papal para casar primos cruzados. Exigiu inovações conceituais, como a afirmação de um direito inato à liberdade. Passou pela legislação, com a criação dos institutos legais do aldeamento, da tutela e da administração. Parte desse esforço atendia a interesses próprios do governo-geral. Os padres envolveram os nativos aldeados em guerras que interessavam mais a Portugal do que aos indígenas – como no caso das lutas contra os franceses e os seus aliados. Mais tarde, o manejo dos índios de aldeamentos tornou-se uma forma consensual entre moradores e padres, pois garantia a segurança interna da área das vilas contra ataques de grupos não Tupi e os serviços geridos pelos padres.

Os jesuítas foram a parte mais eficiente do governo central português até a descoberta do ouro – quando foram proibidos de se instalar nas minas, progressivamente afastados pelas autoridades enviadas de Lisboa (vice-rei e capitães nas capitanias reais) e, por fim, expulsos, enquanto seus bens passaram para o governo central. O ato tornou ainda mais relevante a figura que, desde o início da aliança, era o esteio da Igreja: o padre secular. Os primeiros chegaram antes mesmo do governo, convivendo com os pioneiros europeus que se estabeleceram no território. Como eram tempos em que os padres seculares – isto é, os padres que não eram formados em conventos de ordens religiosas, chamados regulares – podiam casar, viviam como todos os demais (inclusive sagrando casamentos poligâmicos com nativas).

Somente em 1552 o rei empregou seus poderes para organizar administrativamente a Igreja no Brasil, criando um bispado em Salvador. Deste partiriam as ordens para criar freguesias e paróquias, além da nomeação dos responsáveis. O primeiro bispo, Pero Fernandes Sardinha, viveu às turras com os jesuítas. Obrigado a organizar a instituição com o material disponível, deixou de lado o rigor, dando muito pouca importância à decisão do Concílio de Trento que, a partir de 1543, impôs o celibato aos padres seculares. A tolerância do bispo com os costumes vigentes, segundo os inacianos, "tornava muito largas as portas do céu". A divisão se consumou: o bispo e todos os padres dependiam de esmolas dos moradores para viver, portanto não estavam em posição de impor costumes rigorosos ao rebanho. As críticas dos jesuítas aumentaram de tom e o resultado foi a renúncia do bispo, em 1556. Partiu para Lisboa mas acabou capturado depois de um naufrágio. Mostrou-se guerreiro de coragem, ao menos no julgamento dos captores que o sacrificaram e deglutiram sua carne e seu sangue.

Mas a realidade mostrou-se inexorável. Os bispos não podiam prescindir do clero secular, e esse clero – formado por conta própria, composto de funcionários públicos que passavam em exame, pessoas obrigadas a ganhar a própria vida quando não tivessem postos rentáveis – tornou-se a regra no Brasil. Apenas as vilas mais ricas dispunham de recursos para sustentar conventos de beneditinos e carmelitas num primeiro momento e, depois, de franciscanos. E, se até José de Anchieta constatou que só haveria conversão com a adesão a costumes rituais como festas e rezas noturnas, os padres seculares foram ainda mais longe. Organizaram um modo de ser católico cuja base era uma relação entre o sagrado e o cotidiano mediada por rituais adaptados ao modo indígena: procissões, romarias, festas dos santos (muitas vezes figurando deuses de outras culturas) – e quase nada na leitura, que a política de segredo tornava inacessível até mesmo aos ricos comuns. A mesma política foi adotada quando vieram os africanos. Já no início do século XVII surgiram as primeiras irmandades do Rosário dos Pretos, nas quais cultos sincréticos tornaram-se regra.

Nem mesmo as ordens regulares escaparam ao sincretismo. Bento Teixeira, tido como o primeiro poeta brasileiro, conseguiu ser, ao mesmo tempo, rabino respeitado e monge beneditino, nada de muito estranho numa terra para a qual vieram muitos conversos, os cristãos-novos – judeus que adotaram nova fé para fugir da Inquisição e, muitas vezes, mantiveram duas identidades religiosas. Com isso os padres seculares foram ganhando forte penetração social, transformando o culto católico com fortes traços rituais e com ligação direta entre o praticante e o mundo espiritual – ao modo dos pajés – numa religião de caráter universal em meio a uma sociedade formada por gente de muitas crenças e etnias. Como eram também funcionários públicos, cumpriam funções de agentes em diversos serviços, com as igrejas atuando como oficinas governamentais. A documentação eclesiástica tinha valor civil: as certidões de batismo, casamento e óbito eram registros oficiais. Nos dois primeiros séculos as igrejas eram também cemitérios. Depois do século XVIII, os padres com postos na hierarquia passaram a realizar os censos em suas circunscrições. Com isso, o governo podia contar com uma rede de funcionários para determinadas tarefas. Muitas vezes o padre era o único agente do governo com que tinha contato o morador dos rincões, competindo apenas com os concessionários da cobrança de impostos.

Administrações locais e clero secular eram instituições de governo com atuação geral, regular e tão universal quanto era possível no Brasil. Funcionavam nos moldes da lei, desempenhavam papel fundamental com sua atividade – eram, a rigor, as oficinas do governo, a parte que atendia a população, atendia a suas necessidades, organizava a vida. Mas não eram exatamente benquistas pelos governantes a serviço da Coroa, que tendiam a se identificar com nobres ou fidalgos de alta linhagem. Por isso tratavam a parte vulgar da sociedade, plebeus ou mercadores, como gente cuja única função na vida política era a obediência, cujo modelo era aquele do escravo.

Essa qualidade central do modelo era bem o que faltava nos moradores das Minas Gerais, na visão do governante. Um modo alternativo de entender a pestilência que ele descreve seria pensar que os mineradores não eram mais pessoas formadas segundo a lógica do Antigo Regime – inclusive em parte substancial de seu governo, com várias frações dele servindo a outros propósitos, validando outros costumes como bons e morais. E o que valia para os governos locais e o clero secular valia ainda mais para certos institutos legais das Ordenações do Reino que regiam a vida civil: as relações contratuais entre pessoas.

CAPÍTULO **21**
> *Costumes e lei civil após o ouro*

A APLICAÇÃO AO BRASIL APENAS DOS LIVROS IV E V DAS ORDENAÇÕES PERMITIU o surgimento de traços institucionais peculiares na colônia, alguns até mesmo inusitados no Ocidente como um todo. Uma definição legal que, concebida unicamente para os mercadores e o povo, acabou ganhando maior espaço na colônia foi aquela que enquadrava a terra como mercadoria pura e simples. Desde sempre, no âmbito português da América, a terra podia ser vendida e empenhada. Havia poucas exceções na hora de executar as hipotecas rurais, entre as quais a existência de um negócio global (engenhos, por exemplo) e umas poucas proteções para organizações eclesiásticas – mas nenhum impedimento para que senhores de engenho ou ordens regulares comprassem e vendessem as suas propriedades fundiárias. Com isso, desde muito cedo foi possível dividir lotes, alienar instalações, obter empréstimos.

Embora corriqueira no Brasil colonial, essa situação era incomum em outras partes. Na metrópole, a maior parte da terra estava tão vinculada a direitos da nobreza ou do clero que a tornavam inalienável ou impediam que fosse empenhada. Esses direitos incluíam jurisdições sobre pessoas e serviços – algo que não ocorria no caso brasileiro. A situação era tão incomum que até mesmo o atilado Karl Marx não a imaginou possível: "Os homens muitas vezes converteram outros homens em mercadorias, mas nunca a terra. Esta ideia podia apresentar-se somente em sociedades burguesas já desenvolvidas, que datam do último terço do século XVII e só foi levada à prática um século mais tarde, com a revolução burguesa da França."[1]

Algo semelhante acontecia com o sistema de heranças. As Ordenações do Reino aplicadas ao Brasil reconheciam apenas um caminho, aquele que mandava dividir os bens entre os herdeiros. Como mostra Thomas Piketty, não era o que se passava no restante do Ocidente: "Muitas sociedades aristocráticas tradicionais têm como base [do sistema de herança] o princípio da primogenitura, dando ao filho mais velho a totalidade da herança, ou ao menos uma parte desproporcional do patrimônio parental, de modo a evitar seu esfarelamento e preservar – ou fazer crescer– a fortuna familiar. [...] Em relação à riqueza, a Revolução francesa e o Código Civil por ela cunhado fundaram-se em dois pilares essenciais: a abolição das substituições hereditárias e da primogenitura, com a afirmação do princípio da divisão igualitária dos bens entre irmãos e irmãs. [...] a Revolução americana, não sem certa polêmica, chegou às mesmas conclusões [...] e o princípio de divisão igualitária das heranças entre irmãos foi inscrito na lei como regra padrão. [...] No Reino Unido [...] a primogenitura continuou como regra padrão até 1925 [...] na Alemanha foi necessário esperar a República de Weimar em 1919 para que se abolisse [a primogenitura]."[2]

A norma da divisão entre todos os herdeiros desde o início da colonização no Brasil teve consequências importantes no que se refere ao empreendedorismo. Nos primeiros dois séculos, em boa parte por causa dos costumes Tupi-Guarani de realizar alianças matrimoniais com o intuito de trazerem homens para a casa permanente das mulheres, o costume levou a um emprego da lei que reforçava ainda o incentivo a empreendimentos individuais. Embora sem se referir à origem cultural do comportamento, a historiadora norte-americana Muriel Nazzari não deixou de notar o que acontecia em São Paulo no século XVII: "Como na São Paulo do século XVII não havia companhias ou sociedades comerciais formais, a família proprietária constituía, ela mesma, a estrutura por meio da qual se efetivava a produção econômica. O casamento era o modo como se formava uma nova empresa produtiva, em que o dote da esposa proporcionava a maior parte dos meios de produção necessários para dar início à nova unidade. Casar-se com uma mulher com dote constituía também um dos poucos modos pelo qual um jovem adquiria recursos independentes. Consequentemente o dote era uma instituição importante e o casamento não era assunto privado que interessasse apenas aos indivíduos envolvidos."[3]

Além de ser um modo de viabilizar um empreendimento ao modo da cultura Tupi, o dote era uma forma de financiar o empreendedorismo dos jovens a partir dos bens acumulados pelo grupo familiar da noiva. Esses bens eram convertidos em investimento em vez de permanecerem imobilizados como patrimônio. O processo ganhava escala significativa, na medida em que todas as herdeiras da casa tendiam a receber dotes – e todos os jovens maridos que se punham a empreender ao lado do sogro buscavam o melhor desempenho para o dote recebido. Mas a oferta da noiva também se mostrou um instrumento flexível no sentido inverso, isto é, como forma de atração de capital. Isso aconteceu desde cedo no litoral açucareiro, onde a acumulação de fortunas por comerciantes virou meio muito favorável para o casamento com uma filha de senhor de engenho ou mesmo de grande plantador.

Esse processo difundiu-se por toda parte onde havia fortunas monetárias e tornou-se regra no Brasil a partir da mineração do ouro – nem mesmo a São Paulo isolada das minas escapou da mudança: "Em meados do século XVIII, os maridos contribuíam muito mais para os casamentos que as esposas. Assim, as mulheres dotadas casavam-se com homens de grandes fortunas e permaneciam em melhor situação que seus irmãos, que só podiam casar com mulheres com dotes muito menores que os de suas irmãs. É provável que esta transformação do pacto matrimonial tivesse relação com o surgimento do comércio no século XVIII, o qual permitia que os homens com alguma capacidade empresarial acumulassem grandes fortunas, que não tinham relação direta com seu capital inicial. Assim se vê que um negociante não precisasse tanto da contribuição em bens de sua esposa quanto um fazendeiro ou um criador de gado, ainda que se beneficiasse enormemente das relações que adquiria. Como um negociante se interessava mais pelas relações com a família da noiva que seu dote, podia aceitar um dote com menos bens do que ele levava para o casamento."[4]

O conhecimento da origem antropológica desses costumes permite inclusive conferir lógica à espécie de família nova que se formava, assim descrita por Lúcia Azevedo e Martha Azevedo: "O que mais chama a atenção na estrutura da família, no período colonial e do Império, é a extrema importância da família extensa. Casamentos (legítimos ou não, chamados concubinatos) entre parentes eram extremamente comuns, sendo os mais comuns os de tio com sobrinha e entre primos – que são os preferenciais indígenas. Também são comuns relações de uma pessoa com vários parentes – homem que tem relação com a mulher e a irmã, a mãe ou a tia desta; ou a mulher que tem relação com o irmão ou o pai do marido. [...]

"Outra característica importante é o compadrio – através do apadrinhamento de crianças estabelecia-se laços de amizade, proteção e solidariedade dentro das famílias (muitas vezes parentes são chamados de padrinhos) e também entre famílias, formando uma rede social que estabelece ligações e obrigações recíprocas. O batizado era uma festa importante na realidade quotidiana, sendo a criança fruto de casamento oficial ou não. Isso era muito difícil de entender para os representantes da Igreja: a aceitação de um sacramento, o batismo, sem a aceitação concomitante do casamento. É que assim são estabelecidas alianças rituais – através da utilização de um ritual católico – mas com um sentido bem diferente. [...]

"Em estudos atuais sobre comportamento familiar do brasileiro, é evidente a importância tanto das relações de consanguinidade quanto das solidariedades construídas através de vizinhança e compadrio. Deste modo, essas assim chamadas relações incestuosas na verdade revelam a existência e aceitação coletiva de relacionamentos que se alternam dentro da família – legal ou não, consanguínea ou 'espiritual'. Nesse sentido, mais que um indicativo da dissolução de costumes, a análise desses envolvimentos dentro dos sistemas de parentescos afirma uma família capaz de gerar laços internos de solidariedade e afeto. Mas é no estudo do papel da mulher que vamos encontrar mais dados sobre alguns arranjos típicos do Brasil que discrepam do modelo prescrito de família, sobretudo o patriarcal.

"Durante todo o período colonial, as mulheres foram muito mais ativas do que era esperado no modelo patriarcal, o que espantava muitos viajantes estrangeiros. Tinham um papel grande de liderança social: eram fundadoras de capelas, curadoras, mulheres de negócio, administradoras de roças e fazendas. A mulher, na ausência do marido, por viuvez ou por migração para outras áreas, o que foi (e ainda é) bastante comum, assumia a gestão dos negócios e da família. Eram também líderes políticas locais – não podiam ocupar cargos públicos, mas exerciam de fato poder político; as mulheres das classes altas aparecem em inúmeros documentos envolvidas nas intrigas locais, fazendo pressão sobre as autoridades para conseguir o que queriam. Por exemplo, uma senhora de Sorocaba recebeu em 1798 uma carta do bispo de São Paulo pedindo que ela fizesse chegar aos ouvidos do governador o que lhe contava... – que é exatamente o papel político das mulheres numa maloca Tupi."[5]

Com isso em mente, dá para identificar a origem cultural de certas realidades notadas pelas pesquisas empíricas, assim explicitadas por Francisco Vidal Luna e Herbert Klein: "As novas pesquisas também trouxeram à luz o papel das mulheres como proprietárias de escravos. Ainda que os homens predominassem como chefes de domicílio e proprietários de cativos, as mulheres foram um elemento importante em ambos os grupos. Além disso, como proprietárias, elas possuíam o mesmo número médio de escravos que os homens. A maioria das mulheres, porém, assumiu a posição de chefe de domicílio ou proprietária de escravos ao enviuvar e tomar posse de metade dos bens da família. Mas houve também muitas mulheres, especialmente entre as artesãs e as ocupadas no comércio, que foram economicamente independentes graças a recursos próprios, os quais com frequência incluíam escravos."[6]

Tanto a aplicação da leitura antropológica dos costumes como os resultados da pesquisa mais recente levam a conclusões bastante diversas da interpretação tradicional, que postulava uma estrutura familiar de modelo patriarcal, e mostrando que as relações de gênero dominantes atribuíam à mulher papéis que iam muito além da submissão – algo relativamente simples de entender quando se sabe o papel central da mulher na sociedade Tupi-Guarani. Mesmo com a monetização da economia e o maior poder dos homens que possuíam dinheiro ou bens para casar – sendo da classe social que fossem –, a regra essencial da cultura Tupi-Guarani continuou sendo observada no Brasil: homens vindos de fora tinham, pela via do casamento, a possibilidade de serem aceitos num grupo estabelecido. Assim se formou uma sociedade miscigenada a partir da descoberta do ouro, com o costume original se expandindo para culturas que não o conheciam, como a portuguesa ou as africanas.

A invisibilidade que encobria o papel ativo da mulher valia também para outra instituição generalizada. A mais importante e conspícua instituição econômica da vida colonial funcionava inteiramente na base do costume e fora do âmbito da lei e dos documentos escritos. O fiado esteve presente desde o primeiro momento, quando comerciantes embarcados forneciam apetrechos de ferro aos náufragos, os quais se comprometiam a organizar o carregamento de retorno. O fiado arraigou-se no lado europeizado da colônia em negócios de toda espécie e sobreviveu à monetização progressiva da economia. Sem sofrer alterações relevantes, a prática conviveu com a circulação da prata espanhola, que servia de moeda e capital nos primeiros dois séculos, e do ouro no século XVIII. Adiantadores de mercadorias em contas-correntes, bem como tomadores de mercadorias fiadas como adiantamento produtivo, eram as figuras quase absolutas nos negócios, desde a costa até os grotões.

Trata-se de uma instituição estruturalmente múltipla, a começar do termo que a designa. De um lado, "fiar" significa um ato de fé: confiar, afiançar (e ser fiador), conceder confiança ("fiar no bom juízo" era expressão comum nos testamentos coloniais, quando se deixavam as decisões sobre a herança ao arbítrio de alguém) – e, sobretudo, vender a crédito, ou, na definição do dicionário Morais de 1813, "fornecer, havendo a palavra do comprador por empenho da paga; esperar, e ter quase certeza de que o sujeito desempenhará o que dele se cuida".[7] Fiar também se liga ao ato de empreender: "Entregar com confiança ('fia o lavrador as sementes à terra'); confiar ('não fiaremos as vidas às ondas'); aventurar, arriscar; fazer fundamento, estribar-se ('fia na justiça de sua causa')." Nesse conjunto de sentidos, fiar é um modo de construir uma relação que é duradoura e ao mesmo tempo vincula os contratantes (pois o fiado é um contrato não escrito, uma aliança) por um laço de reciprocidade e confiança. E há um terceiro conjunto de significados: "reduzir a fio uma matéria filamentosa; trançar fios; confeccionar (tecido, trama) com fios; tramar, urdir; criar uma rede."[8]

Todavia, embora sempre presente em toda a história brasileira, pouco se sabe sobre o fiado – nem mesmo os estudos quantitativos revelaram os traços gerais dessa prática. A sua invisibilidade é da mesma ordem da relativa ao papel dos costumes para estruturar a ordem e a governabilidade da vida. Até hoje o fiado não foi objeto de estudos sistemáticos em forma de livros, teses ou modestos artigos. Nem mesmo pesquisas nos modernos instrumentos de busca eletrônica alteraram a situação: bancos de dados universitários ou bibliotecas nada mencionam do assunto em seus índices.

Uma notável exceção é um trabalho de Hebe Mattos que analisa a economia de uma pequena vila fluminense no século XIX. As descrições são quase exatamente da mesma natureza da rede de contratos do padre Guilherme Pompeu de Almeida no século XVII, comentada anteriormente, de modo que os textos a seguir são transcritos na suposição de que podem iluminar um pouco mais essa instituição secular (ainda hoje, em pleno século XXI, dominado pelas transações eletrônicas, cerca de um quinto de todas as vendas no varejo brasileiro são registradas em carteiras de fiado):

"As listas de contas-correntes, encontradas em profusão nos pequenos inventários analisados, mostram significativamente este papel de intermediação entre a pequena produção local com os mercados regionais de produtos agrícolas. Nessas contas-correntes, em nenhum caso se creditava o recebimento de dinheiro dos fregueses endividados; pelo contrário, dinheiro em espécie era fornecido com uma frequência maior que qualquer outro bem de consumo habitualmente adquirido (como sal, açúcar etc.). Ao mesmo tempo, essas casas não funcionavam como atacadistas, existentes nos centros comerciais da região, onde fazendeiros e negociantes mais abastados mantinham relações comerciais. Na ponta inversa, os donos de venda debitavam pequenas quantidades de café e farinha de mandioca, que apenas em seu conjunto formavam apreciáveis estoques, provavelmente comercializados, à semelhança dos grandes lavradores, nos grandes centros comerciais."[9]

No balanço entre créditos e débitos ficava clara a lógica maior do fiado: "A importância da comercialização dessa pequena produção agrícola se revela especialmente no peso das dívidas a haver nos ativos dos proprietários das casas de negócio, jamais totalmente saldadas. Mas elas representavam garantia de fornecimento regular de produtos agrícolas de produção local, para serem comercializados nos centros especializados."[10]

Assim o fiado, sendo aliança simbólica (a forma que preside o pensamento material Tupi-Guarani), organizava o mercado interno, mesmo com o emprego muito reduzido de dinheiro – ou os negócios que envolviam pessoas desacostumadas culturalmente com o dinheiro (como os indígenas) ou pouco adaptadas a ele. Esse mecanismo invisível, inexistente na definição da lei, permitia o funcionamento de toda a produção e circulação de riqueza entre "as casas particulares", como dizia frei Vicente do Salvador. Uma economia garantida apenas pelo costume, pela palavra, pelo fio de bigode. Ao largo da lei, ao largo do registro escrito, ao largo dos governos, ao largo das análises.

Escrevendo sobre o grande comércio do Rio de Janeiro em 1779, outro nobre, o marquês de Lavradio, fez as seguintes observações ao fim de seu período como vice-rei: "Estes homens, ainda que tenham fundos e sejam honrados e verdadeiros, não posso considerar suas casas como casas de comércio porque eles ignoram o que é essa profissão e nem conhecem os livros que lhe são necessários nem sabem regular sua escrituração."[11] Em grau diferente do conde de Assumar, o marquês associou o conhecimento da escrita à capacidade de ganhar dinheiro no comércio. Embora a boa escrituração de livros comerciais e o conhecimento técnico da matéria fossem uma realidade imperiosa no mundo, nem por isso a ausência desses sinais indicava falta de capacidade.

Apenas um desses indivíduos que o vice-rei descreveu como ignorantes deixou uma fortuna equivalente a nada menos do que um quarto das exportações anuais brasileiras. Agindo com astúcia diante de um governante ávido para arrecadar impostos, ele conduzia seu empreendimento recorrendo à informalidade e aos costumes desconhecidos pela autoridade régia. Nesse caso, a invisibilidade era também interesse: o mercado e o lucro que ele gerava permaneciam fora do alcance do governo. É certo que essa invisibilidade ficou para a história, mas por motivos diferentes. Ela pode ser atribuída à continuidade, ao longo de todo o século XVIII, da lamentável política de segredo. A rigorosa proibição tanto de cursos superiores como a de tipografias continuava a produzir os seus estragos. Restou apenas a documentação oficial dos governantes, cegos em relação a quase tudo que era novidade nos governos locais, na religião tolerante e nos costumes.

As pesquisas mais recentes permitem pensar essa cegueira em outro sentido. Os moradores do Brasil governavam-se a si mesmos basicamente de duas maneiras. Em primeiro lugar, pelos costumes gerais (como os casamentos de aliança ou o fiado), que regiam uma sociedade multiétnica, empreendedora e capaz de acumular riqueza. A aplicação parcial da lei escrita, das Ordenações do Reino, assegurou o florescimento de instituições favoráveis ao empreendedorismo. Em segundo lugar, os governos locais atuavam com grande legitimidade e tinham um nível elevado de adaptação a essa sociedade aberta: as câmaras municipais e o clero secular eram as autoridades mais conspícuas e influenciadas pelos costumes.

O domínio da escrita e dos livros separava nitidamente um grupo que pairava acima dessa realidade. Mesmo no final do século XVIII, os raros letrados tendiam a se identificar com os nobres e os governantes mandados da metrópole, que só viam a realidade local como desvio do modelo teórico do Antigo Regime. Agiam muitas vezes como um grupo estamental, cuja identidade se delineava na exibição de privilégios comuns que os colocavam acima dos demais. Nesse meio vicejava a ação do governo central, através do vice-rei e dos capitães-mores. Em termos políticos, tinham autoridade efetiva, nomeando agentes e comandando tropas. No que se refere à economia, cumpria-lhes basicamente arrecadar o máximo, prestar o mínimo de serviços e transferir os saldos para Lisboa – algo não muito favorável ao desenvolvimento econômico, mas por outro lado um preço tolerável para que a atividade informal continuasse invisível.

No fim das contas, o governo-geral não atrapalhava demais o crescimento da economia pelas vias informais. Restava apenas o acentuado ranço de Antigo Regime – muito abrandado pelos governantes eleitos nas vilas e pelo clero secular, que eram também governo. Leis civis como as relativas ao estatuto da terra, a forma de herança ou os direitos da mulher, substancialmente alteradas pelo costume, também favoreciam os empreendedores e o mercado, na comparação com o ambiente metropolitano ou mesmo europeu. Costumes da população como alianças matrimoniais ou o fiado garantiam efetivamente o desenvolvimento diferencial da colônia.

O discurso de governantes definindo a população como desviante das normas do Antigo Regime fazia sentido nos tempos do conde de Assumar, pois afinal se enquadrava num mundo no qual a sociedade era, em todo o Ocidente, pensada como estruturalmente desigual, que tal desigualdade era eterna e natural, que a riqueza deveria fluir para senhores e nobres – e que tudo isso deveria ser estável e dominado pela tradição. Essa visão de mundo não permitia explicações para um fenômeno como o crescimento econômico. Por isso os governantes do tempo ignoravam olimpicamente tal hipótese. Por isso também a documentação rala e fortemente marcada por tal visão não permitiu, durante séculos, que historiadores moldassem outra visão dos fatos econômicos brasileiros. Ficou a impressão da falta de dinâmica econômica num largo período no qual a autoridade central não se importava com ele – mas o crescimento acontecia com apoio de governos locais, costumes e aplicação diversa das mesmas leis nas diferentes partes do Reino. Mas, no que se refere ao governo, o Ocidente conheceu, ainda no século XVIII, uma nova realidade: as ideias que vinham desde a Antiguidade começaram a ser violentamente contestadas – e os argumentos centrais dessa contestação ajudam no entendimento atual da vida no Brasil colonial.

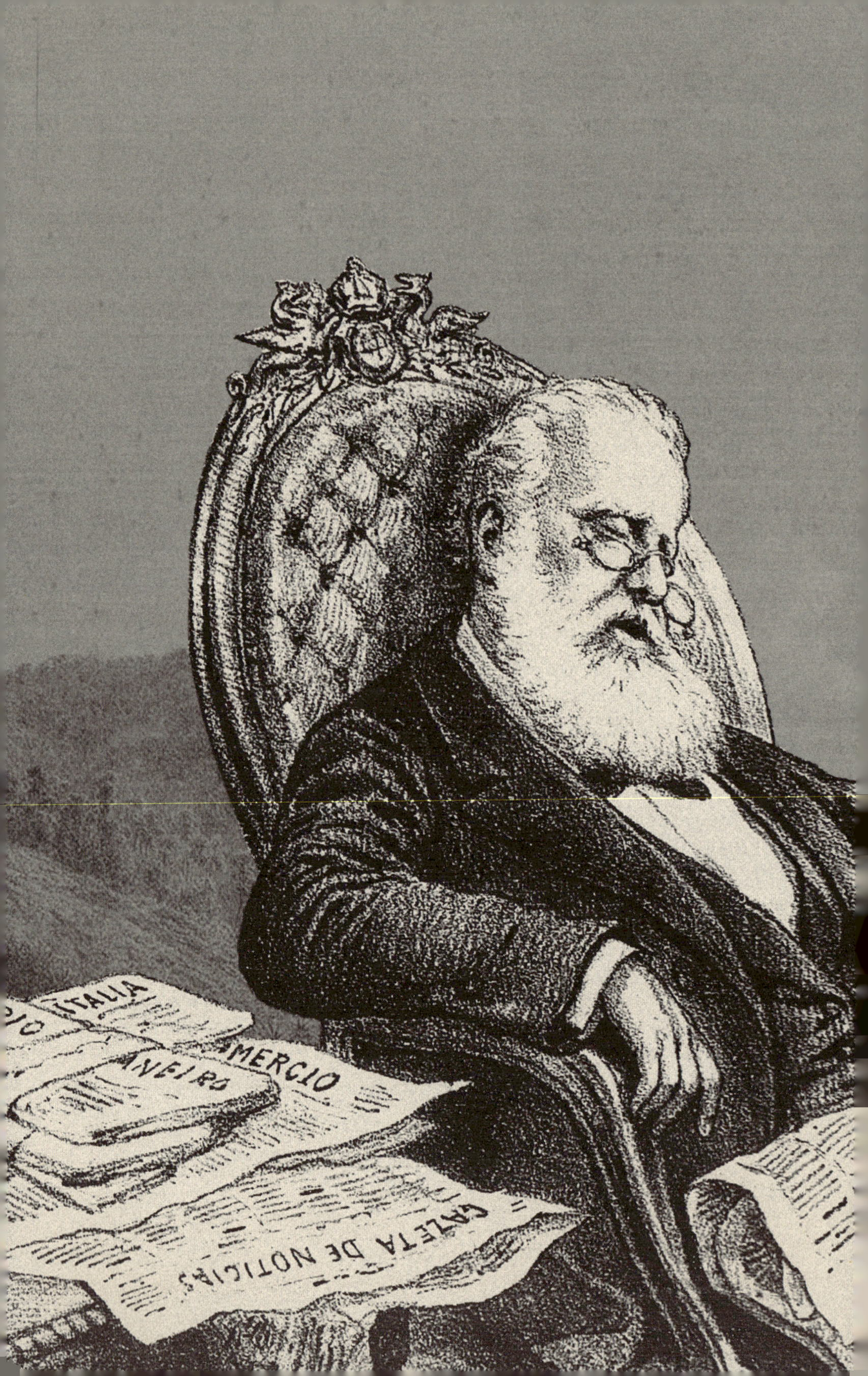
ITALIA
MERCIO
GAZETA DE NOTICIAS

II › 1808-1889
Coroas e estagnação durante o desenvolvimento do Ocidente

› *O transplante para a América e a nacionalização do governo central como Império mantêm a escravidão e freiam o crescimento, enquanto o Ocidente revoluciona o papel do governo e conhece o desenvolvimento capitalista.*

DU
CONTRACT SOCIAL;
OU,
PRINCIPES
DU
DROIT POLITIQUE.

Par J. J. ROUSSEAU,
CITOYEN DE GENEVE.

———— *fœderis æquas*
Dicamus leges.
Æneid. XI.

A AMSTERDAM,
Chez MARC MICHEL REY.
MDCCLXII.

CAPÍTULO **22**
> *Teoria dos governos: uma revolução*

A ESCASSEZ DE LETRADOS RESULTANTE DA POLÍTICA METROPOLITANA DE ASSOCIAR a proibição de impressoras e de escolas superiores a uma feroz censura teve consequências enormes, impedindo que os brasileiros conhecessem a si mesmos e avaliassem o seu potencial depois da descoberta do ouro. Em sentido oposto, nem todos os governantes metropolitanos que conheciam a realidade brasileira limitavam-se a escrever documentos criticando o amor à liberdade, o enriquecimento e os maus costumes dos moradores da colônia. Houve momentos em que se tornavam explícitos certos temores que justificavam essa política draconiana, como no caso de um papel sem assinatura anexado a uma deliberação do Conselho Ultramarino em 1732: "As riquezas fazem aqueles homens soberbos, inquietos, mal sofridos e desobedientes, e este dano é inevitável. A fama dessas riquezas convida vassalos para se passarem ao Brasil a procurá-las. [...] Em poucos anos virá a ter o Brasil tantos vassalos brancos como tem hoje o reino; e bem se deixa ver que, posto numa balança o Brasil e na outra o reino, há de pesar com grande excesso para mais aquela primeira que esta última; e assim a maior e mais rica parte não sofrerá ser dominada pela menor e mais pobre; e nem a este inconveniente se lhe poderá achar fácil remédio."[1]

Assim era entendida a finalidade das políticas de segredo e centralização: empurrar para diante, tanto quanto possível, o momento no qual as partes menos fidalgas e mais ricas do Corpo Místico do Reino tomassem consciência de sua efetiva importância. No decorrer do tempo, o Brasil foi enriquecendo a despeito de toda a drenagem fiscal, e bem no alto, ao redor do soberano, aqueles que dominavam a escrita e as informações mais relevantes do Império começaram a cogitar em alternativas para evitar o risco de uma separação da parte mais rica. Já em 1736, D. Luís da Cunha, o conselheiro mais respeitado de D. João V, escreveu um texto intitulado "Instruções Políticas". Supostamente destinado ao rei, não se sabe se foi lido por ele.

O conteúdo do parecer era claro e direto: defendia a transferência da Corte, de Lisboa para o Rio de Janeiro, juntando a parte letrada à parte rica a fim de preservar a união do todo. Os principais argumentos eram a localização, o potencial econômico, a articulação nas rotas marítimas, as novas possibilidades diplomáticas abertas com uma sólida monarquia americana e um crescimento ainda maior da riqueza nacional. Tudo se resumia na conclusão: "É mais cômodo e seguro estar onde se tem o que sobeja que onde se espera aquilo do que se carece."[2]

Enquanto isso, em Genebra, na Suíça, um estudioso lia os textos já antigos de Montaigne que falavam das formas de pensar as relações entre corpo e espírito nos rituais antropofágicos Tupinambá. O genebrino Jean-Jacques Rousseau havia sido calvinista ou católico em diferentes momentos da vida, compositor de óperas e ensaísta político. Além da admiração por Montaigne, Rousseau estava convencido da existência de um direito inato à liberdade – mas bem mais amplo do que as concepções tanto de jesuítas como o padre Manuel da Nóbrega quanto dos teólogos calvinistas da Companhia das Índias Ocidentais. Para Rousseau, tal direito inato deveria ser modelo universal. Em decorrência dessa universalidade, uma de suas consequências implicava considerar como vícios as noções que fundavam os governos ocidentais: "A maioria de nossos males é obra nossa e teríamos evitado quase todos se tivéssemos conservado a maneira simples, uniforme e solitária de viver prescrita pela natureza. Se ela nos destinou a sermos sãos, ouso quase assegurar que o estado de reflexão é um estado contrário à natureza e que o homem que medita é um animal depravado."[3]

No *Discurso sobre a origem e os fundamentos da desigualdade entre os homens*, de 1755, Rousseau situa o momento no qual essa virtude teria sido perdida na época em que se consolidaram os governos com tesouro e a propriedade – exatamente o que teriam evitado os Tupi e os Guarani da América na virada do século XVI: "Desde que um homem sentiu necessidade do socorro do outro desapareceu a igualdade, introduziu-se a propriedade, o trabalho tornou-se necessário, vastas florestas transformaram-se em campos cultivados nos quais logo se viram germinar a escravidão e a miséria crescer com as colheitas."[4]

Uma vez iniciado o processo, a desigualdade só faria crescer até o momento terminal de uma era agora mundial, na qual escrevia o autor: "Se seguirmos o processo da desigualdade em suas revoluções, verificaremos ter constituído seu primeiro termo o estabelecimento da lei e do direito de propriedade; o segundo seria o estabelecimento da magistratura; o terceiro e último a transformação do poder legítimo em poder arbitrário. Assim o estado de rico e de pobre foi autorizado pela primeira época; o de forte e de fraco pela segunda; o de senhor e escravo, que é o último grau da desigualdade até que novas revoluções destruam completamente o governo ou o aproximem de ser uma instituição legítima."[5]

O predomínio da desigualdade geraria uma realidade funesta: "Ver-se-ia a opressão crescer continuamente, sem que os oprimidos antevissem seu fim nem quais os meios legítimos que restariam para sustá-la; ver-se-iam os direitos dos cidadãos e as liberdades nacionais apagarem-se pouco a pouco, com as reclamações dos fracos sendo interpretadas como murmúrio sedicioso; ver-se-ia a política restringir a uma porção mercenária do povo a honra de defender a causa comum; ver-se-ia nascer a necessidade de mais impostos, o agricultor desencorajado abandonando seus campos e, mesmo na época de paz, deixando a charrua para cingir a espada; ver-se-iam nascer regras funestas e singulares, e os defensores da pátria tornarem-se seus inimigos, mantendo continuamente um punhal alçado contra os cidadãos."[6]

O governo que poderia repor justiça na vida social seria delineado por Rousseau no livro *Do contrato social*, publicado em 1762. No lugar da desigualdade, esse contrato imaginado pelo autor criaria uma força de igualdade substantiva, capaz de repor a virtude perdida do estado de natureza: "[...] uma forma de associação que defenda e proteja com toda a força comum a pessoa e os bens de cada associado e, por meio da qual cada um, ao se unir a todos, somente obedeça a si mesmo e permaneça tão livre como antes".[7]

No corpo político assim criado, uma nova hierarquia seria estabelecida: "É necessário à força pública um agente que reúna e execute segundo as direções da vontade geral, que sirva à comunicação do Estado e do soberano, que faça, na vida pública, o que faz no homem a união da alma e corpo. Eis qual é, no Estado, a razão do governo, confundida inadequadamente com o soberano, do qual não é senão ministro. O que é então o governo? Um corpo intermediário estabelecido entre súditos e soberano para mútua correspondência, responsável pela execução das leis e manutenção da liberdade."[8]

Assim Rousseau renovou o tema do discurso do canibal que impressionou Montaigne a ponto de este colocá-lo no centro de seu ensaio: corpo e espírito unidos num indivíduo, fundando a virtude da vida humana. Mas Rousseau, em vez de limitá-lo ao caso excepcional da América, apresenta-o como forma radicalmente nova de pensar as relações entre governantes e governados no Ocidente.

A virtude de um governo não mais estaria na capacidade dada pela divindade a um rei para determinar aquilo que competia a cada um numa sociedade na qual a natureza produziu e juntou homens desiguais, senhores e escravos. Estaria, isso sim, no fato de que a vontade geral, soma das vontades de todos os indivíduos nascidos livres e iguais, serve para pôr em comunicação muitos homens através do governo que escolhem para si e é exercido por seus representantes. Pensando a partir do que lera sobre os índios brasileiros e ampliando a noção de liberdade inata dos seres humanos, Rousseau elaborou uma versão radical de um projeto acalentado por alguns pensadores da época: o de fundar um novo modo de governo, baseado na ideia de que a sociedade se governa a partir de um contrato entre homens livres e iguais, e não a partir da simples agregação de pessoas desiguais por natureza.

O cientista político Norberto Bobbio, generalizando a partir da versão contratualista de Hobbes, expõe as diferenças radicais entre os modelos: "O estado natural, no modelo aristotélico, é um estado no qual as relações fundamentais são relações entre superior e inferior, e portanto são relações de desigualdade, como é o caso, precisamente, das relações entre senhores e escravos. No modelo jusnaturalista de Hobbes, o estado de natureza, sendo um estado de indivíduos isolados, que vivem fora de qualquer organização social, é um estado de liberdade e igualdade, ou de independência recíproca. É precisamente este estado que constitui a condição preliminar necessária da hipótese contratualista, já que o contrato pressupõe em seu surgimento sujeitos livres e iguais."[9]

Portanto, a diferença principal não tem a ver com a igualdade entre seres humanos no mundo real, mas em algo mais abstrato, o ato de pensar a liberdade e a igualdade como fundamentos daquilo que deveria ser um governo virtuoso. Esse ato intelectual era o ponto de mudança crucial, que exigia uma completa e radical alteração na teoria que presidia a organização dos governos ocidentais desde a Antiguidade.

Segundo a nova filosofia política, a igualdade fundamental entre os seres humanos – o fato de serem todos dotados de razão – deveria substituir a desigualdade natural entre humanos como *princípio lógico* organizador das leis. As consequências dessa mudança seriam imensas. O indivíduo livre que se associa aos demais toma o lugar da natureza criadora de desigualdades como o derradeiro fundamento da vida social. A capacidade humana de empregar a razão, que se expressa coletivamente no contrato social, entraria no lugar da tradição como fundamento da ordem jurídica. Dessa radical mudança resulta também uma nova moralidade ou, para falar nos termos técnicos da política, uma nova definição de legitimidade. As únicas leis legítimas seriam as derivadas da razão, nunca as legadas pela tradição. E há outra decorrência necessária: só seriam válidas as leis aplicáveis a todos, sem exceções – e inválidos todos os privilégios e diferenças, as leis feitas para gravar o que o rei "deu a cada um", reunidas em compilações jurídicas como as Ordenações do Reino.

Em vez de dar a cada um segundo sua qualidade, mantendo as diferenças entre homens, o bom governo seria aquele capaz de dar igualmente a todos dentro da lei. As virtudes de ontem se tornavam os vícios de hoje. A mais relevante inversão de sentido moral estava relacionada à escravidão. Para Aristóteles, tal instituição era a evidência maior de que a sociedade se fundava na desigualdade, de modo que ao bom governante caberia apenas manter tal diferença com seus atos. Rousseau, o exato contrário de Aristóteles, dizia: "Nulo é o direito da escravidão, não só por ser ilegítimo, mas por ser absurdo e nada significar. As palavras escravidão e direito são contraditórias, excluem-se mutuamente."[10]

Assim se faz uma sobreposição de dois planos de oposição entre o modo aristotélico e o modo iluminista de conceber o bom governo. O princípio *lógico* da igualdade impede o reconhecimento do direito na escravidão, por ser *contraditório* com este – daí a classificação da escravidão como "absurda" logicamente. Mas a igualdade também sustenta o sentido *moral* da política e das leis, pois é a fonte dos direitos do cidadão – e, nesse sentido, é "ilegítima" perante o direito. No rigor do pensamento iluminista, portanto, uma filosofia política de tipo aristotélico era um contrassenso lógico e o reconhecimento de privilégios de um homem sobre outro não passava de um ato ilegítimo.

As consequências das ideias iluministas no plano da economia implicaram a mesma revisão radical. No terreno da produção, o modo natural e virtuoso para Aristóteles era o da aquisição de bens naturais por senhores e escravos, que permutavam excedentes. A esse modo se contrapunha outro, artificial e vicioso, o da acumulação de bens adquiridos com dinheiro, que seria condenável pelos seguintes motivos: "As pessoas cujo objetivo é uma vida agradável perseguem-na medindo-a pelos prazeres do corpo, de tal forma que, como esses parecem depender da posse de bens, todas as suas energias se concentram na atividade de enriquecer. Como seus desejos e prazeres são excessivos, se não conseguem obtê-los tentam chegar até eles por outros meios quaisquer, usando cada uma de suas faculdades de maneira contrária à natureza. Tais pessoas transformam todas essas faculdades em meios de proporcionar riqueza, na convicção de que a riqueza é o fim a atingir e que tudo mais deve contribuir para a consecução deste fim."[11]

Em 1776, um professor de moral chamado Adam Smith publicou um livro, *A riqueza das nações*, no qual os comportamentos econômicos foram submetidos à mesma inversão que haviam sofrido os comportamentos políticos pela pena de Rousseau. Além de trazerem riqueza, as compras e vendas no mercado, em vez de condenáveis, eram apresentadas como positivas: "Quando o mercado é muito reduzido, ninguém pode sentir-se estimulado a dedicar-se inteiramente a uma ocupação, porque não poderá permutar toda parcela de excedente que ultrapassa seu consumo pessoal pela parcela de produção do trabalho alheio, da qual tem necessidade."[12]

Por meio das trocas efetuadas nos mercados, segundo Smith, os homens se tornariam iguais, independentes de seu trabalho especializado, e se relacionariam entre si através de contratos justos, pois capazes de atender a seus interesses. Assim, a ideia central do iluminismo se ampliou da esfera política para a econômica: o mercado seria o próprio contrato social em atividade permanente. A inversão se estenderia em seguida ao tipo de trabalho virtuoso. O trabalho escravo deixava de ser visto como positivo, o trabalho caracterizado como mercadoria tomava seu lugar: "Existe um tipo de trabalho que acrescenta algo ao valor do objeto sobre o qual é aplicado, e existe outro tipo, que não tem este efeito. O primeiro, pelo fato de produzir valor, pode ser considerado produtivo; o segundo, trabalho improdutivo. Assim o trabalho de um manufaturador geralmente acrescenta algo ao valor dos materiais com os quais trabalha: o de sua própria manutenção e o lucro de seu patrão. Ao contrário, o trabalho de um criado doméstico não acrescenta valor algum a nada. Uma pessoa enriquece mantendo muitos operários, e empobrece mantendo muitos domésticos."[13]

Se antes o rei e o seu tesouro estavam no ápice da vida econômica, agora caberia outro lugar à majestade econômica: "O soberano, com todos os oficiais de justiça e guerra que servem sob suas ordens, todo o Exército e Marinha, são trabalhadores improdutivos. Servem ao Estado, sendo mantidos por uma parte da produção anual dos outros cidadãos. Seu serviço, por mais honroso, útil ou necessário que seja, não produz nada com que igual quantidade de serviço possa ser obtida."[14] Por isso o governo e os nobres teriam um lugar menor na produção da riqueza: "Onde quer que predomine o capital, predomina o trabalho, e onde quer que predomine a renda, predomina a ociosidade. Os capitais são aumentados pela parcimônia e diminuídos pelo esbanjamento e pela má administração."[15]

O maior objetivo social em economia passa a ser a criação de grandes mercados, que fazem a riqueza das nações – a soma das mercadorias acumuladas e não consumidas, e do trabalho passado acumulado como riqueza financeira. Para tanto, no âmbito público, o governo improdutivo deveria ser limitado, e incentivados os esforços individuais visando a produção para o mercado. De ponto mais alto da sociedade, o governo caía para uma posição secundária, a de uma esfera a ser restrita pelo mercado. Outro corolário radical dessa mudança de pensar afetava a noção de natureza. Para Aristóteles, o mundo natural era o modelo de toda a vida social – ainda que na desigualdade. A partir de Adam Smith, a "natureza" é apenas o território do qual os homens podem extrair indefinidamente a matéria a ser transformada pelo trabalho produtivo – e o resultado é a riqueza humana a ser acumulada pelas trocas no mercado.

Seja na vertente da organização social e política, através da ideia do contrato social e da soberania coletiva, seja na vertente econômica, com o apelo ao ideal do mercado e da riqueza, as ideias iluministas têm muito mais afinidade com a realidade da colônia que o enquadramento dado pelo discurso oficial do caranguejo – que condenava como desviante a vida dos brasileiros. E o Ocidente, no final do século XVIII, foi profundamente marcado pelas novas ideias. Em pouco tempo, o Iluminismo deixou de ser uma teoria. Entre os leitores de Rousseau (e contemporâneos de Adam Smith) estavam aqueles que, em 1776, separaram o governo das colônias inglesas na América da sua cabeça real – marcando o ato com uma Declaração de Independência cujo texto principiava por uma frase que se tornaria norma legal iluminista: "É evidente por si mesmo que todos os homens foram criados iguais, e dotados por seu Criador de certos direitos inalienáveis, entre os quais o da vida, liberdade e busca da felicidade."

Para cruzar a distância entre a norma ideal da igualdade dos homens, com os respectivos direitos inalienáveis, e a crueza da escravidão condenada por Rousseau, bastava ir da pena do autor desse texto fundador até os dedos que impulsionavam a pena sobre o papel. Thomas Jefferson tinha 150 escravos no momento em que escrevia – inclusive oito que eram filhos seus com uma mucama mulata. Mesmo depois da Declaração, seu autor jamais viu qualquer contradição entre esses detalhes pessoais e a frase, a ponto de continuar fazendo seus negócios de compra e venda de indivíduos em tese dotados pelo Criador de direitos inalienáveis – e agora sob o império de sua legislação iluminista.

Todavia, com essa frase, Thomas Jefferson abdicava de incluir sua atividade escravista no campo do *direito legítimo*. E com a lei alterava-se toda a lógica da organização política: até então, a ordem divina santificava desigualdade e escravidão nas leis; agora, as relações desiguais entre senhores e escravos eram relegadas a um território fora do âmbito da lei universal e da moral política. Os negócios com escravos passavam a ser, nas leis que governavam agora os Estados Unidos, apenas negócios empíricos, fundados no costume (tal como as atividades mercantis dos brasileiros em relação às Ordenações do Reino), impostos pela força – e sem qualquer guarida na moralidade garantida pela lei universal. O esforço dos primeiros legisladores iluministas tinha menos o sentido de provocar mudanças empíricas e de alterar o costume, e mais de estabelecer o âmbito legal e moral onde mudanças futuras, como a extinção da escravidão, pudessem ser enquadradas.

A atitude se repetiu uma década mais tarde. Ao formular a Constituição, os representantes dos norte-americanos permitiram-se apenas menções muito oblíquas a "pessoas de outro tipo", "pessoas tidas em serviço em outros estados" ou "outras pessoas" para designar os escravos. Além disso, referiam-se aos índios como habitantes de "outras nações", ao mesmo tempo que distribuíam o território dessas nações por decreto. Não se tratava de cinismo, mas de evitar que fossem reconhecidos na Constituição – preservando assim o valor lógico da aplicação universal e o valor moral da garantia dos direitos. Qualquer menção constitucional à escravidão ou ao tratamento desigual dos nativos *na lei* seria equivalente a reconhecer o *direito* dos proprietários de escravos, fundado na aceitação da desigualdade como princípio lógico organizador de leis virtuosas. O mesmo valia para o *direito* dos nativos a suas terras.

Assim os constituintes preservaram o espaço da Lei como aquele das afirmações universais da Razão, da igualdade e dos direitos, ainda que tal universalidade jurídica exigisse escamotear o reconhecimento do direito à liberdade de milhões de pessoas que, na prática, viviam em cativeiro ou excluídas da nacionalidade. O mais relevante, contudo, foi o fato de a nova ideia de governo ganhar adeptos em toda a Europa. Em 1789, uma revolução na França levou à convocação de eleições e à instalação de uma assembleia de representantes para fazer as leis que seriam o contrato social garantidor de um governo fundado na liberdade.

Com isso, logo tornou-se crítica a situação do monarca Luís XVI. Até a véspera da revolução ele era um representante divino, o chefe de um governo legítimo, o detentor da sabedoria para dar a cada um o seu, conforme as diferenças naturais entre os homens – enfim, o único ser que simbolizava o Corpo Místico de governantes e governados. Já os representantes elaboravam as leis segundo princípios opostos, evidenciando que o novo figurino não comportava nem a continuidade da tradição nem a figura simbólica do monarca. Em agosto de 1792, o rei foi removido do trono e encarcerado.

Em setembro foi declarada a república como forma de governo, enquanto o monarca aprisionado era destituído de seus poderes e passava a ser oficialmente o "cidadão Luís Capeto" – um homem com os mesmos direitos de todos os outros perante a lei. A retirada dos sinais que marcavam a diferença entre um representante divino e os meros humanos não foi suficiente para a nova ordem política – e assim foi decidido um destino capaz de ter um efeito simbólico tão poderoso como o da tradição. No dia 21 de janeiro de 1793, o carrasco Charles-Henri Sanson acionou o mecanismo de uma guilhotina, uma pesada lâmina de aço desceu por um trilho e separou definitivamente a cabeça física do monarca de seu corpo – um ritual para deixar bem claro que ficava no passado todo um modo de conceber o poder, as funções e a moralidade do governo como o Corpo Político do qual o rei era a Cabeça Mística.

    O passo seguinte na direção da igualdade aconteceu na América: uma onda revolucionária no Haiti aboliu a escravatura e elegeu um presidente negro. O efeito das duas ondas revolucionárias foi impressionante. Em pouco mais de uma década, monarquias milenares foram depostas em toda a Europa. Príncipe regente de uma nação pequena, situada num extremo do continente, o futuro D. João VI sobreviveu em Portugal – até 1808, quando ficou claro que as tropas revolucionárias francesas estavam prestes a tomar Lisboa. Foi quando recorreu a velhas ideias para realizar uma nova espécie de união entre a Coroa portuguesa e o Brasil.

CAPÍTULO **23**
> *Reino colonial, sonho de reação*

NA HORA CRUCIAL DE DECIDIR ENTRE A RICA COLÔNIA, O BRASIL QUE FORNECIA QUATRO quintos da receita do Tesouro, e o Reino, que produzia pouco mas recebia três quartos das despesas, D. João esqueceu os defeitos morais dos moradores coloniais, tantas vezes lamentados na documentação, e ficou com a realidade. Como tantos dos seus súditos plebeus nos séculos anteriores, enfrentou o Atlântico para tentar fazer a América. Foi acompanhado de 15 mil cortesãos – boa parte dos que recebiam dois terços das despesas do Erário. Sendo colônia, o Brasil remetia quase a totalidade de suas exportações para Lisboa. Na prática, esse fluxo garantia a vida comercial metropolitana: entre 80% e 90% de todo o comércio exterior português resultavam da reexportação de mercadorias brasileiras e da reexportação de mercadorias europeias para a colônia – o que torna compreensível tanto o motivo da mudança da Corte como o primeiro ato de D. João no Brasil, o da abertura dos portos, uma vez que a intermediação lisboeta se tornara inviável. Em pouco tempo as vendas para o Reino passaram a representar apenas uma fração das exportações brasileiras.

Os atos seguintes modificaram outras áreas que haviam passado séculos imobilizadas. Um deles permitiu a instalação do primeiro curso superior, uma escola de medicina em Salvador, com dois séculos e meio de atraso em relação à América hispânica (onde naquela altura funcionavam 23 universidades) e quase dois séculos de atraso com relação às colônias inglesas – cuja primeira faculdade surgiu poucos anos após a chegada dos primeiros colonos. Sem necessidade de atos oficiais, outra mudança secular foi o desembarque da primeira prensa tipográfica que iria funcionar legalmente no Brasil. Coube aos reis de Portugal a imorredoura glória de serem responsáveis por um atraso de 358 anos, em relação ao invento da tipografia, para seu emprego no Brasil. A magnitude dessa política de ignorância ressalta numa singela comparação com os Estados Unidos – uma economia de tamanho comparável com a brasileira naquele momento.

Em 1776, as tiragens do livro *Common Sense*, de Tom Payne, chegaram a 400 mil exemplares – mais de 10% do total da população adulta masculina do país. Essa desproporção era reflexo direto das taxas de alfabetização das populações. Estudiosos calculam que apenas 1% ou 2% dos brasileiros sabiam ler e escrever em 1800. No mesmo ano, a proporção de norte-americanos alfabetizados chegava a nada menos de 70% da população adulta masculina – proporção bem mais expressiva inclusive em relação à inglesa, que era de 55% naquele momento.

A miséria cultural, educacional e literária produzida pelo governo central português permitiu ao governante coroado, que até a véspera impedira tudo, apresentar-se em terras coloniais como alguém progressista, interessado em ilustrar a vida de seus súditos. Mas seria uma ilustração seletiva. Com a impressora também desembarcaram os censores, de modo que o recurso acabaria sendo aproveitado apenas por amigos autorizados. No mesmo ano de seu desembarque, a prensa foi colocada em funcionamento, possibilitando que as ideias de alguns raros alfabetizados brasileiros ganhassem a forma de livro. Por isso não admira que esses primeiros livros contivessem rasgados elogios ao governante – e a instituição criada para abrigar a máquina foi chamada Impressão Régia (atual Imprensa Nacional).

O bispo inquisidor José Joaquim da Cunha Azeredo Coutinho, um dos primeiros contemplados com o favor da publicação, conseguiu imprimir um livro intitulado nada menos que *Análise da justiça do comércio de escravos com a costa da África*. A obra se destinava a provar que os termos "justiça" e "escravidão" eram sinônimos – ao modo de Aristóteles e em contraposição a Rousseau. Já na dedicatória, o bispo deixa evidente a sua posição: "A vós todos dedico esta obra filha do meu trabalho e que só teve em vista vosso bem; obra por cuja causa tenho sido insultado e perseguido pelos ocultos inimigos de vossa Pátria e pelos desumanos e cruéis agentes de Brissot e Robespierre, esses monstros de figura humana que estabeleceram a regra: 'Pereça antes uma colônia do que um princípio' – princípio destruidor da ordem social e cujo ensaio foi a florescente colônia de São Domingos abrasada em chamas, nadando em sangue."[1]

A referência à revolução do Haiti serve de metáfora à argumentação subsequente, na qual procura mostrar que só a tradição aristotélica poderia servir de guia para um governo justo: "A seita dos anabatistas, no século XVI, e a dos "novos filósofos", no século XVIII, ainda que pareçam diametralmente opostas entre si, contudo têm a mesma base fundamental, a liberdade, a igualdade, a comunhão de bens. Os anabatistas se diziam rígidos observadores das leis de Jesus Cristo, mas não se embaraçavam em examinar o Dogma, só diziam que o verdadeiro cristão deveria ser justo e santo; a religião deles era arbitrária. Os da nova seita filosófica, que se dizem rígidos observadores da lei natural, e que a lei que é contra o direito natural e a humanidade é injusta, e que, em consequência, não deve ser obedecida, não nos dão, contudo, uma definição clara e distinta dessa sua humanidade, desse seu direito natural, nem nos dizem como ele deve ser aplicado: o seu direito é arbitrário e só de nome."[2]

Para o bispo, os princípios da liberdade e da igualdade, que, segundo os iluministas, eram verdades ditadas pela Razão e com validade universal, eram no fundo de validade muito restrita a grupos particulares, cujos defensores formavam uma seita de fanáticos e por isso jamais teriam capacidade de dizer como deveria ser o governo para todos. Uma vez com poder, esses grupos produziam arbítrio, não justiça. A seguir, reforçava a lição de Aristóteles segundo a qual a justiça ficava reservada para monarcas que recebem de Deus a chave para observar as leis da natureza, capazes de revelar os verdadeiros fundamentos de uma política sábia: "A natureza que criou os homens para a sociedade foi a mesma que os criou, quer eles queiram quer não, com diferentes e desiguais dotes." [3]

Apresentando a desigualdade como princípio moral e lógico universal (e não mais como resultado da ação da natureza, como em Aristóteles), e as leis iluministas como tendo apenas validade restrita, o bispo negava a ideia do contrato social, metáfora da racionalidade universal, como sendo uma impossibilidade empírica: "Conforme o sistema de pactos sociais, que se dizem anteriores e produtores de sociedades, é necessário supor muitos absurdos, e alguns impossíveis, alguns dos quais são: primeiro, que o homem, logo que nasce e se pode arrastar, ainda sem se conhecer, nem a seus pais, foge deles para os matos e para as brenhas, e ali se faz silvestre e solitário; segundo, que ainda antes de ter algumas ideias sobre os males e bens da sociedade, já sabe discorrer e fazer pactos e convenções."[4]

A conclusão era a de que os princípios racionais iluministas produziam regras arbitrárias em vez de direito e justiça, e não passavam de coisa de insensatos. Por outro lado, o reconhecimento tanto da desigualdade natural entre os seres humanos como da justiça na escravidão permitiam a disseminação de sábias legislações e a ação justa do rei. Em suma, a lição que os brasileiros teriam a tirar da época era a de cuidar para que alguns excessos mais evidentes do modelo aristotélico merecessem mais atenção da justiça do soberano. O apelo à justiça – tal como definida pela tradição corporativa, como sanção dos direitos adquiridos –, e não a uma mudança de sistema e tampouco à adoção de perigosas e inúteis leis racionais derivadas do princípio da igualdade, viria a ser a grande solução, a mais adequada para o projeto de futuro para o Brasil.

Outro agraciado com autorização para imprimir as suas obras, José da Silva Lisboa, o futuro visconde de Cairu, reiterou essa posição no campo da economia, e com uma estratégia retórica ainda mais curiosa que a do bispo. Embora tenha publicado os *Princípios de economia política* com a intenção explícita de divulgar a obra de Adam Smith, *A riqueza das nações,* ele cumpriu tal objetivo de modo muito peculiar. Para começar, Cairu não estava convencido de que a produção de mercadorias fosse um ideal adequado para a economia. Eximia Adam Smith desse pecado e atribuía tal insensatez a "um paroxista de Genebra", ou seja, o próprio Rousseau, que "ataca o sistema do regime patriarcal como incompatível com as circunstâncias atuais da sociedade".[5] Cairu também contrapõe Aristóteles às ideias iluministas, e assim explica o processo da divisão do trabalho que estaria descrito na obra de Adam Smith: "O Soberano deve prover para que se faça o devido trabalho, público e particular, com o mais breve, extenso e lucrativo emprego possível de pessoas e capitais, em maneira a que jamais falte ocupação honesta a quem oferecer serviços, a fim de que se obtenha periodicamente o Estado o maior e mais valioso fruto da geral indústria."[6]

A bondade do Soberano, "dando a cada um o seu", seria o princípio da divisão do trabalho, ao passo que a liberdade de agir dos súditos obedientes seria a filha daquele princípio; e a riqueza da nação seria para desfrute do monarca, que está muito acima dos "particulares", como se dizia em termos aristotélicos. A retórica de Cairu seguia a mesma estratégia do bispo, invertendo os termos da crítica iluminista e apresentando a universalidade da razão como um caso particular a ser incorporado no modelo eterno – e, com isso, comprovando o valor universal do princípio da desigualdade de Aristóteles.

Os dois primeiros autores a publicar no Brasil projetos para sua terra eram bem claros: o futuro estava em se aferrar aos conceitos do passado. Em manter a escravidão, fonte tanto da riqueza como do "ordenamento natural" do mundo. Em negar a busca da riqueza como finalidade para a vida. Em reagir contra os ideais iluministas. Sobretudo, em apoiar o reforço do governo central representado pela mudança da Corte. Em suma, eram franca e abertamente reacionários com relação ao Iluminismo. Queriam o Brasil fora das mudanças do mundo, longe das leis universais, longe do incentivo para a produção ampliada para o mercado. E reacionários também no modo de ver normativamente a própria formação brasileira anterior, negando as possibilidades novas de avaliar costumes que essa filosofia trazia para o entendimento da realidade histórica.

Mas não eram irrealistas: no Brasil havia agora um monarca capaz de trazer progresso relativo, apesar de tudo. Seus argumentos embasavam o plano monárquico de remodelar o Corpo Místico do Reino, fincando-o num Brasil que não conhecia privilégios para a nobreza de sangue, nem herança para os primogênitos, e tampouco terras cujas populações e rendas estivessem sob domínio de nobres ou mosteiros – espaço no qual não eram aplicados os livros das Ordenações que tratavam desse tipo de direitos adquiridos.

A transferência para a colônia do monarca e dos tribunais superiores, que dava sentido material a esse projeto, trouxera também as pessoas que eram legalmente enquadradas em todos os livros das Ordenações. A começar do próprio rei, cujo poder e comandos estavam codificados no livro I, e depois os nobres titulados e o alto clero, cujos direitos adquiridos vinham relacionados nos livros II e III. Mesmo sem a substância da terra feudalizada ou das franquias judiciárias e de governo em suas terras, a presença dessa gente tornou-se um foco de agitação. Todos dispostos a se ajustar ao Brasil, em vez de ajustar o Brasil a sua prosápia. Até o alto a vida se abriu aos moradores coloniais. A Corte virou uma atração irresistível para aqueles poucos brasileiros que se consideravam, até a véspera, a "parte mais elevada" da vida colonial: os comerciantes-fidalgos, quase todos cobradores de impostos. Logo se viram alçados à condição de frequentadores do Paço Imperial, com acesso privilegiado a tribunais superiores, aos ministros que punham decretos na mesa do monarca e arrancavam assinaturas – e, acima de tudo, à condição de beneficiários imediatos dos recursos do Real

Erário, juntamente com os recém-chegados. O Erário se revelou farto como nunca. Para reacomodar no Brasil os 15 mil cortesãos nem sequer foi preciso cobrar mais impostos: aqueles já pagos anteriormente na colônia foram mais do que suficientes para financiar tudo. Por outro lado, a mudança da Corte também implicava concentrar na colônia os gastos públicos. Assim o dinheiro de impostos antes remetido à metrópole passou a circular na economia local e a estimular o seu crescimento. Essa era uma novidade tão grande quanto a prensa tipográfica, e tinha consequências importantes para os grandes comerciantes.

Até a vinda da Corte os negócios na colônia eram todos informais, com base na prática do fiado. Essa não era apenas uma opção dos comerciantes, mas também consequência da legislação. Até 1808, só era autorizada a abertura de empresas na metrópole. Da mesma forma, a lei não permitia nem garantia as letras comerciais, instrumentos que viabilizavam a separação dos fluxos financeiros e materiais na atividade econômica. Por esse motivo, em termos puramente econômicos, havia equivalência no tamanho da produção brasileira e da norte-americana. Do ponto de vista financeiro, porém, o abismo entre as economias era gigantesco. No Brasil, a circulação de moeda e a concessão de crédito não contavam com nenhuma proteção jurídica – e dependiam do fiado e da informalidade. Já nos Estados Unidos a circulação financeira desde sempre foi garantida pela lei – em 1733, ainda nos tempos coloniais, funcionava um banco comercial, cuja principal atividade era descontar esses títulos. Mesmo no Sul escravista a produção era movida a créditos e depósitos. Cada envio de mercadoria gerava um título, que era descontado de forma separada da liquidação dos negócios físicos. Os títulos de propriedade de escravos eram usados como garantia em negócios financeiros de toda espécie. A partir da independência, o aumento da proteção legal aos negócios dada pela legislação iluminista ampliou ainda mais o fosso. Toda essa diferença nas garantias e nos procedimentos fazia com que as taxas de juro nos Estados Unidos fossem muito mais baixas do que no Brasil.

A vinda de D. João tornou legalmente possíveis os primeiros embriões de empresas no Brasil, com a fundação de um banco – cujos acionistas eram comerciantes, e o Real Erário, o principal cliente a tomar empréstimos –, que passou a emitir títulos e pagar juros. John Luccock, um comerciante inglês que veio com a Corte, notou as diferenças nessa área: "Quando se começou a permitir o comércio livre no Brasil verificamos que os comerciantes ignoravam quase que por completo o que fosse crédito e jamais se colocava dinheiro a juros, salvo com o governo e mesmo então em somas que os homens de posse julgavam prudente colocar e mesmo assim com a suspeita de que nunca mais as veriam de volta. Tinham pouca ideia do valor e da influência do capital e não possuíam confiança uns nos outros para descontar letras. Havia, na verdade, uma espécie de título a que chamavam de 'crédito', mas que pouco mais representava que a declaração de que o credor haveria de ser pago mais cedo ou mais tarde com os bens do devedor, caso falhassem todas as tentativas de solvência."[7]

Cabe certa cautela diante dessa observação. Ao contrário de frei Vicente do Salvador, o comerciante enxerga a realidade a partir de um mercado financeiro organizado pela lei – e nada vislumbra na esfera doméstica. O fiado era crédito, havia cobrança de juros do devedor, as dívidas privadas eram saldadas. Por outro lado, os empréstimos ao governo de fato apresentavam alto risco de inadimplência – pouco antes do desembarque da Corte uma avultada dívida com os comerciantes do Rio de Janeiro havia sido simplesmente repudiada. Por isso demorou para o Banco do Brasil recriar a velha modalidade de arrecadação pelo governo central e envio para a Corte. Mas como, dessa vez, a Corte estava no Rio de Janeiro, a segurança veio e os títulos do governo foram encontrando tomadores, constatando-se um efeito econômico distinto: em vez de transferir recursos de toda a colônia para Lisboa, os captadores de impostos extraíam dinheiro das capitanias e este se acumulava na Corte do Rio de Janeiro, criando diferenças regionais de riqueza.

Diante de tal efeito, eclodiram revoltas. Em 1817, revolucionários tomaram o poder em Pernambuco, e espalharam por Recife um panfleto que começava assim: "Patriotas pernambucanos! A suspeita tem se insinuado nos proprietários rurais: eles creem que a benéfica tendência da presente liberal revolução tem por fim a emancipação indistinta dos homens de cor e escravos. O governo lhes perdoa uma suspeita que o honra. Nutrido em sentimentos generosos, não pode jamais acreditar que os homens, por mais ou menos tostados, degenerassem do original tipo de igualdade; mas está totalmente convencido de que a base de toda a sociedade regular é a inviolabilidade de qualquer espécie de propriedade. Impelido destas duas forças opostas, deseja uma emancipação que não permita lavrar entre eles o cancro da escravidão. Mas deseja-a lenta, regular e legal."

Eram os primeiros seguidores do Iluminismo a ter poderes de governo no Brasil. E viveram os mesmos problemas de todos os outros, formulando soluções particulares. No texto do manifesto aparece o mesmo dilema de Thomas Jefferson: a incongruência entre o princípio da igualdade que deveria presidir a formulação das leis e a desigualdade empírica e fatual da escravidão. Tal dilema é analisado com vantagens pelos pernambucanos, a começar pela exposição clara do problema da emancipação, em vez de o escamotear, e terminando pela completa separação conceitual entre a raça e a condição de escravo. Mas o que se ganha na exposição se perde na conclusão. Na hora de empregar a escrita para fazer uma lei, transformando a teoria da igualdade em fórmula jurídica aplicável a uma realidade particular, o fracasso é completo. Os donos do governo não têm a capacidade de escamotear com palavras, de não escrever o termo "escravo" numa lei porque isso seria reconhecer juridicamente a escravidão. Assim não lhes resta outra saída senão a de abandonar a universalidade do princípio da liberdade e reconhecer como universal outro princípio, o da inviolabilidade da propriedade tradicional – o qual também leva a reconhecer juridicamente a propriedade do escravo. Razão e costume ganham, assim, o mesmo peso; como resultado dessas duas forças opostas, o governo não tem nada de prático a propor com relação aos escravos e reconhece a posse dos senhores até que uma ação "lenta, regular e legal" disponha de outro modo.

A solução não estaria no governo nem nos princípios, mas antes na justiça, vista como instância reguladora da tradição, tal como pregava a receita corporativa. Esse impasse na posição iluminista era o reflexo invertido do impasse conservador diante das noções de liberdade e igualdade. Tanto o panfleto revolucionário como as arengas conservadoras reiteravam, cada qual à sua maneira, a mesma vacilação e paralisia no emprego de princípios universais da razão como fundamento das leis e do direito. Do ponto de vista lógico, a figura dominante nas propostas dos dois lados era a mesma: uma tentativa de transformar princípios opostos (e que moviam lutas políticas sangrentas) em paradoxos apresentados retoricamente. Com isso abriam caminho para a acomodação – seja do Corpo Místico do rei à colônia, como flertavam os conservadores, seja a um mundo de progressivo domínio da igualdade, como asseverava o panfleto revolucionário.

CAPÍTULO **24**
> *Governo nacional*

Nos séculos XVII e XVIII, o governo central português colocou-se como um sólido muro entre o Brasil e o resto do mundo. Todos os intercâmbios oficiais exigiam baldeação em Lisboa. Antes da mudança da Corte havia apenas um caminho oficial entre o Brasil e o mundo exterior: os produtos brasileiros precisavam passar pela alfândega, e as pessoas, pela burocracia da Corte – até mesmo para se educar. Os mesmos mecanismos funcionavam na direção inversa. Mercadorias de variadas praças chegavam ao Brasil, num fluxo sempre controlado de perto pelos agentes metropolitanos. Também havia um rígido controle cultural, fazendo com que a cultura europeia chegasse a conta-gotas. Diante de tantos empecilhos, os contatos com as novidades do mundo exterior tinham de ocorrer à margem da legalidade, sob a forma de contrabando. Como no interior do continente as fronteiras terrestres eram extensas e escapavam ao controle efetivo das autoridades centrais, pelo sertão sempre ocorreram trocas com outros povos de governo consuetudinário e com vizinhos, sobretudo os espanhóis da região platina. Igualmente permeáveis eram as fronteiras com a África, devido ao enorme fluxo humano de escravos de lá importados e aos produtos levados pelos traficantes estabelecidos no Brasil.

Com a vinda da Corte, o muro virou um biombo, bem mais permeável. Não foi um processo uniforme, sendo mais acentuado no Rio de Janeiro e nos maiores núcleos urbanos do litoral. No âmbito privado, a transformação se fez notar na movimentação dos portos, que passaram a receber navios, bens e pessoas de todo o mundo numa frequência bem maior. Esses navios não traziam e levavam apenas cargas. A Corte se tornou sede de embaixadas, ponto de residência de comerciantes estrangeiros, centro para o qual convergiam viajantes curiosos – que antes não recebiam autorização para percorrer o país –, local de moradia de artistas e escritores que traziam as informações antes escamoteadas. No sentido oposto, aumentou o fluxo dos brasileiros que viajavam para outros pontos que não Portugal.

Começou assim a se desfazer aquilo que, nos séculos anteriores, fora zelosamente construído pela política de segredo. Todo o processo social baseado nas alianças Tupi – e, depois da mineração, numa mestiçagem geral e na desigualdade da escravidão também geral – tinha como única fonte de expressão o costume, a lei social dos analfabetos. O costume não incluía apenas as alianças por casamento. Praticamente todos os negócios, o crédito e a produção estavam fundados em redes de fiado, inteiramente reguladas pelo costume – e sem proteção legal. Todos os muitos empreendimentos que levaram das alianças esporádicas no litoral a uma economia integrada numa área de 8,2 milhões de quilômetros quadrados se fizeram a partir desse alicerce de normas consuetudinárias.

A abertura para o mundo e para as letras possibilitou que a existência das pessoas comuns pudesse afinal ser pensada, escrita e entendida como resultante dos costumes, e não como desvio da velha norma. Assim, a esfera do costume, em vez de ter o seu valor negado na elaboração da lei, pela manutenção da ignorância e a restrição da escrita, viabilizava no Brasil a alternativa que se espalhava pelo mundo: criar um governo adequado aos moradores, que refletisse seus interesses, que tivesse como fonte de poder a soberania popular, no qual as leis sagrassem os costumes em vez de se orientarem para realçar a desigualdade. Projetos de independência ligada à adoção dos novos princípios começaram a ser debatidos.

Por outro lado, os nobres e cortesãos instalados no Rio de Janeiro familiarizaram-se com os brasileiros e sua cultura o suficiente para que surgissem brechas na antiga carapaça. Para começar, todos se adaptaram ao fato de que a realidade local continuaria à margem do arcabouço legal dos primeiros livros das Ordenações, sem privilégios medievais para a nobreza ou o alto clero: nenhuma concessão dessa espécie foi feita, de modo que até os titulados mais graduados tiveram de se conformar. Nem se importaram, pois não demoraram a notar o dinamismo do mercado e logo se tornaram investidores, trazendo dinheiro da Europa para financiar empreendimentos no Brasil. Em pouco tempo havia produção de charque, arroz e trigo no Rio Grande do Sul; de café no Rio de Janeiro; mais comércio com a África; investimentos na área platina que levaram à incorporação do Uruguai – todos com a participação dos recém-chegados. A relativa facilidade com que muitos cortesãos se entenderam com os empresários estabelecidos logo se fez notar na movimentação dos brasileiros na Corte – até a rainha

Carlota Joaquina, que odiava o Brasil, manteve um caso extraconjugal com o traficante de escravos Fernando Carneiro Leão. Já D. João VI deixou de lado seus compositores sacros usuais para admirar a música do mulato José Maurício Nunes Garcia.

As trocas filtradas pelo biombo do governo central recém-instalado no território geraram frutos miscigenados. O Brasil deixou de ser um espaço isolado, os brasileiros foram vislumbrando as possibilidades de um governo central capaz de processar os interesses locais. O secular fluxo fiscal em benefício dos agentes metropolitanos agora era um fluxo de gastos públicos que eventualmente atendia o interesse dos mais ricos. Assim se fez a deglutição rápida do governo central. O monarca percebeu que tinha feito um grande negócio estratégico, agora que vivia num lugar no qual o fantasma da época — a cabeça do governante monárquico sendo separada do corpo pela ação da guilhotina — parecia ter sido afastado.

O problema veio justamente da parte do reino que ficou meio esquecida em meio a tantas oportunidades. Invadido, o Portugal metropolitano sofreu as consequências da vaga revolucionária europeia. Somente com a expulsão dos franceses e a derrota de Napoleão veio o momento de reconstruir — e constatar que as coisas estavam difíceis. A economia metropolitana se compunha de um setor agrícola marcado pelas limitações da produção feudal e de um setor comercial que exportava uns poucos produtos locais (vinho, em especial) e ganhava como intermediário na reexportação de produtos do Brasil. Com a Corte no Rio de Janeiro, muitos nobres passaram a investir no Brasil os recursos que recebiam do Tesouro, enquanto na metrópole comerciantes estrangeiros tomavam uma fatia cada vez maior dos negócios — com a chancela do soberano distante.

Pouco acostumados com uma posição territorial e fiscal subalterna em relação ao governo, os mais afetados se atualizaram politicamente. Assim, em 1820 eclodiu no Porto uma revolução, com um programa igualmente marcado pelas contradições da época: propunha a elaboração de uma Constituição por representantes eleitos segundo o princípio da liberdade, mas também pregava a volta do monarca a Lisboa. Em 1821, organizaram-se dois movimentos políticos. De um lado, apesar das instruções precárias, os moradores da maioria das capitanias brasileiras elegeram deputados constituintes. A função era nova, mas, uma vez que todos sabiam como os representantes eleitos se comportavam nas câmaras, mostraram uma rapidíssima adaptação ao Parlamento quando tiveram de nele atuar. Enquanto isso, o monarca fazia o caminho de volta, acompanhado de cerca de 2 mil cortesãos. Sejam quais forem as margens de erro, é bastante provável que pouco mais de 10 mil cortesãos tenham decidido permanecer no Brasil. Numa altura em que Portugal contava 750 mil habitantes, isso representava 1,2% da população do reino – com alta representatividade de fidalgos. Cauteloso, o rei levou consigo os depósitos em ouro guardados no Banco do Brasil. E deixou como regente o filho Pedro, então com 22 anos de idade, que, numa de suas primeiras decisões, convocou José Bonifácio de Andrada e Silva, que já estava aposentado.

Nascido em 1763 em Santos, numa abastada família de comerciantes e traficantes de escravos, José Bonifácio seguira para Portugal com 20 anos a fim de estudar. Em 1787 formou-se em direito e filosofia, e depois publicou um trabalho calcado em princípios inusitados. Avaliando a alteração nas relações do homem com a natureza postulada pelo pensamento iluminista, convenceu-se da urgência de se impor barreiras e limites à exploração que viria por necessidade. Em função disso, propôs a criação de leis que regulamentassem a pesca de baleias, visando evitar a extinção da espécie. A obra rendeu-lhe uma bolsa de estudos no exterior. Chegando a Paris em setembro de 1790, teve a oportunidade de acompanhar os desdobramentos da Revolução francesa e tornou-se próximo de vários dirigentes do novo governo. Assim matizou a formação iluminista com a comprovação direta das lutas desencadeadas pela implantação da nova filosofia. Em 1792 instalou-se em Freiberg, na Saxônia, sede da melhor escola de mineralogia da Alemanha, e ali fez amizade com o naturalista e explorador Alexander Humboldt. Na época do verão, realizava viagens de estudo por regiões mineralógicas. Conheceu boa parte do continente europeu, onde firmou seu nome como mineralogista, entre outras coisas por descobrir uma dúzia de espécies minerais e participar da identificação do lítio.

Em 1801, José Bonifácio estava de volta a Portugal. Falava doze línguas, escrevia em seis e era membro das principais academias de ciências. Na Universidade de Coimbra, foi nomeado para a cátedra de mineralogia, especialmente criada para ele. Durante as invasões francesas de 1808, destacou-se como organizador e comandante no Corpo dos Voluntários Acadêmicos. Feita a paz, assumiu vários postos diretivos na burocracia metropolitana. Aposentado, retornou ao Brasil em 1819, com 56 anos de idade. Instalou sua biblioteca de 6 mil volumes em Santos; apesar de dançar lundus em festas e viajar pelo interior da capitania, a vida de intelectual o isolava numa vila dominada por analfabetos. Para se distrair, escrevia sobre todos os assuntos, inclusive governo. Os apontamentos que produziu nos primeiros anos no Brasil indicam que considerava boa a situação de momento, não vendo motivos para uma separação entre Brasil e Portugal. Também indicam que tinha alguma prevenção contra os governos de representantes eleitos e a soberania popular, cogitando fórmulas de poder nas quais órgãos burocráticos compostos de altos funcionários (substitutos da nobreza togada), como ele próprio, teriam poderes autônomos.

Em 1821, depois das mudanças em Portugal, esteve entre os que passaram a dirigir São Paulo numa junta de governo. Organizou a eleição dos seis deputados paulistas – um dos quais era o seu irmão Antônio Carlos de Andrada. Nessa condição, redigiu, no dia 10 de outubro, um documento prevendo um corpo de funcionários, que chamou de censores, que atuaria como elemento moderado nas disputas entre o monarca e os representantes eleitos da Assembleia. Apenas dois meses depois, em janeiro de 1822, foi nomeado ministro pelo regente D. Pedro, que acabara de completar 23 anos. Na primeira reunião entre os dois houve um acordo: formar um centro de poder estável no Brasil, que assegurasse a sobrevivência da monarquia e a obediência a uma Constituição, a ser elaborada por representantes eleitos. Parecia um contrassenso evidente fundir instituições fundadas em princípios opostos. De um lado estaria o poder real concebido como tendo origem divina, operador de uma régua de justiça cuja medida os homens não conhecem e dando a cada um segundo o seu. De outro, um poder que se via fundado na razão, derivado da soberania popular, o maior de todos os poderes, formado por pessoas eleitas e promulgando leis a que todos deveriam obediência.

Mas o momento era de emergência. A primeira missão do ministro foi a de costurar apoios para que o regente expulsasse as tropas militares fiéis a Lisboa que estavam aquarteladas no Rio de Janeiro. O êxito do ministro permitiu que o regente fosse a Minas Gerais. Após treze anos no Brasil, essa era a primeira vez que D. Pedro saía da Corte. Viajando sem séquito, descobriu tanto as belezas da terra como os caminhos da política local: debateu diretamente com as câmaras municipais, as entidades que detinham os poderes efetivos para o apoio político; fez reuniões públicas e promessas, como qualquer vereador; conheceu os canais de poder das capitanias, bons para cobrar impostos mas inoperantes para atender os interesses dos moradores. Teve sucesso ao passar a imagem de um soberano que prometia obedecer a uma Constituição.

Na volta, alterou o tratamento nas cartas dirigidas ao pai, substituindo a fórmula "Deus guarde a preciosa saúde de Sua Majestade como todos os portugueses hão mister" por "os portugueses e nós brasileiros havemos mister". Passou também a definir-se como "regente constitucional do Brasil" nos decretos que editava e nas ordens que passava. Os resultados políticos foram muito efetivos. Em pouco mais de três meses consolidou-se o acordo pelo qual o regente aceitaria um poder vindo do povo, materializado num Parlamento eleito como Poder Legislativo soberano e encarregado de fazer as leis mais adequadas aos interesses dos cidadãos. Na via inversa, os principais líderes seguidores dos princípios iluministas do Rio de Janeiro, Minas Gerais e São Paulo se comprometeram a aceitar não apenas um monarca hereditário, mas também a continuidade de toda a visão de mundo do Antigo Regime, o preconceito contra os brasileiros comuns, a estrutura administrativa que vinha da colônia, com o governo central e o comando das capitanias nas mãos de D. Pedro.

Pelo acordo, aquilo que no mundo era luta entre modos contraditórios de conceber a legitimidade do poder e a razão de ser das leis ficava em suspenso pela necessidade de garantir a independência. No primeiro momento a união tinha um sentido claro, figurado na pressão direta da Assembleia portuguesa para retomar o controle da administração brasileira e, por meio deste, do fluxo de negócios que havia se esgarçado. Também havia um ganho potencial, que era a possibilidade de herdar sem grandes problemas as conquistas diplomáticas relativas à delimitação do território, quase todas contando com reconhecimento jurídico. Acima de tudo, a fusão de forças mostrou-se eficiente. Assim que se consolidou, o acordo foi sacramentado na Maçonaria, a sociedade secreta que reunia a maior parte dos liberais. Com isso se estabeleceu um canal informal de difusão do projeto nas diversas capitanias, nas quais tropas fiéis às Cortes de Lisboa e governos pouco fiéis ao projeto ainda dominavam.

Mesmo nessas circunstâncias foi possível promulgar, em 3 de junho de 1822, o decreto de convocação de uma Assembleia Constituinte para fazer leis que valeriam apenas no território. Os brasileiros estavam tão familiarizados com o processo eleitoral que agiram da mesma forma que na convocação das Cortes portuguesas, escolhendo sem problemas os seus representantes para a formação de um Parlamento. Em agosto foi dado outro passo para a organização de um governo próprio, com as primeiras indicações de embaixadores brasileiros no exterior. Eles partiram levando instruções escritas por José Bonifácio, que acumulava o posto de chanceler com o de ministro responsável pelos negócios internos. Graças ao domínio do governo central sobre parte do território e ao apoio de correntes de interesse internas, havia condições suficientes para o gesto formal da independência, no dia 7 de setembro. Mas a formalidade era essencial: a partir dessa data, o território seria de uma nação autônoma, e o governo central, uma questão interna de seus habitantes.

Os problemas dessa realidade eram claros: a rigor, a autoridade do novo governo se exercia apenas numa fração do território declarado independente. Da Bahia para o Norte, as tropas fiéis a Lisboa ainda sustentavam correligionários no comando das capitanias. Já no final de 1822, contudo, o número de deputados eleitos reunidos no Rio de Janeiro começava a se aproximar do mínimo necessário para a instalação da Assembleia Constituinte. Chegava o momento de repartir efetivamente o poder entre o monarca e os representantes da soberania popular. De combinar a função de súdito obediente com a de cidadão. De limitar o arbítrio e definir a esfera da igualdade perante a lei. De cortar privilégios e limitar os poderes do governo. Até a reunião dos deputados constituintes, a ideia da fusão equilibrada de duas soberanias parecia atraente e efetiva. No entanto, a mistura mostrou-se explosiva assim que começou a briga pela fatia de poder que teria cada soberania baseada em princípios opostos.

CAPÍTULO **25**
> *A Constituição de 1824*

A MAIOR PARTE DOS DEPUTADOS QUE SE DIRIGIRAM AO RIO DE JANEIRO ERA DE pessoas que, até a véspera, estavam muito abaixo da fidalguia exigida até mesmo para pleitearem um cargo no governo de capitanias. E encontraram uma festa preparada. Em outubro de 1822, D. Pedro fora sagrado imperador, e coroado em dezembro. Nesse curto intervalo, tratou de resolver a seu modo a primeira tensão das forças opostas que se juntaram no projeto. A Maçonaria fez pressão para que a cerimônia da coroação, o ato simbólico de instalação do novo poder nacional do monarca, incluísse um juramento à futura Constituição, o ato de inauguração do poder soberano do povo. Ofendido, o imperador jurou defender a Constituição, mas apenas se fosse "digna do Brasil e de mim".

Começava a disputa entre o espaço de continuidade dos valores do Antigo Regime e aquele dos ideais iluministas. Com suas atitudes, o imperador alertava os representantes eleitos que chegavam à capital: que tomassem cuidado ao limitar pela via constitucional o poder que reservara para sua augusta pessoa. Tinha confiança de que aqueles deputados que conhecera da Corte seriam capazes de providenciar o figurino digno da sua alta majestade. Entre eles estavam o bispo do Rio de Janeiro; o peculiar divulgador de Adam Smith que seria mais tarde visconde de Cairu; e, acima de todos, José Bonifácio, ministro com poderes quase de rei.

Todavia, nem todos os recém-chegados se importavam com essa parte do espetáculo. Entre eles havia 16 padres seculares, que não seguiam as posições do superior hierárquico, o bispo, nem os preceitos da divindade do poder monárquico. Assim que começaram as sessões preparatórias, um desses padres do interior, o mineiro José Custódio Dias, tomou posição contrária à proposta de obrigar os parlamentares a jurarem fidelidade ao rei com o seguinte argumento iluminista: "Nenhum limite deve circunscrever as funções dos membros da Constituinte salvo os ditados pela razão e pela justiça." Doze dias mais tarde, voltou à carga quando se discutia a posição que o rei deveria ocupar no salão durante a cerimônia de abertura dos trabalhos. Pela proposta do palácio, o trono seria colocado no alto de uma escadaria, aos pés da qual ficaria a cadeira do presidente da Assembleia. Custódio Dias argumentou: "Como o digno representante do poder Executivo tem de respeitar a Nação legitimamente representada, da qual só deriva toda a autoridade que pelo pacto social se lhe vai conferir por lei fundamental, cabe a colocação das cadeiras no mesmo plano."

Pareciam detalhes, mas eram assuntos de fundo. Toda a tradição do já então chamado Antigo Regime, o mundo anterior à decapitação de Luís XVI, era a de organizar o poder como desigualdade, tendo como modelo as relações senhor/rei e escravo/súdito. Já o modelo iluminista era aquele da sociedade de iguais que faz um contrato constitucional por delegação do povo soberano. Em sociedades com muitos analfabetos, o cerimonial é a organização de um roteiro para ser lido por todos – e por isso a localização era importante como símbolo do que viria pela frente.

Por isso a insistência. Muitos dos constituintes viam a si mesmos pelo figurino iluminista: como representantes eleitos da população, e portanto responsáveis por transformar o governo, com monarca e tudo, num intermediário entre a soberania geral e a execução de sua vontade. Estavam dispostos a tolerar um rei à frente de um dos poderes – mas também a redigir uma Constituição na qual teria papel central o Poder Legislativo que inauguravam. Perderam o primeiro round – mas a luta continuou. A disputa simbólica entre um poder que tinha como fonte filosófica o princípio da desigualdade, que separa o monarca de seus súditos, e outro que se alimentava da igualdade entre os cidadãos logo ganhou uma referência muda nos debates: a escravidão.

Nenhuma nação do Ocidente encontrara ainda uma fórmula para aplicar com êxito o princípio da igualdade na vida civil. A abolição da escravatura no Haiti resultara em desastre econômico, e todos os iluministas davam tratos a bola para descobrir fórmulas de ajuste entre a realidade do cativeiro, os ideais de liberdade e os anseios de progresso. No Haiti, a total desarticulação da economia ocorrera por causa do duplo caráter da mudança. Do lado político, aconteceu a garantia da liberdade. Do lado econômico, tal liberdade implicava o cancelamento dos títulos de propriedade dos donos dos escravos. A luta contra o princípio lógico que sustentava o poder real tinha uma tradução prática complicada na economia. O custo em dinheiro da abolição também seria imenso na realidade brasileira da época: "[Na época da independência] o valor total representado [pelos escravos brasileiros] era de 68,8 milhões de libras esterlinas ou 293 milhões de dólares. Em base per capita, seriam 104,46 dólares por homem livre (a população livre, em 1823, era de 2,8 milhões de pessoas), mais que o PIB per capita estimado para a época. Era um valor 63,7 vezes maior que a receita orçamentária de 1826, que foi de 5,9 mil contos, o que dá uma ideia do problema fiscal que seria criado com a combinação de abolição e pagamentos de indenização aos senhores pela via da emissão de títulos."[1]

Mesmo sem indenização, o fim do cativeiro naquele momento era mais um problema de economia do que de direitos, e não havia solução disponível. O melhor que ingleses e norte-americanos haviam conseguido fora uma solução de compromisso: legislar contra o tráfico internacional de escravos sem legislar contra a escravidão. E as leis contra o tráfico foram aprovadas quase ao mesmo tempo nos dois países, no ano de 1808. Depois desse ato, a Inglaterra, até então uma das maiores nações traficantes do planeta, pôde concentrar-se no desenvolvimento capitalista e abandonar as políticas mercantilistas. Passou então a pressionar para que a atividade fosse interrompida em todo o mundo, e um dos alvos dessa pressão foram os traficantes brasileiros. Já nos tempos de D. João VI os ingleses tinham arrancado acordos pelos quais o tráfico de escravos passaria a ser ilegal ao norte do Equador a partir de 1815. Era a solução de longo prazo exequível.

A nação recém-independente poderia ou não reconhecer essa posição – e a decisão estava nas mãos de José Bonifácio, ministro dos Negócios Exteriores. Ele baseou as conversas iniciais com a Inglaterra numa troca: Londres reconheceria a independência brasileira e o novo país adotaria uma política de contenção gradual do tráfico. Tal opção criava um problema espinhoso. Uma vez que quase não havia bancos nem empresas no país, a acumulação de capital dependia do fornecimento da "mercadoria viva": os escravos eram não só uma fonte de trabalho, mas também o esteio das cadeias de fiado que ligavam a capital ao mais remoto sertão. Não à toa, os traficantes eram, de longe, os mais ricos empresários brasileiros. Aceitar o fim do tráfico obrigaria a uma imperiosa mudança em toda a estrutura de subordinação financeira dos produtores do sertão aos comerciantes do interior, e destes aos traficantes dos grandes centros. Assim, além da disputa filosófica a respeito da organização das leis e dos bons governos, logo se mostrou um complicado problema prático.

A posição de José Bonifácio desagradou profundamente os traficantes, que, ao contrário dos deputados recém-chegados, mantinham relações de extraordinária proximidade com o Paço Imperial, lastreada em anos de bons negócios mútuos: os traficantes ofereciam aos nobres e cortesãos uma participação nos lucros dos seus empreendimentos, imiscuíam-se nos negócios de arrecadação de impostos, nas transações com as províncias, arrematavam contratos de obras públicas e cargos no governo. Então eles se aproveitaram de um momento de alívio das ameaças militares: as tropas fiéis a Lisboa que ainda dominavam a Bahia foram cercadas em maio de 1823, e abandonaram Salvador até 2 de julho daquele ano. Com isso apenas o Maranhão e o Pará ainda não tinham aderido formalmente à independência. Essa drástica redução de riscos permitiu que o imperador assumisse outros: demitiu José Bonifácio e seu irmão Martim Francisco, ministro da Fazenda, colocando no lugar deste o marquês de Baependi, cunhado de Fernando Carneiro Leão, o traficante que fora amante de Carlota Joaquina.

José Bonifácio não se abalou: deixou o serviço da autoridade coroada e assumiu o posto de deputado constituinte para o qual fora eleito por São Paulo. Um de seus primeiros atos foi protocolar uma "Representação sobre a escravatura". Sendo trabalho de parlamentar, representante eleito, e não mais de ministro a serviço do poder arbitrário, apresentava um novo foco, que ecoava a posição anglo-saxã da transição lenta – mas com foco brasileiro: "É tempo que vamos acabando gradualmente com os últimos vestígios da escravidão entre nós, para que venhamos a formar uma nação homogênea sem o que nunca seremos verdadeiramente respeitáveis e felizes. É da maior necessidade ir acabando com tanta heterogeneidade física e civil. Cuidemos pois, desde já, em combinar sabiamente tantos elementos discordes e contrários, em amalgamar tantos metais diversos, para que saia um todo homogêneo e compacto, que não se esfarele ao toque de qualquer convulsão política."[2]

O texto revela domínio da teoria iluminista e dos modos já empregados para transformá-la em escrita norteadora das leis nacionais. Nos Estados Unidos também havia essa ideia de empregar a teoria como guia de uma legislação sábia a ser executada em meio a costumes muitas vezes selvagens. Para tanto, os legisladores escolheram definir em lei apenas os princípios básicos, de tal modo que se reforçasse a igualdade por meio da jurisprudência, ao mesmo tempo que desestimulava os costumes que mantinham a desigualdade à margem da letra. No Brasil era o contrário. José Bonifácio via as virtudes nos costumes, via as soluções a partir da essencial mestiçagem, capaz de unificar o país a partir da sociedade. Sendo os costumes a fonte da igualdade, o problema real seria usá-los como fundamento para o desaparecimento da heterogeneidade civil, eliminando o direito do arbítrio, circunscrevendo a autoridade do monarca e dos senhores – os esteios da vida nos moldes do Antigo Regime. O andar de cima é que precisava de reforma.

Se, embora com diferenças, as posições de José Bonifácio e dos norte-americanos visavam o mesmo objetivo, havia uma radical diferença de visão entre ele e os defensores nacionais da continuidade dos valores do Antigo Regime como norteadores das leis brasileiras. Para estes, desde sempre, a manutenção das diferenças era o mais importante. Viam-se como os caranguejos – e os demais brasileiros como um punhado de mestiços de mau comportamento. Para José Bonifácio, pelo contrário, o futuro seria marcado pela virtude de costumes que ele, em escrito anterior, definira da seguinte maneira: "Nós não conhecemos diferenças nem distinções na família humana; como brasileiros serão tratados por nós o chinês e o luso, o egípcio e o haitiano, o adorador do sol e de Maomé."[3]

A cidadania deveria abolir todos os privilégios. Diferenças de raça ou diferenças de religião não seriam impeditivos para alguém ser brasileiro. Pelo contrário, o reconhecimento da liberdade de credo e da igualdade essencial entre os seres de todas as raças seria o fundamento do que define os "brasileiros". A formulação de José Bonifácio incorpora, ao modo iluminista, uma concepção universal da capacidade humana de empregar a razão, independentemente de raça ou religião. Como todos os seres humanos teriam essa capacidade, todos teriam direitos como cidadãos. Mas há um detalhe importante: para ele, eram os brasileiros, e não os seres humanos em geral, que não considerariam diferenças religiosas ou raciais. José Bonifácio identificava algo próprio da sociedade brasileira que tornava as ideias de liberdade e igualdade plausíveis para todos, num grau inconcebível para outros iluministas. Thomas Jefferson era um dos que não acreditava que os negros, mesmo livres, tivessem a capacidade de usar a razão ao ponto de terem direitos civis, isto é, serem cidadãos tão capazes de pensar por si mesmos que poderiam votar e ser votados. Assim, defendeu legislações na Virgínia que negavam o direito de voto aos negros livres. Rousseau duvidava que habitantes dos trópicos tivessem capacidade racional plena.

Essa crença num processo de união nacional constituída por amalgamento – a peça central da aliança agora brasileiro-Tupi – distinguia o deputado José Bonifácio. Ele argumentou em favor de uma união inicial entre elementos discordes, o monarca hereditário e o Parlamento, como preço inevitável a pagar. O rei deveria aceitar um Parlamento, casa adequada para se criar instituições liberais, dignas de uma sociedade que vivesse em liberdade. E os liberais deveriam aceitar um rei até o momento em que a sociedade civil fosse homogênea. Com esse tipo de argumento procurou ajudar na elaboração de um texto constitucional que mantivesse a substância da proposta original: fazer conviver duas fontes de poder opostas numa única regra social. No início de setembro de 1823, chegou-se a um projeto palatável aos constituintes – e restava o problema de saber se o monarca o considerava "digno de si".

Nessa altura, porém, garantido o controle de quase todo o território, o monarca tinha outro tipo de aliança em mente. Estava governando com o apoio de sempre, os comerciantes-fidalgos que também pregavam os valores do Antigo Regime. Passado o susto da intervenção nos negócios destes e nos poderes daquele, as duas partes associadas no alto começavam a se perguntar se seria o caso de partilhar o governo com os recém-chegados do Parlamento. A resposta veio em novembro, com a Assembleia Constituinte sendo fechada por tropas, e José Bonifácio forçado a se exilar. Para mostrar quem de fato decidia o que seria digno para o Brasil, o monarca promulgou uma Constituição feita por ele mesmo, na qual aproveitava grande parte do texto elaborado pelos deputados, mantendo inclusive umas tantas qualidades.

Entre elas estavam o reconhecimento como cidadãos de todos os moradores do território, nascidos onde fossem, fossem índios, libertos ou portugueses. Não se empregava a palavra "escravos", mas, como definia que todos os "libertos" eram cidadãos plenos (algo que não acontecia nos Estados Unidos de então), o ato afirmava direitos plenos para todos que não fossem escravos. Mantinha a capacidade de voto para todos, incluindo analfabetos, e estabelecia como critério de exclusão maior um limite de renda (100 mil-réis, menos que o valor do salário de um carpinteiro). Por outro lado, o texto do imperador introduzia uma mudança radical no projeto aprovado no Parlamento – exatamente nos capítulos que definiam os poderes do soberano. As prerrogativas começavam no artigo 98, que criava um poder exclusivo do monarca, o Poder Moderador, como "a chave de toda a organização política, delegado privativamente ao imperador como chefe supremo da nação e seu primeiro representante, para que incessantemente vele sobre a manutenção da independência, equilíbrio e harmonia dos demais poderes".

As relações entre o soberano de origem divina e a soberania popular representada no Parlamento não seriam relações entre iguais, como queria o padre José Custódio Dias. Agora havia uma chave para regular os espaços das duas soberanias opostas – com dono privativo. Para ficar claro que não se tratavam de partes iguais, de eventuais ocupantes de um mesmo plano, o artigo 99 reiterava: "A pessoa do imperador é inviolável e sagrada. Ele não está sujeito a responsabilidade alguma." O termo "responsabilidade" está empregado em seu sentido jurídico: a lei não pode ser aplicada ao detentor do Poder Moderador. É igual apenas para os súditos; o monarca está acima dela.

As atribuições do Poder Moderador em relação a muitas instituições eram relacionadas caso a caso. O artigo 102 definia as relações com o Executivo: "O imperador é o chefe do poder executivo e o exerce através de seus ministros." O sentido preciso desse "através" é detalhado no capítulo 6: ministros eram os responsáveis (ou seja, respondiam juridicamente), podendo ser processados por traição, abuso do poder, transgressão à lei, mau uso do dinheiro público. Caso ainda restassem dúvidas, o artigo 135 esclarecia: "Não salva aos ministros da responsabilidade a ordem do imperador, vocal ou por escrito." Nesse caso o imperador mandava, o ministro fazia – o que não o isentava de um eventual processo. O controle do Poder Judiciário também ficava sob o comando direto do imperador, que nomeava ou afastava à vontade todos os membros dos tribunais superiores, além de manter o antigo poder da "graça", que lhe permitia alterar sentenças judiciais quando julgasse conveniente.

A Constituição preservava apenas uma novidade de fundo iluminista: a definição do Poder Legislativo como parte do governo da nação dotada de soberania própria, derivada da escolha dos eleitores, e não da vontade do imperador. Também reservava exclusivamente aos parlamentares alguns poderes: fazer leis, fixar impostos e despesas, autorizar empréstimos, definir o valor da moeda e os padrões de medida. Mas também o definia como "poder delegado", e portanto produtor de atos que só entrariam em vigor após a sanção do imperador. Para que nenhum parlamentar se aventurasse, o artigo 65 dizia explicitamente que a ausência de sanção tornava sem efeito as decisões legislativas – a menos que o mesmo e exato texto fosse aprovado de novo por uma segunda legislatura.

Publicada a nova Constituição, os ex-deputados foram mantidos em casa. A convocação de eleições só aconteceria quando assim o decidisse o detentor do Poder Moderador. Enquanto a nação ficava sem representantes eleitos, muitos iam reinterpretando palavras que recendiam a recados do Paço, como essas do então ministro Antônio Carlos Ribeiro de Andrada ao refutar a ideia do padre José Custódio Dias de colocar as cadeiras num mesmo plano: "Que paridade há entre o representante hereditário da nação inteira e os representantes temporários? Que paralelo se pode encontrar entre o monarca que concentra em sua individualidade toda uma delegação soberana e o presidente de uma assembleia que abrange coletivamente outra delegação soberana mas que não pode nem deve abrangê-la toda? Como se pode nivelar um poder que é fonte de todas as honras com uma assembleia cujo maior ornato é a simplicidade?"[4]

Exilado com o irmão José Bonifácio, o homem um dia preso por participar de revoluções começou a se dar conta de outro padrão para julgar o quanto essa desigualdade expressa no texto estava longe de seus sonhos, nos quais essa dualidade seria favorecida pelos costumes: os atos arbitrários do primeiro governante do país independente.

CAPÍTULO **26**
> *Dando para si mesmo*

MAIS DO QUE REDIGIR UMA CONSTITUIÇÃO A SEU GOSTO, D. PEDRO I CONSEGUIU transformar o poder legal concebido para realçar sua pessoa em poder efetivo, tendo de superar apenas um obstáculo notável. A principal reação veio de Pernambuco, que voltou a pegar em armas contra o poder central. A Confederação do Equador durou poucos meses e foi debelada por meio da intervenção conjunta dos recém-criados Exército e Marinha nacionais – o primeiro caso no qual forças organizadas para a defesa externa foram empregadas contra os agora cidadãos (segundo ditava a teoria iluminista) e súditos (como ditava o Poder Moderador). Os principais líderes liberais da província, frei Caneca à frente, foram fuzilados em janeiro de 1825. Em seguida, o Exército e a Marinha cumpriram também a última missão de luta contra forças ainda ligadas a Lisboa, instalando governos brasileiros no Maranhão e no Pará.

Assim se completou um ciclo. Em pouco mais de dois anos foi criado um governo independente no país, capaz de exercer autoridade num território que coincidia com todo o território colonial. Além disso, a autoridade imperial estabelecida comandara uma centralização de porte, ampliando o domínio sobre as demais instâncias de governo – se comparado ao monarca anterior. Governando do Rio de Janeiro, D. João VI era obrigado a observar as regras de seu poder fundado na tradição secular do reino multicontinental. Não podia derrogar os direitos adquiridos pelos nobres ou pelo clero, precisava lidar com um Poder Judiciário que mantinha essas prerrogativas, tinha de seguir as rotinas de consultas aos vários conselhos. Mesmo estando instalado na face americana de seus domínios, na qual os direitos feudais da nobreza e do clero não existiam de fato, seus atos seguiam o modelo geral. O máximo que fez, em termos administrativos, foi transformar as capitanias em províncias, por um ato de 1821.

Essa instância intermediária de governo, embora subordinada ao monarca, mostrou de imediato um relevante grau de autonomia. Com a Revolução do Porto, juntas de moradores em diversas províncias haviam tomado para si o poder. Organizaram a eleição de deputados constituintes, e com elas obtiveram tanto a ampliação da esfera de ação do voto como relações diretas com os representantes eleitos, sem que o monarca tivesse determinado nada a respeito. Depois comandaram as eleições dos representantes para o Parlamento brasileiro – em muitos casos, antes mesmo do 7 de setembro. A violenta repressão dos pernambucanos foi também um alerta: pela nova Constituição, a escolha dos governantes nas províncias passava a ser um ato reservado ao Poder Moderador, ou seja, dependia da vontade arbitrária do imperador. Os fuzilamentos no Recife lembraram à última província a manter a já secular tradição de governos regionais autônomos que havia começado uma nova era – que não era exatamente a do governo que representava a sociedade.

A única contestação à autoridade régia manifestou-se através de pequenas discordâncias esparsas de câmaras municipais – naquele momento, as únicas representantes da soberania popular. A Câmara de Quixeramobim, no Ceará, proclamou a república em resposta à Constituição outorgada; a de Itu, em São Paulo, recusou a Carta. Era quase nada, de modo que o imperador passou a governar quase sem contraste de outras esferas de poder. O poder político imposto do centro para as localidades se completava por um fluxo financeiro na direção oposta: impostos captados em todo o país afluíam ao Tesouro no Rio de Janeiro. Assim se completava a soma do mandar e do receber. No momento de o governo "dar a cada um o seu", a independência também introduziu novidades importantes.

Na época colonial, toda a lógica do governo central baseava-se na obtenção de superávits no Brasil, os quais compensavam os gastos deficitários com nobres, clérigos e fidalgos togados na metrópole. Como no Brasil não havia nada disso, as despesas do país independente tinham caráter bem mais discricionário, ou seja, o poder central podia gastar o dinheiro como bem entendesse. E o "poder central", de 1824 em diante, era praticamente sinônimo de "imperador". A Constituição concentrara poderes em torno de uma única figura, que derrogara o Parlamento e passara a mandar sozinha. Agora, o emprego dos recursos da nação era quase uma decisão pessoal do imperador. O "quase" deve-se ao fato de que a centralização do poder não era apenas um projeto pessoal. Havia gente importante em todo o país que apoiava a ideia de um poder arbitrário. Por isso, ainda que não tivesse obrigações explícitas para com essas pessoas, o soberano precisava prestar atenção naqueles súditos que mais o ajudavam a fazer a roda girar nesse sentido. D. Pedro não descuidou disso, desenvolvendo versões nacionais de fórmulas monárquicas muito baratas e de relativo peso social, recompensando a obediência com os panos vermelhos de fidalguia. Depois de bater nos cidadãos com a Constituição, passou a assoprar uns poucos súditos que o sustentavam por meio da distribuição de títulos de nobreza.

A monarquia portuguesa determinara o hábito da Ordem de Cristo como o maior grau de fidalguia acessível aos brasileiros – o que se justificava para evitar as franquias que acompanhavam os títulos de nobreza hereditários. No país independente, essa vinculação desapareceu com a Constituição, de modo que o imperador passou a distribuir títulos que tinham os mesmos nomes daqueles da nobreza de sangue – mas nada de seu conteúdo, uma vez que a eles não estavam associados direitos adquiridos. Um dos primeiros títulos dessa natureza foi concedido à paulista Domitila de Castro Mello, amante do imperador desde a Independência, que se tornou primeiro viscondessa e logo depois marquesa de Santos – uma ironia direta com o santista José Bonifácio, que se recusou a ser nobilitado. Outro agraciado foi José da Silva Lisboa, desde 1808 o economista quase oficial da monarquia joanina. Em 1824, com a eclosão da Confederação do Equador, ele publicou o "Apelo à honra brasileira contra a facção federalista de Pernambuco", e, no ano seguinte, recebeu o título de barão de Cairu.

A ardorosa defesa do poder central não era obra de ocasião, pois há muito fazia parte dos ideais do novo nobre. Suas ideias reacionárias tinham apoio social relevante. E seus livros eram lidos com grande respeito por aqueles que mais interessavam, os grandes comerciantes do Rio de Janeiro, as pessoas mais ricas do país e que acumulavam também as funções de traficantes de escravos, arrecadadores de impostos e beneficiários dos recursos do governo – razões mais que suficientes para apoiarem a centralização do poder –, todos eles em excelente posição para querer "receber o seu" junto ao rei. Por motivos que a obra de Cairu permite entender, consideravam-se satisfeitos com a ausência de mudanças econômicas e políticas na Independência – e por isso se colocavam ao lado do imperador contra os liberais e a "facção federalista". O que mais lhes importava era a continuidade do tráfico de escravos e do trabalho escravo. Eram contra a indústria. No texto "Observação sobre a franqueza da indústria e estabelecimento de fábricas no Brasil", Cairu não deixou dúvidas a respeito: "Reintegrando-se a paz na monarquia os gêneros coloniais devem ter vastos mercados na Europa; e com a franqueza [i.é, liberdade] do comércio e indústria, provavelmente poderemos vencer aos competidores na venda de iguais produtos, e consequentemente não convém com privilégios distrair os fundos de nossa agricultura e menos ainda com a mão do governo levantar fábricas."[1]

Era uma proposta deliberada para manter intocada a estrutura da economia brasileira e se afastar do caminho da produção capitalista – uma realidade apresentada como inelutável: "A [nossa] população principal é de escravos, e a de brancos e gente livre é pequena e avança muito lentamente, pela desgraçada lei do cativeiro e comércio da costa da África, que dificulta o casamento com pessoas de extração europeia. Convém pois ao Brasil, pela necessidade das coisas, o trabalho dos campos, das artes comuns, visto que a óbvia e farta colheita dos frutos rudes da terra, e o simples fabrico e transporte de obras grosseiras ou ordinárias está mais na possibilidade e esfera da parte principal do povo. [...] Não devemos presumir de melhor entendermos nossos interesses para querermos a torto e a direito pretender rivalizar na indústria manufatureira com países que têm redundante população e séculos de exercício fabril."[2]

Essa definição da produção brasileira resulta antes de um modo de ver do Antigo Regime do que aquela atualmente revelada pelos dados estatísticos. Mas essa espécie de proposta não chegava a ser exótica na época, marcada pelas ideias do famoso economista francês François Quesnay, que assim definia a primeira máxima para a ação do governo em economia: "Os trabalhos da indústria não multiplicam as riquezas. Os trabalhos da agricultura compensam os custos, pagam a mão de obra do cultivo, propiciam ganhos aos lavradores e além disso produzem as rendas dos bens de raiz. Os que compram as obras da indústria pagam os custos da mão de obra e o ganho dos mercadores; mas essas obras não produzem nenhuma renda a mais."[3]

Se não gerava riqueza, a indústria poderia até produzir pobreza, sobretudo num caso assim descrito por Quesnay: "Uma nação que tenha grande território e faça baixar o preço dos gêneros produzidos em suas terras para favorecer a fabricação de obras manufaturadas destrói-se por todos os lados."[4] Karl Marx fez o seguinte retrato dos traços essenciais do pensamento fisiocrata, como ficou posteriormente conhecida a escola do economista francês: "Para os fisiocratas, o trabalho agrícola é o único trabalho produtivo, porque é o único que cria mais-valia – eles não reconhecem outra forma de mais-valia além da renda da terra. Segundo os fisiocratas, a agricultura fornece matéria para toda a produção social. O operário industrial não acrescenta matéria, mas se limita a modificar sua forma; acrescenta valor à matéria, sem dúvida, mas pelo custo da produção de seu trabalho, não pelo trabalho; acrescenta valor através da soma de meios consumidos durante seu trabalho, igual ao subsídio que recebe da agricultura. Para os fisiocratas, também o lucro não é mais que uma espécie de salário de categoria superior pago pelos proprietários de terra e consumido como renda pelos capitalistas industriais."[5]

Essa espécie de pensamento, segundo Marx, seria uma forma adaptada do pensamento do Antigo Regime para interpretar a aurora burguesa: "Nesta concepção o proprietário de terras aparece como verdadeiro capitalista, como elemento que se apropria do trabalho excedente. Deste modo o sistema feudal se apresenta reproduzido e explicado na descrição da produção burguesa, e a agricultura aparece como único setor que realiza produção capitalista, ou seja, produz mais-valia. O feudalismo se aburguesa e a burguesia ganha ares feudais. Por isso o pensamento fisiocrata apareceu sobretudo na França, país essencialmente agrícola."[6]

Mesmo citando Adam Smith, Cairu norteava-se pelos valores fisiocratas. Mais ainda, empregava-os em sentido retrógrado. Apostava no potencial da produção escravista porque via na agricultura a principal atividade "natural" da economia brasileira, enquanto as fábricas seriam "artificiais". O ano de 1825 parecia, para quem defendia tal projeto, ser de vitória completa. Parecia garantido que a desigualdade entre os homens era não apenas um dado da natureza, mas também o princípio sobre o qual deveria se assentar a organização do bom governo e da sociedade. A autoridade do imperador, que garantiria a continuidade do mundo assim organizado, se firmara no topo. Por isso os defensores de seu poder acreditavam num futuro brilhante e na superação dos concorrentes na produção agrícola que haviam optado pela via iluminista. Os maiores defensores internos da visão iluminista e da soberania popular estavam exilados, presos ou tinham sido mortos por fuzilamento. A possibilidade de produzir bens toscos e afastar a indústria parecia firme, agora que o domínio do governo nacional se afirmara em todo o território.

Mas o poder arbitrário servia para outras coisas além de satisfazer os planos reacionários de traficantes. D. Pedro I sentiu que o momento era propício em outra frente, e o aproveitou ao máximo. Por dois anos as negociações em torno do reconhecimento diplomático da independência vinham se arrastando. Ao indicar a Inglaterra como sua representante nas negociações, Portugal encontrara um intermediário poderoso, que não se furtou a avançar os próprios interesses, instando para que o novo país adotasse os privilégios alfandegários e comerciais cedidos por Portugal, além de proibir o tráfico de escravos. Enquanto a situação não se esclarecia, o próprio imperador havia sido mantido pelo pai como herdeiro do trono português. Dessa forma, D. Pedro negociava com dois objetivos: o poder no Brasil e o futuro poder em Portugal.

Quando juntou poder pessoal suficiente para resolver as coisas como queria, D. Pedro solicitou aos ingleses que mandassem ao Rio de Janeiro um emissário com poderes para assinar o tratado. Charles Stuart demorou apenas o período de julho e agosto para distinguir a importância relativa dos vários interesses em jogo. Definida a ordem, o tratado foi assinado em 29 de agosto. A solução poderia parecer estranha para um governo que se estabelecera por combates militares vitoriosos: pelo acordo, Portugal concedia a independência ao Brasil como um favor. O Brasil, por sua vez, recompensava o favor com uma indenização de 2 milhões de libras esterlinas – metade de suas exportações anuais ou cerca de 7% do PIB da época. Satisfeitos os interesses de Portugal, vinha a seguir o reconhecimento pela Inglaterra, também retribuído com o atendimento a seus interesses. Por 15 anos, o novo país comprometia-se a manter todas as vantagens que os ingleses haviam arrancado de Portugal: impostos de 15% para os produtos ingleses na alfândega (enquanto todos os demais países pagavam 24%); um juizado especial para os crimes de ingleses no território brasileiro; franquias religiosas privilegiadas para seus súditos. Além disso, o Brasil comprometia-se a extinguir o tráfico de escravos no prazo de cinco anos.

O imperador também conseguiu satisfazer interesses pessoais. A forma do tratado o mantinha como herdeiro da Coroa portuguesa e, mais que isso, colocava-lhe à disposição meios financeiros (empréstimos ingleses a serem pagos pelo novo país) para agir em defesa desse direito presumido. Tanto D. Pedro como Stuart sabiam perfeitamente o que o pagamento dessa conta significava para os brasileiros. Por isso cuidaram de fatiar o acordo em várias partes. As mais palatáveis foram apresentadas em público; outras foram tidas como sensíveis demais e registradas em acordos secretos assinados à parte. Foi preciso algum tempo para que os brasileiros tivessem uma ideia dos custos do acordo. Somando tudo, o país ficou com uma dívida de 5,68 milhões de libras esterlinas.

Um século e meio mais tarde, Carlos Pelaez e Wilson Suzigan chegaram ao seguinte cálculo do destino desse dinheiro: "Somente 600 mil libras foram enviadas para os cofres do Banco do Brasil. O restante foi empregado em expedições militares e missões diplomáticas na Europa. Sendo assim os objetivos econômicos para a obtenção de empréstimos não foram levados em consideração para a obtenção de recursos. A situação monetária do país piorou consideravelmente graças à má administração dos empréstimos."[7]

Em outras palavras: algo como 3 milhões de libras esterlinas – dois terços das exportações ou quase 10% do PIB brasileiro – foi embolsado pelo monarca para seus projetos pessoais ou pagamentos aos ingleses. No total, um valor que equivalia a algo como 18% do PIB foi dado em pagamento para o exterior – seja a Portugal ou ao bolso do monarca.

Era uma novidade amarga. Com o tratado desapareceram de vez as possibilidades de que a independência nacional coincidisse com um período de progresso do país. Nem capitalismo nem escravismo ganharam com o acordo. Pelo contrário, sobrou para todos o ônus: a dívida de todos esses gastos improdutivos. Mesmo desconhecendo os números, por causa do caráter sigiloso do tratado, até mesmo os mais radicais defensores do poder arbitrário logo notaram que não estavam do lado dos ganhadores – bastava a cláusula que previa o fim do tráfico legal de escravos para indicar que até os interesses dos traficantes que sonhavam com a monarquia haviam sido desconsiderados. D. Pedro I, por sua vez, era o único que sabia com exatidão o tamanho do presente que dera a si mesmo – aquilo que os analistas posteriores chamam de dinheiro "empregado em expedições militares e missões diplomáticas na Europa". Essas missões tiveram como objetivo central a montagem de um esquema forte o suficiente para garantir suas pretensões ao trono então ocupado por seu pai.

Claro que esses gastos bancados por brasileiros poderiam ser objeto de contestação. Para evitar o constrangimento, D. Pedro I tratou de declarar guerra à Argentina em dezembro de 1825. O ato não apenas justificava gastos para contratar mercenários na Europa como apelava para a união dos brasileiros contra um inimigo externo. Tudo isso aconteceu no intervalo de apenas dois anos, durante o qual o imperador foi o único soberano, o representante sem contraste de todos os poderes de governo da nação – com exceção da autoridade dos caciques nas selvas e dos governos municipais nas vilas. O poder pessoal definido na Constituição como irresponsável agira; cabia agora aos súditos responsáveis encontrar um modo de saldar a conta. Para essa parte menor do problema fazia sentido a participação do poder soberano dos representantes. O Parlamento foi reaberto – e fez sua parte.

CAPÍTULO 27
> *Poderes em confronto*

A PRIMEIRA LEGISLATURA REGULAR DO PARLAMENTO BRASILEIRO FOI ABERTA EM 1826. Meio século antes havia sido instaurado o primeiro Parlamento do continente, o norte-americano, o qual continuava sendo o único a funcionar regularmente na América. O território do Império espanhol se fragmentara em várias nações de vida política irregular, com os parlamentos funcionando de maneira intermitente; no Império português, fora o Brasil, os demais territórios permaneciam como colônias. Nem mesmo na Europa havia regularidade. Com exceção da Inglaterra, onde os poderes monárquicos haviam sido severamente limitados pelo Parlamento no século XVII, em quase todo o continente, com a derrota de Napoleão Bonaparte em 1815, refluíra a onda revolucionária inspirada na França e os parlamentos remanescentes competiam pelo poder com os reis, quase sempre em desvantagem: a regra geral era uma restrição dos poderes do Legislativo semelhante à imposta pela Constituição brasileira.

Nos dois continentes, os critérios de habilitação dos eleitores criavam limitações severas a um poder que pretendia representá-los. Na Europa havia exigências de renda similares às brasileiras e voto qualificado. Nos Estados Unidos, além delas, havia critérios explícitos de raça que excluíam das eleições os negros livres. De acordo com estimativas posteriores, a proporção de eleitores variava entre 1% e 2% da população nos dois lados do Atlântico.

No Brasil, devido à herança do voto municipal, historiadores notam uma situação relativamente favorável à representação popular: mesmo com as restrições de renda, o total de votantes nas primeiras eleições para o Parlamento nacional era, em termos proporcionais, possivelmente maior do que na Europa ou nos Estados Unidos. Além disso, votavam analfabetos e negros livres, com poucas restrições. Mas as vantagens acabavam aí. Do ponto de vista político, os parlamentares eleitos tinham de enfrentar uma situação institucional muito desfavorável para o exercício do poder soberano da vontade geral. Havia uma lei maior escrita, e essa lei colocava os poderes Executivo e Judiciário em completa subordinação ao Poder Moderador: eram três poderes coordenados contra um só. Mais ainda, as Ordenações do Reino, mantidas praticamente inalteradas desde o século XV, foram herdadas como legislação infraconstitucional em todos os pontos que não colidissem com a Constituição.

Esse Parlamento começou a funcionar num momento em que uma constatação ficava clara: as esperanças na sobrevivência da escravidão que animavam os conservadores se toldavam com as notícias da Europa e dos Estados Unidos. A produção capitalista, dependente de trabalho assalariado e capital, estava se mostrando pujante, sobretudo na Inglaterra, cujas instituições econômicas estavam se transformando no modelo a ser imitado por todos. Ainda que convivendo com a escravidão, o forte desenvolvimento do capitalismo nos Estados Unidos, puxado pelos estados com menos escravos, já era um sinal mais que evidente do rumo da mudança. A combinação de indústria com trabalho assalariado trazia uma nova dinâmica para o todo. A produção escravista, embora produtiva e rentável, e ainda capaz de expansão, começava a ficar para trás. Enfim, começava a ficar claro que a escravidão não teria muito futuro – exatamente o oposto do que imaginavam os autores que exprimiam os sentimentos da elite traficante na época da mudança da Corte, como o bispo Coutinho ou o visconde de Cairu.

O tratado de reconhecimento da independência fizera somar à má escolha estratégica um elemento estrutural. O imperador comprometera o futuro dessa nação que começava a andar na contramão do mundo com o pagamento de uma dívida imensa e improdutiva, a que somavam-se favores à Inglaterra. Condenara seus únicos apoiadores externos a agir brevemente na ilegalidade. Tudo isso agiu para arrastar forças políticas em direção à oposição.

Tudo isso aumentava o potencial do Parlamento, mas também tornava ainda mais difícil a tarefa essencial dos parlamentares: encontrar meios para levar adiante um país novo que estava em guerra com o principal vizinho e tinha uma economia à beira do caos monetário. Mesmo assim, os representantes da soberania popular tentaram cumprir sua função. A dura experiência da Constituinte fechada fez com que as disputas simbólicas com o trono fossem reduzidas ao mínimo, sem eliminar o estranhamento entre os poderes. Só que o momento era outro. Consciente do dano que causaria à nação, o imperador buscava parceiros para convencer os prejudicados a aceitá-lo. Para reunir os poderes que lhe permitiram assinar o acordo, D. Pedro I concentrara franquias e decidira sozinho; agora que precisava dividir a conta por muitos, esperava que o Legislativo o ajudasse na tarefa de explicar aos brasileiros que valia a pena tal sacrifício pela pátria. Apesar do sigilo relativo à parte mais pesada do acordo, já circulavam os rumores de que o tratado fora arranjado para satisfazer os interesses lusitanos do monarca à custa do sangue brasileiro.

Em 1826, poucas semanas antes da abertura da sessão legislativa ocorreu um evento que potencializou esses comentários: a morte de D. João VI. Ele foi um dos raros monarcas de sua geração na Europa a deixar a vida com a coroa sobre a cabeça e esta ainda sobre o corpo místico de rei. D. Pedro assumiu o trono como herdeiro, promulgou uma Constituição e renunciou em seguida ao trono português, em favor da filha mais velha, Maria da Glória. Ainda assim, o interesse dele nos negócios da antiga metrópole ficou claro, ajudando a disseminar críticas. Em seu discurso na solenidade de abertura do Parlamento brasileiro, o imperador empenhou-se em justificar suas ações. Ressaltou que a renúncia ao trono português era uma grande prova de seu amor pelo Brasil e de que não tinha interesse em Portugal (claro, deixou de lado a coroa da filha).

E recorreu a um argumento de força para quem se atrevesse a pensar de outro modo: lembrou aos parlamentares que, tal como havia fechado uma Assembleia, ainda tinha poderes para repetir o ato. Para os parlamentares, tornou-se óbvio que o monarca agora dirigia a política de duas coroas. Não passaram recibo da ameaça. E muito menos se conformaram com o papel de auxiliares do trono na hora das dificuldades. Começaram a buscar formas de exercer o papel de representantes da população descontente, mas sem provocar choques diretos com o poder real. Não demoraram para achar o caminho da economia.

O tratado de reconhecimento da independência implicara um imenso dispêndio de recursos do governo central. A guerra com a Argentina aumentara ainda mais o volume desses gastos. Porém, como não houve aumento da riqueza nem dos impostos, o governo pagava muito mais do que arrecadava, acumulando déficit atrás de déficit. O dinheiro dos empréstimos ingleses cobriu uma pequena parte do rombo, mas era preciso muito mais para fechar a conta. A saída tradicional da época para o governo obter recursos seria aumentar os impostos sobre as importações, a sua principal fonte de receita. O problema é que, como o tratado com a Inglaterra fixara as alíquotas desse país num patamar muito baixo, não havia campo para a manobra.

Por isso o governo começou a cunhar moedas com valor de face muito mais alto que o do metal com que eram feitas. Recolhia as moedas antigas, recunhava e ficava com a diferença em metal. Deu certo por um tempo, já que a medida funcionou como convite para falsificadores cunharem eles mesmos as moedas. A combinação de moeda de menor valor com moeda falsificada mostrava fisicamente, para cada um que tocava nas peças, que o governo tornava-o possuidor de menos, ficando com mais. Isso era uma má novidade: nos tempos coloniais o governo central arrecadava muitos impostos, empregava a violência – mas levava apenas de quem, supostamente, produzira riquezas. A recunhagem era imposto sobre todos, a pobreza que gerava aparecia de forma gritante e o descontentamento que criava era geral.

Entre a necessidade imperial de continuar gastando e o sentimento popular de revolta, a maioria dos deputados não hesitou. Parlamentares começaram a pedir que o governo enviasse um ministro para explicar a situação econômica. Tomando o pedido como intervenção em seara indevida, o monarca recusou-se a atender à convocação. Os parlamentares começaram a alegar que precisavam das informações para elaborar o orçamento do ano seguinte, uma de suas atribuições. Um diplomata austríaco interpretou da seguinte maneira o comportamento do imperador: "Apesar de suas declarações e suas ideias democráticas, pesa-lhe esta forma de governo parlamentar, sente todos os inconvenientes que ela encerra e dos quais bem queria se libertar. Seu fito parece-me ser deixar que as Câmaras se debatam sem atingirem resultados positivos até que o povo, cansado de uma representação que custa muito caro, o suplique para pô-la de lado."[1]

Por inconveniência ou propósito, o fato é que essa queda de braço consumiu os quatro meses da primeira sessão parlamentar, sem que nenhuma decisão fosse tomada. Mas o Parlamento sobreviveu – e, em vez do cansaço da população, os representantes foram encontrando aliados no propósito de dobrar a resistência do imperador. A existência do Parlamento despertou a atenção de pessoas que antes tinham seus interesses ignorados e as levou a participar da discussão política. Com isso surgiu o correlato interesse por informações sobre política – e firmou-se o negócio de divulgar essas informações, com o surgimento dos jornais que eram vendidos aos interessados nos debates.

Os interesses da maior parte dos jornais eram os mesmos dos parlamentares: ecoar o sentimento dos leitores, e não reproduzir os argumentos do monarca, como fazia a gazeta oficial. Assim, no intervalo entre uma e outra sessão legislativa, os jornais substituíram os deputados na argumentação e foram atrás de informações. Acabaram se fixando num tema que permitia criticar fortemente a política de governo sem criticar a pessoa sagrada do imperador, pois assim estariam violando explicitamente a Constituição.

O Banco do Brasil se tornara a peça central para manter um governo que gastava muito e arrecadava pouco, empregando um método ainda desconhecido na economia local. O governo emitia títulos de dívida e estes eram adquiridos pelo banco com o dinheiro que os depositantes deixavam em seu caixa. A posse do título conferia ao banco o poder de emitir notas de papel que tinham circulação oficial como dinheiro. Na hora de fazer o balanço, o banco contabilizava os títulos como ativos e os juros que eles pagavam como lucro. O esquema criava dois fluxos de dinheiro. Um carreava os recursos dos depositantes para os cofres do governo, outro ia do banco para os seus acionistas. Como o governo pagava apenas os juros, o banco emitia sempre mais – algo que interessava aos acionistas. Para todos os demais brasileiros sobrava dinheiro de papel, que cumpria a mesma função da moeda falsificada.

Uma edição de 1827 do jornal *Astréa* resumiu as relações políticas decorrentes da ligação entre um governo que emitia títulos de dívida, um banco que os aceitava e emitia notas de papel que funcionavam como moeda, e muita gente que pagava a conta de tudo isso: "A Nação é devedora ao banco de uma quantia pela qual paga juros de 6% e o banco continua a suprir o Tesouro com notas sem que isso lhe custe um só vintém em dinheiro. Isto vem a ser que as notas do banco não representam valor em caixa, mas apenas uma dívida do Tesouro para com os particulares que as recebem do banco. Mas só os acionistas é que lucram, porque só entre eles se divide o juro que a Nação paga, sem que o verdadeiro credor do Tesouro, isto é, o portador da nota, receba coisa alguma."[2]

Entre os acionistas do banco estavam, em sua parte mais significativa, os grandes comerciantes-fidalgos-traficantes que, desde o século XVIII, eram os únicos moradores locais com interesses ligados à Coroa. Mas, exatamente por serem sócios sem poderes constitucionais, podiam ser alvos de ataque da imprensa e dos parlamentares. Na metade da sessão de 1827, um relatório da Câmara dos Deputados transformou o argumento do jornal em discurso político: "A administração do banco, percebendo nos abusos do governo um escudo para seus próprios abusos e um fundo inesgotável de lucros com que adormecia a vigilância dos interessados, marchou ombro a ombro com o governo que apelidava a este ilícito consenso com o nome de patriotismo. Desta aberração da honra e da moral provieram os espantosos lucros, obtidos à custa da substância nacional."[3]

A campanha contra o banco no Parlamento logo faria deste a voz da "substância nacional" contra os "abusos do governo", expressos na "administração do banco". Em vez de ajudar a pagar a conta, o Legislativo tornou-se o organizador de uma torrente oposicionista. Muita gente começou a ver no Parlamento um instrumento de defesa – e na Coroa um poder que custava muito caro e só produzia infelicidades. A guerra com a Argentina terminou em 1828 sem vencedores: nenhum dos contendores dominou o Uruguai, que se tornou independente com ajuda da Inglaterra. O exército montado para o conflito, com muitos mercenários estrangeiros, voltou para o Rio de Janeiro – e ali ficou estacionado como apêndice de força do imperador.

Ainda assim os parlamentares continuaram avançando. Em 1829, aprovaram um projeto que fechava o banco. A lei prejudicou depositantes e buscadores de crédito privado, e não impediu a continuidade da derrama, pois o próprio governo passaria a emitir notas. Mas cortou a mesada dos acionistas que se beneficiavam do esquema e eram os grandes aliados políticos do imperador. Nessa altura ficou claro que dois projetos haviam fracassado. Os reacionários que esperavam um futuro brilhante da produção escravista sob as ordens de um monarca fiel aos princípios do Antigo Regime perderam o último fio de esperança de que aumentariam a própria riqueza. Os iluministas que escaparam do exílio ou da cadeia também sabiam da conta que vinha pela frente. O imperador cada vez se importava mais com o Portugal onde gastava dinheiro do que com o Brasil de onde não havia como arrancar mais recursos.

Mesmo com todas as limitações constitucionais, o Parlamento consolidou-se como um poder político relevante para equacionar a crise. E o imperador não conseguiu encontrar meios para contra-atacar. Continuou mantendo um tom sobranceiro no tratamento dos representantes, insistindo na fórmula de que o Poder Executivo era apenas uma extensão do Poder Moderador, e nomeando ministros com o critério da fidelidade pessoal. Assim foram se fechando os caminhos que um dia o ligaram aos brasileiros comuns, fossem ricos ou índios. Toda a impopularidade gerada pela situação econômica acabou por se concentrar em sua pessoa. Nem mesmo os traficantes o apoiaram depois do fechamento do banco – pois lembravam que o tratado com os ingleses continha uma cláusula que tornava ilegal o tráfico de escravos a partir do final de 1831. Os últimos aliados que sobravam, gente da Corte, foram realistas: propuseram ao imperador que nomeasse parlamentares para o ministério. Assim eles seriam, ao mesmo tempo, representantes da população e responsáveis pelo pagamento das contas e pelo respeito ao governo. Contra o conselho pesava a curta tentativa de 1828, quando um ministério com parlamentares fora despachado após poucos dias no poder.

Em fevereiro de 1831, quando eclodiram sublevações populares em várias cidades, o imperador tentou repetir o procedimento de nove anos antes: viajou para Minas, buscando o apoio direto da população. Dessa vez foi recebido com frieza. Na volta para o Rio, o sentimento já era de hostilidade. Orgulhoso, o detentor da chave do sistema político, o governante irresponsável, o chefe do Poder Executivo, o nomeador de juízes, não encontrava apoio para governar. Uma última tentativa de associar a soberania popular e a cabeça mística foi feita em abril – e respondida com a nomeação do chamado "ministério dos marqueses", todo formado por cortesãos.

A resposta dessa vez veio das ruas: uma multidão reunida na praça aprovou uma proclamação pedindo a nomeação de novo ministério. De uma coisa o imperador não cogitava: governar segundo a vontade de gente das ruas. Na madrugada de 7 de abril renunciou ao trono e buscou refúgio num navio inglês. Deixou como herdeiro o filho de 5 anos. Sabia que haveria a nomeação de uma regência e que os regentes não poderiam exercer o Poder Moderador, pessoal e privativo de um monarca com plenos poderes. Tinha noção exata de que apenas o jovem Parlamento concentraria todos os poderes no governo central.

Numa carta escrita a bordo e destinada ao menino que ficava em terra deixou bem claro o que pensava: "Espero que a Regência tenha força moral para lhe entregar o cetro e a coroa tão inteiros como estavam no dia que abdiquei. Mas onde está o prestígio da Regência? Onde está a opinião pública interessada em manter o governo? Eu não os vejo."[4] Os moradores locais, a parte cujos interesses eram invisíveis para o alto, a parte que ficava fora da carapaça do caranguejo, a gente que o centro pensava como incapaz de governar, enfim seria todo o poder.

CAPÍTULO **28**
> *Regências e lideranças*

ENQUANTO D. PEDRO I REDIGIA O BILHETE DE DESPEDIDA, OS PARLAMENTARES QUE estavam no Rio de Janeiro para a sessão que começaria em maio faziam uma reunião. Até a véspera, representavam uma instituição que, cinco anos antes, fora incrustada na estrutura de governo central arbitrário que se constitucionalizou sob a forma do Poder Moderador. Mas, no dia seguinte, conversavam já como comandantes da nação – pela primeira vez, os representantes eleitos pelo povo chefiariam o governo, e o grupo decidia coletivamente e por consenso – o que era comum nas câmaras, mas inusitado em instâncias mais altas de governo.

A própria ideia de uma reunião de iguais como método para assumir a direção do governo era algo inconcebível para quem considerava sagrado e necessário o poder arbitrário de um rei. Enquanto corria a reunião, uma chusma de nobres e criados do Paço rondava o cais; os mais insistentes subiam a bordo da fragata inglesa, oferecendo-se para prestar serviços ou expondo desconsolos ao soberano renunciante, partilhando com ele o sentimento de que a terra se perderia sem um rei que a governasse. Na cidade, a reunião resultou em típica decisão parlamentar. Para dar sentido nacional ao governo, escolheu-se o formato de um triunvirato que abarcasse as várias opiniões. O senador Francisco de Lima e Silva era militar conhecido, ressaltando o interesse na manutenção da ordem. O marquês de Caravelas, também senador, era um conservador e defensor do imperador renunciante. Já o terceiro senador escolhido, Nicolau de Campos Vergueiro, era conhecido por suas posições liberais.

O desafio dessa Regência Trina era exercer efetivamente a sua autoridade, o que, na situação, equivalia a reorganizar totalmente o governo nacional em outras bases. E, nesse esforço numa realidade econômica desesperadora, foi se consolidando na prática a estrutura de soberania dúplice sugerida por José Bonifácio: mesmo a preço alto, a monarquia tinha valor. A primeira decisão dos regentes foi promover um ato político simbólico, empregando exatamente a espécie de linguagem que a Coroa permitia: um desfile pela cidade de uma carruagem levando o menino de 5 anos que herdava o trono – para que fosse aclamado pela população como imperador.

Com essa maneira econômica de tomar para si o prestígio secular da Coroa – enquanto os órfãos do imperador estavam ainda desarticulados –, os regentes apareceram efetivamente como governo. Tal ganho simbólico era fundamental pois o grande problema da autoridade assim obtida estava nas parcelas de governo que desapareceram com a partida da fragata: o Poder Moderador, com toda sua concentração, deixava de vigorar enquanto o herdeiro do trono fosse menor de idade. Completou-se assim a inversão de papéis. Os parlamentares assumiram o comando do Executivo, até então exclusivo do Poder Moderador. Aqueles que viviam basicamente do "direito adquirido", que "recebiam o seu" por decisão do imperador, entrincheiraram-se na Corte: embora suspenso o Poder Moderador, a Corte continuava a existir, bem como toda a estrutura que lhe dava substância.

Os regentes souberam como exercer o comando do Executivo, colocando em prática uma forma de aplicar os recursos que era comum nas câmaras municipais, mas inédita no governo central, por meio de uma lei do Orçamento que regulamentava os gastos públicos. O resultado foi a delimitação de uma zona de conflito entre as duas lógicas que marcavam as soberanias reconhecidas na Constituição. Para aqueles que pensavam e agiam segundo a lógica do Antigo Regime, o governo arrecadava um máximo de todos e distribuía esse dinheiro "fazendo justiça" para quem tinha "direitos adquiridos". Já os novos dirigentes pensavam e agiam segundo a lógica iluminista de que a soberania popular restringia o governo, de modo que este arrecadava de todos e distribuía para todos apenas o arrecadado e seguindo uma lei votada pelos representantes eleitos – essa era a função do Orçamento.

Com o controle do Executivo, os parlamentares agora tinham poderes para fazer cumprir o determinado na lei de gastos – e, antes mesmo da aprovação de um orçamento, o ministério indicado pelos regentes passou a cortar gastos a fim de equilibrar as finanças. Esses cortes atingiram sobretudo os beneficiários de dinheiro público ligados ao imperador. A reação dos prejudicados à dura mudança de posição foi proporcional ao prestígio que imaginavam ter. A mais aguda veio diretamente das forças armadas.

O imperador contratara mercenários para montar uma marinha e um exército, primeiro para se contrapor às tropas portuguesas, depois para lutar na Argentina. Com o dinheiro que, pelo tratado, reservara para si mesmo, ainda organizou um exército na Europa. A luta com Portugal havia terminado, assim como o conflito com a Argentina, mas os contratos dos mercenários continuavam vigentes. Quando vieram as notícias dos cortes nas tropas, eclodiram os motins no Rio de Janeiro.

A reação do Parlamento não se fez esperar. Assim que começaram as sessões regulares, a Regência provisória foi transformada em permanente, com um triunvirato formado pelo paulista José da Costa Carvalho, o maranhense João Bráulio Moniz e o general Francisco de Lima e Silva. Em seu primeiro ato, o trio de regentes instalou um ministério no qual a pasta da Justiça, encarregada de manter a ordem interna, foi entregue a um homem que jamais poderia ser suspeito de amor pelos ideais de nobreza.

Diogo Antônio Feijó ganhou uma marca indelével já em seus primeiros dias de vida: foi deixado na Roda dos Expostos, traquitana instalada no muro da Santa Casa de São Paulo na qual mães abandonavam filhos ilegítimos. Numa sociedade que valorizava sobretudo a condição de nascimento, isso equivalia a relegar o bebê ao ponto mais baixo da escala social. Feijó cresceu nessa condição, ora recolhido por uma alma caridosa, ora acompanhando alguém que não se importava com sua presença. Acabou seguindo um padre que cuidava do aldeamento indígena de Queluz, com quem aprendeu a ler e escrever, além dos rudimentos do ofício sacerdotal. Tornou-se padre secular. Fez as provas em 1798, foi aprovado, mas não tinha a idade mínima requerida. Mudou então para a recém-fundada cidade de Campinas, onde aparece nos registros como pessoa que "vive de esmolas", além de ter ganhos irregulares como professor.[1]

A situação perdurou até 1805. Para ser afinal nomeado padre, teve de jurar por escrito que "não era, nem haveria de ser, imitador da incontinência de meus pais". A boa situação não durou muito: uma acusação falsa de incentivo ao adultério no confessionário abalou sua carreira. Embora inocentado, ficou com o nome maculado. Enquanto se aperfeiçoava nos estudos sacros, começou a se interessar também pelas ideias revolucionárias dos liberais.

Em 1821, a vida de Feijó sofreu uma mudança radical. Sem jamais ter participação administrativa (a condição de abandonado lhe vedava o acesso a cargos de governo mais importantes, reservados a fidalgos, àqueles que podiam comprovar "bom nascimento") nem contar com fortuna, acabou escolhido como um dos seis deputados enviados por São Paulo às Cortes de Lisboa. Ao desembarcar em Portugal, em fevereiro de 1822, a Constituição estava pronta e sendo votada. Estreou como orador parlamentar fazendo um duro ataque a seu conteúdo. A reação foi tão violenta que precisou fugir pra a Inglaterra.

Voltou à cena política em 1826, dessa vez como deputado no recém-inaugurado Parlamento brasileiro. Seu primeiro projeto foi polêmico: propôs o fim do celibato dos padres, com o argumento de que era assunto administrativo e portanto da esfera de competência do regalismo, e não um assunto de fé, pertinente à esfera de decisão de Roma. Teve apoio de deputados como o padre José de Alencar (pai de oito filhos, entre eles o futuro escritor José de Alencar) e Antônio Pereira Rebouças (o primeiro negro eleito para o Parlamento, meio século antes de fenômeno semelhante acontecer nos Estados Unidos). Com tal currículo, não é de se estranhar que Feijó fosse identificado com o modo iluminista de conceber o governo – e pouco propenso a valorizar tradições ou direitos adquiridos.

Feijó tomou posse e reagiu aos motins. Confirmou que não gastaria um centavo além do que havia sido autorizado pelo Parlamento – e, a essa altura, os parlamentares aprovavam o primeiro Orçamento brasileiro. Antes esparsos, os motins se transformaram em revoltas permanentes. Feijó enfrentou uma revolta atrás da outra, sempre com destemor. De um lado, demitiu incontáveis militares profissionais. De outro, nacionalizou as forças de segurança nas vilas, criando a Guarda Nacional sob comando de cidadãos. Em meio a uma série de combates, o major do Exército Luís Alves de Lima e Silva, filho do marechal regente, destacou-se como um comandante mais competente que os da hierarquia militar, alcançando vitória atrás de vitória para o governo. Foram meses duros. No pior momento, o Parlamento viu-se cercado durante seis dias pelos amotinados que exigiam a continuidade de privilégios. Em sessão permanente, os deputados resistiram: negociando, ganhando tempo, dissolvendo posições irredutíveis, buscando apoio armado, convencendo a população. Juntando forças, venceram os amotinados.

Assim o Parlamento conseguiu manter o poder da Regência e do ministério. Até o final de 1832 a nova ordem se impôs. Foram dispensados

30 mil soldados, e com isso os gastos do governo tiveram uma redução monumental de 36% em relação a 1830, caindo de 19,8 mil contos para 12,8 mil contos de réis. A amplitude do corte fez mais que resolver o problema da autoridade. Ainda restava parte da herança econômica deixada por D. Pedro I: o tratado que este assinara em segredo e restringia as possibilidades de atuação governamental no campo da economia como um todo.

O acordo impôs duas condicionantes. De um lado, a previsão do fim do tráfico legal de escravos implicava perda de receitas: os impostos cobrados dos traficantes formavam parte significativa da receita do governo. A partir do final de 1831, essa fonte deixou de existir, agravando o problema do equilíbrio orçamentário. Pior ainda, funcionou como incentivo para o tráfico ilegal, na medida em que tornava este mais lucrativo, pois não pagava impostos. De outro lado, os favores concedidos à Inglaterra tinham a forma de uma taxa baixa e fixa para as importações vindas desse país. Numa época em que a taxação sobre o comércio exterior era a principal fonte de renda de todas as nações, o favorecimento a uma delas significava também restringir o crescimento de receitas do governo. A única medida compensatória seria aumentar os impostos sobre importações de outros países, o que apenas tornaria mais competitivas as mercadorias inglesas. A opção foi manter tarifas baixas para todos. Com isso, as receitas alfandegárias caíram 25% entre 1830 e 1832. Nesse cenário, o violento corte de despesas acabou sendo a fórmula para equilibrar a situação do governo central como um todo. Graças a ele, as emissões que financiavam o déficit foram praticamente eliminadas, caindo nada menos de 85% no período.

A conta recaiu quase toda sobre os antigos beneficiários do imperador. E prosseguiu o avanço dos parlamentares para ampliar o espaço das instituições iluministas. Uma lei obrigou a que todos os tratados nacionais fossem ratificados pelo Parlamento, impedindo surpresas como a de tratados secretos. Foi criado um mecanismo pelo qual o Executivo passou a prestar contas ao Parlamento, com os ministros sendo convocados a comparecer perante os deputados.

A execução rigorosa do Orçamento reforçou a disciplina financeira e permitiu o início do recolhimento das moedas de cobre com alta taxa de senhoriagem – um primeiro passo na direção do controle financeiro do governo central. Os derrotados, concentrados ao redor da Corte – a parte do Poder Moderador que se mostrou imune ao Parlamento, pois nela a maioria dos cargos dependia de nomeação por parte do imperador –, reagiram como puderam, concentrando o ódio em Feijó. Tinham prestígio e dinheiro para financiar jornais, nos quais o ministro era tratado como "alcoviteiro sedutor de donzelas" ou "homem que veio ao mundo num chiqueiro de porcos". A campanha de desmoralização marcou o início de um movimento. Ao recorrer à imprensa e buscar resultados no Parlamento, os privilegiados de antes reconheciam que o Legislativo agora estava no centro de todas as decisões. E foram bem-sucedidos na campanha. Recuperada a ordem pública e controladas as contas, formou-se uma maioria parlamentar contrária ao ministro da Justiça, que se viu forçado a deixar o cargo.

De volta ao Parlamento, Feijó assumiu a liderança de um grupo de congressistas que pregavam reformas na Constituição de 1824. A mudança da configuração de forças no Parlamento acabou se refletindo no Ato Adicional aprovado em 1834. Por ele, as províncias ganhavam o direito de eleger uma assembleia de representantes, criando na esfera intermediária de governo uma representação da população. No mesmo sentido, transferiram-se às províncias uma série de poderes antes reservados pela Constituição ao centro, como a indicação de juízes locais ou a entrega do poder de polícia a magistrados eleitos.

A defesa dos antigos privilégios concentrou-se então na pressão sobre o Senado vitalício – quase todos indicados pelo imperador renunciante – e conseguiu impedir algumas mudanças. Assim se criou um novo jogo político, no qual o Parlamento foi ganhando substância como centro coletivo de representação de posições diversas, centro de decisões, criador de soluções viáveis, respeitador do interesse nacional. Se a letra da Constituição continha uma regra de organização que favorecia o poder arbitrário, o Poder Moderador, em detrimento do Parlamento, com a Regência o país contava com um governo fundado na soberania popular configurada nesse poder Legislativo agora prestigioso.

Já os brasileiros comuns sabiam muito bem como funcionavam os governos representativos e apoiavam a ampliação do espaço da soberania popular. A Regência mostrou que, controlando o Executivo, era possível avançar na direção de um governo voltado para o atendimento de interesses gerais. O Legislativo encontrou o caminho das reformas constitucionais que, ao menos, aparavam os piores excessos da lei maior. A luta dos que defendiam o arbítrio era bem mais fácil: tentar impedir as mudanças, alongar os prazos de sua implementação, tergiversar. Além disso, a certeza de que mais adiante haveria um imperador capaz de empregar o Poder Moderador para limitar o espaço iluminista ajudava a embalar suas expectativas.

O resultado dos confrontos ia delineando as fronteiras entre as soberanias opostas. Em vez de um sistema substituir o seu oposto, havia acomodações sucessivas de espaços controlados por um ou por outro. Como a iniciativa agora estava com o Parlamento, outro passo foi dado. Entre os vários dispositivos modificados, um previa uma eleição nacional para a escolha de um regente. Pela primeira vez na história do Brasil, o comando do Executivo ficaria a cargo de uma pessoa escolhida pelos cidadãos. E a eleição ocorreu em 1835. Não havia campanha organizada, tampouco um homem entretinha dúvidas quanto à conveniência de ser eleito.

Pouco antes da eleição, Diogo Antônio Feijó lançou um jornal, *O Justiceiro*, cujo primeiro editorial, de 7 de novembro de 1834, fazia uma avaliação do passado: "Até maio de 1826 o Brasil foi governado por capitães--generais nas províncias e pelos capitães-mores nas vilas e seus termos. [...] Por abusos há séculos tolerados, prendiam arbitrariamente a quem queriam, e chamavam a isso 'prender de potência'. Muitas vezes deportavam para fora das províncias. Se tais arbitrariedades e despotismos fossem praticadas contra as classes pobres, nenhum outro recurso restava que o sofrimento."[2]

As mudanças trazidas com a Regência eram assim avaliadas: "Não sofremos mais as injustiças e violações do despotismo. Respiramos desafogados depois da abdicação. Porém temos uma legislação má, incompleta, ineficaz, insuficiente; o governo fraco, sem atribuições, sem meios para fazer efetivas aquelas que têm; autoridades de eleição popular quase sem ingerência no governo, todas destacadas, sem centro nem unidade; os cidadãos sem estímulo para interessarem-se no serviço da pátria; o povo sem educação; a magistratura como apostada a fazer ainda piores as leis que lhe dão."[3]

Feijó tinha clareza: o Parlamento conseguira se firmar no poder, conseguira controlar o Executivo e mudar a Constituição. Mas quase toda a legislação vigente no país ainda estava baseada nas Ordenações do Reino, compiladas para regular as relações entre os súditos e um governante arbitrário. E tais relações norteavam as sentenças num Poder Judiciário que, além de organizado nos moldes do Antigo Regime, era subordinado ao Poder Moderador. Feijó tinha um alvo de mudanças: "As pretensões do Poder Judiciário por independência são traduzidas por eles [os juízes dos tribunais superiores] em absolutismo e irresponsabilidade. Enquanto este poder não se tornar constitucional, isto é, independente nos seus atos mas responsável juridicamente por eles, [...] o arbítrio e o despotismo que pesam sobre os brasileiros deve-se ao poder judicial."[4]

A ideia de mudar o Judiciário visando a sua integração à esfera do poder responsável, aquele que vinha basicamente do eleitor, e assim fazê-lo agir como um poder que deveria respeitar essa condição, era parte de uma definição maior, enunciada por ele na sessão de 16 de julho de 1829: "A Constituição sem responsabilidade é uma quimera, porque o governo faz o que quer à sombra dela enquanto os governados se iludem com belas palavras e promessas."[5]

No dia 7 de abril de 1835, os brasileiros escolheram como governante um padre que defendia abertamente o fim do celibato, um bebê abandonado no nascimento, um homem que não queria privilégios nem foros especiais de fidalguia, um político que pretendia estender a esfera da responsabilidade, para exercer as funções de comandante do Executivo como substituto do rei. Um novo patamar de acomodação entre soberanias opostas seria tentado.

CAPÍTULO **29**
> *Executivo eleito*

A INDICAÇÃO DE UM CHEFE DO EXECUTIVO A PARTIR DA SOBERANIA POPULAR ERA uma aposta promissora: haveria até uma década para o eleito mostrar a que viera, enquanto o imperador não chegava à maioridade. Tempo suficiente tanto para a implantação de novas ideias como para a avaliação de um método de escolha que não constava da Constituição. Diogo Antônio Feijó tinha consciência disso. Mas também sabia que o escalão de governo sob o seu comando tinha como única proposta econômica aos brasileiros a continuidade da dura digestão do prejuízo legado por D. Pedro I. O esforço de Feijó no Ministério da Justiça havia evitado a derrocada, mas a estabilidade adquirida não configurava, de nenhuma perspectiva, uma situação favorável aos brasileiros.

Apenas o pagamento de juros da dívida contraída no tratado de reconhecimento da Independência consumia 300 mil libras anuais – 7% das exportações, ou por volta de 1% do PIB estimado no período. O pagamento dessa conta exigia arrecadação de dinheiro pelo governo e transferência de divisas aos credores. E essas divisas não vinham de resultados econômicos da aplicação dos recursos externos na economia interna, mas tinha de ser arrancada do suor da produção de cada ano. Todos perdiam para compensar o que o imperador renunciante ganhara para si mesmo. E perdiam numa situação desfavorável. A crise provocada pelos gastos excessivos nos últimos anos do reinado de D. Pedro I devastara as ralas poupanças locais, consumira as reservas internacionais e a moeda metálica, transformara o dinheiro de papel no único meio de circulação existente – o que era uma raridade na economia mundial. Em meio a tudo isso o governo cobrava impostos, saldava as dívidas e, em consequência, gastava com a população menos do que arrecadava.

A população até que compreendia o esforço. Todos viviam apertados, pois os mercados caíam. Mas a paciência tinha limites. O empobrecimento também reforçava a antiga percepção geral, que vinha desde os tempos coloniais: a de um governo central que arrecadava muito e quase nada proporcionava de volta em serviços. Não era o que se esperava do governo eleito pela nação. E, aos poucos, disseminava-se a impressão de que não mais se tratava da metrópole a dissipar, e sim da Corte no Rio de Janeiro, que agora viveria na fartura à custa da miséria das províncias. Tal interpretação pesou muito na argumentação que levou à eclosão de revoltas armadas nas províncias logo em seguida à estabilidade da vida no Rio de Janeiro. Em todas ergueu-se a bandeira da maior autonomia local, marcando a divisão entre os defensores do poder central e os do poder provincial. Porém basta o exame dos resultados dos movimentos de maior amplitude para que se note um problema maior.

A Cabanagem do Pará começou em janeiro de 1835, pouco antes da posse de Feijó como regente único. Eclodiu numa província afligida por problemas próprios decorrentes da Independência. Ao contrário do restante do país em formação, o tráfico e o cativeiro dos africanos eram pouco relevantes na economia paraense, por isso nem sempre os potentados locais eram aqueles comerciantes que vendiam escravos e compravam a produção local. No Pará, quase tudo era produzido por índios. Em segundo lugar, a produção mais importante antes da Independência era enviada diretamente a Lisboa e vendida no mercado europeu – e isso não só por causa das facilidades de comércio.

Além dos econômicos, havia vínculos políticos peculiares: a região estava ligada administrativamente a Lisboa, e não ao Rio de Janeiro, o que se devia em grande medida ao regime de ventos no Atlântico, pelo qual a navegação a vela durava 20 dias até a metrópole e 90 dias até o Rio de Janeiro. Antes da Independência, portanto, os governos da província eram dominados por comerciantes ligados à metrópole. Embora cara, era sustentável tal vinculação da economia local à economia europeia por intermédio do governo e do comércio metropolitanos. Com a Independência, desapareceram tanto os governadores enviados por Lisboa como os navios que escoavam a produção local e traziam de Lisboa os produtos europeus.

Essa perda de conexão com o comércio internacional não foi compensada por outras formas de negócios propiciadas pelo governo nacional. Os representantes políticos do Rio de Janeiro limitavam-se a cumprir as funções de arrecadar impostos e manter a ordem – tal como os piores governantes coloniais –, sem nada fazer em prol da economia local. Nessas circunstâncias, começou a decadência econômica e eclodiram violentas disputas pelo poder político, nas quais sobressaiu o maior líder cabano, Eduardo Nogueira. Nascido no Ceará em 1814, desde jovem ele mostrou talento para os negócios. Tornou-se comerciante – a profissão dos ricos –, mas logo desistiu, para cultivar roças em terras arrendadas, bem na época em que a Independência inviabilizara o comércio com Lisboa.

Sem comerciantes que pudessem adquirir a produção e colocá-la no mercado, as dissensões descambaram em conflitos abertos entre os defensores do governo central e aqueles de um federalismo maior. Em meio à luta, Eduardo Nogueira, conhecido como Angelim (devido às qualidades de dureza e resistência dessa madeira), deixa a condição de lavrador e assume a liderança de uma revolta popular. À frente de uma tropa de caboclos e índios, toma a cidade de Belém em agosto de 1835. Tem apenas 21 anos ao se tornar o chefe de uma revolução que vai se estender a toda a Amazônia.

Quando tropas e emissários do governo central retomam Belém, em abril de 1836, Angelim continua a lutar no interior. Preso em outubro e enviado ao Rio de Janeiro, ele acaba exilado em Fernando de Noronha, enquanto a luta continua por outros cinco anos. Ao final dos combates cerca de 30 mil cabanos (numa população total de 150 mil pessoas na província) haviam sido massacrados. A economia foi tão devastada quanto a população, mas os impostos para o governo central passam a ser arrecadados com regularidade, sobre uma produção local agora reduzida a quase nada.

Tais eram os azares da era mercantilista, do capitalismo comercial que ainda não desaparecera: em muitos pontos da América a acumulação de capital dependia mais do capital comercial que organizava trocas do que do capital obtido com a produção a partir do trabalho assalariado – a produção capitalista. A retirada do primeiro não significava obrigatoriamente o domínio do segundo – e o fantasma do Haiti, com liberdade mas também com miséria econômica, era o símbolo continental do que ocorreu na Amazônia. Neste caso, a economia andou para trás, num momento em que fora do Brasil o capitalismo impunha um novo ritmo de crescimento à economia mundial.

Em abril de 1835, mal Feijó acabara de ser eleito, a mesma pressão do governo central por mais impostos acirrava no Rio Grande do Sul o dilema entre manter ou não os vínculos com o Rio de Janeiro. Mas ali as condições de produção eram muito diferentes das do Pará. A Independência em nada afetara o funcionamento dos mercados: a província continuava a vender sobretudo o charque processado por escravos (sendo, portanto, uma economia dependente da mão de obra cativa e dos traficantes que a forneciam). Os maiores consumidores da produção gaúcha estavam na Bahia, Pernambuco e Rio de Janeiro, ou seja, faziam parte do mercado interno. Ainda assim, os custos da Independência apareceram de maneira inusitada. A ínfima margem de manobra permitida pelo tratado de 1825 obrigou o governo brasileiro a reduzir as tarifas alfandegárias a ponto de tornar competitiva a importação de charque do Uruguai e da Argentina. Essa concorrência externa restringiu muito os ganhos dos produtores gaúchos, além de refrear a disposição deles para pagar impostos nacionais.

Os dez anos de duração da Revolução Farroupilha proporcionaram o melhor dos mundos aos participantes do conflito: os produtores de charque deixaram de pagar impostos para o Rio de Janeiro; os vendedores de escravos forneceram africanos traficados ilegalmente (ou seja, sem pagar impostos) e transportaram o charque adquirido também ilegalmente (sem pagar impostos). Com isso, a revolta sequer arranhou as profundas ligações escravistas e mercantis que sustentavam a acumulação de capital tanto no Rio Grande do Sul como no Rio de Janeiro. Na maior parte do período, os gaúchos foram capazes de organizar e financiar um governo independente, proclamar uma república e manter uma autoridade que não mais respondia ao Rio de Janeiro. E os números da produção foram positivos, apesar de pequenas oscilações iniciais. Já a partir de 1839 as vendas de charque atingiram o patamar de 6 mil toneladas; em 1843, em pleno litígio, alcançaram 16,3 mil toneladas – resultado que, com uma única exceção, seria repetido apenas na década de 1850.

Apesar das diferenças, as grandezas e os contratempos da luta revolucionária não propiciaram aos governos locais das províncias oportunidades econômicas de um avanço capitalista, como se dava no resto do mundo. Enquanto os paraenses viram cair a produção e crescer a tributação, os farroupilhas conseguiram produzir mais e pagar menos – nem conservadores paraenses nem cabanos puderam aproveitar o poder para articular outro sistema produtivo; ao passo que os farroupilhas nunca se propuseram alterar a estrutura produtiva escravista em seus anos de domínio. Em seguida, revoltas similares eclodiram em outras províncias, opondo os que queriam melhores condições locais aos defensores da subordinação ao centro. Todos esses conflitos resultaram em fracasso econômico, pois cada caso refletia a parcela de perda local do grande desastre nacional. E, para o governo central, cada novo movimento piorava a situação, agravando as despesas nacionais com tropas e diminuindo as receitas.

Houve uma exceção, com o fluxo dos tributos desempenhando um papel inverso, o Rio de Janeiro. Ali, o fluxo monetário gerado pelos impostos era positivo, com os gastos locais superando as receitas tributárias, pois na capital se concentravam as forças armadas e os funcionários nacionais. Com isso, a região acabou sofrendo menos que o restante do país. Melhor ainda, esse fluxo de dinheiro se associava a outro. Desde os tempos de D. João VI, os grandes traficantes aplicavam parte de seus lucros em fazendas de café. Era um investimento de longo prazo: anos derrubando a mata para abrir áreas de plantio, outros tantos para as plantas crescerem, além da instalação da estrutura de processamento. Todo esse investimento começou a retornar com o crescimento das vendas no exterior a preços compensadores – o que colocou o café fluminense no topo da pauta de exportações do país, substituindo o açúcar, cuja proeminência vinha desde o século XVI.

Diogo Antônio Feijó era federalista, defensor intransigente da descentralização de poder, da transferência de franquias para as províncias, as vilas e a sociedade. Tomou ele mesmo várias medidas nessa direção, como a transferência das responsabilidades de segurança interna para a população, com a criação da Guarda Nacional – realizada mais por necessidade do que propriamente como resultado de um plano. Mesmo assim, sua ação como regente eleito resultou no oposto do que de fato queria, pois a centralização revelou-se o único modo de fazer avançar o país em condições que tolhiam quase todo o dinamismo da vida local. Por outro lado, as perdas decorrentes da gestão predadora do primeiro imperador iam relegando a uma posição secundária os planos dos traficantes de escravos no sentido de se manterem no centro da vida nacional.

A reorganização do projeto ganhou expressão política com a formação de um agrupamento formado por ocasião da posse de Feijó, o autointitulado Regresso. Seus líderes eram parlamentares que haviam se oposto ao arbítrio do primeiro imperador, apoiado a Regência – mas continuavam convencidos de que a escravidão era uma instituição capaz de trazer o progresso e construir um futuro. Elemento essencial dessa organização era um novo modo de conceber a questão do tráfico: durante quase toda a Regência, a combinação de ilegalidade e falta de demanda fez com que as compras na África (e as vendas no Brasil) se reduzissem a cerca de 5 mil cativos anuais. Com isso, muitos traficantes tradicionais deixaram o mercado, alguns deles voltando a Portugal.

Alguns negociantes fluminenses viram que as oportunidades de compra na África portuguesa ainda existiam, assim como compradores interessados. Também notaram que a lucratividade seria muito mais alta no esquema de contrabando, no qual não havia mais o imposto antes cobrado pelo governo. Em vez de fazerem os desembarques de escravos no porto do Rio de Janeiro, passaram a descarregá-los em pontos pouco acessíveis no litoral fluminense, de onde seguiam diretamente para as fazendas de café no vale do Paraíba. Além disso, esses negociantes entraram na política elegendo-se nesses locais a fim de defender os seus interesses. A continuidade do tráfico de escravos era o mote às vezes explícito do movimento, e seria apresentada com orgulho como a solda econômica da nação. Não se tratava apenas de propaganda. Por esse novo esquema, já em 1837 foram trazidos da África 35 mil escravos, sete vezes mais do que dois anos antes. A tradução política desse crescimento do negócio foi um programa de defesa ostensiva da centralização do governo e do fluxo de recursos que vinculava os privilegiados do comércio de cada província ao centro fiscal da Corte e centro comercial do tráfico.

Também recobraram força as estruturas de fiado entre os comerciantes de todo o país sustentados pelo fornecimento de escravos. Como a proliferação de negócios reforçou o apoio à ideia, poucos meses de atuação bastaram para que os regressistas conquistassem a maioria no Parlamento e inviabilizassem as possibilidades de Feijó. Sendo, além de federalista, homem do Parlamento e da busca de maiorias, este viu-se obrigado a renunciar em 1837 ao constatar que não tinha perspectivas de retomar a maioria. Mas deixou herança. Sob pressão do regente, o Parlamento aprovara duas leis que substituíam partes das Ordenações do Reino: o Código Criminal e o Código de Processo ampliavam os poderes dos juízes locais eleitos, criavam o tribunal do júri, instituíam o instituto do habeas corpus e proibiram as "prisões de potência" que tanto horrorizavam Feijó. Ambos se baseavam nos princípios jurídicos iluministas da presunção de inocência, do fim das prisões arbitrárias e numa legislação que previa penas iguais para ricos e pobres (além de não supor uma nobreza à parte).

Mesmo fora do poder, Feijó logo recuperou o prestígio político. No comando do governo central, os regressistas não tinham muito o que oferecer aos brasileiros, além de tentarem anular as poucas mudanças legais introduzidas nas Regências. Uma frase atribuída ao maior de todos os regressistas, o deputado mineiro Bernardo Pereira de Vasconcelos, resume o espírito do grupo: "Fui liberal. Então a liberdade era nova no país, estava nas aspirações de todos, mas não nas leis, nas ideias práticas. O poder era tudo: fui liberal. Hoje, porém, é diverso o espectro da sociedade: os princípios democráticos tudo ganharam e muito comprometeram. A sociedade, que então corria o risco pelo poder, agora corre o risco pela desorganização e pela anarquia. Como então quis servir à sociedade, hoje também quero. Por isso sou regressista. Não sou trânsfuga, não abandonei a causa que defendi. Deixo-a no dia que é tão seguro seu triunfo que até o excesso a compromete."[1]

A confusão declarada entre ordem, poder central e governo discricionário – e a confusão inversa, entre desordem, poder local e democracia – seria a grande construção ideológica do grupo, a palavra de ordem para manter como nacional a estrutura de poder central arbitrária herdada da colônia e expressa na Constituição pelas duas soberanias. Assim o discurso do caranguejo seria atualizado em sua versão nacional. Havia, claro, uma importante diferença. Regressistas e federalistas, encerrados os confrontos armados, começaram a travar duelos de palavras em busca da maioria no Parlamento – esta sim a instituição nova, a representação coletiva que efetivamente passava a ter papel central na condução da nação.

Mas, antes que assentasse tal percepção, o outro lado tratou de conferir mais substância ao mecanismo da dupla soberania. Vislumbrando a reconquista do poder sem passar pelas urnas, os adeptos das posições descentralizadoras no Legislativo tentaram uma manobra esperta: antecipar a maioridade do príncipe D. Pedro. Isso significava abdicar do projeto do Executivo eleito e submeter-se como instrumento do Poder Moderador – mas assim foi. Em 1840, a coroa foi colocada na cabeça mística do detentor pessoal do Poder Moderador, então com 14 anos de idade. Uma nova rodada começava com a volta ao cenário do poder irresponsável.

CAPÍTULO 30
> *Imperador*

QUANDO D. PEDRO II ASSUMIU O TRONO, EM 1840, FAZIA JÁ 32 ANOS QUE A monarquia funcionava de fato no Brasil e 18 anos desde que vigorava o modelo mesclado das duas soberanias constitucionais. Era também uma época na qual as tendências da economia e da política se consolidavam em ritmos bastante diversos, se comparados ao padrão do resto do Ocidente. No lado da economia, o ponto de partida em 1808 havia sido o de um crescimento impulsionado pelo mercado interno e de tamanho comparável ao dos Estados Unidos. Essa economia conhecera três mudanças relevantes. No lado positivo, a transferência da Corte redirecionou os gastos do governo central, que aumentou de forma significativa por todo o território, invertendo a secular rotina de arrecadar muito e gastar pouco na colônia.

A segunda mudança também começara com sentido positivo. Houve maior autorização legal para a circulação de títulos de crédito, também incentivada pela fundação do primeiro banco. Porém, ainda nos tempos de D. João VI, surgiram os aspectos negativos. O campo econômico se convertera em um território de caça para o Erário, com as seguidas emissões para financiar o déficit do governo com base na poupança da população – um instrumento de coleta até então desconhecido no Brasil. Efetuado pelo monarca ao voltar a Portugal em 1821, o saque dos depósitos bancários foi o primeiro sinal de que o governo não estava preocupado com os poupadores que investiam na instituição. E a ampliação desmesurada do uso da poupança por meio da emissão de títulos, com a finalidade de fechar o caixa de um governo deficitário, aumentou muito após 1825.

O tratado de reconhecimento da Independência inaugurou outra forma de o governo central arrecadar recursos, gastar sem controle e deixar a conta para os brasileiros – o que só foi possível graças à Constituição. Um empréstimo que não traria dinheiro para o país, feito a partir de um tratado secreto, seria quase impossível em Portugal, onde a nobreza, a administração e o Judiciário serviam de contraponto ao poder efetivo do monarca. Como no Brasil recém-criado não havia nenhum desses contrapesos, o saque foi possível. As três mudanças tiveram a mesma consequência: criar, a partir de formas escrituradas de circulação de moeda, uma torrente de gastos por parte do governo central – e a transferência direta de riqueza para Portugal (no caso do caixa do banco e da indenização pela Independência) e para o bolso de D. Pedro I (para financiar sua política europeia e os mercenários).

Desse modo, em poucos anos o governo central esgotou a poupança nacional. As formas de acumulação de riqueza antes existentes eram muito precárias – tal como eram primitivos os instrumentos do governo para obter esses recursos, pois restritos aos impostos sobre a riqueza já acumulada. Com o banco, os títulos públicos, o tratado de Independência e a emissão de dinheiro de papel, a colheita foi muito maior. Assim o efeito maior do gasto público sob o governo de dois reis com poderes irresponsáveis foi o de destruir a poupança privada com investimentos improdutivos.

Diante de tal legado, os representantes da soberania popular e responsável das regências aproveitaram, na medida do possível, o comando do Executivo para impor o Orçamento e o comando do Parlamento para aprovar leis tendentes ao equilíbrio fiscal – tentaram atingir esse objetivo na prática, cortando gastos e buscando receitas para equilibrar as contas. Mesmo com todos esses cuidados, ainda sobrou para a economia interna devastada, convocada a pagar impostos para a sustentação do governo central.

A única boa notícia econômica era a de que, graças ao constante esforço de todos os governos regenciais, no final da década de 1830 alcançou-se um equilíbrio nas contas do governo central. Com isso tornou-se possível vislumbrar uma etapa de crescimento – a partir de uma base bem inferior à do início do século, se comparada aos outros países do Ocidente. A derrocada brasileira coincidiu com uma inversão no movimento multissecular da economia ocidental. Apesar de todo o incremento trazido pelas navegações oceânicas, o crescimento da renda per capita nas economias europeias manteve-se sempre muito baixo entre os séculos XVI e XVIII – ao contrário do que ocorria no Brasil ou nos Estados Unidos coloniais, onde a população encontrou meios informais de gerar riqueza.

Entretanto, a introdução de legislações iluministas na esfera econômica, delineando um quadro legal de apoio ao setor privado, ampliou tremendamente as condições institucionais para a circulação de títulos privados – e instaurou as condições para a difusão do trabalho assalariado, que, junto com o capital que o comprava, constituíam os elementos essenciais que, para Marx, caracterizam o capitalismo. Essas transformações conferiram um impulso ao andamento da economia, com o crescimento da renda per capita tornando-se a regra tanto nas partes da Europa Ocidental que adotaram as legislações iluministas como nos Estados Unidos. Com isso, as quatro primeiras décadas do século XIX foram marcadas pelo distanciamento entre essas economias e a do Brasil.

Mas nesse cenário econômico que – se comparado ao novo padrão, o das economias capitalistas do Ocidente – era de decadência, ocorreram avanços na esfera da política. O mais notável foi, sem dúvida, a consolidação do Parlamento no centro de todo o governo. A instituição era alguns meses mais nova que o monarca de 14 anos. Começara a funcionar como apêndice em meio a três outros poderes – todos submetidos ao Poder Moderador. Mas os parlamentares souberam delimitar um espaço político próprio, aproveitando tanto o descontentamento com o imperador como a necessidade que este tinha de conter sua impopularidade.

No quinto ano de funcionamento, o Parlamento tornara-se a instituição central de comando de todos os poderes, assumindo substantivamente o controle do Executivo e confrontando-se a um Judiciário e uma Corte que atuavam em defesa do governo irresponsável. De vitória em vitória na contenção de gastos, à frente do Executivo, e de reforma em reforma na legislação, à frente do próprio Parlamento, os representantes da soberania popular souberam ampliar muito a esfera da responsabilidade na vida brasileira. Isso era algo inusitado no Ocidente. Com exceção da Inglaterra e dos Estados Unidos, países onde o Parlamento era responsável e efetivo, a maior parte da Europa só conhecera até então parlamentos marcados pelo radicalismo na operação e pela instabilidade no tempo – quase sempre eram efetivos apenas durante uma vaga revolucionária, tendo os poderes derrogados em seguida por monarcas arbitrários.

No caso do Brasil, não se tratava de acidente. Havia uma base mais que sólida para a eleição de representantes e governantes na sociedade brasileira: a tradição herdada dos governos locais. Essa base explica tanto a rapidez com que os parlamentares souberam se apropriar do poder quanto a face moderna – até em comparação com a Europa – do sistema eleitoral. Mas, apesar do extraordinário avanço e do efetivo apoio do soberano popular que era o eleitor, surgiu um impasse, que não se devia tanto à falta de empenho dos parlamentares, mas a um limite efetivo da Constituição mestiça que começou a ser testado: onde passavam, na prática, as fronteiras criadas com uma Constituição de duas soberanias?

Tal questão estava sendo resolvida de maneira radical por todo o Ocidente – algo previsível quando se pensa em dois modos contrários de fundamentar teoricamente o sentido da ação justa dos governos. Apenas nos Estados Unidos se implantara um governo de molde iluminista, com base no voto do eleitor e na norma da igualdade perante a lei. Em toda a Europa, a monarquia (e, com ela, o direito divino dos reis a governar de maneira irresponsável) sobrevivia entre ondas revolucionárias – ou aceitando um papel muito secundário, como na Inglaterra. A peculiar forma brasileira da miscigenação, da convivência de pessoas formadas em princípios opostos, era uma possibilidade numa formação social que fundia culturas diversas. A prática revelava que José Bonifácio não havia tido uma ideia utópica. Ainda que com acentuados movimentos na direção do arbítrio, sobretudo nos anos iniciais de D. Pedro I, houve também avanço na direção contrária, em especial no princípio da Regência. Nem um nem outro avanço foram fortes ao ponto de se impor um ao outro. Tanto o imperador precisou reabrir o Parlamento como os regentes precisaram do símbolo do imperador menino e preservaram todos os instrumentos de exercício do Poder Moderador, a começar da Corte.

Com o passar do tempo os limites entre as soberanias opostas foram deixando de se tornar uma oposição radical para se transformar em fronteiras negociadas no Parlamento – e questão de opinião, de expressão pessoal de cidadãos e agrupamentos políticos. Assim a Constituição foi também se afastando do rigor da letra para se aproximar do costume: a cada ida ou vinda das fronteiras o sistema se tornava operacional na prática. O todo era aceito por todos e as disputas se concentravam nas mudanças que o Parlamento conseguia impor ao funcionamento do sistema (orçamentos, regulagem de tratados internacionais, por exemplo) e na legislação, com os códigos que foram substituindo partes das Ordenações do Reino.

Esses avanços justificavam expectativas como a de José Bonifácio ao formular o projeto pelo qual a mistura brasileira acabaria por levar ao reconhecimento dos costumes democráticos dos brasileiros e à unidade efetiva na sociedade. Já nos momentos de maior avanço dos defensores do Poder Moderador a impressão era contrária: a defesa dos negócios com escravos se confundia com a defesa da escravidão como fonte moral das boas leis e da justiça; a desigualdade entre os homens era acentuada, o ideal da igualdade criticado até com escárnio; funcionários subordinados ao poder pessoal recusavam-se a obedecer a meros súditos eleitos.

Isso era assim porque, mesmo depois de quase duas décadas de independência, o governo central preservava algo da forma colonial: muito controle e poucas oficinas. A Constituição de 1824 ampliara o escopo de poderes do governo central. Na esfera intermediária de governo, os comandantes de capitanias nem sempre controláveis deram lugar a presidentes de província que eram meros delegados do Poder Moderador, dotados de quase todo o poder, uma vez que as assembleias provinciais eram quase um órgão de assessoramento sem poderes específicos. Todas as instâncias superiores do Judiciário também eram dependentes do Poder Moderador e atuavam em contraste e confronto com os juízes das vilas, os chamados juízes ordinários eleitos pelos moradores. A lei manteve ainda outra herança medieval das Ordenações, os chamados foros privilegiados – e por isso os juízes não podiam ser processados na forma da lei que deveria valer para todos.

Embora o controle a partir do alto fosse total, a sua efetividade, nos níveis inferiores, era muito pequena. Presidentes de província e juízes de altos escalões dependiam em tudo da ação das autoridades municipais, uma vez que não contavam com funcionários pagos pela instância intermediária nem meios próprios para agir. Afora as alfândegas que recolhiam impostos, quase não havia representantes próprios dos poderes do governo imperial no país. As raras tropas do Exército (sobretudo em zonas de fronteira) eram o apoio mais eficaz da autoridade central, mas apareciam quase sempre para lutar contra a população.

A única rede geral de oficinas do governo central eram as igrejas, sob o controle direto do Poder Moderador a partir da Independência, quando o monarca brasileiro herdou o comando da Ordem de Cristo no território e todos os poderes de nele organizar o catolicismo. Embora relativamente uniforme, geral e importante para o exercício da autoridade, o clero brasileiro sobrevivia de esmolas locais, era dotado de grande autonomia econômica e – não à toa – fornecia alguns dos membros mais radicais do Parlamento na luta por um governo responsável.

Assim a mescla foi se cristalizando no final da década de 1830, com um equilíbrio difícil de ser rompido: não havia maioria no Parlamento para avançar nas reformas nem os defensores do arbítrio tinham meios para voltar tudo para trás, embora tivessem maioria. Nessa situação, os reformistas resolveram testar outro demarcador de fronteiras: o menino de 14 anos que vinha sendo preparado para governar. Consultado, D. Pedro II aceitou a antecipação de sua maioridade. No trono, formou o ministério que agia responsavelmente em seu nome. No poder, o ministério fez algo que os regentes relutavam em fazer, porque agora agiam como representantes do Poder Moderador: trocaram os presidentes de província, colocando auxiliares políticos nas vagas. Esses auxiliares demitiram funcionários e colocaram aliados no lugar. Os aliados organizaram as eleições pressionando adversários e ajudando aliados. As eleições criaram a maioria parlamentar para o agrupamento que controlava o ministério. E essa maioria votou leis reformistas.

No entanto, antes que a vitória se consumasse, um ato imperial mostrou quem efetivamente havia conquistado o controle das eleições. D. Pedro II demitiu o ministério (podia fazer isso quando bem entendesse, pois, pela Constituição, o ministério era apenas o agente responsável pelo exercício do Poder Moderador no Executivo) e instalou outro formado por derrotados e minoritários. Era a segunda eleição ganha pelos indicados do imperador – e o reflexo de uma nova relação entre as duas soberanias constitucionais. Aquela do povo, apesar de geral e costumeira, passava a ser inteiramente subordinada aos caprichos do ocupante irresponsável do trono também no que se referia aos resultados das eleições. Mesmo com poucas oficinas, o governo central dispunha do necessário para transformar o resultado eleitoral em variável dependente da vontade irresponsável do detentor do Poder Moderador.

O segundo ministério a representar essa vontade anulou as eleições anteriores antes mesmo da posse dos eleitos, convocou outras que lhe deram ampla maioria, a qual por sua vez promulgou uma legislação centralizadora que anulava as alterações anteriores, ampliando ainda mais o escopo de ação do poder central e cancelando franquias das esferas descentralizadas de poder. Os prejudicados reagiram com revoltas. Entre eles estava Diogo

Antônio Feijó, que até os 58 anos nunca havia participado de movimentos armados contra o governo. Lutou numa cadeira de rodas, pois havia sofrido um derrame. Sentiu na carne o peso do despotismo que odiava. Senador com direito a imunidade, foi preso de potência, exilado sem sentença, degredado sem julgamento. A muito custo os senadores conseguiram que fosse instaurado um inquérito e só assim pôde se defender. Jamais houve julgamento: tudo o que conseguiu foi morrer em casa.

A rodada de revoluções de 1842 em Minas Gerais e São Paulo marcou o fim de um ciclo. Com exceção da Farroupilha, foram todas derrotadas pelo governo central. Todas as economias acabaram subordinadas – em sua pobreza – ao Rio de Janeiro, sede da Corte e único território onde o governo gastava mais que arrecadava. Foi também o momento da organização formal de dois partidos políticos com representação no Parlamento, o Conservador e o Liberal. Demitindo os conservadores e trazendo os liberais de volta, sem anular as mudanças do gabinete anterior, o imperador deixava claro que estava no comando do governo do Brasil.

CAPÍTULO **31**
> *Mauá e a reação*

A PERCEPÇÃO DE QUE O JOVEM IMPERADOR ESCOLHIA OS MINISTROS APENAS NO ÂMBITO do Parlamento permitiu uma rápida acomodação na disputa entre responsabilidade e irresponsabilidade. D. Pedro II logo se firmou como um comandante devotado à arte de fazer funcionar os gabinetes de maioria. Jamais indicava ministros que não poderia demitir, de modo que os amigos permaneciam fora das listas – pelo que agradeciam os parlamentares rivais. Exercendo uma supervisão fina do Parlamento, ele controlava com precisão as trocas de guarda no gabinete. Como conhecia ou se mantinha informado sobre todos os congressistas, era capaz de fazer bons convites. Com isso, os membros do Legislativo se aquietaram. E passaram a apostar mais nos rapapés ao monarca, pois sabiam que dele, e só dele, vinham agora os convites para o Executivo. Empenhados em sugerir ideias capazes de gerar uma convocação da Coroa, pensavam um pouco menos nas satisfações que deviam aos eleitores.

E a conjuntura favoreceu o governo. Em 1844 venceu o tratado comercial com a Inglaterra firmado por D. Pedro I. Embora os ingleses pressionassem pela continuidade dos privilégios, estes eram tão escandalosos para a época que só mesmo um imperador com poderes ditatoriais poderia mantê-los. Como não era o caso do novo imperador, o governo brasileiro, com pleno apoio do Parlamento, viu-se em condições para promover uma guinada a favor do país e o gabinete liderado pelo ministro liberal Alves Branco fez passar uma lei que alterava toda a pauta alfandegária. No lugar das alíquotas baseadas no país de origem das mercadorias, a taxação passou a incidir sobre categorias de produtos. A média passou de 15% para mais de 30%, com muitos itens chegando a pagar até 60%. As consequências foram imediatas e variadas. No caso do Rio Grande do Sul, o aumento da cobrança sobre a produção platina devolveu vantagens ao charque local, permitindo um acordo que pôs fim a uma década da Revolta Farroupilha.

Esse foi apenas um exemplo das mudanças. A arrecadação de tributos pelo governo central passou de 15,4 mil contos, em 1843, para 34,8 mil contos, em 1845, um incremento de nada menos de 122% nesse curto período. Assim desaparecia o equilíbrio precário do Executivo que impedira qualquer ação frente ao quadro econômico crítico da década anterior. Embora a política de elevação de alíquotas tenha sido pensada pelo governo como forma de elevar a arrecadação, os efeitos colaterais se fizeram sentir na economia como um todo. Desde a Independência, excetuando-se a produção de café fluminense, por todo o país eram raros os sinais de recuperação da atividade econômica. E um dos sinais dessa decadência é a própria qualidade dos dados hoje disponíveis sobre o período. Como os censos deixaram de ser realizados a partir das turbulências pós-abdicação de D. Pedro I, nem mesmo os atuais econometristas conseguem traçar um quadro preciso da situação.

Ainda assim restam indícios indiretos significativos. Na década de 1840 foram fundados os dois primeiros bancos privados do país, um na Bahia e outro no Rio de Janeiro. Era quase nada numa época em que os bancos se contavam aos milhares na Inglaterra e nos Estados Unidos, mas não deixava de ser um sinal de que a elevação das tarifas deu alento aos negócios. Para quem sabia fazer contas, os impostos maiores sobre importações criavam uma nova moldura para os cálculos de investimento. Empreendimentos que antes não tinham sentido passavam a ser viáveis. Irineu Evangelista de Sousa, um dos mais argutos empresários do tempo, soube se antecipar: vendeu seus negócios comerciais e investiu o capital na fundição e estaleiro da Ponta da Areia, em Niterói.

A instalação dessa que foi a primeira grande indústria brasileira coincidiu com um período de grandes incertezas – a maior das quais advinda da reação inglesa ao fim dos privilégios comerciais. Enquanto esses privilégios duraram, a reação inglesa ao tráfico feito na ilegalidade era meramente formal. Os cônsules ingleses tomavam nota das movimentações de escravos que ignoravam as proibições do tratado, enviando relatórios aos ministros, que, por sua vez, os guardavam na gaveta. Assim surgiu o ditado que definia a proibição do tráfico como lei "para inglês ver". Confiando na atitude inerte, na segunda metade da década de 1840 houve até certa euforia entre os produtores escravistas, que tomaram as discussões na Inglaterra sobre o fim das sanções econômicas ao açúcar produzido por escravos como sinal de que cresceria a demanda pela "mercadoria" que negociavam. Porém bastou a subida de um gabinete conservador em Londres para tudo mudar. A primeira medida do conde de Aberdeen foi passar uma lei, que levou seu nome, autorizando a Marinha britânica a capturar qualquer barco sobre o qual pairasse a suspeita – e bastava a suspeita – de estar transportando escravos. No primeiro ano de vigência da lei, a partir de 1847, nada menos de 27 navios mercantes brasileiros foram confiscados, juntamente com sua carga, e postos à disposição de ingleses.

Tal medida era um reflexo do quanto a escravidão – já criminalizada nas legislações iluministas de muitos países – ia deixando de ser também um costume imposto pela força e tolerado pelos legisladores. O tráfico internacional de escravos era ilegal desde o início do século XIX, tanto nos Estados Unidos (único país de toda a América em que as taxas de natalidade de escravos eram positivas, dispensando as importações) como na Inglaterra (para suas colônias). Também foram sendo encontradas fórmulas para extinguir a escravidão sem acabar com a acumulação de capital nas economias que a adotavam. A primeira a resolver a equação foi a própria Inglaterra, em 1833, prevendo a indenização dos proprietários coloniais de modo a que financiassem a transição para o uso do trabalho assalariado.

Com a Lei Aberdeen a Inglaterra deu mais um passo no cerco ao escravismo, criando um problema e tanto para a economia brasileira. Desde o século XVII, quando Salvador Correia de Sá comandou a tomada de Angola, o domínio efetivo de brasileiros sobre vastas porções do espaço africano se tornara uma realidade. E o negócio do tráfico africano envolvia muito mais que compras e transporte. Parte da produção brasileira (cachaça, fumo, búzios) era vendida no mercado africano. Os navios negreiros eram de propriedade de brasileiros e constituíam a parte mais sofisticada da marinha mercante. Um sistema de seguros e crédito formava a parte financeira do negócio, reservada a detentores de muito capital.

Uma vez desembarcados no território brasileiro, os cativos africanos funcionavam como reguladores das trocas internas. Normalmente vendidos a crédito, obrigavam o comprador por prazos longos com o vendedor – vinculando os fazendeiros ao comerciante da cidade que lhes fornecia escravos. Os títulos de posse sobre um escravo eram a garantia mais aceita em empréstimos de curto prazo, o que tornava o cativo importante patrimônio financeiro. Essa longa cadeia fazia com que, na economia brasileira, os traficantes de escravos fossem, de longe e desde sempre, os empresários mais bem-sucedidos. Nos tempos coloniais e da Corte joanina, quando o negócio era legal, os traficantes também eram os sócios preferenciais da administração central: arrecadavam impostos, prestavam serviços e recebiam a sua parte do Real Erário.

A Regência aproveitara a ilegalidade do tráfico para fazer umas tantas mudanças na situação. Para começar, acabara com a concessão a particulares da cobrança de impostos, que se tornou uma incumbência da própria administração. Como o tráfico virou contrabando, muitos dos antigos traficantes-fidalgos preferiram abandonar o negócio e ser apenas cortesãos ou políticos. Mas logo ficou claro que se tratava de um negócio sem futuro. Em 1848 o imperador apeou os liberais que haviam aumentado as tarifas e convocou conservadores para delinear a saída definitiva do Brasil dos negócios africanos como um todo. O resultado foi uma grande reorientação na posição geoestratégica da nação. Advertidos, os traficantes foram aos poucos liquidando os seus créditos no continente africano, acumulando capital em dinheiro. Ainda conseguiram desembarcar volumes significativos dos derradeiros cativos, transformando os fazendeiros assustados em devedores.

Com o fim do tráfico havia uma abundância de capital no Rio de Janeiro – e apenas um homem foi capaz de vislumbrar fórmulas para que esse dinheiro fosse empregado no sentido de encaminhar o setor privado rumo ao capitalismo. Nascido no Rio Grande do Sul em 1813, órfão aos 5 anos de idade, Irineu Evangelista de Sousa foi enviado com 9 anos para trabalhar no Rio de Janeiro, a princípio como caixeiro, tornando-se depois gerente e sócio de uma empresa comercial. Nesse tempo completou, por conta própria, uma sólida formação em economia, lendo os livros emprestados por seu patrão – e depois sócio – escocês. Consolidou a formação com uma viagem pela Inglaterra, onde viu de perto não apenas as fábricas e os operários, mas todas as instituições do capitalismo triunfante. Ali havia rei, mas não havia Poder Moderador. Os tratadistas políticos e econômicos distinguiam, na esteira do Iluminismo, entre a esfera pública, onde vigorava a lei, e a esfera privada, o espaço de liberdade total de empreender, parte dos direitos que a lei garantia como inalcançáveis pela ação do governo. A primeira era universal, valendo para todos; a segunda, individual, com cada um agindo conforme sua consciência. A lei tanto regulava os limites do governo como incentivava os empreendedores a organizarem empresas, aproveitando o trabalho assalariado e investindo os lucros para ampliar cada vez mais esse setor produtivo na economia.

Na altura em que decidiu apostar em empreendimentos industriais, Irineu Evangelista de Sousa deixou de fazer parte daquele indistinto lugar histórico e social reservado pelo governo brasileiro aos empresários. O mundo empresarial ainda era regulado pelo Livro IV das Ordenações do Reino, cujo conteúdo guardava influências da realidade mercantil do século XV – as últimas alterações relevantes haviam sido introduzidas no século XVI. Tão obsoleto era o instituto que nem sequer previa a separação legal e contábil entre a pessoa física do empresário e a pessoa jurídica da empresa. Por exemplo, por ocasião da morte de um comerciante, todas as contas de seu negócio eram incluídas no testamento – e às vezes créditos e débitos demoravam anos para ser quitados, em meio a disputas de filhos e parentes pelos bens.

Na via inversa, os comerciantes ficavam sem receber de um cliente fazendeiro que morresse. O visconde de Souto, um dos maiores banqueiros da época, lembrou dessa maneira a praça do Rio de Janeiro na segunda metade da década de 1840: "Quando entrei na vida comercial, estreando na carreira em uma das mais respeitadas casas de comissões, nunca soube o que fosse descontar letras dos fazendeiros. Nesse tempo a imperfeição da circulação não consentia as letras dos fazendeiros, tanto que o Banco Comercial [então o maior do país] não as conheceu em sua carteira."[1] Talvez haja quem considere tal situação precária uma consequência da escravidão. Nesse caso, cabe lembrar que havia bancos de desconto no Sul escravista dos Estados Unidos desde o século XVIII – ou que, antes disso, toda a produção de açúcar no Caribe inglês se fizera com a emissão de títulos.

O mais característico do modo como se tratava o capital no Brasil ainda refletia a observação feita pelo frei Vicente do Salvador no século XVII: o mercado funcionava apenas na esfera particular, ou seja, fora da proteção legal do Estado. Todas as transações relevantes aconteciam entre pessoas e eram fiadas apenas pela palavra; por isso o fiado, mesmo nas altas esferas de negócio, era a única instituição relevante na economia. O fiado servira para analfabetos tocarem a economia produtiva até o século XIX, mas não para assegurar a competitividade da produção brasileira no mundo capitalista. Até o mais importante ciclo produtivo da economia, o do café escravista, funcionava todo na base do fiado e conhecia apenas uma operação anual de liquidação financeira.

Com sua formação sofisticada e acesso a capitais com juros baixos na Inglaterra, Irineu Evangelista ganhou dinheiro como comerciante, sem que ninguém se desse conta. Como industrial, tentou criar um ambiente institucional menos prejudicial a esse tipo de negócio, que exigia liquidações em dinheiro num grande volume. Eleito presidente da comissão que dirigia a praça de comércio do Rio de Janeiro, acabou sendo convidado a atualizar a legislação comercial. Recorrendo a todo o seu conhecimento da situação inglesa, ajudou a redigir uma versão do Código de Comércio. Aprovada em 1850, a legislação substituiu mais uma parcela das Ordenações. Atualizava o possível: desde a legalização de sociedades anônimas, ainda que sujeitas à aprovação do Poder Moderador, até a introdução de regras para emissão, desconto e cobrança de títulos comerciais – instrumentos inexistentes quando as leis haviam sido escritas.

Após o encerramento do tráfico, essa lei permitiu uma revolução. Irineu Evangelista de Sousa comandou a formação do Banco do Brasil, um empreendimento privado do qual seria o maior acionista e o primeiro presidente. A parte mais fácil foi reunir o capital de 10 mil contos de réis (33 vezes maior que o da fundição e estaleiro da Ponta da Areia, e um terço dos 28 mil contos de receita do governo central em 1850): como muitos traficantes tinham dinheiro e não sabiam o que fazer com ele, em apenas três semanas o capital foi integralizado. Mais complicado foi passar pelo crivo do governo: três meses foram consumidos em verificações de toda ordem feitas por representantes do Poder Moderador, que examinaram os estatutos e exigiram as alterações que lhes pareceram necessárias para que a sociedade fosse digna do governo. Obtida enfim a autorização, o Banco do Brasil passou a emitir títulos comerciais para muitas operações, fazendo diminuir os prazos de giro e o custo do dinheiro. Começou a fornecer crédito a produtores de café com taxas de juros tão melhores que aquelas dos tempos do tráfico que provocaram lembranças marcantes no visconde de Souto: "Os produtores se livraram de uma situação que, a custo do tráfico nefando de escravos e da usura que só os comércios ilícitos permitem sustentar, ditava a lei à praça e impunha sua vontade aos governos."[2]

Esse não foi o único emprego dos capitais reunidos no banco. Irineu Evangelista de Sousa foi também capaz de empregar parte deles para o financiamento de obras de infraestrutura que ele mesmo fazia e gerenciava: a construção da primeira ferrovia brasileira (aproveitando os trilhos e equipamentos produzidos em sua fundição), a iluminação a gás no Rio de Janeiro (com encanamentos produzidos por ele) e uma companhia de navegação a vapor no Amazonas (com navios saídos do seu estaleiro). Não era milagre. Os capitais que agora viabilizavam esses projetos existiam antes da fundação do banco. O que não havia era uma lei que permitisse o emprego de tais capitais em empresas sob a proteção formal do governo. Quando ela veio, houve confiança suficiente para trazer o dinheiro à luz, aplicá-lo em negócios transparentes e legais. Já o capital destinado a empréstimos era aplicado com as garantias proporcionadas pelos novos títulos de crédito, de modo que não era preciso ganhar tanto em cada giro – valia a pena emprestar muitas vezes com poucos ganhos em vez de, como antes, cobrar muito e girar pouco.

Mas o Brasil era um império que tinha também uma solenidade máxima: a abertura da sessão anual do Parlamento, o momento no qual se reuniam os dois entes soberanos, o momento para o qual o imperador reservava sua veste mais solene, a murça de plumas amarelas de tucano que lhe cobria o peito. Era a ocasião na qual ele ressaltava aos parlamentares os pontos que, em sua visão, deveriam merecer exame nas casas legislativas. Entre aqueles que enfatizou na sessão de 1853, estava o seguinte: "Recomendo-lhes a criação de um banco solidamente constituído, que dê atividade e expansão às operações do comércio e da indústria. Nas circunstâncias em que felizmente nos achamos, semelhante instituição é um elemento indispensável a nossa organização econômica."[3]

O "nossa" do discurso não se referia à nação, mas à parte do governo submetida ao Poder Moderador, e o projeto que correu foi o de empregar dinheiro do Tesouro para adquirir o controle do Banco do Brasil. A justificativa da compra foi assim apresentada pelo ministro da Fazenda, o conservador visconde de Itaboraí: "A concorrência entre bancos, senhores, tem sido a causa de quase todas as crises comerciais. É a porfia de cada um por fazer mais negócios, aliciar mais fregueses, por dar maiores dividendos aos acionistas que de ordinário ocasiona a facilidade de se descontarem títulos sem as necessárias garantias; que faz baixar demasiadamente os juros; que excita empresas aleatórias; que faz desaparecer os capitais reais, disponíveis, para os substituir por capitais fictícios ou de imaginação; é a rivalidade entre bancos que concorre poderosamente para produzir as quebras, a ruína, o desespero das famílias. A concorrência entre bancos prepara para os produtores ávidos e imprudentes todas essas elevações de fortuna, essas quedas precipitadas que dão ao trabalho e à indústria todos os delírios, todas as angústias do jogo."[4]

Apenas um senador, Batista de Oliveira, reagiu: "O projeto é um arbítrio espantoso, dando ao governo a organização de um banco privilegiado. A organização deste projeto é mais uma prova das tendências do atual ministério de implantar neste país um governo absoluto de fato."[5] A gritaria não teve consequências. O Banco do Brasil foi estatizado – e Irineu Evangelista recebeu um bom dinheiro por suas ações. O governo as revendeu para os novos sócios minoritários de uma instituição que seria dirigida pelo governo, numa operação assim descrita pelo *Jornal do Commercio*: "A especulação em torno das ações se transformou em verdadeiro jogo que exercia poderosa atração não apenas sobre comerciantes mas sobre militares, empregados públicos, altos funcionários do Estado, sobre pessoas, enfim, até então estranhas à própria praça."[6]

As primeiras providências dos novos dirigentes foram aumentar o número de diretorias (de 3 para 15) e restringir tanto o crédito para as empresas como a emissão de títulos. Os juros subiram, o financiamento agrícola desapareceu. Os privilegiados pelos empréstimos foram sobretudo os antigos traficantes, que empregaram o dinheiro para reforçar um negócio prestes a desaparecer. Escolhidos a dedo pelos diretores da estatal, aqueles que recebiam os créditos se transformaram em comissários de café – a forma primitiva de subordinação que os antigos traficantes encontraram para continuar no topo. Claro, com ela veio também o retrocesso às contas-correntes liquidadas uma vez por ano. E logo depois o tráfico interno, sobretudo originário do Nordeste, que substituiu o comércio atlântico proibido.

A volta atrás foi concluída em 1860, por outro gabinete conservador. O visconde de Itaboraí, nomeado presidente do Banco do Brasil, justificou desta maneira um projeto de lei do governo destinado a dificultar a atividade de empresas, já em tempos de capitalismo avançado: "Uma larga porção do capital flutuante foi desviada [da agricultura] para a indústria, tendo sido convertida em capital fixo; os graves transtornos que esta conversão causam num país de produção acanhada tornam impossível que as empresas agrícolas vão adiante."[7]

Com essa justificativa foi aprovada a lei 2.711, que introduzia restrições para a formação de empresas – restrições tão severas que acabou sendo conhecida como "Lei dos Entraves". Com ela se voltava ao tempo anterior ao Código Comercial, no qual a informalidade, o mercado que funcionava no âmbito privado e à margem das leis, passava a ser a única saída. Esse era um corolário inevitável do uso do poder legal para restringir a aplicação do capital existente fora de um restrito circuito próximo do governo.

O julgamento da política adotada pelo ministro Francisco de Sales Torres Homem, feito por economistas especializados em econometria do século XX, como Carlos Pelaez e Wilson Suzigan, é severo: "As políticas recessivas do governo no mercado monetário foram compensadas pelo aumento do comércio exterior, parecendo ter se caracterizado um caso raro de declínio do estoque de moeda com expansão da atividade econômica, que se poderia explicar pela natureza do declínio – políticas monetárias erradas – e as causas da expansão – aumento na procura do café."[8]

As "políticas erradas" remetem ao que seria "certo", ou seja, o governo empregar as políticas monetárias para apoiar o crescimento dos mercados e da riqueza nacional. Mas isso, para o Poder Moderador, era justamente o "errado", pois considerava as políticas de expansão do crédito e de incremento da atividade econômica como o combustível da jogatina e da indústria "artificial". Assim, do ponto de vista de quem impunha a política, o "certo" era a capacidade de o governo central cercear uma possibilidade real da economia: a de transferir, via sistema de crédito, poupanças antes alocadas no setor escravista para o setor capitalista, especialmente o industrial.

Esse projeto fora acalentado como utopia com a chegada de D. João. Tornara-se inelutável em decorrência da autoridade pessoal e arbitrária de D. Pedro I, e do desastre que este causou na economia. Transfigurada com a reação ao fim do tráfico de escravos, consolidava-se agora como opção deliberada do poder central. Como as duas soberanias se complementavam no projeto, os entusiastas do Poder Moderador mostraram-se tão confiantes no projeto que criaram uma vasta literatura para justificar o sistema.

CAPÍTULO **32**
› *O arbítrio ilustrado*

AS RESTRIÇÕES AO CAPITALISMO NA DÉCADA DE 1850 FORAM POSSÍVEIS POR RAZÕES políticas. Mantendo-se à frente de seguidos gabinetes ministeriais, os conservadores mantinham o total controle das eleições. Esse controle chegou a um ponto tal que, em 1852, o partido conseguiu eleger todos os deputados da Câmara – restando apenas uns poucos liberais no Senado vitalício. O imperador vislumbrou aí uma oportunidade única. Até então ele se limitara a indicar alternativamente políticos de cada partido. Em 1853 resolveu montar um ministério a seu gosto – ou seja, um ministério que, embora formado por parlamentares, atuasse plenamente como expressão do Poder Moderador, e não como resultado da delegação da soberania popular.

O anúncio da ideia seguiu uma fórmula aperfeiçoada pelo próprio imperador nos anos anteriores: ele mesmo nada falava a respeito, deixando a tarefa para ministros e parlamentares. Desse modo, o plano acabou sendo apresentado num discurso pronunciado pelo senador Nabuco de Araújo no Parlamento. Como a base do projeto era a subordinação de ambos os partidos ao trono em torno de uma conciliação com os interesses deste, o senador batizou a ideia de "Ponte de Ouro" – e fez questão de deixar claro quem comandaria tudo: "Entendo ao contrário que a conciliação deve ser a obra do governo e não dos partidos, porque no estado atual se os partidos por si mesmo se conciliarem será em ódio e desrespeito ao governo."[1]

O imperador fez questão de escrever pessoalmente o programa do ministério, item por item. Ao final vinham as "Disposições Gerais", das quais a primeira era: "O ministro que se desculpar com meu nome será demitido."[2] Em seguida vinham as demais limitações: todas as decisões seriam tomadas em audiência com o monarca; cada nomeação política deveria contar com a sua aprovação, até na mais remota província; e todos os assuntos importantes deveriam ser apresentados previamente para estudos. O documento foi entregue e aceito pelo marquês de Paraná, que se encarregou de encontrar pessoas dos dois partidos dispostas a seguir as instruções. Com isso o Poder Moderador avançava para um controle da vida nacional como desde muito não se via – só fora ultrapassado nos tempos em que D. Pedro I governava sem contraste. Inversamente, a soberania popular se via reduzida ao papel muito secundário de sagrar as indicações do alto.

Essa peculiar combinação de um monarca irresponsável e um ministério submisso, que não podia se eximir da responsabilidade nem mesmo apresentando "ordem escrita" do imperador, estava prevista na Constituição. Mas até então nunca chegara a ser prática regular – e isso gerou uma compreensível euforia no imperador. Não só dirigiu o ministério como recorreu ao mesmo método para criar justificativas escritas de seu comportamento, sempre expressas por terceiros responsabilizáveis, e não por sua majestade. O livro *Direito público brasileiro e análise da Constituição do Império* foi assinado por José Antônio Pimenta Bueno, marquês de São Vicente, que o iniciou em 1852 e o publicou em 1857. Um dos motivos alegados para a demora foi o fato de que o autor apresentava o texto a um amigo muito especial, que corrigia a lápis as versões: o próprio imperador. Por isso, na conclusão concisa de Eduardo Kugelmas, o livro "apresenta o trono de São Cristóvão como seu ocupante gostaria de vê-lo".[3]

Pimenta Bueno justifica a peculiar afirmação constitucional de duas soberanias com a seguinte análise do artigo 11 da Constituição de 1824, que dizia: "Os representantes da nação brasileira são o imperador e a Assembleia Geral." Para ele, tal duplicidade era "uma resolução inspirada pela Providência". Isso porque, de um lado, "desviou do Brasil a nossa forma de governo os males que resultam das monarquias vitalícias ou eletivas, de um lado, e muito mais dos governos temporários", do outro.[4] A prova da efetiva sabedoria dessa dupla soberania e de origens opostas aparece na altura da obra em que Pimenta Bueno trata de um hipotético desacordo entre ambas: aquele no qual o Parlamento aprova uma lei, cumprindo sua função precípua, e o imperador nega sua sanção, recorrendo a uma das muitas franquias do Poder Moderador. A determinação do poder da sanção exige o estabelecimento de uma hierarquia entre os dois representantes da nação, e Pimenta Bueno não hesita em colocar um deles no ponto mais alto: "A Coroa é o centro da administração do Estado, reside na mais elevada eminência da sociedade, desta altura vê todas suas relações, todos seus serviços, todas suas necessidades, em contato com a atualidade e o futuro." Já os parlamentos se caracterizariam por "ter por missão o progresso mais ou menos sôfrego, desde que o entendam conveniente".⁵ Entre os dois representantes, portanto, não deve haver dúvidas sobre qual seria a parte mais importante: "Colocada a Coroa sem rivais acima de todos os interesses do momento, animada por seu princípio de perpetuidade, superior a todos os partidos e paixões, não podendo ter verdadeira glória e força senão na estabilidade de suas instituições, na prosperidade nacional, quem deverá temer e desviar mais do que ela qualquer tentativa de lei perigosa?"⁶

O argumento de que a soberania arbitrária seria permanente e superior, enquanto a soberania popular cuidaria apenas do contingente e dos interesses menores virou um grande bordão. Membros diversos do Partido Conservador sentiram que o imperador era sensível a argumentos de desigualdade – e não deixaram de perceber que essa apresentação permitia enquadrar os adversários liberais como pouco capacitados para entender os grandes interesses nacionais. Melhor ainda, adoraram ver o imperante como chefe efetivo da administração miúda (o programa do gabinete incluía itens como regulamentação do trabalho dos bombeiros, limpeza dos esgotos da cidade do Rio de Janeiro, análise das madeiras que poderiam ser cortadas para a construção naval, entre outros), de modo que passaram a criar textos para justificar também essa ampliação da esfera de atuação do Poder Moderador. A argumentação a favor da intervenção seria assim resumida por Oliveira Torres no século XX: "Ao rei cabe reinar; aos ministros do rei, responsáveis perante a Câmara dos Deputados, compete o governo; aos diversos departamentos e repartições, assim como às províncias e câmaras municipais, a administração pública. No Brasil [imperial] a distinção entre essas três funções seria tema de importantes discussões, onde ficou conhecida a célebre máxima do visconde de Itaboraí: 'o rei reina, governa e administra'."⁷

Nessa definição o monarca era pensado como chefe de Estado, chefe de governo e chefe da administração – que estenderia seu controle ao das províncias e das câmaras municipais. A extensão dos poderes irresponsáveis do imperador de modo a abranger essas esferas que eram fonte histórica da soberania popular foi defendida num tratado de outro conservador, o visconde do Uruguai, que assim definiu o poder de administrar do monarca em relação aos cidadãos-súditos: "Aplica as leis de ordem administrativa por meio de um complexo de agentes de ordens diferentes, disseminados por diversas circunscrições territoriais. Aplica o interesse geral a casos especiais, pondo-se em contato com o cidadão individualmente e vê-se muitas vezes na necessidade de sacrificar o interesse particular deste ou mesmo o seu direito ao interesse social."[8]

Por essa definição, os funcionários – e havia muitos funcionários não eleitos – se tornavam agentes do Poder Moderador, tão cumpridores das ordens de um monarca irresponsável quanto os ministros deste. Mais ainda, no cumprimento dessas ordens, poderiam passar por cima dos interesses "particulares" e dos direitos dos súditos. Assim o teórico conservador reduzia a quase nada os interesses e direitos da soberania popular. O princípio iluminista da igualdade perante a lei era ignorado – e o soberano irresponsável tinha seus poderes elevados à proximidade da totalidade. No entanto, para o visconde, tal intervenção se justificava por seu caráter civilizatório: "É certo que o poder central administra melhor as localidades quando estas são ignorantes e semibárbaras e aquele ilustrado; quando aquele é ativo e estas inertes; e quando estas mesmas localidades se acham divididas por paixões e parcialidades odientas, que tornam impossível uma administração regular. Então a ação do poder central, que está mais alto e mais longe, que tem mais pejo e é mais imparcial, oferece mais garantias."[9]

A duplicidade constitucional de soberanias ganhava assim um caráter hierárquico na concepção do visconde. Mas as interpretações foram além, recuperando uma antiga tradição portuguesa. No Brasil nunca existiram nobres com direitos jurisdicionais sobre terras e pessoas, tampouco o direito da primogenitura. Também não havia clero com tais direitos. Enfim, não existiam as bases reais da teoria de governo do Antigo Regime. Todavia, os argumentos nesse sentido proliferaram a partir das definições interessadas dos amigos do imperador – como indicaria Oliveira Torres no século XX: "O conceito central em que se fundava o regime imperial era o seguinte: a soberania, a plenitude dos direitos políticos, residia na Nação brasileira, uma realidade composta do povo e do Estado [o imperador]. A soberania não residia nem no Estado nem no povo, mas na união dos dois. [...] No Brasil a função de servir o bem comum como ocupação particular estava a cargo do imperador, auxiliado por seus funcionários. O Estado, no Brasil, realizava-se num grande corpo cuja cabeça era o imperador."[10]

A aplicação da metáfora corporativa original do século XVI ao caso do país independente na era capitalista permitia recuperar certas glórias para o Poder Moderador: "O Estado, no Brasil, realizava-se num grande corpo cuja cabeça era o imperador, seu chefe hereditário e presidente perpétuo dessa associação política dos cidadãos que constituía o Império. Esta ideia central da teoria do Estado Imperial estava expressa na Constituição do seguinte modo: 'Os representantes da Nação Brasileira são o imperador e a Assembleia Geral'. O imperador, como chefe e símbolo do Estado, representava a vontade coletiva; os membros da Assembleia representavam o povo, os interesses divergentes particulares."[11]

A superioridade da cabeça seria total: "Não haveria perigo de conflito entre essas vontades parcialmente soberanas, de cuja fusão nascia a soberania nacional? Houve, não há dúvida, casos de choque; mas estes nasceram do desconhecimento de suas atribuições próprias por uma dessas vontades. Todos eram representantes da soberania nacional. Mas perante quem eram representantes? O imperador, perante o mundo, perante o passado e o futuro. Ainda perante o povo, representava a força do Estado e da lei; representava, em resumo, os interesses coletivos e permanentes da pátria. Os deputados e senadores representavam o povo perante o imperador, para que este na sua vontade permanente de conservar a nação não ferisse os interesses populares."[12]

Para explicar a virtude da dupla soberania do Brasil imperial por meio da metáfora corporativista era preciso hierarquizar aquilo que aparecia como duplicidade na lei. Rebaixados a "representantes do povo perante o imperador", os eleitos pela soberania popular ganhavam papel infinitamente mais modesto do que o concebido por Rousseau. O argumento concentra exclusivamente na cabeça coroada outra capacidade da totalidade dúplice da nação: a função de servir o bem comum, que seria realizada apenas "pelo imperador e seus funcionários". Com isso, não só o soberano mas todas as instâncias do governo central são retirados da esfera nacional e incluídos na esfera imperial. Esse rebaixamento foi detalhado pelo jurista Braz Florentino. Ele não remontou as justificativas até o corporativismo, mas voltou bem mais no tempo, até a fonte da desigualdade como princípio fundador da vida social na Antiguidade: "Relativamente ao Poder Moderador, não é possível deixar de admitir, conforme a expressão de um publicista [Aristóteles], a ideia natural, vulgar e quase inata, de que 'O rei é senhor e o ministro servo; que um é feito para mandar, e outro para obedecer'."[13]

Sem dúvida, cabe ao jurista a posição de defensor mais radical da excelência do Poder Moderador inscrito na Constituição. Em sua concepção, a

Constituição, sendo monárquica, não deixaria nenhum espaço para a soberania popular, nem no Estado nem na representação do interesse nacional – conforme estava na letra da lei: "O belo, o sublime da forma monárquica consiste na persuasão geral de que não só se tem provido a duração e a segurança do Estado, pois que o primeiro posto opõe uma barreira insuperável às paixões individuais, mas também que há no Estado uma vontade que se pode sempre aceitar como pura, porque identifica-se e deve necessariamente identificar-se com o interesse nacional."[14]

Desse modo, as duas soberanias separadas representariam também valores morais opostos. Uma representaria o bem e as virtudes, outra, os malefícios e os vícios: "Está escrito e ninguém o poderá apagar: todo o Império dividido há de perecer – e o parlamentarismo divide os ânimos e os inquieta; põe em dispersão todas as hierarquias, divide a sociedade em cem partidos; e não contente com a divisão natural do poder já estabelecida, quer ainda levar essa divisão ao seio do poder centralizador e unívoco, o poder real ou Moderador; o parlamentarismo, que é a divisão no todo e em todas as partes, nas altas regiões, nas regiões médias e nas regiões baixas, no poder, na sociedade e no homem, não pode subtrair-se nem se subtrairá jamais ao império dessa lei inexoravelmente soberana."[15]

Assim a mudança que o imperador introduziu no comando da administração e nas justificativas de seu poder ampliado acabou levando a interpretações nas quais as condições econômicas do capitalismo eram vistas como um jogo a ser barrado, e a existência da soberania popular, um perigo a ser conjurado. O êxito nessas duas missões seria a grande virtude da organização constitucional brasileira, segundo os defensores da ideia. Mas nem todos viam o Poder Moderador como instrumento tão eficaz. O próprio visconde do Uruguai, embora fosse conservador e notasse a identidade entre a instituição constitucional e as suas ideias, não deixava de reconhecer naquela um limite: "O Poder Moderador, pela natureza e alcance de suas atribuições, separadas do Executivo, não pode ser invasor, não pode usurpar. Pode embaraçar o movimento; não o pode, por si só, empreender e levar a efeito. O mais que pode é efetuar a conservação do que está, por algum tempo. É poder não de movimento, mas essencialmente conservador." E o realismo do visconde se comprovou, pois viria a hora em que o movimento não pôde mais ser detido nem mesmo pelo Poder Moderador.

CAPÍTULO 33
> *Republicanos*

Enquanto o Brasil se organizava com o intuito de conservar o status quo, adiar o fim da escravidão e preservar a natural desigualdade entre os homens, os Estados Unidos viram-se diante do esgotamento das possibilidades de evitar o mesmo conflito – e de escamoteá-lo por meio do seu enquadramento num espaço aquém da lei racional e válida para todos, num espaço ordenado pelos costumes. A forma federativa ampla, com grande latitude dos poderes locais, permitiu um primeiro arranjo adaptativo: alguns estados proibiram a escravidão, enquanto outros legalizaram os títulos de propriedade sobre seres humanos.

A promulgação da Constituição, uma década depois da Independência norte-americana, foi basicamente uma troca. Os estados do Norte queriam recursos para financiar um governo central capaz de defender seus interesses comerciais no Caribe. Pagaram seu preço. Não só aceitaram que novos estados pudessem ter constituições protetoras do escravismo como admitiram o reconhecimento constitucional implícito dos escravos nos estados do Sul, pelo mecanismo de incluí-los na população para efeito do cálculo do número de deputados. A expectativa dos estados do Norte estava no crescimento de sua economia – e na estagnação do escravagismo. Nas décadas seguintes tal expectativa acabou frustrada, pois não só a vida política foi dominada por políticos do Sul como a economia escravista se revelou capaz de se expandir para oeste.

Na década de 1850, contudo, os mecanismos de acomodação começaram a falhar, e o primeiro conflito eclodiu por ocasião da transformação em estado do território do Kansas. Em 1854, a Suprema Corte determinou que ali poderia haver escravidão. Dois anos depois os abolicionistas venceram um plebiscito estadual e proibiram a instituição. A violência entre as partes aumentou. Enquanto isso os escravagistas faziam contas: com a proibição a oeste seriam minoria permanente no Congresso. Então sete estados do Sul se declararam fora da federação americana e formaram uma confederação. Da secessão para a guerra civil foi um passo. E, com a guerra, vieram os dispositivos legais que promoveriam a maior coincidência entre as ideias iluministas e os costumes – todos na direção oposta à das leis conservadoras brasileiras.

Em 1861 foi promulgado o Homestead Act, uma lei pela qual o governo prometia legalizar a propriedade de qualquer posse com menos de 160 hectares em cinco anos – enquanto, no Brasil, a Lei de Terras de 1850 simplesmente anulava o instituto da posse (e a imensa maioria dos agricultores do país eram posseiros) e criava instrumentos para ratificar legalmente grandes propriedades, como parte da política de proteção aos interesses conservadores. Ao longo da guerra civil americana, o governo da União passou a oferecer cada vez mais a promessa de liberdade para escravos que lutassem em suas fileiras ou abandonassem o território confederado. Assim conseguiu atrair nada menos de 120 mil homens para seu exército. E a perspectiva de vitória tornou claro que seria possível dar o passo decisivo e sempre temido.

No dia 31 de janeiro de 1865, o Congresso norte-americano afinal aprovou uma lei tornando ilegal a escravidão em todo o país. Três meses depois, as últimas tropas confederadas se renderam – e, uma semana depois, o presidente que havia ganho a guerra e forçado a aprovação da abolição, Abraham Lincoln, foi assassinado. Ao todo, foram 600 mil mortes até se chegar a uma sociedade na qual era ilegal a posse de escravos. Mas nem mesmo esse imenso custo foi capaz de fazer retroagir a acumulação de capital – ao contrário do que ocorrera no Haiti, após a revolta dos escravos, ou no Pará, após a Cabanagem. A produção capitalista tinha ímpeto suficiente para se expandir sobre os destroços do Sul que fora escravista.

Enquanto isso, o Brasil vivia outra espécie de crise. A combinação de restrições a empresas e contenção monetária foi sufocando o otimismo que surgira com o fim do tráfico. A necessidade de mudanças alimentou a oposição liberal e matou a política de Conciliação: o visconde de Uruguai tinha razão quanto à total incapacidade de "empreender e levar a efeito" do conservadorismo implícito no Poder Moderador. Em 1864, os liberais se firmaram no poder com uma maioria sólida. E logo tiveram de lidar com duas crises gigantescas: a falência do Banco Souto, o preferido dos nobres e do imperador, e a invasão pelo Paraguai. Para enfrentar ambas foi preciso contrariar os princípios conservadores. No campo econômico, o ideal monetário de conter as emissões não poderia conviver com as necessidades de financiamento da guerra. Foi preciso emitir, e boa parte das emissões acabou sendo gasta em São Paulo, onde o governo comprava tropas de mulas e produtos para enviar à zona conflagrada no Mato Grosso.

Um dos indicados pelos liberais para a presidência da província de São Paulo foi Saldanha Marinho, que se juntou a empresários enriquecidos pela venda de produtos para a guerra para contrariar outro ideal conservador, o da contenção das empresas. E fez algo inusitado entre os presidentes de província da época: deu todo o apoio pessoal e institucional para que se formassem sociedades anônimas voltadas para a construção de ferrovias. Ao garantir o enquadramento legal para tais investimentos, surgiram nada menos que 20 mil contos de poupança antes obrigados a circular na informalidade. O dinheiro permitiu capitalizar, ao mesmo tempo, cinco empresas ferroviárias, cujo capital equivalia a 11 vezes o orçamento da província ou ao valor de toda a produção cafeeira paulista naquele ano. Na época, as ferrovias eram empreendimentos baseados em tecnologia de ponta, alta capitalização, mão de obra assalariada intensiva e em financiamentos volumosos. Tudo o que o Brasil parecia não ter. Mas na realidade tinha – o que se comprovava agora com a eliminação dos empecilhos legais. Nenhum daqueles requisitos prejudicou o avanço das empresas numa região em que, até a véspera, a economia parecia dormente.

Além de abrir brechas para o avanço da economia formal, o desenrolar da guerra começou a exigir mudanças em questões fundamentais. Embora em grau bem menor do que nos Estados Unidos, a criação de um exército para decidir o conflito implicou a libertação de cativos e a formação de tropas mistas. A pressão de baixo acabou provocando um estalo no alto. À frente do gabinete liberal que conduzia a guerra estava Zacarias de Góis e Vasconcelos, que também era debatedor da filosofia do direito brasileiro – o título de sua obra mais conhecida dizia muito a respeito do modo como via as coisas: *Da natureza e dos limites do Poder Moderador*. Para ele, o fato de o ministério ser responsável era uma barreira para uma série de decisões imperiais.

Como parte administrativa dessas crenças, Zacarias de Góis comandava a política de guerra, relegando o principal líder militar conservador, o marquês de Caxias, a uma posição consultiva. Por um tempo, o imperador se conteve, mas não aguentou e acabou convidando o seu soldado preferido para o comando das tropas. Caxias respondeu que só aceitaria se os conservadores comandassem o ministério. D. Pedro II depôs Zacarias, abrindo uma crise política em plena guerra. Então um cristal quebrou. No dia seguinte à posse do ministério conservador, o senador liberal José Tomás Nabuco de Araújo, o mesmo que um dia tornara pública a política da conciliação, fez um discurso. Dessa vez, ao invés de falar sobre junção, começou pela disjunção: "Sou chamado à tribuna por um motivo que, em minha consciência, é muito imperioso. Esse motivo, senhores, é que tenho apreensão de um governo absoluto. Não de um governo absoluto de direito, porque isso não é possível nesse país que está na América, mas governo absoluto de fato."[1]

Referir-se ao governo imperial como absoluto era, para um senador com posto no Conselho de Estado, uma questão complicada. Além de representante eleito, Nabuco também era membro de um órgão assessor do Poder Moderador. Sabia que estava escolhendo entre dois senhores. Por isso teve de explicitar a sua posição: "Peço aos nobres ministros da Coroa que, se porventura julgarem inconveniência no que digo em relação à posição que ocupo no Conselho da Coroa, eu lhes peço a exoneração do cargo de conselheiro do Estado. Porque, senhores, eu prefiro a tudo a missão que eu recebi de meus concidadãos de acompanhar a opinião que me elegeu e me colocou neste lugar."[2] A opção de abandonar a Coroa em decorrência de um conflito de interesses e escolher o poder derivado do voto como o maior dos bens era então uma atitude quase inconcebível – toda a recente literatura conservadora definia tal atitude como adesão a interesses menores. Mas Nabuco voltou as costas para o alto: "Quero fazer um protesto não sobre a legalidade do ministério atual, porque em verdade a Coroa tem o direito de nomear livremente seus ministros, mas sobre a legitimidade. E vós concebeis a diferença que há entre legalidade e legitimidade. A escravidão entre nós é um fato autorizado por lei, é um fato legal, mas ninguém dirá que é um fato legítimo porque é um fato condenado pela lei divina, é um fato condenado pelo mundo inteiro."[3]

E continuou sua argumentação, associando legitimidade à maioria no Parlamento: "Havia no Parlamento uma maioria tão legítima e tão legal como tem sido todas as maiorias que hão de vir enquanto não tivermos liberdade de eleição."[4] O Brasil só teria uma pessoa com liberdade de escolha: "O Poder Moderador não tem o direito de despachar ministros como despacha empregados e delegados de polícia. Senhores senadores: vós não podeis levar a tanto a atribuição que a Constituição confere à Coroa de nomear livremente seus ministros. Não podeis ir até ao ponto de querer que nessa faculdade se envolva o direito de fazer política sem a intervenção nacional, o direito de substituir situações como lhe aprouver. Não é isso uma farsa? Não é isso o verdadeiro absolutismo, no estado em que se acham as eleições em nosso país?"[5]

Veio então a definição que ficou famosa: "Vede este sorites fatal, este sorites que acaba com o sistema representativo: o Poder Moderador pode chamar quem quiser para organizar o ministério; essa pessoa faz a eleição, porque há de fazê-la; esta eleição faz a maioria. Eis aí o sistema representativo de nosso país."[6] O termo "sorites" é tanto a palavra grega para "monte" como o nome de um paradoxo lógico muito antigo, da filosofia pré-socrática, embutido na pergunta: Em que momento um monte de areia deixa de sê-lo, quando se vão removendo os grãos? Nas contas de Nabuco, a remoção de Zacarias de Góis removera também de modo fatal a legitimidade das instituições brasileiras, do sistema com duas soberanias, e assim ultrapassara o limite em que o monte deixava de sê-lo.

Claro que o discurso não produziu efeitos suficientes para evitar o mal anunciado. Pelo contrário, aconteceu exatamente o que o senador temia. O ministério era o Poder Executivo, que na época não era ocupado por pessoas eleitas para os cargos, mas indicadas pelo imperador. Tomando posse, os ministros indicaram novos presidentes de província. Estes, por sua vez, mandaram embora todos os funcionários indicados pelo ministério anterior. Os novos indicados controlaram o processo eleitoral. Como sempre fora desde a posse do imperador. O resultado prático disso tudo foi resumido por George Boherer: "É difícil saber até que ponto se usou fraude e pressão para determinar os resultados da eleição. Contudo, é certo que nenhum ministério jamais perdeu uma eleição, mesmo quando os membros do Parlamento anterior eram pronunciadamente oposicionistas, como se deu em 1868. Antes dessas eleições, os liberais controlavam quase unanimemente a Câmara dos Deputados. Depois das eleições, a Câmara tornou-se quase totalmente conservadora."[7]

Essa era a verdade apontada por Nabuco de Araújo: a vontade do eleitor não contava para nada. O que de fato importava para o resultado de uma eleição era o fato de o Executivo ser entregue a um partido, o qual punha em movimento uma máquina eleitoral controlada a partir do Poder Moderador, que assegurava votos suficientes para uma maioria parlamentar. A liberdade de eleição, o papel do eleitor, era na verdade irrisório quando a operação vinha de cima para baixo.

A crítica calou fundo porque invertia a argumentação conservadora da década anterior: colocava toda a legitimidade na soberania do eleitor, e toda arbitrariedade e paixão no Poder Moderador. Mais ainda, anunciava um conflito insolúvel entre a opinião nacional, a vontade do eleitor, e a instituição que permitia ao monarca governar sem levar em conta essa vontade. Muita gente começou a pensar no imperador de outro modo: em vez da figura que juntava areia no monte da nação, poderia ser aquela que espalhava a areia juntada pelos esforços de todos os cidadãos – o chefe de um governo que, tentando controlar tudo, atrapalhava em vez de construir.

O fim da guerra, em vez de afastar a pergunta incômoda, trouxe uma resposta ainda mais incômoda. Depois de um ano de intensos debates públicos no Rio de Janeiro, um grupo de pessoas chegou à conclusão que não havia mais sentido no sistema de poder definido na Constituição. Para elas, a única solução estava no fim do maior responsável pela tutela de pessoas e negócios, o Poder Moderador – o que equivalia, pura e simplesmente, a acabar com a monarquia. As razões para tanto vinham detalhadas em um manifesto: "O poder intruso que se constitui chave do sistema, regulador dos outros poderes, ponderador do equilíbrio constitucional, avocou a si e concentrou em suas mãos toda a ação, toda a preponderância. [...] Temos representação nacional? Não há nem pode haver eleição livre onde a vontade do cidadão e sua liberdade individual estão dependentes dos agentes imediatos do poder que dispõe da força pública. Militarizada a nação, arregimentada ela no funcionalismo dependente [...] é ilusória a soberania, que só pode revelar-se sob a condição de ir sempre de acordo com a vontade do poder. [...] Um poder soberano, privativo, perpétuo e irresponsável forma, a seu nuto, o Poder Executivo, escolhendo os ministros, o Poder Legislativo, escolhendo os senadores e designando os deputados, e o Poder Judiciário, nomeando os magistrados [...]. Deste modo, qual é a delegação nacional? Que poder a representa? Como pode ser a lei representação da vontade do povo? Como podem coexistir com o poder absoluto, que tudo domina, os poderes independentes de que fala a carta?"[8]

Só havia uma saída – a remoção de uma das partes: "Atar ao carro do Estado dois locomotores que se dirigem para sentidos opostos é procurar a imobilidade, se as duas forças são iguais, ou a destruição de uma delas, se a outra lhe é superior. Para que um governo seja representativo, todos os poderes devem ser delegação da nação, e não podendo haver um direito contra outro direito, a monarquia temperada é uma ficção sem realidade. A soberania nacional só pode existir, só pode ser reconhecida e praticada em uma nação em que o Parlamento seja eleito pela participação de todos os cidadãos e tenha a suprema direção e pronuncie a última palavra nos negócios públicos. [...] Outra condição essencial da soberania nacional é ser inalienável e não poder delegar mais que o seu exercício. Dessa verdade resulta que quando o povo cede uma parte de sua soberania, não constitui um senhor, mas um servidor. Em consequência o funcionário tem que ser revocável, móvel e eletivo."[9]

O Manifesto do Partido Republicano apontava, como solução básica para os problemas brasileiros, a eliminação de um dos dois sóis do sistema constitucional – aquele do poder irresponsável do monarca, da figura que manda de cima e não pode ser responsabilizada. Ou seja, pregava a extinção da monarquia. A primeira das 59 assinaturas no texto era a de Joaquim Saldanha Marinho, ex-presidente da província de São Paulo. Ele sabia o que estava fazendo. Ao firmar o manifesto, declarava que o governo imperial não só devia ser considerado ilegítimo, ao modo de liberais monarquistas como Nabuco, mas também ilegal, usurpador de um poder que pertencia aos cidadãos. O programa do Partido Republicano teria sempre um esteio central: a ideia iluminista da existência de um único soberano, o povo.

Um partido que tinha esse ponto como base do programa jamais podia esperar ser um dia convocado pelo detentor irresponsável do Poder Moderador para ocupar o ministério que garantia a vitória nas eleições em seu nome. Por isso cada assinatura no manifesto implicava uma renúncia ao exercício de poder no regime monárquico. Era uma opção por fazer política apenas na sociedade, fora da vasta área de domínio da autoridade real, contra o governo. Rompida a unanimidade em torno da Constituição, começava o declínio do império.

CAPÍTULO **34**
> *Ocaso*

APESAR DE TODAS AS CRÍTICAS CONSERVADORAS À SOBERANIA POPULAR E APESAR DA imagem negativa de seu papel na representação nacional e na política, as estruturas de eleição e representação eleitoral no Brasil mantiveram a sua força original. As eleições locais continuaram ocorrendo com regularidade; e o mesmo passou a se dar com as eleições dos deputados provinciais e nacionais. O quadro geral desse sistema eleitoral era atualizado mesmo com relação às democracias do Ocidente, sobretudo no que se refere à grande questão da época: como organizar um sistema de poder representativo, transformar os cidadãos em eleitores – e fazer o sistema funcionar.

Um estudioso da questão, o historiador italiano Raffaele Romanelli, descreve sucintamente o problema e seus paradigmas de análise: "O principal objetivo no estabelecimento de uma representação nacional era o de organizar o país pacificamente como um todo sob as mesmas regras, com o poder sujeito ao controle da opinião pública e as lutas políticas reguladas por um conjunto de normas universais. Embora conectadas com práticas eleitorais mais antigas, essa nova forma de representação permitiu a emergência de uma sociedade de mercado e da opinião pública – como no caso das mudanças que tiveram lugar na Inglaterra durante os séculos XVII e XVIII – ou, por outro lado, estiveram associadas ao desenvolvimento do Estado moderno, na passagem do absolutismo para a Revolução francesa."[1]

Nesse sentido, o Brasil havia dado bons passos iniciais, pois contava com o substancial legado de formas mais antigas – as eleições locais – no momento em que virou nação independente. Elas permitiram a consolidação de um Parlamento com poder constante de legislar e uma noção de opinião pública. As eleições regulares fizeram o resto: apenas a Inglaterra e os Estados Unidos elegiam legisladores há mais tempo do que o Brasil. Mesmo a França, o paradigma predileto dos teóricos brasileiros, não conheceu o funcionamento contínuo de um Parlamento com monopólio de legislar senão em 1875, ao se tornar república.

A opção brasileira seguiu o caso inglês, com a incrustação do sistema representativo numa monarquia. Essa foi a regra em toda a Europa nos primeiros três quartos do século XIX, mas não produziu êxitos duradouros. Com exceção da Inglaterra, em todos os demais países do continente aconteceu o mesmo que no Brasil: um convívio conflituoso entre um poder monárquico arbitrário (e sempre adversário do poder soberano dos eleitores) e o Parlamento. Nesse conflito, na melhor das hipóteses, havia alternância de predomínio. Nos momentos ruins, o Parlamento era fechado; nos surtos revolucionários, os reis eram derrubados. Essa foi a realidade da França, mas também da Alemanha, Holanda, Suécia, Itália, Espanha e Portugal, entre outros. Nesse contexto, os conflitos brasileiros podem ser tidos como moderados, e isso sobretudo porque o Parlamento não demorou para se impor.

O outro modelo disponível era o republicano. No caso europeu, esse regime inspirava-se nos breves momentos em que até então fora adotado na França. Mas na verdade a única república regular do Ocidente, no século XIX, era a dos Estados Unidos, onde os eleitores efetivamente escolhiam com regularidade o chefe do Executivo.

Não foi apenas na elaboração de regras gerais que o Brasil teve uma experiência histórica positiva. As regras nacionais estáveis são uma condição necessária, mas não suficiente, para o governo de representantes. Também cabe levar em conta importantes aspectos internos do processo, relacionados aos instrumentos legais para transformar os súditos da era medieval em cidadãos com o poder efetivo de eleger representantes.

As fórmulas para compatibilizar a regra geral da soberania popular com a realidade generalizada do arbítrio foram mais ou menos as mesmas em todo o Ocidente: definir franquias por meio de leis regulamentadoras do direito universal previsto na Constituição. Essas franquias limitavam o número dos incluídos no direito. Assim, por exemplo, todas as leis nacionais do século XIX permitiam o exercício do voto apenas para os homens – e nunca para as mulheres, o que já excluía metade dos seres criados livres. As franquias tinham diversas origens legais: Constituição, legislação civil, costume, controle do Poder Executivo, normas especiais deste, emprego de agentes públicos com funções partidárias. Essa pletora de possibilidades torna mais difícil a comparação com o modelo geral, uma vez que cada país adotava uma fórmula para distribuir as franquias pelas diversas instâncias de governo.

As definições de quem era eleitor e elegível nos Estados Unidos não estavam na Constituição, mas nem por isso os governos locais deixavam de impô-las. Além dos escravos, não podiam votar os negros livres (apenas em 1860 cinco estados pioneiros permitiram esse voto) e os imigrantes asiáticos.[2] Além dessas limitações gerais havia outras específicas em cada estado norte-americano, o que torna difícil os cálculos dos eleitores em relação à população geral. Mas, nos poucos casos onde estes existem, é evidente a limitação do eleitorado: nas eleições para governador da Virgínia, em 1851, votaram 11,2% dos habitantes.[3] Além disso, tal como no Brasil, os atos de votar e contar votos não eram caracterizados pela lisura. Também os governos norte-americanos trabalhavam ativamente em prol do partido no poder, empregando métodos duros, assim descritos por Tracy Campbell ao analisar a década anterior a 1876: "Foi uma década de culminância de eleições corruptas, onde os dois partidos viam o outro como deliberadamente fraudando os resultados. Contagens honestas dos resultados não passavam pela cabeça de ninguém."[4]

A própria maneira de criar franquias no Brasil oferecia certas vantagens insuspeitas para a época. Embora excluíssem os escravos, as franquias brasileiras incluíam índios e negros livres, tornando menos rígido o enquadramento racial. Um exemplo simbólico desse abrandamento: enquanto no Brasil o primeiro deputado negro, Antônio Rebouças, foi eleito já em 1829, na Bahia, os primeiros negros livres norte-americanos somente começariam a votar três décadas depois. E nas monarquias da Europa havia muitas limitações semelhantes às brasileiras: voto censitário, voto qualificado, proibição de voto para analfabetos e outras regras restritivas.

Graças a métodos estatísticos, tornou-se possível comparar o número de eleitores e sua relação com o total da população para vários países em meados do século XIX. Com base nos dados do Censo de 1872, Letícia Bicalho mostra que, no Brasil, eram 1,097 milhão, ou 13% da população livre brasileira naquele momento.[5] Na eleição espanhola de 1865, apenas 2,6% da população votaram.[6] Em Portugal, no ano de 1878, os eleitores eram 18% da população.[7] Em 1873, na Áustria, votaram apenas 6% da população.[8] Em 1872, na Suécia, a proporção de votantes era de 5,3% da população urbana e 5,7% da rural.[9] Na Holanda, até 1870, os eleitores eram 10% da população total.[10] Na Inglaterra, o percentual de eleitores depois da reforma de 1832 era de aproximadamente 20% da população – mas na Escócia era de 12%.[11] Para relembrar, nas eleições para governador da Virgínia, em 1851, votaram 11,2% dos habitantes.

Até 1879, portanto, o Brasil tinha uma tradição de três séculos e meio de governo local representativo, um mecanismo institucional nacional que permitia a eleição de representantes provinciais e nacionais, um quadro estável de regras para as disputas políticas – e um conjunto de franquias que não destoava do padrão mais avançado do mundo ocidental. Mas tal padrão logo se alterou, em decorrência da aprovação de normas gerais que se sobrepunham às definições particulares das franquias. Em 1870, na esteira da Guerra de Secessão e da abolição da escravatura, o Congresso norte-americano aprovou a 15ª emenda constitucional, que proibia o uso da cor da pele e da condição de escravo como critério para qualificação de eleitores. Na Europa, uma sequência de mudanças ocorreu na mesma direção. Na Alemanha e na Itália, deu-se o mesmo em consequência dos processos de unificação nacional; na França, em 1875, com a implantação do regime republicano. Em pouco tempo, o sufrágio universal masculino se tornou norma.

Em sentido inverso, os ajustes possibilitados pelas franquias acabaram deslocados para espaços secundários, sem que isso significasse o seu desaparecimento. No Sul escravista dos Estados Unidos, por exemplo, ainda que proibidas constitucionalmente de recorrer a critérios raciais de qualificação eleitoral, as autoridades introduziram outros, em especial o da alfabetização, para alcançar o mesmo efeito, como mostra Arnaldo Testi: "Nos antigos estados confederados, os brancos do Sul retiveram o controle das legislaturas locais; introduziram taxas altas de inscrição, testes de leitura e outras cláusulas restritivas. No Mississippi ficou famosa a 'cláusula do entendimento', pela qual a qualificação como eleitor dependia de serem capazes de 'ler e entender' partes da constituição estadual."[12]

O mesmo recurso às franquias para evitar a aplicação dos preceitos constitucionais aconteceu de forma variada em todos os países europeus. Autoridades municipais incluíam nomes de candidatos aliados e retiravam os de adversários na França; na Itália e na Espanha, quase um terço dos deputados eleitos tinha seus mandatos contestados através de ações judiciais; detentores de prerrogativas como as do voto qualificado encontravam maneiras de manter seus privilégios. Seja como for, a imposição normativa do sufrágio universal estava feita. A partir da década de 1870, a proporção dos eleitores no total da população subiu em todas as democracias ocidentais, aproximando-se dos 30% da população total – perto do máximo possível pela regra que deixava de fora as mulheres e os menores. Justamente nesse momento, no Brasil, começavam as contestações republicanas ao Poder Moderador, cuja reação seguiu a praxe. Em 1879 houve troca de ministério. Cansansão do Sinimbu, o novo comandante do gabinete, assim explicou a sua nomeação: "Sua Majestade, tendo reconhecido a oportunidade de se fazer a reforma eleitoral direta, não vê nisso uma questão de partido, mas de interesse nacional."[13]

Aparentemente tratava-se de uma proposta para aperfeiçoar o modo de votar. Em vez das eleições de delegados das vilas para posterior escolha dos parlamentares numa reunião na capital da província (num processo indireto pelo qual até hoje se elege o presidente dos Estados Unidos num colégio eleitoral), seria introduzido o pleito num único dia e a escolha dos candidatos com maior número de votos. Mas o que de fato interessava ao monarca aflorou nos detalhes da regulamentação da lei. Pela regra anterior, as vilas cuidavam de tudo na primeira rodada eleitoral: reconheciam os eleitores, organizavam a votação, apuravam o resultado e diplomavam os delegados escolhidos. Eram, portanto, franquias locais. Pela nova regra, essas franquias foram retiradas da instância local e repassadas aos funcionários do Poder Moderador. Primeiro foi a qualificação eleitoral. A Constituição trazia poucas limitações para o direito de votar – a maior delas era uma renda mínima. Como não havia definições legais de como se comprovaria tal renda, valia a tradição: os juízes das vilas, que eram eleitos e membros da Câmara, eram os responsáveis pela comprovação de renda. Como dependiam de eleitores para se eleger, faziam vista grossa na hora de avaliar os rendimentos. Já a nova lei trazia uma lista nacional e centralizada de exigências: todos que quisessem ser eleitores deveriam apresentar "certidão passada pela respectiva repartição fiscal"[14] como parte de vasta documentação que deveria constar de um processo pelo qual seu direito seria reconhecido. A instrução do processo se fazia ainda nas vilas, sob supervisão dos juízes locais eleitos.

Então vinha o pulo do gato. O parágrafo 7º do artigo 6º do decreto 3.029, de 1881, determinava que "os juízes municipais enviarão aos juízes de direito das comarcas todos os requerimentos recebidos de eleitores e respectivos documentos".[15] Já o 9º parágrafo dispunha que "os juízes de direito da comarca julgarão provado ou não o direito de cada cidadão de ser reconhecido como eleitor".[16] Uma vez que os juízes de comarca, agora detentores do poder para decidir qual cidadão teria ou não o direito de votar, eram funcionários subordinados ao Poder Moderador (mesmo estando alocados nos governos provinciais, eram nomeados pelo governo central e estavam sujeitos ao presidente de província, delegado do Poder Moderador), eles tinham muito mais interesse na própria carreira, dependente de nomeações partidárias, do que em reconhecer direitos de eleitores.

A subordinação do direito constitucional às normas dos funcionários do governo central adquiria aspectos caricatos. O decreto 7.981, de 29 de janeiro de 1881, definia que "são eleitores todos os cidadãos brasileiros que se acharem no gozo dos direitos políticos e provarem as condições exigidas para seu direito de votar".[17] Cabia ao eleitor o ônus da prova, e ao funcionário, o poder de negar esse direito por qualquer motivo formal. As barreiras burocráticas se tornavam especialmente duras para os analfabetos – que podiam votar, de acordo com a Constituição. No entanto, para exercer tal direito, agora precisavam requerer certidões; depois, passar pelo seguinte constrangimento: "Nenhum cidadão será incluído no registro de eleitores sem o ter requerido por escrito e com assinatura ou de seu especial procurador, provando que tem o seu direito com os documentos exigidos nesta lei."[18] Os aprovados receberiam o título de eleitor, num ritual assim determinado: "Os títulos serão entregues aos próprios eleitores, os quais os assinarão na margem perante o juiz municipal e o juiz de direito, e em livro especial passarão recibo com a sua assinatura, sendo admitido assinar pelo eleitor que não souber ler nem escrever outro por ele indicado."[19]

Mas essa possibilidade da assinatura de um terceiro era apenas provisória. Segundo a lei, a partir do ano seguinte somente seriam alistados "eleitores que requererem e provarem as qualidades de eleitor de conformidade com essa lei e souberem ler e escrever".[20] Assim, contra a Constituição – mas em benefício do Poder Moderador –, o eleitorado foi reduzido a um décimo do que era antes: nas primeiras eleições com as novas regras, os eleitores eram apenas 1,5% da população. Não apenas a economia regrediu no Império: também a política foi empurrada na contramão do tempo para tentar brecar Iluminismo e capitalismo. E nem assim o Poder Moderador conseguiu evitar sua derrocada.

CAPÍTULO 35
> *Fim*

O Brasil entrou na década de 1880 com a economia travada devido à contenção do crédito decorrente da política do governo, com as grandes dificuldades institucionais para a formação de empresas e com toda a vida política efetivamente encalacrada em torno do controle dos funcionários do Poder Moderador sobre os pleitos. Mas os interesses de cima refletiam cada vez menos o andamento do país. Com o governo nacional atendendo apenas a interesses cada vez mais restritos, a sociedade reagiu a seu modo histórico. O progresso efetivo continuava a se fazer na informalidade, no âmbito secular das relações pessoais. O mercado se fazia nas casas, pelo fiado, pelas relações de confiança, pela liquidação de negócios sem moeda – porque as leis serviam apenas para umas poucas transações econômicas em um círculo restrito. A civilidade política dependia do convívio tolerante entre pessoas, dos costumes que sustentavam, além das trocas econômicas, os intercâmbios sociais e afetivos entre pessoas diferentes: festas para socializar, misturas étnicas e sincretismos religiosos.

Nesse ambiente, o nó da escravidão acabou sendo desatado basicamente à margem do circuito decisório oficial. Na década de 1880, o movimento abolicionista pipocou por todo o país, impulsionado quase exclusivamente pela sociedade. No Ceará, já em 1884 decretou-se uma abolição. No Rio de Janeiro, figuras importantes como Joaquim Nabuco, André Rebouças e José do Patrocínio comandavam a pregação, com o apoio nem sempre velado da princesa Isabel. Em São Paulo, Luiz Gama comandou a formação de uma imensa rede abolicionista informal, cuja amplitude pôde ser medida no dia do seu enterro, quando 3 mil pessoas pararam a cidade em torno do féretro.

No fechamento do caixão, um dos que juraram continuar a luta tinha um perfil aparentemente estranho à causa: um ex-delegado de polícia perseguidor de cativos, católico tradicional e membro do Partido Conservador. Mas Antônio Bento mostrou-se pouco convencional ao criar uma organização que chamou de Caifazes. Criou uma rede de pontos de apoio que funcionavam tanto em sacristias como em prostíbulos. Treinou grupos de negros fugidos e ergueu refúgios nos caminhos percorridos por capitães do mato. Promoveu a organização do quilombo do Jabaquara, em Santos – os atos preparatórios incluíram uma declaração municipal de abolição, o que mostra o tamanho do apoio à causa. Armou e venceu uma guerra. Em 1887 o quilombo contava 10 mil habitantes, metade da população da cidade e parte significativa dos 150 mil cativos paulistas contados pouco antes do movimento.

Quem podia se preparar para a libertação dos escravos o fez, empregando os meios disponíveis. Os empresários cada vez mais ricos de São Paulo ousaram. Em julho de 1886, deixaram de lado o partidarismo para formar uma empresa sem fins lucrativos, a Sociedade Promotora da Imigração, que reunia liberais (visconde do Pinhal, conde de Três Rios, barão de Sousa Queirós), conservadores (Elias Pacheco Chaves, Antônio Prado Júnior) e republicanos (Jorge Tibiriçá e Martinho Prado Júnior). A entidade tinha como objetivo "promover por todos os meios a introdução de imigrantes e sua colocação em toda a província, mediante auxílios e subsídios que forem determinados nas leis".[1] Como providência inicial, o seu presidente, o republicano Martinho Prado Júnior, foi enviado para arregimentar imigrantes italianos. E ele viajou à Itália como presidente de uma sociedade civil de empresários. Nessa condição de simples cidadão, negociou acordos com um governo estrangeiro, estabeleceu bases, contratou o agenciamento de interessados. Na volta para São Paulo, no início de 1887, o deputado Martinho Prado Júnior preparou um projeto de lei que transformava todos os acordos e contratos privados, por ele negociados como empresário, em lei provincial, na qual o governo assumiria os acordos – e, sobretudo, a conta a pagar.

Em suma, os empresários reunidos na Sociedade Promotora da Imigração detinham poder suficiente para montar projetos por conta própria e impor esses projetos prontos ao governo. As decisões nasciam na sociedade, a organização era empresarial. Já o Parlamento provincial, em vez do papel subordinado ao Poder Moderador previsto na Constituição, simplesmente legalizava as decisões, mesmo que custassem muito caro. As despesas do governo provincial com imigração saltaram de 223 contos, em 1886, para 2,5 mil contos, no final de 1887.[2] A multiplicação por onze das despesas deu resultados imediatos. Em 1886, havia 36,8 mil imigrantes na província,³ e só no ano seguinte chegaram outros 32,1 mil.⁴ No ano da Abolição, 100 mil imigrantes desembarcaram no país, quase o mesmo número de escravos libertados em São Paulo.

A Lei Áurea transformou, no dia 13 de maio de 1888, boa parte das relações sociais do Brasil. Do ponto de vista mais relevante na época, 750 mil pessoas que, até a véspera, tinham a situação legal de cativos e não desfrutavam de nenhum direito civil passaram a ser cidadãos dotados de todos os direitos e garantias constitucionais. Do ponto de vista econômico, 750 mil cativos obrigados a entregar o produto de seu trabalho ao senhor tornaram-se donos de sua força de trabalho e dos ganhos gerados por este, mas também responsáveis pela obtenção daquilo que necessitavam para viver. Do ponto de vista financeiro, a lei só atingia um dos lados. Os libertos não ganharam um único tostão com a alforria; já os senhores se tornaram mais pobres, porque tiveram cancelados os títulos de propriedade sobre os escravos, perdendo o valor total que esses títulos tinham até a véspera.

No dia seguinte, todos os implicados na mudança começaram a reorganizar a vida segundo a nova realidade legal. Eventualmente exercendo o recém-adquirido direito de ir e vir, os novos cidadãos foram tentar ganhar a vida por conta própria. Os ex-senhores, transformados em donos de bens de produção eventualmente sem trabalhadores, precisavam encontrar mão de obra e meios para pagar por um trabalho antes realizado sem uso do dinheiro. Simbolicamente, a derrocada da escravidão significava mais que uma mudança econômica: com ela se afirmava na prática o princípio iluminista da igualdade substantiva de todos os homens como fundamento da lei e da moralidade política – e se derrogava do âmbito jurídico a instituição que era figura viva do princípio aristotélico pelo qual a moralidade do governo baseava-se no reconhecimento das desigualdades naturais entre senhor e escravo.

O governo, preso aos símbolos do Antigo Regime (o mais alto dos quais era o próprio Poder Moderador), teve grande dificuldade para lidar com a nova realidade de um mercado de trabalho. Como não havia mais possibilidade de obter trabalho à força, era preciso dinheiro para comprar, o que requeria um volume muito maior de moeda na economia do que o existente no dia anterior à Abolição. Um indicador dessa necessidade, na região escravagista ligada ao Rio de Janeiro, revelou-se com as remessas de numerário feitas através das ferrovias. Na Leopoldina, os envios no primeiro semestre de 1888, quando se dava a comercialização da safra, foram de 254 contos; no segundo semestre, mesmo sem colheitas, saltaram para mil contos. Na ferrovia de Campos, que servia uma zona produtora de açúcar, as remessas foram de 34 contos no primeiro semestre e 203 no segundo. Na Central do Brasil, apenas as remessas da capital saltaram de 509 contos para 3,8 mil contos de um semestre para outro. Na média, as remessas cresceram 565% entre um período e outro de 1888.[5]

Esse dinheiro começou a trafegar nas ferrovias que percorriam o grande bastião conservador do Império, cuja produção cafeeira era drenada para o porto do Rio de Janeiro. Além da província fluminense, essa área englobava parte do vale do Paraíba paulista e boa porção de Minas Gerais e do Espírito Santo. Era ali que se concentravam tanto o escravagismo como a exportação de café do país, mesmo uma década depois de inauguradas as ferrovias paulistas: no período de 1881 a 1883, o porto carioca escoou 72,9% do total das exportações de café.[6] Ainda na safra 1888-89, a situação não havia mudado: as exportações de café pelo porto do Rio de Janeiro foram de 232 mil toneladas.[7] Mesmo com toda a modernização nos meios de financiamento em São Paulo, as exportações pelo porto de Santos totalizaram 153 mil toneladas, 40% menos que as da capital do país.

Além de concentrar escravos e produção de café, a região acumulava recursos de todo o país, ali carreados pelo governo. Afora as poucas exceções de fronteira (Rio Grande do Sul e Mato Grosso), o então chamado Município Neutro, a sede da Corte e do Poder Moderador, era um centro de receitas e despesas públicas. Do lado da receita, havia a Alfândega mais importante do país, que cobrava tanto direitos de importação como de exportação. Seu movimento foi de 66,7 mil contos em 1887. Só esse dinheiro era mais que o dobro de toda a arrecadação das províncias brasileiras nesse ano, que atingiu 32 mil contos. Todavia, nem mesmo essa vasta soma cobria as despesas do governo no pequeno território da Corte: elas chegaram a 82,5 mil contos. Para pagar a conta era necessário trazer de fora outros 16 mil contos de impostos (ou o equivalente aos orçamentos provinciais somados de Rio de Janeiro, São Paulo, Pernambuco e Minas Gerais, os quatro maiores da época). No final das contas, 62,5% dos 136 mil contos do orçamento nacional eram gastos no Rio de Janeiro. Tal concentração ia além do processo de transformar poupanças em impostos. O governo central ainda recolhia parte da poupança nacional restante por meio dos títulos de sua dívida. Em março de 1889 o valor total captado através desses títulos em todo o país chegava a 381 mil contos[8] – dos quais nada menos de 324 mil contos (ou 85% do total) circulavam no Rio de Janeiro.[9]

Desse modo, a capital era o destino da maior parte da poupança nacional, em decorrência das ações do governo para captar impostos e emitir títulos de dívida. Essa concentração do dinheiro dos impostos e poupanças numa única região tinha uma consequência direta, notada por Gustavo Franco: "O sistema bancário àquela época era bastante concentrado na capital, onde estavam localizados cerca de 80% dos depósitos bancários."[10] Também o mercado de títulos de empresas mais importante do país estava na Corte. Em maio de 1888, o valor total do capital das empresas com papéis negociados no Rio de Janeiro era de 410 mil contos, quase quatro vezes mais que o do mercado de títulos paulista, o segundo do país.[11] Nesse total, os bancos tinham capital de 118 mil contos, próximo aos 138 mil contos das ferrovias. Tudo isso era a grande obra econômica do Império; e o predomínio dos conservadores era a sua expressão política.

Uma vez que por décadas os destinos das duas partes andaram juntos, os fazendeiros de café da região voltaram os olhos para o governo imperial no dia seguinte à Abolição, em busca de remédio para seus males. Tinham esperanças fundadas, até porque o ministério estava em mãos do Partido Conservador. De tal modo este estava identificado com a região que os deputados conservadores eram conhecidos como "saquaremas" – os líderes do partido se reuniam na fazenda que um deles, o visconde de Itaboraí, possuía na cidade fluminense com esse nome. Ali se produziu o núcleo do projeto de poder do partido, assim definido por Ilmar Mattos: "Um permanente recomeçar e o eterno desfazer, quer no que diz respeito ao monopólio da responsabilidade reivindicado pelo soberano, quer no que se refere à transformação do proprietário de escravos e demais monopólios em classe senhorial [...] [recomeçar] que produzia também um tempo particular, o tempo saquarema."[12]

A Abolição pôs fim a esse tempo lento, recendendo aos valores do Antigo Regime, com ares de eternidade fixados nos poderes monopolistas do soberano, refletido na economia pelas transações sem dinheiro permitidas pelo monopólio sobre a produção dos escravos. Depois da libertação dos escravos, os antigos senhores tornaram-se sôfregos, tão necessitados de dinheiro como seus antigos escravos ou qualquer mercador. E sofreram no novo tempo. Mesmo com sua maior base política se acabando com a falta de dinheiro, os condutores da política econômica do partido relutaram muito. Custavam a acreditar que a necessidade de dinheiro estivesse submetida a algo tão prosaico como oferta e procura. Temiam que, aumentando a quantidade de papel-moeda em circulação, estivessem falsificando a promessa real do valor estável da moeda, diminuindo o valor em ouro das notas de papel pela inevitável queda do câmbio que se seguiria – e destruindo a sacralidade do poder pessoal do monarca.

O dilema entre atender às necessidades da sociedade – ainda que esta fosse a sociedade "qualificada" dos antigos senhores – e a defesa dos monopólios do rei colocou o ministério exatamente na posição descrita pelo Manifesto Republicano de 1870: como um carro atado a dois locomotores, cada qual puxando numa direção. O resultado foi a imobilidade, com longas e estéreis discussões parlamentares sobre a melhor forma de ajudar os fazendeiros sem prejudicar o compromisso régio com o valor da moeda – ou sem romper as cadeias mercantilistas que os acorrentavam ao centro do poder. Enquanto isso os fazendeiros penavam economicamente em meio à grandeza, pois tinham fazendas gigantescas e cafezais sem-fim. Todavia, sem os títulos de propriedade de escravos, não conseguiam empréstimos para pagar salários – as leis a favor dos proprietários tornavam impossível cobrar empréstimos sobre fazendas, de modo que não conseguiam crédito nem mesmo oferecendo toda a propriedade como garantia. Com isso, os grandes barões do Império foram quebrando um após outro.

Somente no dia 5 de junho de 1889, mais de um ano após a Abolição, o imperador defenestrou o gabinete conservador. Dois dias depois, os liberais voltavam ao poder, com um ministério chefiado pelo visconde de Ouro Preto. Desde 1840, quando D. Pedro II subira ao trono, os saquaremas nunca haviam passado pelo dissabor de serem apeados do poder com maioria parlamentar, como havia ocorrido com os liberais em 1841 e 1868. O golpe doeu, e a primeira reação foi imediata. O programa do gabinete liberal era direto: fazer as reformas propostas pelos republicanos, criando um Império mais federalista antes que derrubassem o regime. Enquanto o visconde de Ouro Preto anunciava seu programa ao Parlamento, um deputado muito conservador, o padre João Manuel, gritou no plenário: "Viva a República! Abaixo a Monarquia!" Sem um único deputado no Parlamento, os republicanos estavam no centro do debate. O gabinete liberal queria fazer as reformas que eles propunham – e os conservadores estavam indo ainda mais longe, defendendo a derrubada do monarca que antes defendiam com unhas e dentes.

Ao longo de oito décadas de Reino e Império, a política conservadora de erguer barreiras às mudanças políticas advindas da soberania popular, e às mudanças econômicas em prol do trabalho livre – ou favoráveis ao fim da cadeia de créditos mercantilista –, resultara em uma Nação Mercantilista com uma Constituição de duas soberanias. Não havendo mais a escravidão para conservar nem o mercantilismo para sustentar os produtores escravistas, o velho hábito de resistir a mudanças deu no que deu: uma estagnação total, com a elite mais relevante do Império se afogando.

Nos cálculos dos monarquistas, restava ainda a simpatia dos brasileiros por seu monarca ilustrado, e assim acenderam as esperanças da Coroa a fim de capitalizar em cima de tal simpatia, com um baile para celebrar o brilho da monarquia. Seis mil alegres aristocratas sacudiram os quadris na noite de sábado, 9 de novembro de 1889. Na mesma noite, seis modestos conspiradores foram indicados ministros de um governo que tentaria um golpe republicano. Na sexta-feira seguinte, no dia 15 de novembro, nenhum aristocrata apareceu para defender o regime – e nenhum brasileiro pobre se incomodou minimamente com a sua derrocada. Mas havia sido eliminada a peculiar barreira de duas soberanias que havia isolado o Brasil do progresso capitalista no Ocidente.

CAPÍTULO 36
> *Balanço do Império*

A IMPROVÁVEL FÓRMULA DE JOSÉ BONIFÁCIO, JUNTANDO NUM ÚNICO PROJETO DE governo a monarquia do Antigo Regime e as forças iluministas locais, acabou funcionando apesar de todas as indicações em contrário. A Constituição, mescla de projeto de parlamentares com um adendo imperial, manteve-se em vigência por 65 anos. O híbrido sincrético e mestiço suportou tensões extremas, desde as desastrosas decisões econômicas tomadas pelo primeiro imperador até as medidas de emergência dos homens da Regência. Em meio a tudo, o sistema foi se mostrando flexível, permitindo acomodações entre os extremos do poder pessoal e do governo democrático. Parte desse sucesso se deveu ao fato de que a organização geral das diversas formas e níveis constitucionais de governo foi, no geral, uma continuidade daquilo que a terra conhecia desde 1500.

Havia o governo dos muitos povos indígenas, os únicos conhecidos e obedecidos por parcela relevante da população. Em 1890, o Censo nacional contou 1,28 milhão de índios, ou 9% da população do país. Por impreciso que seja, esse número mostra que parte expressiva da população governava a si mesma pelo costume. Essa população possivelmente controlava ainda a maior parte do território nacional. Em 1890 havia apenas 641 municípios (assim as vilas passaram a ser chamadas depois de 1889) no país, a maior parte nas proximidades do litoral. E em muitos municípios a população conhecia apenas a autoridade de governo de seus representantes eleitos regularmente. No Império não aconteceu nenhuma ruptura na tradição das eleições locais nem no governo temporário dos eleitos.

As províncias, instância intermediária de governo, acabaram conhecendo uma realidade tão mesclada quanto a das soberanias na Constituição. Uma vez que desfrutavam de umas tantas rendas próprias, tinham condições de promover alguma atividade administrativa. Desde a Regência, as províncias contavam com uma assembleia de representantes eleitos – que, em doses variadas, influenciavam os destinos locais. Mas o poder de fato era exercido por um delegado do Poder Moderador, que em geral permanecia poucos meses no cargo, fosse para arrumar uma eleição, fosse para arrumar a vida pessoal. De qualquer modo, a soma das partes era pouco maior que o puro arbítrio dos capitães coloniais.

Como se viu, o governo central acabou sendo efetivamente composto pelos representantes dos dois soberanos – o imperador e a Assembleia –, que tanto se digladiavam como se acertavam. O Parlamento não demorou a funcionar, conquistou poder e sempre soube achar uma maneira de participar da direção geral do país. O ajuste promovido por D. Pedro II, transformando o ministério no ponto de encontro entre as duas soberanias, acabou se mostrando efetivo para uma ação coordenada entre as partes. Esse sistema teve capacidade para processar conflitos num ambiente de estabilidade jurídica. Essa estabilidade foi maior no que se refere aos compromissos internacionais do país. Desde a Regência houve consenso não só no que se referia a sua manutenção como ao estabelecimento de regras formais de atuação entre as duas soberanias. Com isso, os compromissos foram sempre acertados e honrados, sobretudo no que se refere a finanças. A política externa não conheceu fissura de nenhuma espécie, mesmo no caso das guerras. Num século de grande instabilidade na América do Sul, a monarquia parlamentar brasileira acabou se constituindo em exceção.

Num ponto crucial também se registrou um desempenho relativamente positivo: o da alfabetização. O "relativamente", neste caso, tem mais a ver com o ponto de partida do que com a comparação internacional. A taxa de alfabetização passou de estimados 2% para 17,4% no fim do Império. Trata-se de um avanço, mas o fato é que, em 1890, vários países estavam próximos da alfabetização de toda a população. Do mesmo modo, o regime imperial conseguiu criar alguns cursos de ensino superior, sobretudo de direito, medicina e engenharia. Apesar de toda a cultura do imperador, não se fundou nenhuma universidade no período, prolongando o atraso multissecular do país. E a maior parte das grandes cidades contava, no final do Império, com tipografias nas quais eram impressos livros, jornais e revistas. O fato de o país ter eleições regulares e alternância partidária no poder – ainda que, no nível nacional, fossem trocas comandadas apenas de cima – incentivou o desenvolvimento de uma imprensa que poderia ser comparada aos modelos ocidentais anteriores ao sufrágio universal (até meados do século): jornais de tiragens baixas, dependentes de publicidade oficial e voltados para a arregimentação eleitoral.

Mesmo na área territorial sujeita à autoridade dos três níveis de governo que seguiam as leis escritas, os poderes efetivos eram inversamente proporcionais à dimensão. Os governos locais dispunham de poucos recursos, mas eram, de longe, os mais presentes na vida dos cidadãos. Os governos provinciais tinham poucos recursos e poucas franquias, sobressaindo apenas em situações específicas. Já o governo central detinha uma imensa pletora de poderes conferidos pela lei – e uma única figura, a do imperador, concentrava em si mais poderes que as demais instituições somadas. Na prática, contudo, eram poderes que permitiam apenas, como dizia o visconde de Uruguai, impedir as mudanças e eram muito pouco adequados para ações transformadoras. No que se refere aos serviços prestados à população, o governo central contava na prática com os mesmos recursos dos vice-reis: tropas militares para garantir o poder, alfândegas para cobrar impostos e transferir rendas para a sede. Apenas no Rio de Janeiro o poder central tinha presença efetiva, concentrando gastos e incentivando a economia local.

Assim os grandes processos nacionais dependiam muito pouco do governo como um todo, levando-se em conta os seus três níveis. Em termos sociais, frutificara a miscigenação iniciada com a aliança oferecida pelos Tupi. Em 1890, o Censo registrou 44% de "brancos" (embora seja difícil dizer o que isso significava), 32% de "pardos" (categoria herdada dos tempos coloniais) e 14% de "pretos" (agora que não havia mais escravos). A composição multiétnica da sociedade guardava certa proporção com aquela de 1819. Outra unidade forte dada pela sociedade era quase milagrosa: uma língua falada e entendida em todo o território por uma população fortemente analfabeta.

Tanto quanto a língua, continuavam relevantes as uniões matrimoniais de forasteiros com mulheres locais (agora envolvendo os imigrantes europeus que começaram a chegar nas últimas décadas do Império). Quase ninguém escapava: até mesmo o senador Taunay, conservador e amigo pessoal do imperador, ofereceu um dote ao pai e casou-se com a índia Antônia enquanto lutava na Guerra do Paraguai – e encerrou o casamento, ao modo indígena, quando voltou para casa. Também era universal o catolicismo, com as igrejas sendo as únicas oficinas de governo presentes em todos os pontos do território. Mas era um catolicismo sincrético, feito por padres seculares casados e empresários, ritualístico e receptivo a influências das religiões indígenas e africanas. Em termos populacionais, essa sociedade pouco mais que triplicara de tamanho entre 1819 – quando existiriam 4,4 milhões de habitantes – e 1890 – ano em que foram contados 14,3 milhões de brasileiros.

No âmbito da economia, um efeito de longo prazo na atividade produtiva do Império foi o surgimento de significativas disparidades regionais de renda, sobretudo no Nordeste, onde a produção de açúcar continuou sendo a principal atividade. Com todos os percalços, esta manteve-se competitiva internacionalmente até meados do século XIX. Mas aí surgiram usinas mais avançadas, com capacidade de moagem e produtividade muito superiores às dos engenhos desenvolvidos no século XVI. Para se manter competitivos, os produtores brasileiros teriam de investir para se modernizar. Mas então toparam com uma série de barreiras, a começar pela política cambial do governo, toda voltada para tornar mais cara a moeda. O sonho da circulação metálica a uma taxa de câmbio alta, que perseguiam os conservadores, gerou as seguintes consequências para o Nordeste, segundo Nathaniel Leff: "Após a década de 1870 as variações da taxa cambial tornaram-se as principais determinantes das variações do preço do açúcar em moeda local. A situação do algodão foi parecida. Neste produto, também as variações na taxa cambial tornaram-se muito mais importantes do que a mudança do preço em esterlinos na determinação dos preços em mil-réis. Desta maneira parece ter se desenvolvido um processo de realocação de fatores do Nordeste para o Sudeste, do açúcar para o café. Em consequência, as rendas foram empurradas para os níveis que ofereciam as melhores alternativas, ou seja, a agricultura de subsistência ou baixa produtividade."[1]

A tais fatores somaram-se outros, assim descritos por Evaldo Cabral de Mello: "A ação governamental reforçou os mecanismos deflagrados 'espontaneamente' pelo crescimento da produção cafeeira, mediante uma política de centralização do crédito, com o fito de privilegiar o grande comércio da praça do Rio de Janeiro e os interesses cafeeiros do vale do Paraíba. A reforma de Itaboraí, em 1853, que deu monopólio de emissão ao Banco do Brasil, foi o principal instrumento de uma orientação financeira que [...] terá acarretado a transferência para a praça do Rio de Janeiro de recursos anteriormente empenhados no comércio negreiro das províncias do Norte, particularmente na Bahia, onde fora mais vivo. Daí que a terminação do tráfico não tenha criado na Bahia e em Pernambuco a euforia observada no Rio de Janeiro dos primeiros anos cinquenta; e que abortasse o surto bancário que se havia feito sentir nas principais províncias nortistas nos anos quarenta. [...] Na transferência de capitais das províncias do Norte para o Rio tiveram importante papel as sucursais do Banco do Brasil, denunciadas em 1866 por um conservador baiano, Oliveira Júnior, como 'fatalíssimas às províncias em que têm sido estabelecidas', aptas apenas a 'sugar os capitais provinciais e transportá-los para o Rio de Janeiro'. De 1853 a 1866 as sucursais emitiram 38,4 mil contos. Significativamente, a emissão do Norte (27,5 mil contos) era quase o triplo da emissão do Sul (10,9 mil contos). Pela mesma época, estimava Souza Franco que o banco havia retirado das províncias um montante quase igual ao total das emissões feitas pelas agências, aplicando nelas apenas um nono dos capitais recolhidos."[2]

O banco do governo, que recolhia poupança numa região para aplicar em outra, não era o único instrumento de política pública para a drenagem de capitais numa região que precisava deles. A política fiscal atuava na mesma direção – e provocava reações, como a do deputado paraense Costa Aguiar, narrada por Evaldo Cabral de Mello: "Para resumir as conclusões de Costa Aguiar, enquanto o Norte transferia 21 mil contos para os cofres gerais, o Sul recebia 13 mil contos dos mesmos cofres. [...] A despeito da crise do açúcar e do algodão, o Norte efetua remessas mais de quatro vezes superiores às realizadas pelo Sul."[3]

Eram poucos os movimentos regionais que escapavam à estagnação. Na Amazônia, o crescimento das exportações de borracha imprimia certo dinamismo a uma economia que sofrera violenta depressão após a Cabanagem. E, em São Paulo, acontecia uma curiosa conjunção de empreendimentos ferroviários, acumulação de capital e republicanismo. A primeira ferrovia construída com capitais locais foi a Companhia Paulista de Estradas de Ferro. Ao ser inaugurada em 1872, o convidado de honra foi o ex-presidente de província Saldanha Marinho, o homem que colocara o poder institucional a favor do empreendimento. Naquela altura, ele também era o principal líder do Partido Republicano – condição suficiente para afastar as autoridades monárquicas da festa, como queriam os acionistas. A segunda a ser inaugurada foi a Companhia Ituana. Os festejos foram cuidadosamente preparados para evitar problemas de maior monta. O presidente da província, João Teodoro, participou de uma rápida cerimônia num dia. A grande festa aconteceu no dia seguinte, com a realização da Convenção de Itu, na qual foi fundado o Partido Republicano Paulista. Apenas a quarta ferrovia, a Companhia Mogiana, promoveu um baile pelo compasso imperial. O marido da princesa Isabel, o conde d'Eu, fez uma visita de inspeção às obras. E, em 1875, o imperador Pedro II pôde afinal ser a grande estrela da inauguração da linha.

Mas logo os empresários paulistas deram mostras de que essas diferenças cerimoniais importavam menos que certos objetivos de negócio. A institucionalização das ferrovias havia mostrado um caminho que eles souberam aproveitar. Assim que o governo provincial começou a receber dividendos das ferrovias, um grupo formado por empresários conservadores (como Antônio Prado), liberais (o marquês de Três Rios), republicanos (Martinho Prado Júnior) e até imigrantes (Antônio Proost Rodovalho, comerciante português) conseguiu a aprovação de um projeto de lei provincial que dava garantias públicas para a abertura de um banco que fizesse empréstimos a agricultores com base na hipoteca de terras e benfeitorias. Com a lei provincial em vigor, os vários grupos conseguiram uma aprovação dos estatutos do banco nos meandros burocráticos do Poder Moderador, que além de tudo resultou numa reforma que abriu pequenas brechas na lei de 1860, aquela que limitava a formação de empresas, a conhecida "Lei dos Entraves". Assim foi lançado o Banco de Crédito Real, que logo estava emprestando nada menos do que 65 mil contos de réis, onze vezes o valor do orçamento da província de São Paulo.

A soma de todos os movimentos econômicos da nação durante o Império, positivos e negativos, foi realizada por Angus Maddison, que calculou uma média: a renda per capita no Brasil em 1820 e 1890.[4] Para o primeiro ano chegou ao resultado de 670 dólares anuais; para 1890, a renda foi de 704 dólares anuais. Em outras palavras, mostra claramente um período de completa estagnação, com crescimento residual de 4% num período de 70 anos. Com esse dado se pode passar à comparação do Brasil estagnado com o restante do mundo. E, nesse caso, nenhuma comparação é mais significativa do que aquela com os Estados Unidos, já realizada no cenário da virada do século XIX. Apenas para relembrar, em 1800 os Estados Unidos contavam com 5 milhões de habitantes, ao passo que o Brasil tinha 4,4 milhões. Nesse momento, o porte das duas economias também era semelhante. A partir daí, no entanto, foi se abrindo um fosso tanto no aspecto demográfico como no econômico.

Nos Estados Unidos, a renda per capita mais do que triplicou entre 1820 e 1900, passando de 1,3 mil para 4 mil dólares (5,7 vezes a renda per capita brasileira). A maior aceleração se deu no período posterior à guerra que pôs fim à escravidão. A população, de 35 milhões de habitantes em 1865, saltou para 63 milhões em 1890 – um crescimento de 80% em apenas uma geração. Apesar de tal incremento (a população total dos Estados Unidos era então 4,5 vezes maior que a brasileira nesse momento), a renda per capita cresceu 55% no mesmo período. Boa parte desse crescimento se explica pela industrialização. Em 1840, a agricultura era responsável por 68% do valor total da produção e a indústria por 12%; meio século mais tarde, em 1890, apenas 22% do valor da produção total vinham da agricultura, enquanto 41% eram da indústria. Era uma indústria apenas local, desvinculada do setor de exportações. A estrutura das exportações dos Estados Unidos não mudou quase nada ao longo do século XIX. Em 1800, as vendas de produtos agrícolas correspondiam a 75% do total das vendas externas; em 1890 a proporção havia aumentado para 78%.

Isso se devia ao fato de os Estados Unidos estarem se tornando o celeiro da Europa, que também vivia transformações importantes.

Alemanha e Itália se unificaram como países quase simultaneamente no início da década de 1870. Tal processo implicou a derrocada de privilégios feudais e de nobreza, o que levou à mercantilização em massa da produção agrícola, assim como à expulsão em massa de agricultores. Não à toa, os dois países se transformaram nos maiores fornecedores de migrantes para a América. Muitos iam para os Estados Unidos e passavam a cultivar em propriedades próprias os produtos que depois eram exportados para a Europa. Mas outra parcela relevante da população rural mudou-se para os centros urbanos e se transformou em proletariado industrial. Assim, essas nações recém-unificadas em países seguiram o caminho aberto pela Inglaterra e a França na direção do capitalismo. O crescimento foi rápido e o modo de produção dominou todo o Ocidente.

Esse domínio ocasionou a miséria do proletariado – e o surgimento de alternativas para a organização da vida social. Karl Marx, analista dessa tendência de concentração de riqueza e destruição humana, foi um dos principais formuladores da alternativa socialista. A disseminação mundial do capitalismo trouxe, além da miséria operária, uma espiral de crescimento da renda per capita que foi registrada por especialistas nas mais diversas economias, sobretudo a partir da década de 1870. Apenas entre 1870 e 1900, a renda per capita da Argentina mais do que dobrou, passando de 1,3 para 2,7 mil dólares. Em Portugal, o crescimento entre 1870 e 1900 foi de 40%, com a renda chegando a 1,4 mil dólares. Até mesmo a Indonésia teve desempenho proporcionalmente melhor que a economia brasileira no intervalo entre 1820 e 1890, com a renda per capita passando de 614 dólares para 670, entre 1820 e 1900.

Por maiores que sejam as imprecisões e a falta de compatibilidade entre os dados, a tendência geral é clara: o século XIX como um todo, e o período imperial em particular, foi um período de estagnação da economia brasileira e, por outro lado, de aceleração da economia mundial. Foi, portanto, um período de acentuado atraso para o país na comparação com o mundo. Esse foi o cenário encontrado pelos republicanos que chegaram ao poder.

JORNAL DO COMMERCIO

CORREIO

III > 1889-1930
Primeira República: explosão de crescimento

> Descentralização pesada libera o setor privado e destrava os governos locais; políticas ousadas transformam, em uma década e meia, a economia estagnada numa das que mais crescem no mundo – com um sistema político regressivo em relação ao Ocidente.

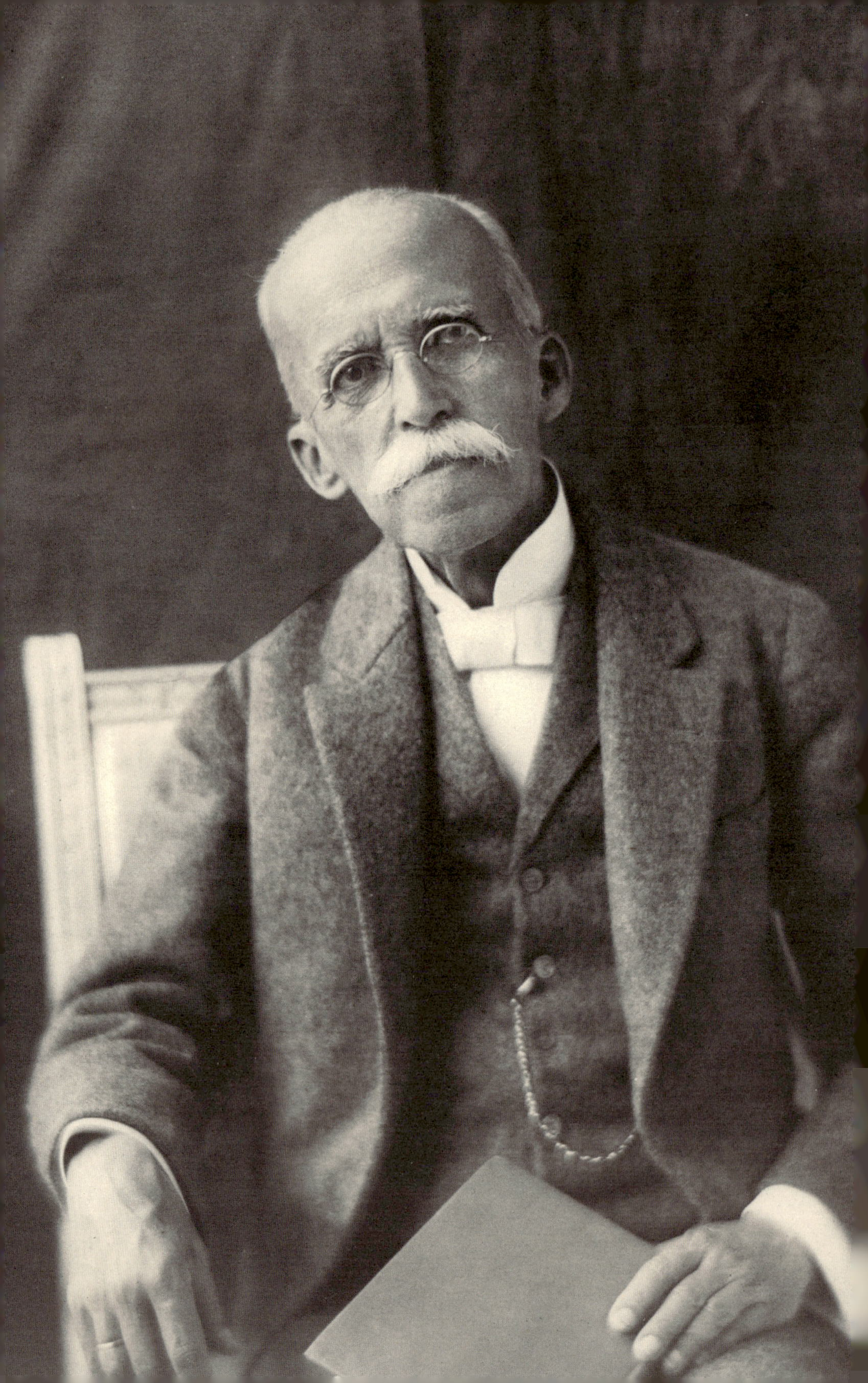

CAPÍTULO **37**
> *Governo provisório e ditadura*

A INSTALAÇÃO DO GOVERNO REPUBLICANO FOI MARCADA POR TRÊS AÇÕES DE NATUREZA diversa: uma lei, um rito e um ato, separados por poucas horas a partir da tarde de 15 de novembro. A lei foi o decreto número 1, que proclamava a República como forma de governo, a transformação das províncias em estados, a união desses estados numa federação chamada Brasil. E também dispunha que tudo que o governo decidisse seria provisório, durante apenas até o momento em que representantes eleitos fizessem as constituições da nação e dos estados. O decreto era lei escrita que marcava uma mudança de teoria. Reconhecia um soberano único: a vontade dos cidadãos expressa por seus representantes. E também atendia à reivindicação federalista, ampliando a distribuição desse poder no âmbito geográfico. As extintas províncias eram inteiramente subordinadas ao centro; os novos estados seriam entidades soberanas e dotadas de maior autonomia.

Como a lei escrita alcançava apenas a minoria de alfabetizados, os novos donos do poder realizaram um rito, capaz de comunicar a mudança à maioria analfabeta. Assim que se confirmou o controle militar, os membros do governo provisório apresentaram-se à Câmara do Rio de Janeiro. Era um procedimento ritual secular. Nos tempos coloniais, antes de assumirem o cargo, os governadores-gerais, vice-reis ou capitães-mores seguiam até a câmara da capital de sua área de governo, apresentavam suas ordens e pediam reconhecimento às autoridades locais eleitas. Durante o Império, a versão do ritual acontecia a cada abertura da sessão legislativa, com a Fala do Trono e sua resposta – uma voz para cada representante das soberanias constitucionais. A apresentação aos representantes do poder popular era, portanto, um rito que muita gente entendia naquele tempo.

Depois da lei e do rito, os novos governantes empenharam-se num ato que marcasse a ruptura. Na própria madrugada do dia 16 de novembro, o monarca deposto e todos os seus familiares foram embarcados num navio rumo ao exílio. D. Pedro II estava prestes a completar 64 anos de vida e meio século de governo. Amava o país e o servira. E tinha plena consciência de que seu afastamento do território não era uma questão pessoal. Havia uma relação definida constitucionalmente como "sagrada e inviolável" entre sua pessoa física e aquela de seus familiares e herdeiros com o exercício do Poder Moderador. Por isso o navio que levava sua pessoa retirava da cena governamental poderes muito importantes. A bordo seguia também o chefe da Igreja Católica no Brasil, pois D. Pedro II detinha privativamente o comando da Ordem de Cristo. Desde 1418 o papado concedera a este o estatuto de chefe de cruzada, e com ele toda a administração da Igreja no território dessa cruzada – do qual o Brasil ainda era parte em 1889.

Intitulado de Padroado, por esse poder o comandante recolhia os impostos eclesiásticos (o dízimo) e podia gastar as receitas como quisesse. Também incluía o comando administrativo da Igreja – desde a criação de bispados até a nomeação de curas em aldeamentos de índios; a permissão e o controle do funcionamento das ordens monásticas regulares; a manutenção como próprios do governo de todas as propriedades da hierarquia; e a supervisão da formação e das condições de trabalho dos padres, entre outras competências. O detentor do Padroado só não podia se imiscuir nas questões de fé. Mesmo nesse campo, porém, tinha poderes para evitar decisões que não o agradassem, pois sancionava a entrada em vigor das bulas papais na área de seu domínio. E, no sentido inverso, a única decisão relevante de Roma era a escolha do bispo primaz, mas apenas entre os nomes de uma lista enviada pelo comandante da Ordem de Cristo.

Para o exílio também seguia o chefe do Poder Moderador, até a véspera a "cabeça mística" do reino, a pessoa "sagrada e inviolável". O único homem com o poder pessoal de representar a nação e vigiar desde o alto o andamento dos demais poderes. Aquele que estava acima da lei, detentor de um poder que lhe permitia dar ordens e ser obedecido pelos muito subordinados sem poder ser contestado. Que, por isso mesmo, era irresponsável e não podia ser processado. Retirado fisicamente o detentor pessoal do Poder Moderador, uma série de comandos, que apenas ele podia executar, deixavam de vigorar.

Era o imperador o único que podia nomear e demitir a seu inteiro gosto os ministros que exerciam o Poder Executivo.

Era ele quem convocava o Parlamento, abria as sessões, dissolvia a legislatura, sancionava ou não as leis – tendo imensa influência na vida do Legislativo.

Era ele quem nomeava e suspendia os juízes dos tribunais superiores. E sua influência sobre o Judiciário acontecia também pelo poder pessoal da Graça, que lhe permitia perdoar condenados ou conceder anistias.

Era ele quem controlava o Conselho de Estado, órgão assessor do Poder Moderador. Entre suas muitas capacidades, estava a de autorizar ou não o funcionamento de sociedades anônimas no país, de modo que a vida empresarial dependia do humor do imperante.

Era ele quem nomeava todos os presidentes de província, os quais nomeavam todos os funcionários nacionais que nelas atuavam. Através desse comando o governo central levou à vitória todos os candidatos que se apresentaram com seu apoio ao longo de meio século: nunca o grupo posto no ministério pelo imperador havia perdido uma eleição.

Era ele quem controlava a presidência do Banco do Brasil, por sua vez o grande controlador da poupança nacional e da política de crédito.

Todos esses poderes mudavam de dono com a partida do navio que conduzia D. Pedro II ao exílio. Mas, ao contrário do que aconteceu quando seu pai renunciou e deixou o Brasil, as franquias do Poder Moderador não ficaram apenas suspensas enquanto a direção da nação era entregue a regentes. Todos os poderes que deixavam de atuar se concentraram no Governo Provisório com a partida – e não apenas eles. Como o Parlamento estava em recesso e o Legislativo só voltaria a funcionar na forma da prometida Assembleia Constituinte, toda a capacidade de legislar no plano agora federal (e não mais central) também ficava concentrada nele. Não bastasse isso, o Governo Provisório comandava o Judiciário. E, claro, exercia sozinho o Executivo.

Não era todo o governo no país. Continuavam a funcionar no território os governos de costume dos povos nativos e os governos eleitos dos municípios, como vinha ocorrendo desde séculos. Essa era a base sobre a qual os novos donos do poder se propunham a instalar um novo formato de governo. Como a promessa era de um governo concebido em conformidade com a soberania popular que elegia o governo das vilas, o contraste era levemente amenizado. Mas entre a promessa solene e o funcionamento efetivo do governo representativo havia um gigantesco caminho a ser percorrido. A rigor, desde o início da colonização, essa era a primeira vez que ocorria tamanha concentração de poder num grupo tão pequeno de pessoas – e sem leis para limitar sua autoridade. Mas, exatamente por se tratar de um grupo restrito de indivíduos, havia um hiato entre as ordens que poderiam dar e sua pronta execução em todo o território: a nova cabeça tinha ligações muito precárias com o gigantesco corpo da nação.

O chefe do governo, marechal Deodoro da Fonseca, tinha experiência como militar, mas na política fora apenas presidente de província, por indicação do Partido Conservador. O ministro da Guerra, Benjamin Constant, fora apenas professor da Escola Militar, um republicano inexperiente até mesmo no trato com a tropa. Somente o ministro da Fazenda, Rui Barbosa, tinha experiência política: fora deputado pelo Partido Liberal e ministro – o único em todo o grupo a conhecer a direção do Executivo. Esse grupo prometeu no primeiro dia que seria temporária a concentração de poder e que este seria repartido no futuro de acordo com a vontade dos agora cidadãos (pois deixava de haver a condição de súdito), os quais constituíam a única soberania da nação.

A diferença entre a promessa e o exercício do poder logo se manifestou. Para começar, era preciso tempo até que os cidadãos elegessem os representantes que fariam as leis e estas fossem colocadas em execução. Na prática, em todo esse intervalo deveria funcionar alguma espécie de governo, o que requeria muito mais gente do que todos os militantes republicanos e todo o contingente militar.

Tal dificuldade inicial muito depressa foi percebida como oportunidade. O golpe foi numa sexta-feira, e o imperador, exilado no dia seguinte. No domingo à tarde, uma parte dos 53 fiéis pagantes de uma igreja que se intitulava Apostolado Positivista saiu em passeata pela cidade até a sede do governo, onde teriam audiência com um membro expulso da congregação, Benjamin Constant, agora nomeado ministro da Guerra.[1]

O motivo da expulsão fora a discordância de Benjamin Constant com a maior proposta política do Apostolado nos tempos da monarquia: que o imperador ou sua herdeira, reconhecendo as verdades científicas pregadas por Augusto Comte, renunciassem ao trono em favor de um sucessor que governaria como ditador. Este reuniria ainda mais poderes do que o imperador: além de todos que lhe estavam reservados pelo exercício do Poder Moderador, seria ainda um substituto do Legislativo, baixando leis por decreto. Além dessa concentração de poder, os membros do Apostolado só admitiam algumas poucas restrições ao ditador. Primeiro, este deveria designar um herdeiro político, evitando assim uma sucessão hereditária. Segundo, a cada três anos uma assembleia eleita se reuniria com a única finalidade de examinar as contas do governo. Por fim, o ditador seria responsável – isto é, poderia ser processado pelo Judiciário que ele mesmo nomeava e removia livremente. Como nunca surgiu nenhum sinal de que D. Pedro II fosse renunciar em favor de um ditador comtiano, os membros do Apostolado continuaram fazendo seus encontros regulares, nos quais se prestava um culto ao seu ídolo intelectual, o filósofo francês Auguste Comte.

O advento do novo regime fez com que deixassem de lado a contenção anterior e se lançassem na lide política. Desfilaram pelas ruas sob um estandarte que iriam entregar ao ministro com uma proposta: estabelecer um regime no qual, em vez da remoção do poder arbitrário do imperante caído, conforme o programa de 1870 e a propaganda de quase todos os partidos republicanos (cada antiga província tinha o seu), fosse desconectado do carro do Estado o locomotor da soberania popular, o poder do cidadão de escolher seu representante, e se implantasse uma ditadura. Justificavam isso com um manifesto: "Para nós é fora de dúvida que a monarquia seria eliminada porque a fraqueza dessa instituição proveio de antecedentes históricos, como indicamos. Vimos aproximar-se este desfecho fatal com a segurança de quem espera a realização de um fenômeno astronômico cientificamente previsto, menos a determinação do instante em que terá lugar, porque os acontecimentos sociais não comportam a precisão matemática. Mas a certeza é a mesma. Apenas lamentamos que a mesma convicção não exista da parte do Chefe de Estado, visto que muitos males seriam poupados à nossa Pátria e à Humanidade, se ele nos isentasse do republicanismo democrático. Qualquer que seja porém sua conduta, estamos certos de que este republicanismo há de ser varrido da cena política para dar lugar à ditadura republicana, e isso em futuro tanto mais próximo quanto mais cedo igual transformação operar-se em França. A sorte do mundo está em Paris."[2]

Essa proposta mostrou-se muito atrativa para aqueles que vinham de ser alçados ao poder sem jamais terem tido qualquer espécie de compromisso com a vontade popular. Assim foi que o ministro da Guerra fez mais que receber os fiéis e relevar o fato de ter sido expulso do Apostolado. Aceitou entusiasmado a sugestão que se seguia ao parágrafo da carta citado acima e que tinha a seguinte redação: "O governo da República que se inicia deve consubstanciar a nova fase em que entra a nossa Pátria adotando para a sua divisa a fórmula de Augusto Comte: Ordem e Progresso." Como era tempo de revolução, o decreto que transformava o estandarte de um grupo obscuro em bandeira nacional foi publicado já na terça-feira, dia 19, sem consulta de nenhuma espécie mesmo entre os republicanos, que também tinham um projeto de bandeira.

Esse é o tipo de sinal que qualquer candidato ao poder é capaz de ler como "Eis um governo que aceita sugestões". Um dos primeiros a vislumbrar possibilidades com a apresentação de ideias ao gosto dos militares foi o ministro do Interior, Aristides Lobo, um conhecido jornalista republicano que a vida inteira defendera a soberania popular. Mas, antes de escrever a última crônica para o jornal, ele mudou de ideia sobre o papel do povo no governo para o qual acabara de ser indicado como civil e representante republicano: "A cor do governo é puramente militar, e deverá ser assim. O fato foi deles, deles só, porque a colaboração do elemento civil foi quase nula. O povo assistiu àquilo bestializado, atônito, surpreso, sem conhecer o que significava."[3]

Com isso, o marechal Deodoro da Fonseca lembrou-se que de fato chefiava o governo como ditador e permitiu que o ministro também arrancasse maiores quinhões de poder. Em dois dias, Aristides Lobo saiu de uma audiência com um decreto assinado, pelo qual o marechal subordinava todos os governos estaduais ditos soberanos ao ministro – como se este fosse um chefe de gabinete imperial que controlava as nomeações para as províncias. E o ministro estreou os novos poderes mandando trocar nada menos que o governo de São Paulo, o mais forte dos recém-instalados. Assim a promessa da lei decretada no primeiro dia passou a correr riscos sob a investida de aventureiros. Mas logo veio a reação dos defensores da soberania popular. No dia 3 de dezembro, um ministério inteiramente dividido tomou, por 3 votos a 2, uma decisão importante, nomeando a comissão preparatória do projeto de Constituição – o primeiro passo para o cumprimento da promessa de transferir o poder do Governo Provisório na forma determinada pelos representantes eleitos.

O fiel da balança acabou sendo o ministro Benjamin Constant, o mais conspícuo positivista do ministério. Militar, isento da obrigação de ganhar votos para chegar ao poder, era a pessoa com quem os positivistas ortodoxos contavam para sagrar a almejada ditadura. No entanto, agora estava fazendo um percurso inverso ao do ministro do Interior. Líder dos republicanos fardados, Constant defendeu – contra a pressão de muitos – as eleições e a representação do povo pelo voto como mais adequados às peculiaridades brasileiras. Mais do que aprovar o projeto, ainda apoiou a nomeação para a comissão de dois autores do Manifesto Republicano de 1870: Joaquim Saldanha Marinho e Francisco Rangel Pestana, que se juntaram ao republicano Américo Brasiliense e aos liberais Magalhães Castro e Santos Werneck. E a decisão foi confirmada por um decreto do marechal Deodoro.

Os defensores da soberania popular tiveram muita sorte. Quatro dias depois, no dia 7 de dezembro, aconteceu a posse do ministro da Agricultura, Demétrio Ribeiro. Ela demorou por um motivo político: como muitos republicanos não confiavam nos partidários gaúchos, simplesmente os deixaram de fora das articulações revolucionárias. O maior líder local, Júlio de Castilhos, recebeu a notícia da vitória pelo telégrafo, depois do fato consumado. Mas deixaram um ministério reservado a um correligionário dele – quando este chegasse à capital de navio. Com apenas 26 anos, Demétrio Ribeiro revelou-se o homem dos sonhos dos apóstolos positivistas. Sua posse foi recheada de discursos, cuja ênfase era uma só: a defesa explícita da transformação da ditadura provisória numa ditadura positivista real e permanente. E tal proposta recebeu apoio numa série encadeada de discursos. Saudando o ministro em nome da Armada, o capitão Nelson de Vasconcelos e Almeida disparou a primeira salva: "A massa da nação já deu seu apoio à nova ordem [...]. Esse apoio só provém da confiança que inspirou o governo provisório por ter sido capaz de assegurar a ordem e progresso da pátria. Nós agora fazemos os mais ardentes votos a fim de que concorrais com as vossas luzes para o estabelecimento de um governo definitivo, governo que se resuma na concentração de todo o poder político nas mãos de um só homem de Estado. [...] Para termos uma República estável, feliz e próspera, é necessário que o governo seja ditatorial e não parlamentar."[4]

Em seguida, foi a vez de Tasso Fragoso, representante do Exército: "Firmado nas lições dessa filosofia que, estou certo, vos inspiram, vos recordamos o pensamento do Egrégio Filósofo, quando sintetizou [as] qualidades características do verdadeiro governo – força e responsabilidade."[5] O próprio ministro empossado encarregou-se da carga final: "Se presentemente a opinião está em atividade, se ela todos os dias tem ocasião de pronunciar-se sobre os atos do governo, parece que não deve haver ansiedade de consultarmos as urnas. Senhores, consideremos que as urnas se pronunciaram contra a República, e a República se fez. Um dos defeitos do regime eletivo está justamente nisso: cada cidadão, no momento em que leva seu voto às urnas, supõe por este modo ter dado todas as manifestações de sua opinião. [...] Eu não teria tomado a posição que assumi, de colaborador do governo, se não fora a certeza de que o meu país se acha em condições de se adaptar também a um regime especial. [...] Se nós queremos construir a República, devemos apoiar-nos numa doutrina verdadeiramente orgânica, conforme revela esta filosofia a que aludiram os cidadãos representantes do Exército e da Armada."[6]

O aparecimento desse novo defensor da ditadura positivista tornou a divisão de objetivos do governo ainda mais acentuada. No entanto, apesar da pressão, e com o apoio do elogiado Benjamin Constant, o marechal Deodoro não sucumbiu ao canto que o tentava como ditador permanente. No dia 21 de dezembro de 1889, publicou um decreto que marcava as eleições dos constituintes para setembro do ano seguinte. A decisão de convocar eleições foi um divisor de águas. Ela comprometia o Governo Provisório com o voto popular e um regime no qual o poder derivava dos eleitores soberanos, como haviam pregado quase todos os republicanos ao longo do Império. Os positivistas, sem qualquer base social relevante para além do estrito círculo do governo provisório e da minguada seção republicana gaúcha, engoliram a decisão.

Para evitar que eles tentassem reagir, os republicanos indicados para a comissão constitucional trataram de iniciar o quanto antes os trabalhos. E tomaram a decisão de se mudar todos com armas e bagagens para Petrópolis, de modo a acelerar o projeto e criar visibilidade durante o longo período em que as eleições seriam preparadas e a ditadura do Governo Provisório fosse a única forma de poder. Enquanto isso, os ministros republicanos mais comprometidos com a propaganda decidiram reagir. Mal eliminavam um poder arbitrário, emergia um grupo no interior do governo para trazê-lo de volta. Para afastar o perigo, empregaram a seu favor o fato de estarem trabalhando com um ditador suscetível para também arrancar dele alguns decretos. Começaram a apresentar propostas de decisões que iam na direção contrária à da concentração ditatorial, transferindo poderes do Estado para a sociedade.

CAPÍTULO **38**
> *Reformas fundamentais*

Coube ao ministro Campos Sales levar propostas inovadoras ao chefe do Governo Provisório. E a inovação, nesse caso, tinha a ver com uma alternativa iluminista jamais tentada no Brasil: empregar a lei para restringir o poder do governo e ampliar o da sociedade. Era um conceito quase impossível de ser entendido nos moldes do pensamento corporativo: equivalia, nos termos deste, a fazer o governo cortar uma parte da cabeça para deixar as coisas a cargo do corpo social. Ainda que com restrita capacidade de ação efetiva, a soma de Constituição, códigos, partes das Ordenações do Reino que continuavam vigorando e decretos que formavam o conjunto das leis no regime imperial previa que a cabeça tivesse poder para velar com cuidado cada parte da vida de cada súdito, pois essa supervisão constituía a essência da ação do monarca com poder uno e divino cuidando do bem comum. O máximo de abandono desse poder conhecido pelo país independente haviam sido as transferências de poder para o Parlamento, as esferas mais baixas de governo ou, no período da Regência, entre esferas de governo.

Campos Sales agiu com rapidez e de forma abrangente. No dia 7 de janeiro de 1890, um mês e meio após a mudança de regime, o governo publicou um decreto, elaborado pelo ministro, regulamentando a liberdade de culto no Brasil. Com apenas seis artigos, ele liquidou cinco séculos de tradição. Os primeiros artigos delimitavam barreiras pétreas para a ação estatal: proibia qualquer instância de governo de legislar ou regulamentar cultos religiosos; permitia a qualquer pessoa ou grupo organizar cultos na esfera privada, mas abertos ao público; vedava o poder público de intervir nas formas escolhidas pelos cidadãos para organizar cultos. Desse modo, o Estado era retirado da esfera da religião. E, no breve artigo 4, determinava que "fica extinto o Padroado, com todas suas instituições, recursos e prerrogativas". Em uma linha, acabava uma ligação entre a Igreja católica e o governo que vinha ininterruptamente desde 1418.

As enormes consequências práticas dessa passagem do controle da Igreja, do governo brasileiro para o Vaticano, foram processadas em pouquíssimo tempo. O governo transferiu para a administração privada do Vaticano não só o comando sobre o clero e a cobrança do dízimo, mas também todos os aparatos de culto que faziam parte do patrimônio do Estado: uma grande quantidade de propriedades (conventos, igrejas, fazendas, imóveis urbanos etc.) com todas as suas alfaias. Além disso, também se transferiu para o comando do Vaticano um grupo muito relevante de funcionários públicos, os padres. Estes formavam, a rigor, o único conjunto de funcionários efetivamente em ação por todo o país, atuando em todos os setores da sociedade. A privatização foi rápida e geral. E Campos Sales ainda decidiu sobre uma série de atos antes comuns à Igreja e ao governo: as certidões emitidas pelos padres eram documentos públicos e os registros clericais tinham validade civil.

Após ter cedido na esfera do culto, o Estado reservou para si as uniões civis, instituindo por decreto o casamento civil, desvinculado do religioso. Dessa vez, porém, houve reação. Os padres passaram a pedir aos fiéis que casassem apenas na igreja, evitando o pecado da cerimônia civil. Em meio à polêmica, Campos Sales apelou para a força, publicando um decreto pelo qual o casamento civil deveria preceder o religioso, sob pena de invalidação do último. Em seguida vieram a secularização dos cemitérios e a instituição do registro civil de pessoas. A aceitação também foi rápida, geral e completa. O Vaticano mandou pencas de padres estrangeiros, treinados na obediência ao papa, para assumir postos-chave; os padres brasileiros logo se acostumaram com a ideia de viver longe do governo; os fiéis católicos continuaram indo à missa e às procissões; os adeptos de outros cultos passaram a organizar suas comunidades e abrir seus templos. A sociedade tolerante estava mais do que preparada para a nova realidade.

A reação à retirada dessa supervisão e controle governamentais foi bem mais amena do que na onda subsequente de decretos. Nos primórdios do novo regime, Rui Barbosa agiu como se fosse um ministro sem grandes ambições. Discutia pouco e empregava seus conhecimentos de redator de leis apenas a pedido do marechal Deodoro. Mas a modéstia era aparente. Entre todos os ministros, foi o que melhor soube cultivar as relações com o chefe do governo, que, com poderes ditatoriais, podia fazer o que bem entendesse com seus auxiliares. O valor desse relacionamento ficou claro no final de novembro de 1889, quando Deodoro teve mais uma crise de asma. Achando que poderia morrer, baixou um decreto definindo uma linha de sucessão. O primeiro a assumir o poder seria Rui Barbosa, seguido pelo militar Benjamin Constant. No dia 17 de janeiro de 1890, os demais ministros se deram conta de quanto valia tal intimidade com o centro do poder. Nessa data conheceram o teor de quatro decretos redigidos pelo colega – lendo o *Diário Oficial*, pois não haviam sido consultados. Em tempos de ditadura, tanto os membros de um pequeno clube podiam tornar sua bandeira aquela da nação como um ministro convincente podia introduzir alterações radicais nas relações entre governo e sociedade no campo da economia, tendo como base apenas a sua boa relação com o general no comando.

Cada decreto mudava um mundo. O primeiro tratava do lugar dos empresários na sociedade e foi promulgado com o número 164. Seu artigo primeiro tinha uma redação simples e direta: "As companhias ou sociedades anônimas, seja civil ou comercial o seu objetivo, podem estabelecer-se sem autorização do governo." Com essa única frase, uma secular prerrogativa do governo central, a de autorizar e regulamentar o funcionamento das empresas, era declarada como algo fora do controle estatal e dependente apenas do livre-arbítrio de cada cidadão. Até a véspera, uma sociedade anônima só podia começar a funcionar depois de redigir estatutos, arranjar dinheiro para compor o capital, deixar tudo isso esperando enquanto a papelada era mandada para a capital do país, à espera da aprovação do Conselho de Estado e da permissão do governo tutelador para o início do seu funcionamento. Com o decreto, a decisão de transformar a poupança pessoal em investimento por meio de aplicação numa empresa tornava-se o exercício livre de um direito do cidadão – e ao governo cabia apenas registrar a papelada e verificar se estava de acordo com a lei.

O Estado deixava de considerar uma ameaça o detentor de poupança que tinha a intenção de investir. Também deixava de supor que a decisão de investir era uma arte que estava além da capacidade dos súditos, e portanto exigia supervisão da Coroa. Só esse parágrafo já era uma espécie de Lei Áurea para os empresários, mas havia mais. Um dos artigos alterava a natureza da responsabilidade do empresário em relação ao modo como poderia ser processado. A responsabilidade dos acionistas de empresas tornou-se restrita ao capital aplicado nas ações. Desse modo, introduzia-se uma separação entre os investimentos numa empresa e a pessoa física do empresário, algo que a legislação imperial vedava e, com isso, mantinha a dependência pessoal no centro da atividade econômica. Essa separação fundamental foi estendida a todo tipo de empresa. Valia também para as chamadas sociedades em comandita – a forma de organização das pequenas empresas da época, quase um pequeno fundo de investimentos. Dessa maneira, foi possível dissociar por inteiro o tratamento da pessoa jurídica do empresário e o da sua pessoa física – ou, em outro sentido, isso colocava a empresa privada sob proteção da lei –, o que tornou possível aos pequenos empreendedores saírem da informalidade para fazer negócios em público.

Na mesma velocidade da privatização da Igreja católica, o decreto acabava com um enquadramento secular. A supervisão do governo sobre a atividade empresarial, seguindo os princípios corporativistas vindos do Antigo Regime, mantivera o mercado nas casas e o afastara da proteção pública. A expressão "particulares" para se referir aos negócios, oposta ao "bem comum" da supervisão imperial, deixava de ter sentido. Em seu lugar aparecia na lei a distinção entre a esfera privada, a da livre ação empresarial, e a pública, a da lei que protege os negócios lícitos.

O segundo decreto do dia, de número 165-A, incidia sobre o estatuto jurídico da propriedade agrária. Desde o século XVI, embora a terra fosse mercadoria, vigorava a fórmula medieval segundo a qual não podiam ser executadas propriedades com atividades complexas (engenhos ou grandes fazendas de café, por exemplo). Por causa disso, havia grande dificuldade para aceitar essas propriedades como garantia de crédito. O decreto de Rui Barbosa abria o caminho para que os proprietários agrários emitissem eles mesmos um título de penhor sobre a propriedade ou parte desta. Tornava-se possível assim que o penhor agrícola se realizasse num contrato direto entre o proprietário e o fornecedor de crédito – e obrigatoriamente deveria ganhar registro público. Assim o papel do Estado se resumia a garantir em público os negócios privados, permitindo que qualquer pessoa pudesse ter acesso aos registros. Agora os interessados em conceder empréstimos podiam tanto conhecer a situação creditícia de cada propriedade como executar os títulos em caso de inadimplência. Rui Barbosa tinha clareza quanto ao objetivo do decreto: "Na essência a questão não é a da liberdade contra o privilégio, mas da Lei de Torens contra as Ordenações do Reino."[1] Os resquícios do direito feudal sobre a propriedade de terra que o Brasil aplicava começavam a ser substituídos pelo direito comercial capitalista.

O terceiro decreto, de número 169-A, regulamentava todas as hipotecas e as formas de sua cobrança. Criava, para vários títulos de propriedade, a mesma situação legal dos bens agrícolas: a possibilidade de que o proprietário emitisse um título de crédito sobre essas propriedades, entregando-o em garantia de um empréstimo. Casas, joias, bens móveis ou qualquer propriedade tornavam-se, assim, instrumentos para a obtenção de crédito – e objetos seguros para serem tomados como garantia pelos emprestadores. Essa lei alterava os direitos sobre outras propriedades na mesma direção, promovendo uma radical modificação do papel do Estado na área. As Ordenações do Reino, mantidas pelo Império como direito civil, regiam os direitos de propriedade sobre objetos ao modo medieval: lidavam com eles como se fossem posse, assunto para chefes de unidades econômicas particulares, cujo domínio sobre elas estava assentado na tradição. Agora a propriedade das coisas adquiria caráter mercantil, era definida em legislação claramente burguesa: a propriedade passava a ser delimitada pela lei, e a lei que garantia a propriedade era a mesma que a transformava em mercadoria plenamente alienável.

Mas o quarto decreto era ainda mais importante: afrontava radicalmente fundamentos tidos como sagrados pelos pensadores do Partido Conservador da monarquia decaída. Fazia isso ao regular o lugar legal do dinheiro na vida da sociedade brasileira. Ao longo do Império, as relações entre Estado e sociedade no que se refere ao dinheiro eram alocadas à esfera do poder pessoal do monarca – que determinava como sagrado o valor da moeda –, na qual não cabia interferência dos súditos. Rui Barbosa, consciente da importância da mudança, justificaria mais tarde o ato, começando pelas emissões de dinheiro que ordenou: "Os auxílios em papel-moeda caíram sobre o mercado ávido como gota d'água indiferente. Foi entre essas perplexidades e sob o aguilhão desses perigos que recorri à salvação possível em semelhante conjuntura: assentar, como os Estados Unidos tinham feito, em circunstâncias análogas e sob a força de iguais necessidades, a garantia do meio circulante sob os títulos da dívida nacional. Essa instituição não tardou em se recomendar, pela experiência imediata de seus efeitos, às simpatias de todas as classes laboriosas como o maior acelerador que já se concebeu neste país da prosperidade do trabalho, como o maior difusor do crédito, o mais enérgico propulsor de nosso movimento industrial."[2]

A legislação norte-americana a que ele se referia era o National Banking Act, de 1863. A opção era justificada, no mesmo texto, pela análise que Mauá fizera da moeda de papel brasileira em sua época e que terminava propondo uma alternativa semelhante. Essa legislação norte-americana criou uma moeda de dupla face: o comércio exterior e as transações internacionais do governo (impostos de importação e pagamentos de juros, por exemplo) passaram a ser realizados com um câmbio fixo em ouro. Nas transações internas, a moeda de papel não tinha lastro metálico e seu preço era flutuante. Embora as duas moedas se chamassem dólar, havia deságio ou ágio entre ouro e papel, com o valor do último quase sempre flutuando abaixo do par. As receitas alfandegárias do governo eram pagas pelos importadores em ouro. O modelo aceitava a regulagem do volume de papel-moeda segundo os ritmos diferentes da oferta e demanda nos mercados interno e externo. Admitia flutuações e distribuía seus riscos de maneira diversa. Acentuava aqueles de importadores, ao mesmo tempo que protegia as receitas governamentais advindas do comércio exterior, assim como os produtores do mercado interno (cujos preços mantinham-se estáveis na moeda de papel interna).

Rui Barbosa, portanto, queria retirar o governo da disputa por divisas no mercado (como dizia o texto, a medida "desembaraçava o Tesouro das flutuações da praça e desembaraçava o movimento da praça das oscilações do Tesouro")[3] e obter recursos externos para o governo pagar suas dívidas diretamente na alfândega, ao mesmo tempo que aumentava o fornecimento de dinheiro de papel para a economia pós-escravidão. O quarto decreto, portanto, foi inteiramente pensado como uma forma de transferir poderes antes exclusivos do Poder Moderador – no caso, a determinação da quantidade de moeda – para o âmbito do mercado, que a fixaria através de compras e vendas. E fazia isso alterando a ordem de prioridades: no lugar da estabilidade dos valores, que interessava aos atacadistas, importadores e financiadores externos do governo (os melhores amigos do Poder Moderador), o objetivo econômico central do governo passava a ser o de incentivar a produção capitalista no setor privado interno – que ganhava margem monetária para correr riscos e moeda para liquidar as transações antes encerradas em cadeias de fiado, dependência e lentidão.

Steven Topik resumiu a mudança de prioridades da política governamental, começando por uma descrição dos grandes interesses em jogo: "Agricultores de produtos de exportação ou para o mercado interno, tanto quanto industriais locais e banqueiros, geralmente apoiam políticas monetárias que facilitem a obtenção do dinheiro e o crédito. [...] Uma queda do mil-réis protegia fazendeiros e industriais que vendiam no mercado interno, na competição com os produtos importados."⁴ Mas havia também representantes dos interesses exatamente contrários: "No outro lado da política monetária estavam importadores, consumidores urbanos de produtos importados, investidores estrangeiros e defensores dos tesouros imperial e provinciais. Esses grupos pressionavam pela restrição do suprimento de dinheiro e preços estáveis. [...] A moeda valorizada significava que o governo tinha de pagar menos mil-réis por suas dívidas externas." No balanço entre as pressões opostas, os pratos da política imperial penderam para um lado: "A política monetária do Império, dominada pela visão do Partido Conservador de dinheiro apertado e taxas altas de câmbio (exceto nos poucos intervalos liberais), favorecia pessoas ligadas aos produtos e capitais europeus."⁵

Em termos políticos, tratava-se de uma aliança entre o governo central e os importadores – em prejuízo dos produtores nacionais. Uma aliança dessa espécie, onde o governo atua contra os produtores do país, só pode prosperar numa situação na qual o governo concebe a si mesmo como estando acima da sociedade – e assim era o Poder Moderador, como um dia havia sido o poder metropolitano. A política de Rui Barbosa tinha o objetivo oposto daquele que até então dominara a esfera maior de governo no território. E tal objetivo vinha a ser o mesmo do governo de qualquer outro país na era capitalista: fomentar a riqueza da nação, favorecer os produtores ligados ao mercado interno e transferir os riscos das oscilações cambiais para os importadores – garantindo a renda dos produtores nacionais. Seria, na visão de Topik, uma política monetária "muito mais beneficiadora da produção interna que a do Império".⁶ Por isso, somando tudo que havia nos quatro decretos, o dia 17 de janeiro de 1890 assinalou uma revolução no campo da economia. Não ficou pedra sobre pedra da antiga política econômica imperial. E a maior parte das mudanças consistiu em retirar o Estado da função de protetor de grupos amigos contra os riscos do mercado – e, na via inversa, proteger pela lei a ação dos empresários atuando em ambiente competitivo, antes relegados ao plano secundário da informalidade.

O choque foi imediato. A reação da imprensa carioca foi violenta, o ministério se dividiu, a crise se instalou. Acabou resolvida numa reunião que durou a noite inteira, com o pedido de demissão dos civis que haviam defendido a ditadura positivista, Demétrio Ribeiro e Aristides Lobo. Demétrio Ribeiro foi substituído por Francisco Glicério – e a paralisia no ministério foi substituída por uma atividade frenética. O novo ministro inverteu o ritmo de uma decisão crucial tomada em sua pasta, aquela de regulação legal e autorização de concessões para investimentos privados de infraestrutura. Enquanto o Conselho de Estado era lento, ele foi rápido: limpou as gavetas e aprovou os projetos existentes. O sentido de suas decisões foi o mesmo: transferir atividades antes reservadas ao escrutínio do governo para a esfera privada.

Já Aristides Lobo foi substituído por Cesário Alvim – tão prudente quanto os mais prudentes conservadores. A primeira decisão importante de sua pasta foi o decreto que regulamentou a eleição dos constituintes. E Alvim, em vez de reformar e ampliar os poderes dos eleitores, estreitou ainda mais as franquias e ampliou o controle de funcionários do governo sobre o pleito. Todas as proibições imperiais, inclusive a do voto dos analfabetos, foram mantidas. Com isso se criaram ritmos muito diferentes de mudança. Enquanto as esferas da vida civil e da atividade econômica eram objetos de mudança radical, na esfera da vida política foi mantida a tutela vinda do último período imperial: restrição às franquias que as tornavam regressivas em relação ao Ocidente e manutenção da tutela dos funcionários sobre o eleitor.

Mas, no geral, o período de transição até a convocação da Assembleia Constituinte foi marcado por medidas legislativas que traziam mudanças substanciais em relação às Ordenações, todas no sentido de aumentar os poderes da sociedade e diminuir a ingerência do governo na vida dos cidadãos. Quando a Assembleia Constituinte começou a funcionar, ficou clara uma nova divisão nas concepções de mundo. Não havia nela ninguém que defendesse a monarquia nem a dupla soberania. Mas também logo ficou evidente que nem todos os republicanos defendiam a soberania popular e o governo baseado em autoridades eleitas e responsáveis. O incipiente conflito político entre positivistas e republicanos históricos transferiu-se para o ambiente parlamentar, embora este próprio ambiente já criasse uma situação difícil para os defensores de uma ditadura. Ainda assim eles lutaram, tentando fazer voltar para trás as mudanças econômicas de Rui Barbosa. O presidente da Constituinte, o senador paulista Prudente de Morais, percebeu o perigo e impôs um ritmo de marcha forçada: em dois meses, entre novembro de 1890 e janeiro de 1891, a Constituição estava aprovada.

Trazia novidades importantes. A maior delas era o reconhecimento de uma soberania única da qual derivam todos os poderes do governo, divididos pela Carta segundo dois critérios. De um lado, havia os três poderes; de outro, as três instâncias de governo. O reconhecimento de um único poder soberano derrogava o Poder Moderador, na esfera da lei escrita, e a desigualdade, na esfera da teoria, como valores aceitos para se fazer leis. Já a redivisão territorial do poder soberano único aumentava muito a independência dos estados, transformados em entes de governo com muito mais autonomia do que as províncias imperiais – incluindo receitas tributárias, a eleição dos governadores e de seus parlamentares.

Assim o Brasil ganhava uma Constituição que impunha o corolário maior do pensamento iluminista – a soberania popular – como fonte única de poder legítimo e a igualdade e universalidade como princípios lógicos para a criação de leis. Assim, em tese, toda lei deveria ter abrangência universal; todo poder legítimo derivaria do voto: até a autoridade maior do Executivo, o presidente da República, deveria ser eleita pelos cidadãos. A regra geral se invertia: até a véspera a desigualdade expressa nas duas soberanias (e o modelo moral da natureza que criava senhores e escravos) era fundamento lógico do sistema legal – e os hábitos igualitários que deram sentido à formação do Brasil ficavam relegados à esfera do costume, desalinhados em relação à lei. Agora as concepções de bons governos fundados na desigualdade eram postas fora da lei – ainda que estivessem longe de desaparecer. A própria existência de defensores da ditadura na Assembleia Constituinte era uma mostra clara de que, por baixo da nova lei, havia gente que defendia algo que agora estava fora da lei e restava apenas como costume informal: a crença na superioridade de uns sobre outros, na desigualdade, nos arbítrios. Mesmo deixando de ser regra constitucional, esses valores continuavam sendo importantes, e validados por leis menores. A Constituição não derrogou leis que não a contrariassem; desse modo ficaram valendo ainda partes relevantes das Ordenações do Reino e muita jurisprudência anterior. Mas as prioridades foram invertidas. Com teoria do bom governo e símbolos trocados para as fórmulas iluministas, começava uma nova era de mudanças e resistências.

CAPÍTULO **39**
> *Nova lei, velhos costumes*

O marechal Deodoro da Fonseca estava com 63 anos de idade quando assumiu a presidência da República. Seu renome se devia a vitórias em combates na Guerra do Paraguai, nos quais sobressaíra em bravura. Como o grande líder do Exército após o conflito, essa condição foi muito importante ao comandar a derrubada do Império. Não era um neófito em política. Militante do Partido Conservador, fora indicado para a presidência da província do Rio Grande do Sul, na qual a presença do Exército era a mais significativa no país: um quarto de todas as tropas ali ficavam aquarteladas. Enquanto chefe do Governo Provisório, com todo o poder de governo reunido em suas mãos – uno e indivisível, como o do imperador deposto –, revelou-se competente para regular a diversidade de opiniões dos ministros, delegar poderes quando necessário, arbitrar conflitos, manter a autoridade. Assim ganhou respeito e força no comando político.

Mas seria impróprio afirmar que conhecia a teoria da divisão de poderes que sustentava a mudança de regime. Desde que passou a funcionar a primeira instituição com poder derivado da soberania popular, a Assembleia Constituinte – ou seja, desde que efetivamente começou a valer a divisão de poderes clássica da organização iluminista –, o ditador passou a demonstrar um desconforto crescente. Começou dando ordens verbais aos ministros que tinham relações com o Parlamento, determinando orientações para os congressistas. Estes continuaram a fazer o que queriam fazer, exasperando ainda mais o marechal, que passou das ordens verbais às escritas e registradas nas atas das sessões ministeriais, mas nada mudou.

Deodoro aguentou o desgaste e soube empregar o melhor de seu aprendizado militar para ganhar força na disputa pelo cargo de presidente. Como detinha o controle das forças armadas, ele o usou como ameaça em várias ocasiões, instilando um sentimento de temor na maioria do Parlamento, onde conquistou o apoio dos congressistas conservadores. No processo foi perdendo o apoio dos ministros civis. Enquanto a Constituinte corria, esses profissionais do poder acabaram criando uma imagem para cada ato que faziam por vontade do ditador e a contragosto: "Engolir a espada". Porém, quando a Constituição ficou pronta e a sua aprovação garantida, pediram demissão coletiva. No dia da promulgação da Constituição, o marechal Deodoro da Fonseca deixaria de ser ditador. O comando do Executivo passaria a um presidente da República. Para evitar o vazio de poder, criou-se um dispositivo legal determinando uma exceção: o primeiro presidente seria eleito de modo indireto pelo Parlamento. E nessa eleição o ditador Deodoro da Fonseca derrotou o parlamentar Prudente de Morais.

Desde o primeiro dia, o governo do presidente Deodoro – aquele que inauguraria a função de velar pelas instituições republicanas da soberania única e dos poderes divididos – foi marcado por decisões que, ao contrário do que acontecera no período de ditadura, não eram exatamente inovadoras. A interpretação do presidente sobre seu papel foi a de que afinal chegara a hora de deixar de lado a conciliação das divergências para agir de acordo com sua vontade pessoal – como se imperador fosse. Montou um ministério só com amigos obedientes. O único com experiência política era o barão de Lucena – uma espécie de tutor colocado pelo Partido Conservador para guiá-lo quando fora nomeado para os primeiros cargos políticos, ainda no Império. Saquarema empedernido, o barão governava para sua facção e não ligou muito para a nova Carta, reiterando o que lhe ditava o costume. Sugeriu ao presidente que impusesse sua autoridade à nação como faziam os ministérios no regime decaído: começando pela derrubada dos opositores nos estados e neles colocando aliados. Para fazer funcionar o antigo mecanismo, num molde legal que definia o governador como chefe de um poder soberano em sua área territorial, aproveitou-se de uma brecha legal: um artigo das disposições transitórias da Constituição mantinha o poder de nomear delegados do governo central no comando dos estados até que estes tivessem Constituição própria.

Ideia aceita pelo chefe, o barão agiu. Para mostrar quem mandava, começou por São Paulo, terra com mais republicanos no país, mas também do candidato ao cargo que fora derrotado. Na primeira semana no posto, como delegado do presidente, o barão de Lucena nomeou Américo Brasiliense para governador – por carta. Nela constava o seguinte trecho: "Fiquei convencido que a política exclusivista que em São Paulo se procurava fortalecer não era coisa agradável para a grande maioria dos paulistas;

convencido disso, entendi que prestaria um serviço a essa bela terra, pela qual sempre tive profunda simpatia, proporcionando-lhe ensejo de se habilitar convenientemente para a nova organização política que terá de firmar. O vosso nome me foi citado como o mais idôneo para desempenhar a difícil tarefa de constituir a pátria paulista."[1]

Na concepção do barão de Lucena, a vontade do ministro substituiria com vantagem a escolha do povo paulista na determinação do que seria o bom governo – mais que os eleitores, ele sabia aquilo que seria "agradável" à maioria e por isso "prestava o serviço" (essa era a linguagem dos atos decisórios do imperador) de nomear o delegado que "desempenharia a tarefa" de constituir as leis, em substituição aos representantes dos eleitores.

A primeira medida do novo governador foi a de montar ele mesmo a chapa dos candidatos à Constituinte. Embora insuspeito de monarquismo, Brasiliense agiu como faziam os antigos presidentes de província no Império para fabricar eleitos a seu gosto partidário. Decidiu sobre candidaturas oficiais no palácio, como se a indicação dos candidatos e o controle das urnas não tivesse nada a ver com partidos nem com a vontade dos cidadãos no novo regime. Mesmo sendo republicano histórico, o governador atentou mais do que contra a teoria. Ignorou um costume democrático da agremiação que criara – e que ele mesmo seguira enquanto esteve fora do poder. Como nos tempos imperiais, o Partido Republicano Paulista existia apenas na sociedade e o governo nada tinha a ver com suas decisões. Os dirigentes eram eleitos em assembleias, os candidatos eram indicados em convenções. No ideal da propaganda e na letra da lei republicana, essa deveria ser a regra nacional quando estivessem no poder.

O governador decidiu outra coisa em palácio, ao modo imperial: formou uma comissão de 20 membros para indicar os candidatos que apoiaria. Dessa comissão faziam parte os dirigentes do antigo Partido Conservador, como o barão de Jaguara, e também do extinto Partido Liberal, como o conde do Pinhal. Entre os republicanos históricos, apenas José Alves Cerqueira César, Júlio Mesquita, Luís Pereira Barreto e Martinho Prado Júnior. A chapa palaciana venceu a eleição também no velho molde imperial. O instrumento foi o de sempre, prosseguindo na mesma toada, agora nos municípios. A perseguição, que incluiu republicanos, foi comandada por Martinho Prado Júnior. Todos os candidatos oficiais foram eleitos, nenhum dos líderes do partido que protestaram conseguiu algo.

Enquanto os costumes antigos ressuscitavam até mesmo entre os republicanos paulistas, as intervenções de Rui Barbosa na economia abriam caminhos para os empresários e empreendedores locais. Nesse caso, a lei que conferiu aos cidadãos o poder de formar empresas sem autorização do governo, somada às garantias de crédito e à maior oferta monetária, provocaram uma mudança radical na dinâmica do setor privado. Atualmente, essa explosão ainda está sendo avaliada pelos econometristas. E o motivo de ainda haver divergências sobre os números é que, na época do Império, a desconsideração do desempenho do setor privado pelos dirigentes das políticas públicas era absoluta. Tanto quanto os costumes dos súditos analfabetos, tudo que se referia aos interesses do mercado interno era invisível para o governo imperial. Também por isso, os dados apresentados em seguida são construções recentes, mostrando tendências que foram por muito tempo ignoradas pelos historiadores habituados a lidar apenas com a documentação tradicional. Esses números revelam uma tendência clara no mercado interno. Depois de um século de imobilidade, tudo começava a se mexer depressa. Para começar, apareceu dinheiro. Em setembro de 1890, o papel-moeda em circulação crescera 35% em relação ao estoque de 17 de janeiro, passando de 212 mil para 285 mil contos nesse período de apenas nove meses de vigência da nova lei.

O volume maior de dinheiro ajudou muitas pessoas com recursos a se enquadrarem como empresários formais. Assim o "mercado escondido nas casas particulares", observado pelo frei Vicente do Salvador em 1625, encontrou afinal um caminho para funcionar sob a égide da autoridade pública. Em São Paulo, o número de bancos saltou de 5 para 22 entre 1889 e 1890. Os maiores destaques foram o Banco do Comércio e Indústria, para o qual a família Prado, a mais rica da cidade, transferiu parte de seu patrimônio e de seus negócios ao ajudar a formar o capital de 34 mil contos; o Banco de São Paulo, onde sobressaíam os antigos membros do Partido Liberal, como o conde do Pinhal, e cujo capital inicial era de 29 mil contos; e, sobretudo, o Banco União, uma instituição emissora nos moldes republicanos e controlada pelos Morais Barros, com capital de 112 mil contos. No interior, o Banco dos Lavradores, de Campinas, reuniu um capital de 39 mil contos. Para efeito de comparação, em relação aos recursos antes condenados à informalidade – e que agora eram transferidos para empresas na forma da lei –, o orçamento do estado de São Paulo previa gastos de 4 mil contos em 1889.

Com dinheiro na praça e bancos em funcionamento, o crédito formal se multiplicou numa velocidade ainda maior. Em São Paulo, apenas no ano de 1890, os contratos de empréstimo dos bancos registrados em cartório cresceram de 31,7 mil contos de réis, em 1889, para 77,3 mil contos de réis, no ano seguinte – ou seja, um crescimento de 145% em um ano, um ritmo sete vezes maior que o crescimento da moeda em circulação.[2] Quem pegou o dinheiro nos bancos? Quase sempre, empresários que resolveram, ao mesmo tempo, registrar suas empresas e usar o crédito tanto para aumentar o capital como para investir. A fatia do leão dos novos créditos em São Paulo foi absorvida por indústrias organizadas como sociedades anônimas, que saltaram de 4 para nada menos de 64 nesse ano.[3] E a multiplicação das ações encontrou tomadores mesmo num ambiente em que as maiores sociedades anônimas locais, as ferrovias, aproveitavam a oportunidade para lançar grandes lotes de novas ações, para assim financiarem a rápida ampliação da malha viária.

E tudo isso não foi nada diante do que ocorreu em seguida. Em 1890 e 1891, foram lançadas nada menos que 210 grandes sociedades anônimas de capital aberto em São Paulo. Desse total, 89 (correspondendo a 42,4% dos lançamentos) eram resultado da reorganização formal de negócios que não encontravam guarida legal sob a legislação imperial – aquela que se orgulhava de proibir empresas e autorizar apenas uma dúzia de sociedades anônimas em todo o país. Mas havia capital para lançar e colocar em funcionamento nada menos de 73 empresas novas, a maior parte delas no setor industrial. E não se tratava de um movimento apenas local. No Rio Grande do Sul, os bancos passaram de dois para dez ao longo do ano. No Rio de Janeiro, apesar da crise do café, também havia movimento. Em novembro de 1889, a capitalização total das sociedades anônimas era de 813 mil contos; nos primeiros meses da República, até outubro de 1890, chegou a 1,98 milhão de contos. Parte do incremento era riqueza nova, mas o grosso era efeito apenas da mudança de estatuto jurídico, que incentivava a passagem da fortuna pessoal para a formal.[4]

Mais crédito não significa mais produção: o indicativo monetário poderia ser apenas de aumento de preços com os mesmos volumes de produção. Entretanto, a movimentação de mercadorias também indicava uma direção positiva. Nas duas principais ferrovias de São Paulo, a tonelagem do café transportado entre 1885 e 1890 registrou um crescimento de 30% na maior linha do estado, a Santos-Jundiaí. Mas esse grande crescimento nem se comparava ao das mercadorias transportadas para o mercado interno, que aumentou nada menos de 99% em tonelagem (portanto, volume físico, não financeiro) no mesmo período. Como resultado do aumento do transporte interno, a fatia do café no movimento total da ferrovia caiu de 37% para 24%. Na Companhia Paulista, que cortava a maior região produtora do estado, o crescimento do transporte de café foi de 36% – ótimo resultado, mas nada comparável ao aumento de 105% nos demais produtos. Assim, a porcentagem do café no movimento total caiu de 44% para 29%.

A importância do mercado interno revelou-se ainda mais crucial no Rio de Janeiro. Ali, nem toda a montanha de crédito foi suficiente para evitar uma rápida queda da produção cafeeira que desaguava no porto carioca. Em 1885, a Central do Brasil era a maior (mas não a única) transportadora do produto: conduziu 172 mil toneladas de café, volume 53% maior do que as 112 mil toneladas transportadas pela Santos-Jundiaí, única ferrovia que levava cargas ao porto de Santos. Cinco anos depois, em 1890, os carrregamentos de café da Central do Brasil cairiam para 82 mil toneladas – apenas 47% do volume registrado no período anterior. Apesar dessa queda dramática, o movimento total de cargas na Central do Brasil cresceu 13%, de 429 mil para 483 mil toneladas, o que foi possível apenas porque o volume das demais mercadorias saltou de 258 mil toneladas para 411 mil – um crescimento de 60% no mesmo período. No cômputo global, o café representava 40% das cargas da ferrovia em 1885 – e apenas 17% cinco anos depois.

Embora com menos detalhamento, o mesmo crescimento pode ser entrevisto no restante do país. O total das mercadorias transportadas pelas ferrovias brasileiras como um todo cresceu 25% apenas nos dois anos entre 1888 e 1890, passando de 1,63 para 2,03 milhões de toneladas.[5] Nada disso se deve ao mercado externo, uma vez que, entre 1889 e 1890, as exportações totais do Brasil decresceram, passando de 138,8 milhões de dólares para 128,2 milhões.[6] Como nos tempos do marechal Deodoro, esses dados estatísticos nunca chegavam aos homens que decidiam, depois de promulgada a Constituição os atos de governo ainda levaram muito em conta velhos costumes agora à margem da lei, e não o nítido progresso interno – e tampouco uma inesperada crise externa. No dia 19 de novembro de 1890, o banco Barings anunciou em Londres que estava suspendendo pagamentos devido a um problema com seus investimentos em títulos argentinos. A notícia desencadeou uma crise no mercado de capitais inglês, que afetou o valor dos títulos não só da Argentina, mas de todos os países da região. Mitchener e Weidenmier explicaram o processo de contágio: "Os investidores europeus venderam ou reduziram suas posições para todos os governos da América Latina, como forma de diversificar seu risco regional, o que provocou quedas dramáticas nos títulos."[7]

Junto com a queda no valor dos títulos ocorreu uma drástica inversão nos fluxos internacionais de dinheiro na economia brasileira. Em 1889, no auge das entradas, o país absorveu 12,4 milhões de libras só de investimentos. Com a crise, ao longo de todo o ano de 1891 viriam apenas 540 mil libras.[8] Essa redução violenta tinha pouca relação com a situação interna da economia. Deu-se em toda a América Latina e teve proporções semelhantes em todos os países. A razão era uma só: o dinheiro deixava de vir porque os investidores ingleses precisavam dele em casa. Em vez de emprestar, os bancos estavam executando seus credores, que se viram obrigados a repatriar os recursos.

A avalanche teve início ainda na gestão do ministro Rui Barbosa. Ele tinha consciência do ponto onde o impacto seria mais forte: com oferta drasticamente reduzida, era mais que razoável imaginar um aumento de preço da libra esterlina para os detentores de mil-réis. Sabia também quais eram os maiores candidatos a ficar com a conta: os importadores. Obrigados pelas novas leis a pagar impostos em ouro, eles arcariam com toda a variação cambial para baixo, sendo forçados a despender mais moeda nacional a fim de pagar a taxa alfandegária pelo valor da mercadoria em moeda estrangeira. Essa penalização, por outro lado, seria um alívio para o próprio governo – que receberia a moeda estrangeira comprada mais cara pelos importadores sem correr riscos e assim saldaria suas dívidas.

A rápida reação do ministro preparou um caminho para enfrentar a tempestade. Restringiu as autorizações para as emissões dos bancos, além de determinar um aumento na margem de segurança dos empréstimos bancários, de olho nas taxas de juros. Mas, sobretudo, o ministro provocou a fusão dos dois maiores bancos do país, de modo a que formassem o Banco da República dos Estados Unidos do Brasil. Foi nesse momento delicado que aconteceu a eleição do marechal. Rui Barbosa foi demitido e um amigo do barão de Lucena acabou indicado para o cargo.

Tristão de Alencar Araripe era advogado civil e, embora muito fiel e obediente, não estava à altura das novas funções. Mal e mal sabia imitar as atitudes dos ministros conservadores do Império diante das crises externas: aumentar o impacto delas restringindo o crédito. Nos tempos em que o Banco do Brasil dominava o circuito de crédito interno, isso era feito com um simples aumento das taxas de desconto. Como agora havia muitos circuitos de crédito privado em novos setores, o ministro resolveu começar proibindo a venda de ações, que considerava pura "agiotagem" – como o visconde de Itaboraí meio século antes. Forçado a voltar atrás depois de lhe explicarem que agora tal prática estava dentro da lei, ele propôs ao presidente outra manobra da velha escola, assim registrada em ata de reunião ministerial: "Conquanto entenda que o governo não deve cruzar os braços, convém providenciar contra a agiotagem. Sugere a propósito a ideia da nomeação de uma comissão de inquérito, composta de pessoas competentes, a fim de dar seu parecer sobre a matéria, para que o governo providencie com segurança e eficácia."[9]

Quando as pessoas competentes do mercado organizado segundo a lógica capitalista viram que lidavam com um amador atabalhoado, foram arrancando favor atrás de favor – sempre às custas do Tesouro e da ignorância do ministro. Os importadores conseguiram se livrar dos pagamentos de taxas alfandegárias em ouro, e assim o governo abriu mão do principal meio para acumular divisas, ficando obrigado a pagar mais mil-réis por cada libra de sua dívida externa numa situação em que o câmbio caía. Os donos de vários bancos conseguiram acesso a 2,6 milhões de libras esterlinas das reservas nacionais, prometendo fazer bons negócios e devolver em seguida. O ministro nem exigiu boas garantias, de modo que o destino das reservas foi assim descrito num relatório oficial posterior: "A quantia, segundo parece, foi empregada no jogo da praça ou em negócios aleatórios."[10]

Quando até mesmo o barão de Lucena percebeu o tamanho do desastre que estava sendo provocado por seu ministro, assumiu ele mesmo o ministério. Nessa altura, contudo, o Tesouro dilapidado tinha apenas um instrumento para cobrir os rombos: as emissões diretas, que saltaram de 298 mil contos, no último dia da gestão de Rui Barbosa, para 511 mil contos, em junho de 1891 – um aumento de 71% em seis meses. Nos moldes da lei, tais emissões se faziam em títulos que precisavam ser tomados por bancos emissores, os quais emitiam a moeda que entrava em circulação. O principal agente nesse circuito era o Banco da República dos Estados Unidos do Brasil, sediado no Rio de Janeiro. Como a economia cafeeira local estava em crise, logo se esgotou a capacidade do comércio e da indústria locais de absorver dinheiro. Com isso, o único modo de o banco emitir mais passou a ser por meio da aquisição ou do lançamento de empresas fora da capital, capitalizando-as em parte; em seguida podia realizar grandes empréstimos para elas com o dinheiro que emitia – na expectativa de que o mercado em rápido crescimento absorvesse tudo, como acontecia sobretudo em São Paulo. Como o mercado não absorveu a papelada, sobrou uma saída para espertos: vender todas as empresas inviáveis para o governo, pelo valor de face.

Tanto o ministro quanto o presidente compraram a ideia. Como era preciso dinheiro público para pagar a conta, aventou-se a solução de um empréstimo externo cuja garantia seriam as rentáveis ferrovias de propriedade do governo, em especial a Central do Brasil, que acabara de incorporar uma ferrovia privada paulista e ganhar o monopólio do transporte entre Rio de Janeiro e São Paulo. O argumento era o de que o empréstimo estabilizaria o câmbio – algo que ignorava as raízes mundiais do desaparecimento das libras esterlinas no mercado brasileiro.

Havia apenas um pequeno detalhe formal: a nova Constituição exigia aprovação parlamentar para uma operação dessa espécie. O marechal Deodoro mandou a papelada para o Congresso e aconteceu o inevitável: algum deputado fez objeções no plenário, outros resolveram estudar melhor o caso. O marechal tomou a decisão como afronta a seu poder pessoal – e agiu como achava que deveria: fechou o Congresso no dia 3 de novembro de 1891, tornando-se novamente ditador. Tentou salvar o banco. Mas, como os tempos eram outros, uma alteração pouco notada por ele no mecanismo constitucional entrou em ação. No dia 23 de novembro, o vice-presidente da República, o também marechal Floriano Peixoto, derrubou o presidente e tomou legalmente o poder.

CAPÍTULO **40**
> *A esfinge*

FLORIANO PEIXOTO, O SEGUNDO HOMEM A COMANDAR O PAÍS NOS MOLDES DA estrutura institucional que previa um presidente da República à frente do Executivo, tinha como principais ativos para o exercício do poder uma longa carreira e uma grande habilidade. Nascido em família modesta, alistou-se como soldado, chegou a tenente e estava no Rio Grande do Sul quando se deu a invasão paraguaia, de modo que participou dos primeiros combates da Guerra do Paraguai. Lutou durante cinco anos e por seus atos de bravura acabou alcançando o posto de coronel. Nesse posto teve participação no último ato do conflito, comandando o grupo que abateu o líder paraguaio Solano Lopez.

Como outros comandantes militares, mesclou as carreiras de soldado e político nos anos seguintes. Militante do Partido Liberal, foi indicado para a presidência da província de Mato Grosso. Em função de seu vínculo partidário, assumiu a chefia do Exército no gabinete do visconde de Ouro Preto, em 1889. Era um posto de total confiança do ministério e Ouro Preto não teve nada do que reclamar do seu ministro – até o dia 15 de novembro de 1889, quando afinal os atos do marechal lhe revelaram que aderira aos revolucionários republicanos empenhados em derrubar a monarquia.

Desse dia em diante tornou-se homem de confiança do marechal Deodoro e o primeiro ocupante do cargo de vice-presidente da República. Manteve essa confiança quando o presidente fechou o Congresso e se tornou ditador. Porém, com imensa discrição, não apenas fez contato com republicanos atarantados com o ato como também teve acesso a informações sigilosas relevantes. Com o Parlamento fechado, a papelada que regularizava o emprego de dinheiro público e empréstimos externos para comprar o banco à beira da falência ficou pronta em apenas duas semanas. Porém, no dia em que enviou o decreto à gráfica, Deodoro teve a mesma surpresa do visconde de Ouro Preto: foi apeado do poder por seu vice, com o apoio do Exército, da Marinha e dos republicanos.

Nem o visconde imperial nem o marechal presidente revelaram qualquer decepção pelo fato de terem apostado num traidor. Antes colocaram suas frustrações na conta de uma grande capacidade de Floriano para criar confiança com palavras e, por meio dos atos, explicitar outra interpretação para as mesmas palavras. Assim que tomou posse da presidência da República, no entanto, Floriano lançou um manifesto pelo qual se comprometia com dois objetivos. O primeiro: "Manter a inviolabilidade da lei, que é ainda mais necessária em sociedades democráticas como um freio às paixões do que é necessária nos governos absolutos com tradição de obediência pessoal, será para mim e meu governo sacratíssimo empenho, como também sê-lo-á respeitar a vontade nacional e dos estados em suas livres manifestações sob o regime federal."[1] O segundo objetivo foi assim expresso: "A administração da Fazenda com a mais severa economia e a maior fiscalização da renda do Estado será uma das minhas maiores preocupações. Povos novos e onerados de dívidas nunca foram felizes e nada aumenta mais as dívidas do Estado que as despesas sem proporção com os recursos econômicos da nação."[2]

Pelas palavras, portanto, Floriano Peixoto se mostrava conhecedor dos princípios iluministas e se propunha a agir como um governante dessa espécie. Também se afirmava como seguidor da doutrina das despesas controladas do governo, um princípio que servia tanto para o regime antigo como para o novo. Depois da deposição do companheiro de farda, um segundo ato deu sentido às palavras. Floriano suspendeu a impressão do decreto pelo qual o governo comprava os ativos do banco e evitou os empréstimos externos (e um aumento ainda maior da dívida do governo em moeda estrangeira). Como defensor das novas regras que separavam público e privado, deixou que o banco – que, embora agente do governo, era privado – entrasse em liquidação. O ato tinha relação muito direta com a segunda grande promessa de seu governo.

O processo de falência colocou em risco as fortunas imperiais aplicadas no banco, que até então resistiam à debacle da produção cafeeira fluminense: entre os acionistas contavam-se 21 barões, 18 viscondes e 3 condes. Embora a derrocada do banco estivesse de acordo com as novas instituições republicanas, não deixou de ser uma notícia trágica para gente acostumada a ter a saúde de suas finanças favorecida pela ação governamental e se tornou fonte de um rancor mudo contra o regime. O que perdeu de um lado, o presidente ganhou de outro. A pronta ação no caso do banco fez com que os republicanos que apoiaram o novo presidente dessem, em seguida, um passo importante: o Parlamento aprovou o mandato do marechal – embora a Constituição indicasse expressamente a necessidade de convocar novas eleições – e em seguida entrou em recesso por cinco meses, deixando a direção do país em crise inteiramente nas mãos do empossado. Estava passando um cheque em branco para o presidente agir sem o freio às paixões dos governos absolutos, mas os atos seguintes de Floriano Peixoto mostraram que os parlamentares delegavam e sumiam de cena de modo consciente.

Assim como o marechal Deodoro, o novo presidente do país resolveu consolidar a sua autoridade pelo método da derrubada dos governos estaduais. Os alvos eram nada menos que 19 dos 20 governadores (ficaria de fora o governador do Pará, Lauro Sodré, único que não apoiara o golpe de Deodoro). Dessa vez, como não havia a brecha legal, a derrubada seria frontalmente contrária à inviolabilidade da lei que o presidente jurara defender com "sacratíssimo empenho". O conflito entre a letra da lei e o costume imperial da derrubada de presidentes de província foi assim descrito por Francolino Cameu e Artur Vieira Peixoto, biógrafos do presidente: "Proclamada a República, [colocado] em pleno vigor o regime presidencial federativo, autônomos os Estados, era de se esperar que aqueles que tomassem para si governar as unidades da federação fossem um pouco mais independentes, tanto mais quanto não eram nomeados pelo centro mas eleitos pelo voto popular ou pelos congressos legislativos. Mas o hábito estava feito, e o hábito forma uma espécie de segunda natureza. Com pequenas e honrosas exceções, o costume de achar bom todo ato praticado pelo governo central continuava a produzir seus maléficos efeitos."[3]

A frágil soberania dos eleitores de cada estado e o modesto poder dos governadores recém-empossados foram triturados por atos que afrontavam a letra da lei. O presidente da República agiu como os ministros imperiais, derrubando os 19 governadores. E foi apoiado em cada ato pelos republicanos que escreveram a lei, inclusive os de São Paulo, que ainda por cima pegaram em armas para afastar Américo Brasiliense, que fora nomeado por Deodoro. A derrubada permitiu a Floriano Peixoto colher outros frutos de poder. Em março de 1892, 13 generais e almirantes assinaram um manifesto contra as deposições de governadores. O presidente decretou estado de sítio, demitiu todos – e aproveitou para prender e deportar sem julgamento um magote de civis, entre os quais o jornalista José do Patrocínio e o poeta Olavo Bilac. Estes encontraram um defensor em Rui Barbosa, que entrou no recém-criado Superior Tribunal Federal com um pedido de habeas corpus para soltar quem havia sido preso ilegalmente. O órgão máximo do Judiciário também mudara de estatuto com a nova Constituição: deixara de ser subordinado ao Poder Moderador para se transformar em poder independente, com juízes dotados de mandatos invioláveis.

Mas a mudança formal não eliminou o costume da secular dependência ao rei no Judiciário, de modo que também ali o hábito persistiu sobre a letra da Constituição: em vez de dar sentença, os juízes pediram audiência a Floriano, tentando saber o que pensava o governante do alto. O presidente emitiu uma frase enigmática: "Não sei amanhã quem poderá dar habeas corpus aos ministros do tribunal." No fim, apenas um juiz foi favorável ao pedido, enquanto os demais declararam o tribunal incompetente para julgar atos do presidente da República. A persistência do costume imperial ajudou muito a que se consumassem as derrubadas de presidentes estaduais à margem da legalidade. Com isso a impressão geral dos brasileiros passou a ser a de que o novo regime era apenas uma roupa nova para ideias muito antigas. Por outro lado, isso também fez com que pouca gente notasse a evolução da economia, onde os acontecimentos obrigavam o presidente da República a contrariar sua promessa de contenção de despesas.

Os anos de Floriano Peixoto como presidente, de novembro de 1891 a novembro de 1894, testemunharam o acirramento das diferenças entre o crescimento do setor privado brasileiro e a situação das finanças do governo federal (o termo pelo qual a instância central de poder passou a ser designada na República). A monetização da economia estava de fato servindo de instrumento para um aumento acelerado da produção – e, por causa dela, até das receitas do governo. Mesmo com a transferência da cobrança de alguns tributos para os estados determinada pela Constituição, as receitas federais cresceram de 153 mil contos, no último ano do Império, para 345 mil contos ao longo de 1893 – um aumento de 120%. Da mesma forma, as contas comerciais externas iam bem. As exportações subiram de 28,5 milhões de libras esterlinas, em 1889, para 31 milhões na média do período 1892-94. Como as importações se mantiveram relativamente estáveis, por todo o período registraram-se saldos comerciais.

Já as contas de capital foram muito afetadas pela crise mundial. Os investimentos de capital foram de 5,4 milhões em 1890 (a crise eclodiu bem no final do ano), caíram para 600 mil libras em 1891 e se mantiveram nesse patamar daí por diante. Somando comércio e capital, o fluxo geral das transações externas se inverteu: o superávit médio de 2 milhões de libras anuais dos últimos anos do Império se transformou num déficit de 760 mil libras anuais no período seguinte. A consequência inevitável era a desvalorização da moeda. Cada mil-réis comprava 22,6 pence em 1890; no ano seguinte passou a comprar apenas 14,4 – e o poder de compra flutuou em torno de 11 pence em 1892 e 1893. Como o governo ficara sem reservas ainda na gestão de Deodoro, que forneceu libras baratas para os estrangeiros que tiravam o dinheiro do país, o marechal Floriano foi obrigado a adquirir libras caras para saldar as dívidas externas. Assim a situação de desvalorização cambial atingia negativamente as contas do governo federal.

Todavia, essa mesma desvalorização tinha dois efeitos. Ao encarecer as importações, conferia uma proteção competitiva aos produtores nacionais, que foram abrindo brechas no mercado. Quanto aos exportadores, era ainda maior o efeito positivo da desvalorização: quanto maior esta, mais eles ganhavam em moeda nacional. Na média, os cafeicultores de São Paulo receberam 37 mil-réis por saca em 1890 – e 53,2 mil-réis no ano seguinte, com acréscimo de 43,2%. Como a produção também aumentou, a renda total do setor cresceu nada menos de 71%. Nos anos seguintes os aumentos de renda foram proporcionais à desvalorização. Assim, as tendências opostas das contas do governo e das contas do setor privado se ampliavam. E não havia lugar em que os sofrimentos para alcançar o equilíbrio fossem maiores que no Rio de Janeiro. Ali o mercado privado de títulos financeiros havia na prática desaparecido, caindo 91% entre 1890 e 1892. Mas era ali também que estava o centro do movimento financeiro do governo, carente de instrumentos para reagir, emitindo títulos a fim de cobrir as maiores necessidades de caixa para saldar os débitos externos, que cresciam em proporção maior que as receitas.

Floriano enfrentou o problema afastando-se da sua política de austeridade com os recursos públicos. Estatizou o banco privado que estava na lona e o fundiu ao Banco do Brasil. O novo banco se tornou, ao mesmo tempo, dono de muitos ativos (sobretudo ferrovias e empresas de navegação) e instrumento dócil para a emissão de dinheiro – não mais para monetizar a economia em favor do setor privado, o objetivo de Rui Barbosa, mas para cobrir os rombos do orçamento.

Essa situação de sinais opostos entre o desempenho do setor privado e o do setor público chegou quase ao paroxismo num estado brasileiro, o Rio Grande do Sul. Do ponto de vista da economia, era um dos estados que mais vinham crescendo após a mudança de regime. As vendas do charque, o principal produto gaúcho, saltaram de 25,6 mil para 35,7 mil toneladas entre 1889 e 1892, um crescimento de 48%. Banha e couros tiveram desempenho ainda melhor. A valorização da atividade empresarial permitiu a fundação de 30 sociedades anônimas num prazo muito curto. O setor mais beneficiado foi a produção de tecidos, com a criação de indústrias capitalizadas. Já no ano da sua fundação, 1891, as três maiores empregavam 2 mil operários, sendo também mais importantes usuárias de trabalho livre na economia local.

Mas o estado estava dividido por conflitos políticos. Em 1891, o maior líder republicano local, Júlio de Castilhos, forçara a aprovação de uma Constituição estadual de forte cunho positivista: concentrando muitos poderes no Executivo (o Legislativo estadual tinha apenas a função de verificar contas e as leis eram decretadas pelo governador), permitindo a reeleição permanente do governador e restringindo o poder dos governantes municipais. Como Júlio de Castilhos apoiara explicitamente a ditadura de Deodoro, acabou apeado do poder pelos militares que estavam com Floriano. Isso o levou a desencadear uma campanha efetiva de oposição aos indicados do Rio de Janeiro. A instabilidade se acentuou muito, com governadores subindo e caindo em ritmo frenético. Em meio ao turbilhão, emissários do presidente da República começaram a ter encontros discretíssimos com Castilhos. Ao mesmo tempo, nem mesmo os militares colocados no governo estadual pelos ministros militares – que não eram positivistas nem defensores de uma ditadura – conseguiam ser obedecidos pelos militares positivistas aquartelados no estado.

Numa tentativa de restabelecer o comando, os ministros militares nomearam o visconde de Pelotas para governar o estado. Ele fora o chefe de Floriano durante toda a Guerra do Paraguai, seu padrinho político no Partido Liberal depois dela, e contava com o respeito de muita gente. Mas assim que tomou posse passou a ser hostilizado por militares que deviam os seus postos de comando ao presidente da República, e que o instavam a renunciar em favor de Júlio de Castilhos – inimigo aberto e declarado das posições liberais. Pelotas preferiu renunciar em favor de Joca Tavares, também veterano do Paraguai. Já o comandante militar do estado nomeou Júlio de Castilhos, que no mesmo dia renunciou e indicou Vitorino Monteiro para o cargo. O estado ficou com dois governadores, mas só o castilhista recebeu um telegrama de apoio e promessas de ajuda do presidente da República. Júlio de Castilhos foi ao Rio de Janeiro, acertou-se com Floriano e retornou ao governo em janeiro de 1893 – e as escaramuças violentas entre os partidários de cada governador se transformaram em guerra civil aberta a partir de março.

Por mais que fosse perito na dissimulação dos seus objetivos, Floriano Peixoto não era o único militar capaz de interpretar sinais de guerra. O almirante Custódio de Melo, saído do Ministério da Marinha, começou a ler documentos secretos e chegou a conclusões semelhantes às do visconde de Ouro Preto e do marechal Deodoro da Fonseca: sem trair explicitamente sua palavra, o presidente havia de fato derrubado o visconde de Pelotas, cuja indicação contara com o apoio de Custódio de Melo. Como ainda era almirante, este reagiu com atos militares: desencadeou uma revolta da Armada e colocou uma frota a serviço dos adversários de Júlio de Castilhos.

Floriano Peixoto também sabia lutar. Mandou para o desterro Rui Barbosa quando este tentou defender os revoltosos, comandou pessoalmente a defesa armada (os canhoneios entre fortes do Exército leais a Floriano e os navios comandados por Custódio de Melo se tornaram diários no Rio de Janeiro), expulsou a esquadra para o mar, arrancou dinheiro dos paulistas para comprar outra esquadra. Para pagar tudo isso, emitiu como nunca. Tornou-se autoridade sem contraste, um ditador de fato. Era, além de comandante, o propagandista do figurino do sonho positivista de um ditador. Fornecia uma imagem para todos os brasileiros pensarem: soluções fortes para problemas agudos. Mas não era ditador, e sim um presidente da República com mandato. Navegando na fronteira desses papéis opostos, cumpriu seu melhor papel: esfinge.

CAPÍTULO 41
> *Presidente eleito*

EM MAIO DE 1893, POUCO ANTES DA REVOLTA DA ARMADA, OS PARLAMENTARES elegeram pela terceira vez o senador Prudente de Morais para o comando do Senado. Seu discurso de agradecimento foi bastante direto: "Republicano dos tempos de propaganda, dos tempos em que neste país era crime dizer-se republicano, naquela época a minha grande ambição, o meu sonho de patriota, era ver proclamada a República na minha pátria. Vi o meu sonho ser realizado, vi a minha ambição ser satisfeita. Mas, digo-o com mágoa, tenho ainda uma ambição maior que aquela: ver o regime republicano, traçado pela Constituição de 1891, realizado, ver a República elevar-se pelo estabelecimento da paz, da ordem, da garantia de todos os interesses e todos os direitos do cidadão. Minha maior ambição na atualidade, permitam-me a expressão, é tornar a República Federativa do Brasil numa realidade real."[1]

Naquela altura, haviam se passado 58 anos desde a eleição de Diogo Antônio Feijó, até então a única ocasião em que o chefe do Executivo fora escolhido através do voto pelos cidadãos brasileiros. Agora havia algo em favor do pretendente: o suporte de toda a estrutura jurídica da nação. Por outro lado, havia também uma constante histórica: tal estrutura era recente e abstrata, e ainda não se convertera em costume para o cidadão. Pior ainda, a intenção de fazer coincidir as instituições republicanas e a realidade nacional competia diretamente com outro projeto, o de Floriano Peixoto. A competição começou em 3 de junho, quando o líder do governo na Câmara, Francisco Glicério, enviou ao presidente um bilhete no qual dizia que talvez Prudente fosse candidato. Recebeu a resposta de que, embora ele não se opusesse ao indicado, talvez Júlio de Castilhos fosse um nome melhor. O ruído aumentou no dia 8 de julho de 1893, quando uma centena de parlamentares fundou o Partido Republicano Constitucional e marcou uma convenção para indicar Prudente de Morais como candidato à presidência da República. No dia 6 de setembro eclodiu a revolta da Armada – menos de um mês antes da convenção, marcada para o dia 23.

Assim, o embate de ideias na convenção se fez ao som dos bombardeios na cidade. Os dois projetos opostos para o comando do país foram expostos com toda a crueza.

Aristides Lobo, o ministro que havia considerado o povo "bestializado" no momento da Proclamação da República, era agora senador e florianista. Elaborou uma pesada argumentação contra a eleição, assim registrada na ata: "O senador diz que a falta de delegados na convenção e sua oportunidade são questões conexas. A falta de delegados é por demais sensível e grave, porque nas condições atuais a convenção é inoportuna. O presidente da República carece de toda a força para, sem tardanças, sufocar a revolta contra o governo legal. A apresentação de candidatos ao cargo que ocupa vem enfraquecê-lo, pois parecerá à opinião, tão perversamente trabalhada e tanta vez facilmente desviável, que não se confia nele em absoluto e que seus amigos desejam substituí-lo. Julga que provocar ou dar volume a tal suposição é quase um atentado contra a República, cuja defesa está confiada a seu braço. É patente que haja conveniência para adiar a eleição e pasma que haja quem o ponha em dúvida. Pretender-se marcar dia fixo para que um homem que se haja investido pela situação de todo o prestígio é incompreensível da parte dos homens públicos. Se o movimento perdurar, nem as eleições para os cargos supremos da nação talvez se possam realizar. Adie-se a convenção. É a salvação pública que o exige".[2]

Assim o movimento militar se transformava em programa político a favor da continuidade permanente do poder ditatorial. A força para sufocar pelas armas seria razão muito maior do que a regra legal que fixava uma data para o término do mandato do governante. Os eleitores, antes definidos pelo orador como "bestializados", seriam agora pessoas facilmente "desviáveis", pouco confiáveis e a quem não se deveria pedir opinião. O contra-argumento veio do senador baiano Manuel Vitorino: "A convenção é oportuna e reclamada pelo estado revolucionário. A luta entre a autoridade legal e a revolta gira em torno deste eixo: o poder a 15 de fevereiro de 1894. Constituído um novo poder nesta data, cai a luta. A designação de um candidato a presidente da República não desprestigia o atual chefe da nação. Pela Constituição, ele deve deixar o cargo e as altas funções no ano vindouro. Se testemunharmos que há um homem honesto, respeitador da lei, que ocupou o posto em que foi colocado até o último dia do seu mandato, tendo presenciado a eleição de seu sucessor e cercado de todas as garantias a expressão da vontade popular, teremos dado a este homem o maior prestígio perante o país inteiro. Que querem todos? Que, em vez de se dizer 'Às armas' se diga 'Às urnas'. Há na convenção muitos amigos que devem contribuir para que os homens do mar não continuem a enganar a boa-fé de alguns afirmando que o presidente da República quer perpetuar-se no poder e que o veto à eleição é um sinal franco de semelhante aspiração. Entremos na vida normal. A escolha de candidatos é uma bandeira de paz com que se acena à revolução."[3]

Depois de ardorosas discussões, no dia 25 de setembro Prudente de Morais acabou sendo indicado como candidato a presidente da República, e Manuel Vitorino, como candidato a vice-presidente. A candidatura marcou o início de outro enfrentamento, agora político: um candidato em disputa pela regra constitucional e um presidente com adeptos que apelavam para a união em torno do chefe, o qual necessitaria de poderes excepcionais para vencer numa situação excepcional. Uma luta entre um candidato à presidência nos moldes da Constituição e um candidato-marechal revestido de poderes de exceção. Floriano Peixoto governava sem Parlamento, com estado de sítio, censura à imprensa, nomeação de governadores e o controle do sistema financeiro. Essa concentração constituía a base tanto do comando prático como da argumentação de Aristides Lobo – e o presidente se esmerou para produzir fatos nesse sentido.

Entre esses fatos estava o abandono de sua promessa de austeridade com os recursos públicos. Floriano Peixoto imprimiu um dinheiro que o governo não tinha para financiar a guerra interna: nos meses seguintes à revolta da Armada, as emissões sem lastro chegaram a 151 mil contos de réis, ampliando em 27% o total de dinheiro em circulação. Ao longo de 1894, o déficit do governo federal saltou de 9,5% (no período 1891-92) para monumentais 29,2% do orçamento. Mas os efeitos dessa emissão e desses gastos não foram totalmente desastrosos, porque o emprego de dinheiro na economia havia mudado com o fim da escravidão e a implantação das instituições republicanas. Entre estas, uma se tornava realidade efetiva: a soberania dos estados. O ano de 1893 foi também aquele em que os governos estaduais passaram a contar com um reforço em suas receitas próprias, transformando-se em administrações de fato capazes de gestão econômica. Era uma novidade secular. Desde os tempos da tomada pelo governo central das capitanias hereditárias, no início do século XVIII, esse nível de governo se tornara quase um apêndice do centro. A situação, que durou dois séculos, só mudou quando, com o dinheiro de impostos, vários governadores mostraram alternativas regionais inovadoras de gestão.

Em Minas Gerais, o governo estadual conseguiu, ao mesmo tempo, triplicar o investimento em ferrovias e preparar o projeto para a construção de uma nova capital, Belo Horizonte, que seria a primeira cidade planejada do país. Na Bahia, o governo incentivou a cultura do cacau, ao mesmo tempo que fortalecia a rede bancária estadual. Em Pernambuco, o governador empregou a arrecadação para reforçar um esquema de financiamento que afinal permitiu a introdução de usinas para substituir os engenhos. Na região amazônica havia um crescimento exponencial das exportações de borracha, a uma média de 20,5% anuais desde a proclamação da República. A taxação sobre as exportações permitiu que o governo paraense implantasse uma rede pública de ensino, um instituto para distribuir terras a pequenos lavradores, um programa de atração de imigrantes, subsídios para transformar a região bragantina em zona produtora de alimentos (o que incluía a construção de uma ferrovia local).

Em São Paulo os maiores investimentos do governo foram nas áreas da educação e do saneamento. A Escola Normal, que formava professores, fora instalada na gestão de Prudente de Morais, logo após a mudança de regime. Todos os sucessores investiram no projeto, possibilitando a instalação de uma rede escolar com ensino gratuito e de qualidade. As despesas com educação saltaram de 400 contos de réis, em 1889, para 2,9 mil contos, em 1893. Em cinco anos foram construídos 25 grupos escolares, o número de vagas quadruplicou em relação ao Império – e as mulheres encontraram um posto de trabalho bem pago não apenas como professoras, mas na própria direção da rede. Além disso, o governo investiu nas primeiras instituições de saúde pública do estado e no saneamento das maiores cidades, além de criar empresas públicas de abastecimento de água.

Na direção inversa da atuação dos governos estaduais que acentuava as mudanças econômicas e prestava serviços públicos à população, havia dois casos. Primeiro, o do estado do Rio de Janeiro, onde os primeiros governadores republicanos enfrentaram a queda de receita decorrente das perdas na produção de café por meio da distribuição de cargos públicos para os aliados em dificuldades. O resultado foi a falência do governo estadual, traduzida nos desastres de sempre: salários atrasados, dívidas repudiadas, inexistência de apoio político. A situação se tornou tão caótica que nem foi preciso fazer derrubada após a deposição de Deodoro. O indicado por este deixou o governo por conta própria – e os três sucessores legais simplesmente recusaram o cargo. Floriano precisou catar à força alguém para cumprir a missão – e que sobreviveu poucos meses na função. O segundo estado com problemas era o Rio Grande do Sul. A luta sangrenta pelo poder teve reflexos diretos na produção privada. As fábricas de tecidos tiveram de suspender a produção incontáveis vezes, tanto por combates como por falta de matéria-prima. As vendas de charque caíram pela metade. As exportações de banha baixaram de 6,9 mil toneladas, em 1892, para 4,4 mil toneladas em 1894. A produção de couro entrou em declínio, do qual nunca se recuperaria.

Ainda assim, a lista de projetos dinâmicos e próprios de cada região superava em muito a dos problemas – e contrastava com a situação do governo federal. Neste, a única novidade advinda da mudança de regime fora a passagem dos funcionários mais conspícuos dessa esfera, os padres, para a administração do Vaticano. Todo o mais permaneceu como dantes, sem modernização das atividades nem atualização dos procedimentos.

As emissões sem lastro para financiar as despesas da guerra levaram a uma tensão ainda maior entre a situação do governo federal e aquela do restante do país (setor privado mais governos estaduais e locais) – dessa vez envolvendo os próprios setores públicos, federal e estaduais. Floriano Peixoto foi atrás de libras esterlinas emprestadas para comprar navios de guerra capazes de enfrentar aqueles que o almirante Custódio de Melo levara para os federalistas. Não conseguiu porque o governo era cliente de risco: devia muito e gastava mais que arrecadava. Então um representante do governo de São Paulo, que apoiava o presidente apesar de tudo, ouviu a história. Passou adiante o recado e o governador paulista – que dispunha de um orçamento com muitas receitas num estado repleto de vendedores de café que recebiam em libras esterlinas e, melhor, de um governo sem qualquer endividamento externo. Por isso o governador não encontrou dificuldade para adquirir uma frota no exterior. Sem alternativas, o presidente aceitou, passando assim a depender dos republicanos que também apoiavam Prudente de Morais.

Com isso, as tensões inerentes à mudança da lei e ao enquadramento dos costumes atingiam o grau do paroxismo. E começaram também a ganhar expressão simbólica de outra maneira: aqueles que até a véspera eram tidos como os mais virtuosos da sociedade – os nobres brasileiros próximos ao imperador – viram-se perdidos numa realidade na qual o objetivo explícito da política econômica era permitir o desenvolvimento do capitalismo e da indústria. Se não tinham mais lugar como representantes do bem, alguns monarquistas souberam se adaptar à realidade vazando suas perdas em forma estética. Em outubro de 1893, enquanto os canhões troavam na capital, leitores da *Gazeta de Notícias* começavam a desfrutar da obra de um legítimo monarquista saquarema. O visconde de Taunay, após renegar o casamento com a índia Antônia nos tempos da Guerra do Paraguai e retornado à Corte, havia sido senador do Império pelo Partido Conservador. Com o advento da República continuou monarquista, defendendo os interesses da família imperial junto ao governo republicano.

Como tantos de sua classe, se vira na contingência de aplicar seu dinheiro de acordo com os conselhos dos banqueiros do novo regime – e perdera parte significativa de sua fortuna. Escrevendo para ganhar dinheiro, começou a publicar sob pseudônimo um folhetim intitulado "O Encilhamento". O romance tinha um herói para o qual quase ninguém ligava e um bandido satânico que, embora exilado, continuava sendo vilipendiado: "Ah!, o Rui. Que homem, que cabeça. Estava assentando os alicerces de assombrosa e inabalável prosperidade. O que cumpria era não lhe perturbarem os planos. Acompanhá-lo cegamente, de olhos cerrados. Tomara de repente lugar entre os mais abalizados financeiros do globo, coisa de meter inveja à própria Inglaterra."[4]

Esse agente maléfico havia introduzido no Brasil o inferno da sociedade capitalista republicana, descrito da seguinte forma pelo narrador: "Papel bancário era a verdadeira carta do baralho. Não se o atirava fora porque o povo bestializado ali estava para pagar, dócil ou inconsciente, 100 ou 200% de taxa alfandegária. Ninguém queria ficar igual ao vizinho. A questão era alcançar cabedais, os meios de ostentar luxo, andar em belas carruagens, fazer praça de gozo e dissipação, vencer, triunfar."[5] Feito o mal, o castigo era inevitável: "Essa cruel e asquerosa época do encilhamento terá dilatada repercussão na vida brasileira, derivando de hábitos e aspirações de todo modo contrários às inflexíveis leis econômicas, que dificilmente hão de ser desarraigadas de nosso organismo moral. Donde provém senão desse centro miasmático a absorção do indecorosíssimo e frenético jogo que se implantou, penetrando no seio das melhores famílias como uma nojenta lepra, que ameaça tudo contaminar e destruir? [...] Só muita energia, muita consciência do dever, muita força de vontade e valente patriotismo por parte daqueles que dirigem este pobre Brasil poderão nos atalhar de tantos males."[6]

Não faltavam disjuntivas radicais: Império e República, escravidão e igualdade como princípio organizador das leis, estabilidade ou progresso como objetivo da nação, mercantilismo ou capitalismo eram as que mais ressaltavam na comparação entre os dois regimes. Mas também havia aquelas próprias da República: ditadura ou eleição, governo pelo hábito ou pela lei, ampliação ou limitação dos poderes do Estado, crise do setor público federal e progresso do setor privado. Com tudo isso, não era de estranhar que os cidadãos fossem sensíveis às ideias do visconde, perdidos entre o que seria moralidade – separação do bem e do mal, do vício e da virtude – no novo regime. Um mundo ruía depressa; o outro ainda não estava firme.

Floriano Peixoto conseguiu o milagre de não ser decifrado em meio a esse conflito. Era apoiado pelos republicanos paulistas e usava as armas financiadas por eles para implantar um regime ditatorial no Rio Grande do Sul – aproveitando tudo isso para solapar ao máximo as eleições que se avizinhavam. Nesse intuito valia tudo, até o emprego de um instrumento autoritário inaugurado na ditadura do marechal Deodoro: a censura férrea à imprensa. Todos os telegramas enviados do Rio de Janeiro eram controlados por militares, e os governadores estaduais – inclusive o de São Paulo – se encarregavam de providenciar que fossem publicadas como verdade factual as versões oficiais sobre todos os assuntos gaúchos. Só se admitiam coberturas em branco e preto, com os federalistas sendo enquadrados como revoltosos monarquistas e os positivistas como republicanos progressistas. Não foi difícil, portanto, para o governo federal incluir o noticiário sobre a eleição e os candidatos no rol dos assuntos proibidos. Restava aos cidadãos apenas a opção de se informarem por vias informais, pelas conversas de políticos que iam e vinham da capital, pelas palavras de prefeitos (agora o chefe do executivo municipal começava a ser separado da delegação dos vereadores eleitos) e vereadores.

O candidato Prudente de Morais se manteve firme, assim como os seus apoiadores. Dispunham de uma única arma: o calendário fixado na legislação. Bem no fim do prazo previsto, em fevereiro de 1894, a censura foi levemente abrandada – o suficiente para se informar de modo eufemístico que haveria uma eleição para presidente: esta foi realizada em 1º de março e, apuradas as urnas, Prudente de Morais foi eleito com 291 mil votos. Até a posse foram mais seis meses de tensão, nos quais nem mesmo as vitórias do governo federal e de seus aliados gaúchos nos combates amainaram a censura da imprensa ou a pressão dos partidários do marechal. Prudente de Morais continuou mantendo a confiança no calendário. No dia 3 de novembro tomou o trem para o Rio de Janeiro. Na estação da Central do Brasil, só o esperava um político: Francisco Glicério, o construtor de sua candidatura. Pegaram uma carruagem de aluguel, foram almoçar no hotel. Nos dias seguintes, Floriano Peixoto recusou todo e qualquer pedido de audiência.

Por fim, no dia 15 de novembro, a esfinge desvela o segredo – a seu modo. Um representante secundário entrega o cargo ao sucessor. O Marechal de Ferro achara demais afrontar o calendário, mas jamais pensou em apoiar o sucessor. O novo presidente inicia o mandato com as seguintes palavras: "Assumindo hoje a presidência da República, obedeço à resolução da soberania nacional solenemente enunciada no escrutínio de 1º de março..." A cadeira republicana seria afinal ocupada por um republicano, plenamente consciente da teoria por trás da organização do regime. Um republicano que visava a coincidência entre a lei escrita – ele mesmo liderara a transformação dessa teoria no conjunto de leis que se chamava Constituição – e o coração – pois tinha o costume da democracia.

CAPÍTULO 42
> A arte de ensacar demônios

No dia 15 de novembro de 1894, o jornal O Estado de S. Paulo publicou um editorial que partia da seguinte constatação: "É hoje o quinto aniversário da República. É hoje também o dia em que o marechal Floriano Peixoto passa o governo do Brasil às mãos do Sr. Prudente de Morais. Seria impossível comemoração mais solene para a data. Porque uma substituição regular, tranquila, perfeitamente constitucional do primeiro magistrado da nação, é coisa que pela primeira vez se vê na história do Brasil. D. Pedro I foi forçado a abdicar. D. Pedro II, banido. O marechal Deodoro deposto. O princípio da autoridade estava atacado de uma enfermidade que parecia incurável. O marechal Floriano Peixoto quebra o encanto e chega triunfalmente ao termo legal de seu governo."

Caso se considere ainda que, desde 1549, o ocupante do cargo executivo mais alto na administração do território era designado, o ato daquele dia representava uma novidade multissecular, mas não uma novidade absoluta na vida política brasileira. Desde 1532 os vereadores eram eleitos e entregavam seus cargos ao final do mandato – e essa regra imperava em todos os agora municípios. A prática local enfim se espraiava para o todo. As sucessões regulares nas vilas permitem entender as razões do sucesso da aposta de Prudente de Morais no sentido de que o marechal que deixava o cargo iria obedecer ao calendário constitucional: embora tivesse poderes acumulados, admiradores que o queriam ditador e até uma eventual vontade de ficar, Floriano não se julgou capaz de vencer a luta caso rompesse com o estabelecido na lei. O máximo que se permitiu foi extravasar com deselegância a frustração. Segundo Luiz Felipe D'Ávila, "Floriano preparou para seu sucessor um último constrangimento público. O marechal não compareceu à cerimônia, enviando seu ministro da Justiça, Cassiano do Nascimento, para representá-lo. Constrangido, ele transmitiu o cargo e saiu às pressas do palácio. Prudente então deu-se conta de que ele estava abandonado, parecia uma casa mal-assombrada: poeira nos móveis, lixo nos cantos, papéis rasgados no chão. Pior que isso, os estofos dos móveis do salão foram rasgados a baioneta. O novo presidente transformou o descalabro de Floriano em ato público. Mandou abrir as portas do palácio à multidão. Em poucos momentos os salões fervilhavam de gente – e fervilhavam também os comentários".[1]

Em meio à multidão e ao alvoroço daqueles que nunca tinham visitado o prédio do governo, Prudente de Morais comandou a primeira reunião do ministério. E depois relatou todos os sentimentos numa carta ao amigo Bernardino de Campos: "A nova situação inaugura-se sob bons auspícios. Recebi adesões de todas as partes, de todos os estados, inclusive militares. As nuvens vão desaparecendo e tornando claro o horizonte. Você não imagina o que fizeram o 'major' e sua gente até a última hora."[2] Abrir portas, chamar gente, ganhar adesões, fazer desaparecer nuvens, clarear o horizonte para o futuro. Prudente via tudo isso como parte de sua missão, que sintetizou para o amigo: "Soltar o demônio da revolução é fácil. Difícil é recolhê-lo. É o que fazemos agora, cumprindo nosso dever cívico."

Em vez de concentrar poder, Prudente de Morais abriu mão dele. Suspendeu o estado de sítio em todo o país, menos na região dos combates – e a vida da maioria dos cidadãos voltou ao normal. Mandou soltar todos os prisioneiros sem processo, trouxe de volta os exilados como Rui Barbosa. A política adquiriu certa normalidade. Acabou com a censura à imprensa – e apareceram nos jornais as grandes barbaridades da guerra civil e seus milhares de degolados. Até quando não fazia nada ensacava demônios. Desde o século XVIII, o ato inaugural de um ocupante da instância executiva central era a troca em massa dos comandos da instância intermediária. Tratava-se de um hábito tão arraigado que os dois primeiros ocupantes da presidência não hesitaram em efetuar as derrubadas de governadores.

Prudente de Morais fez simplesmente o que a Constituição determinava: deixou no governo quem estava e deu um sinal claro de que as regras do mandato e da eleição valeriam também para os estados, conforme o desenho da federação republicana. Com isso afastou muitos demônios para longe da capital e ajudou na implantação efetiva da autonomia nessa esfera intermediária de governo. Esse princípio valeu até mesmo para o Rio Grande do Sul, cuja Constituição tinha princípios opostos aos das crenças do presidente e da Constituição federal. Ao negociar a pacificação do estado, Prudente de Morais aceitou a Carta positivista e o papel ditatorial reservado a Júlio de Castilhos, obtendo com isso um acordo rápido.

Este coincidiu com a morte de Floriano Peixoto, em junho de 1895. Com o marechal desapareceu a grande esperança dos positivistas numa ditadura nacional, e as diferenças de concepção entre estes e os demais republicanos adquiriram uma dimensão mais de âmbito regional.

A rápida estabilização política permitiu abrir muitas janelas na administração do governo federal. Prudente de Morais mandou vender parte da frota naval aumentada pelo conflito, cortou despesas de forma cautelosa – e conseguiu que o déficit do governo central voltasse ao que era no início da crise internacional, em 1891. Isso lhe permitiu conter as emissões. Sem estas, estabilizou o câmbio no patamar baixo em que estava, mas acumulou divisas para o pagamento da dívida externa, ainda que isso custasse muito em moeda nacional. Em decorrência dessas medidas, as últimas economias regionais ainda em crise se recuperaram. Após anos de perdas, a produção do Rio Grande do Sul passou a se expandir. Santa Catarina e o Paraná, menos afetados, retomaram a produção industrial em ritmo mais forte. No Rio de Janeiro, a produção de café se estabilizou e novas atividades econômicas possibilitaram um início de regularização das finanças estaduais. A situação do setor privado na capital do país começou a melhorar com o avanço da indústria, especialmente no setor têxtil.

Como sabia que precisava, além de governar, conquistar corações, Prudente de Morais aproveitou o momento para lidar com símbolos – pois sabia falar nessa linguagem que os analfabetos (que, embora não pudessem votar, eram cidadãos soberanos) podiam entender. Até então, a linguagem ritual do poder girava toda ao redor do costume imperial da sacralidade, decorrente da colocação no ápice do poder da pessoa coroada, a cabeça do corpo místico. Para realçar tal crença havia todo um cerimonial, cujo palco era o palácio imperial. Embora situado num lugar visível, era inacessível a quase todos. Só entravam nele seres especiais, os homens da Corte. Mesmo estes tinham acessos diferenciados: estar com o monarca, que transitava em ambientes muito fechados dentro do palácio fechado, era como estar com um deus. O imperador, quando precisava encontrar mais gente, no geral o fazia fora do palácio.

Prudente de Morais criou rituais que iam no sentido oposto: o de transformar as cerimônias públicas em prestação de contas aos cidadãos, na qual o governante se explicava ao soberano popular. Assim, em agosto de 1895, anunciou o término do conflito gaúcho num discurso para milhares de pessoas, feito da sacada do palácio. Com isso, mudou o sentido do ato de governar, transferindo-o das esferas elevadas para aquela dos cidadãos que o haviam elegido. Foi o primeiro governante republicano a ganhar alguma popularidade.

Essa alteração do ritual afetou até mesmo o exercício do poder privativo que lhe era reservado constitucionalmente, a chefia do Executivo. Pela regra, ministros eram subordinados e podiam ser demitidos a qualquer momento. Mesmo assim tratou de criar com seus subordinados uma relação diferente da tradicional obediência cega e leal que antes caracterizava o poder pessoal. Prudente de Morais encorajava os ministros a exporem pontos de vista opostos ao seu, buscando consenso. Ficou conhecido o caso do ministro do Exterior, Carlos de Carvalho, que contrariou lealmente – na frente de todos os colegas – uma determinação presidencial para que se resolvesse por arbitragem a invasão inglesa da ilha de Trindade. Em vez de se sentir diminuído em sua autoridade, o presidente aceitou o caminho proposto pelo ministro, com uma frase que ficaria famosa: "Curvo-me às suas razões, que talvez estejam com a verdadeira razão." E de fato estavam, já que o ministro resolveu o caso bem depressa por meio de uma mediação.

Todavia, um assunto pessoal alterou as circunstâncias do seu governo. No dia 10 de novembro de 1896, Prudente de Morais foi submetido a uma delicada operação na bexiga – procedimento então de altíssimo risco. Transmitiu o governo temporariamente ao vice, Manuel Vitorino. Este defendera a candidatura de Prudente num momento difícil, em pleno governo Floriano. Mas se elegeu para um cargo que, embora sem substância própria, atraía os descontentes com o poder. Dando ouvido a estes, Manuel Vitorino viu no afastamento do presidente uma chance de mostrar suas qualidades pessoais de governante. Em vez de continuar a linha de atuação do titular afastado temporariamente, trocou quase todo o ministério, deixando nele apenas um homem fiel ao titular: Bernardino de Campos, o ministro da Fazenda. E, em busca de uma oportunidade, resolveu aproveitar um pedido de intervenção num conflito local em Canudos, feito pelo governador do seu estado, a Bahia, para reanimar fantasmas.

Antônio Moreira César fizera carreira no governo Floriano Peixoto. Primeiro foi encarregado de comandar as derrubadas dos governadores de Sergipe e da Bahia, missões que cumpriu abrindo fogo contra a população. Na revolução federalista, como governador militar de Santa Catarina, ganhou fama assim descrita por seu biógrafo: "A bestialidade humana não ficará circunscrita aos fuzilamentos no quilômetro 65 da ferrovia Curitiba-Paranaguá, nas fortalezas de Santa Cruz de Anhatomirim e Araçatuba, ambas em Santa Catarina. A bestialidade humana que existe no cérebro de certos caudilhos e seus comandados fez com que chafurdassem no gozo da prática do hediondo espetáculo de expor carótidas e vísceras humanas ao ar livre."[3]

Os 185 fuzilamentos ordenados por ele geraram a alcunha de Treme-Terra. Após a pacificação, Prudente de Morais não removeu o coronel do estado: deixou-o ali para ser cobrado pelos parentes das vítimas, para olhar de frente os fantasmas dos mortos que produzira. Respondeu com silêncio, sempre se recusando a dar explicações. Quando afinal recebeu ordens para voltar, os fantasmas estavam em sua cabeça, como conta Euclides da Cunha: "Embarca com seu batalhão num navio mercante; em pleno mar, com surpresa de seus próprios companheiros, prende o comandante. Assaltara-o – sem que houvesse o mínimo pretexto – a suspeita de uma traição, um desvio de rota adrede disposto para o perder e a seus soldados. O ato seria absolutamente inexplicável se não o caracterizássemos como aspecto particular da desorganização psíquica em que se encontrava."[4]

Ficou remoendo seus fantasmas interiores até ser convocado por Manuel Vitorino, para quem fora indicado pelos florianistas que frequentavam os grupos que se aliaram ao vice-presidente. Assim, a intervenção em Canudos foi revestida pela imprensa do grupo como parte de um enredo: o heroico coronel estaria sendo enviado para combater um perigoso bastião monarquista estabelecido nos sertões da Bahia. Em ação, Moreira César era um comandante militar assombrosamente ágil. Levou apenas cinco dias, entre 3 e 8 de fevereiro de 1897, para embarcar o 7º Batalhão de Infantaria num navio no Rio de Janeiro, desembarcar em Salvador, colocar todo o material num trem e levar os 1.300 homens e todos os apetrechos até Queimadas, a estação ferroviária mais próxima de Canudos. Dali mandou engenheiros para estudarem os caminhos e condições. No dia 17, entrou na vila-santuário de Monte Santo e cinco dias depois partiu rumo a Canudos. A despeito de toda essa eficiência, não estava bem de saúde. Na saída de

Monte Santo, sofreu uma crise de epilepsia. Outras foram se sucedendo pelo caminho. Assim, a autoridade encarregada de tratar com um sertanejo apresentado pela imprensa como 'louco monarquista' aproximava-se de seu alvo já lutando duramente com fantasmas interiores e acessos epiléticos. No dia 3 de março avistou Canudos e ordenou um ataque imediato, sem reconhecimento. No meio da luta foi alvejado. Enquanto agonizava, à noite, suas tropas se dispersaram. Mil e quinhentos homens bem armados foram dizimados por sertanejos mal armados.

Na manhã do dia 4 de março, momento da morte do coronel, Prudente de Morais reassumiu a presidência da República. Desembarcou sozinho diante do Palácio do Catete, a sede recém-adquirida pelo vice. Por dois dias governou sob pesadas críticas daqueles que sonhavam com fantasmas – e ainda com o ministério herdado do vice. Então chegou por telégrafo a notícia de que o Treme-Terra estava morto. A reação foi violenta. No Rio de Janeiro foram empastelados três jornais; pouco depois, num atentado contra o visconde de Ouro Preto, último chefe do gabinete da monarquia, um grupo liderado pelo filho de Benjamin Constant assassinou o jornalista Gentil de Castro. Até parlamentares florianistas foram às ruas. Brígido Tinoco, biógrafo de Nilo Peçanha, descreve: "Nilo Peçanha, num comício, imputa ao presidente o erro de mancomunar-se com a caudilhagem monárquica. Volta a falar na sacada de *O País*, onde faz a apologia de Moreira César, 'vítima do fanatismo, aliado à politicagem de brasileiros desnaturados'; Alcindo Guanabara é aclamado pelo populacho em frente à redação da *República*; José do Patrocínio e Paula Nei incitam as massas das janelas de *A Cidade do Rio*. [Francisco] Glicério acusa Prudente de encastelar-se no silêncio, ante o sacrifício de Moreira César e outros bravos."[5]

Foram necessários quatro dias para controlar a fúria popular no Rio de Janeiro. E a paz só veio depois que o presidente recebeu uma comissão de manifestantes que vinha lhe pedir a implantação do estado de sítio pela primeira vez em seu governo. Antônio Barreto do Amaral registrou a resposta: "Respondeu Prudente de Morais não ser necessária a providência, pois sentia-se forte e prestigiado pela opinião pública, o que era suficiente para a defesa da pátria."[6] Mas não se esqueceu de cuidar da defesa armada. O envio da expedição havia sido um ato de Estado. O Exército conhecera uma derrota e não havia como evitar uma retaliação. A única coisa que Prudente de Morais podia escolher era o modo de fazer isso. E ele conduziu a situação sem o apelo à suspensão dos direitos constitucionais. Para isso, teve de enfrentar muitos que se consideravam seus aliados.

O primeiro deles foi o ministro da Guerra, Francisco Argolo – indicado pelo vice na interinidade e muito ligado aos jacobinos. Cabia a ele comandar a reação armada, mas incluía nesse comando atos como mandar cartas assinadas a jornais com críticas aos procedimentos do governo. Foi removido, e o presidente providenciou a organização de uma expedição militar com 7 mil homens, comandada pessoalmente pelo novo ministro da Guerra, Carlos Machado Bittencourt, com o objetivo de aniquilar Canudos. Seria, no entanto, uma ação militar bem diferente daquelas efetuadas no governo Floriano, por causa de um importante detalhe. Sem estado de sítio nem derrubada de governadores, o campo de batalha tornou-se um espaço aberto para a imprensa, o que fez toda a diferença.

A campanha foi coberta por repórteres, de modo que as notícias iniciais fundadas na hipótese de um poderoso bastião monarquista foram ganhando outro caráter: o noticiário do massacre de uma população civil pobre, sem nenhum vezo ideológico, pelas armas da nação. Tal mudança ocorreu, por exemplo, com Euclides da Cunha. Quando morreu Moreira César, ele era um dos jacobinos que escrevia editoriais virulentos em defesa da tese do bastião monárquico. No dia da morte de Antônio Conselheiro, que cobriu como testemunha e repórter, escreveu: "Sejamos justos – há alguma coisa de grande e solene nessa coragem estoica e incoercível, no heroísmo soberano e forte dos nossos rudes patrícios transviados e cada vez mais acredito que a mais bela vitória, a conquista real consistirá em incorporá-los, amanhã, em breve, definitivamente, à nossa existência política."[7]

A janela da imprensa mantida aberta por Prudente de Morais produziu também efeitos políticos. À medida que reportagens como essa foram publicadas, outros fantasmas desapareceram e positivistas perderam poder. Parlamentares que antes iam às ruas contra o presidente pediram desculpas e aderiram a ele. Retomando o controle do Parlamento, o presidente conseguiu fazer o sucessor. Os poucos positivistas restantes se reagruparam em torno de Júlio de Castilhos, que rompe com o governo federal. No Exército, porém, a oposição ainda se manteve forte. No dia 5 de novembro de 1897, Prudente de Morais foi ao Arsenal de Marinha receber o marechal Carlos Machado de Bittencourt, o ministro do Exército que comandara as ações em Canudos e retornava vitorioso.

O presidente enfrentou uma situação já conhecida: nenhuma autoridade para o receber na hora de subir a bordo. Na saída, apenas o ministro e um oficial acompanhavam Prudente de Morais. O trio atravessa uma multidão de militares e populares que gritam vivas ao marechal Floriano. A banda ataca o Hino Nacional para encobrir a manifestação. De repente, um homem se destaca, pula na frente do presidente e saca uma garrucha. Com a arma quase encostada no coração do presidente, pressiona o gatilho. A arma falha. Tenta de novo. Nova falha. O ministro se atira no agressor e recebe uma facada mortal. Outros presentes o dominam, enquanto o presidente é arrastado para longe.

A cidade fervilha em boatos acerca de um golpe de Estado em andamento. Prudente de Morais toma uma decisão: faz questão de ir ao velório e de carregar o caixão do homem que salvara sua vida, desfilando diante de uma multidão calculada em 30 mil pessoas reunida no cemitério. Até a viúva do marechal pede-lhe que desista. O representante eleito pela soberania popular acredita na força da opinião para se defender. A essa altura o boato que se espalha é outro. Pelo velório circula a versão de um milagre, assim narrada por Silveira Peixoto:

"– De que lado o soldado apontou a pistola? – pergunta Adelaide [a mulher de Prudente].

– Aqui, do lado direito...

– Você viu o que há ali no bolso?

Prudente leva a mão ao bolso indicado. Retira-a. Vem com a mão uma imagem de Nossa Senhora da Aparecida. Olha-a comovido.

– Fui eu que a pus aí – diz Adelaide."[8]

A versão do milagre se torna popular e funda um mito de santidade e coragem, que transporta Prudente de Morais para o mundo da veneração popular. Até mesmo historiadores insuspeitos de adesão a crendices, como Edgar Carone, descrevem a mudança como quase sobrenatural: "Na saída do cemitério, o presidente é aclamado, sua carruagem é acompanhada pelo povo; a imagem de ódio e repúdio contra Prudente de Morais desaparece, tornando-se ele um ídolo. É essa multidão que à noite, dirige-se para os jornais jacobinos, empastelando as redações."[9]

Prudente de Morais soube capitalizar o sentimento para sua crença. Saiu do velório e divulgou um manifesto para a nação que terminava assim: "A nobre indignação popular manifestada naquele trágico momento, as inequívocas provas de apoio e solidariedade dadas ao presidente da República fortalecem-me a convicção de que posso contar com o povo brasileiro para manter com dignidade e desassombro a autoridade de que estou investido pelo seu voto espontâneo e soberano."[10]

E pôde. A popularidade de Prudente de Morais tornou-se um sustentáculo perceptível de um projeto distinto da luta contra fantasmas: transformar o brasileiro pobre no dono do país, incluí-lo na existência política da nação republicana na posição de locomotor único que pregavam a propaganda e as palavras do presidente – agora inteligíveis para muitas pessoas. Os últimos demônios são postos no saco. Com eles recolhidos, Prudente de Morais efetivamente chegou ao ponto que desejou: um republicano com lugar no coração dos brasileiros. Depois do atentado, passou a ser aplaudido por uma multidão onde quer que andasse. Como sentia esse contato como obrigação, como parte da prestação de contas que um detentor de mandato deve aos cidadãos que lhe conferiram o mandato, respondia com simpatia – e sua popularidade aumentou ainda mais. E assim o ano de 1898 caracterizou-se por ser um momento de transição com três tempos: tempo passado para o sonho nacional de uma ditadura positivista, tempo presente para uma concepção da presidência da República derivada da vontade popular – e tempo de futuro para um candidato peculiar à sucessão.

CAPÍTULO **43**
> *Primeira década: alternância e mercado*

Com a escolha de Campos Sales para suceder Prudente de Morais firmava-se o princípio da alternância no comando do Executivo central. Tal como vereadores e autoridades municipais vinham fazendo por séculos, o exercício do poder seria exercido por um período limitado, findo o qual o governante transmitia o cargo a um sucessor eleito. Além disso, começava a se consolidar também a divisão de poderes. O modelo do governo federal, com a separação entre Executivo (com mandato único e sem reeleição) e Legislativo eleitos, mais um Judiciário com nomeações técnicas e mandatos invioláveis, acabou se reproduzindo em muitas constituições estaduais. De acordo com o mesmo princípio, começou a se disseminar uma separação na esfera municipal, com a criação de um cargo de prefeito eleito.

Ainda que restrita ao Rio Grande do Sul, havia também a constitucionalização da tendência oposta. Ali a Constituição reunia poderes imensos nas mãos de uma pessoa que podia ser reeleita quantas vezes conseguisse. Além de comandar o Executivo, o autocrata governava por decretos, indicava os parlamentares e comandantes dos executivos municipais, controlava as nomeações para o Judiciário e dirigia o partido que sustentava tudo isso. Uma vez que a Constituição federal exigia a realização de eleições, estas tinham como única função sagrar a sabedoria do ditador.

No entanto, descontada a exceção, a regra geral se fixava depressa, pois, mais do que a letra de uma lei, a alternância tinha relação com o costume secular dos governos locais. E a realidade da primeira década republicana mostrou razoável substância do princípio, permitindo alternância real de projetos dos presidentes da República. Deodoro governou como um presidente que ouvia o gabinete, mas viveu às turras com o Parlamento. Floriano Peixoto fora o mais próximo do que poderia ser um ditador positivista nos moldes da nova Constituição. Governara o tempo todo com estado de sítio, censura à imprensa, nenhuma oposição no Parlamento, intervenção nos governos estaduais, tropas na rua. Mas não julgou possível ultrapassar o limite de seu mandato, de modo que tudo pôde ser revertido no dia seguinte, comprovando-se a flexibilidade do sistema.

Prudente de Morais norteava-se por um ideal, que reafirmou em momentos simbólicos como o anúncio da candidatura, o discurso da posse, as falas na administração durante as crises – e os discursos populares quando enfim teve amplo público: afirmava ser alguém que governa a nação como representante eleito dos cidadãos. Convicto disso, media seu poder como sendo derivado "da força da opinião" – em outras palavras, teria tanto mais poder quanto mais tivesse apoio da sociedade. No momento da posse, tal convicção era pouco mais que uma idiossincrasia pessoal. Poucos acreditavam, naquele momento, que resultaria em poder efetivo de mando, convergência de pontos de vista, apoio para as medidas do governo – e, sobretudo, vitórias reais contra adversários políticos. Ao longo do caminho a crença do presidente foi deixando de ser apenas dele, desembocando no movimento, praticamente inédito na vida brasileira, em que as multidões se identificavam com o governante-cidadão em manifestações públicas e na repercussão pela imprensa.

Todo esse conjunto de vitórias políticas era construído com os valores opostos aos predominantes no Império. Para os teóricos brasileiros do regime monárquico, o rei representava a nação por contraste em relação aos súditos. Quanto maior a distância entre a Coroa civilizada, o rei vestido de cetro, coroa e murça de penas de papo de tucano, e a sociedade bárbara, maior o esplendor, maior a qualidade do rei como representante da nação. Prudente de Morais recolocou a questão da identidade entre o representante e os membros da nação, entre governante e governados. A ligação de ambos pela "força da opinião" igualava as partes – e o apoio popular aparecia para ele como a prova de que tinha razão, contra todas as evidências em favor da desigualdade como fundamento da atividade de governar. Aproximando-se do povo, Prudente de Morais arrastou uma fronteira. No tempo do Império, a lei definia os modos opostos da igualdade e desigualdade como soberanias distintas – e as escaramuças fronteiriças entre ambos os modos se expressavam na política oficial hierarquizadora. Com a República, porém, veio um novo enquadramento, colocando a igualdade como norma legal e relegando o princípio da desigualdade à esfera do costume – com a exceção gaúcha, que não deixava de ser muito relevante.

Assim como três séculos de legislação feita para manter a desigualdade não eliminaram os costumes brasileiros, uma década de legislação iluminista nem sequer arranhou o fato de que as teorias de governo fundadas na desigualdade estavam entranhadas não só nos conceitos, mas nas práticas cotidianas de governantes e agentes sociais. Tal como o Império, a República não fora exatamente uma revolução, um movimento no qual um princípio se impõe a outro por meio da força. Comandada por pessoas que até a véspera eram quase marginais na vida política regular, conseguiu impor sua autoridade ampliando fronteiras, dominando em parte alguns espaços, dividindo outros com aliados que propunham ditaduras, dependendo ainda de conservadores ou dos raros liberais que haviam exercido poder no regime decaído. Com tudo isso, também a República ia, na prática, levando adiante o princípio formador da nação proposto por José Bonifácio: colaborando em prol de um amálgama de materiais diversos, transformando paulatinamente o heterogêneo em homogêneo. Assim como os presidentes tinham interpretações variadas de seus cargos, também os efeitos das mudanças republicanas – concentradas sobretudo num novo modo de fazer a lei escrita e cuidar de sua execução – revelaram-se muito diversos nos vários setores da vida social.

A área que estava conhecendo maiores mudanças era a produção econômica, e esta salientava-se pelas disparidades regionais. Na primeira década republicana, o maior crescimento ocorreu na Amazônia: entre 1890 e 1900, a população do Amazonas cresceu 70% e, no Pará, 37%.[1] O valor das exportações de borracha sextuplicou entre o final da década de 1880 e o final do século – ainda que o dado seja impressionante, cabe lembrar que no período ocorreu uma grande desvalorização cambial, de modo que as vendas quase não cresceram quando expressas em libras esterlinas. Mas a sextuplicação da renda em mil-réis teve efeitos imensos no crescimento do mercado interno. Em 1897, o Amazonas exportou 37 mil contos e importou 15 mil. No Pará, as exportações foram de 116 mil contos e as importações não chegaram a um terço desse valor: 33 mil contos.[2] O movimento permitiu a acumulação de capitais internos, traduzida na instalação de um sistema bancário sólido, com capital realizado de 22 mil contos.[3] Do lado material, Belém e Manaus ganharam casas e equipamentos urbanos à altura da riqueza de alguns de seus habitantes. Parte das rendas internas foi apropriada pelos governos estaduais. O orçamento do Pará, de 3,2 mil contos em 1888, saltou para 25 mil contos uma década depois. Com esses recursos os governos criaram uma rede pública de ensino e financiaram a distribuição de terras a produtores por meio de um programa destinado a atrair migrantes e imigrantes.

São Paulo foi outra região de grande progresso, com uma característica peculiar: embora houvesse crescimento de exportações, este acontecia em ritmo menor do que o aumento do mercado interno local. Um indicador simbólico é a distribuição demográfica. A capital do estado, onde não se plantava café, tinha 47 mil habitantes em 1887 e contava 240 mil em 1900 – ou seja, quintuplicou no breve intervalo de 13 anos. Apenas para abrigar esses novos moradores foram criadas 26 sociedades anônimas no setor da construção civil, mais uma dezena de empresas ligadas a grandes empreendimentos imobiliários. Ao lado da explosão na construção civil, registrou-se forte aumento de toda a indústria na primeira década republicana. Como notou Flávio Saes, "a indústria da cidade de São Paulo ganhou nova dimensão nos anos 1890. O setor têxtil era o mais expressivo e as maiores indústrias da capital eram a Anhaia, com 620 operários (no Bom Retiro), a Industrial de São Paulo, com 320 operários (na rua Florêncio de Abreu) e a fábrica de Jutas Santana, de Álvares Penteado, com 920 operários (no Brás)".[4]

Outro ramo industrial importante foi assim descrito por Wilson Suzigan: "A maioria das grandes fábricas que estavam funcionando em São Paulo no ano de 1907 eram as mesmas que haviam sido fundadas nos anos 1890: Grande Fundição do Brás (1892), Companhia Mecânica e Importadora de São Paulo (1890), Lingerwood Manufacturing (1868 em Campinas e 1889 em São Paulo), Craig & Martins (1895) e Arens & Irmãos (1890). Essas empresas empregavam entre 100 e 353 operários e produziam principalmente máquinas agrícolas, ferramentas e implementos agrícolas, pequenos motores a vapor, equipamentos de transporte e peças e estruturas de ferro para construções."[5]

Com isso, a cidade se tornou basicamente um centro industrial, com 30 mil operários fabris na virada do século. E a capital servia de base para uma acelerada expansão de mercados. Os dados do setor de transportes são claríssimos a respeito do maior crescimento do mercado interno. As cargas de outras mercadorias que não o café pelas principais ferrovias do estado conheceram enorme incremento em tonelagem na primeira década republicana: 140% na Santos-Jundiaí; 471% na Companhia Paulista (19% ao ano). Todas essas expansões eram bem mais aceleradas que a da produção de café, que também era acentuada. Apenas entre 1890 e 1898, esta cresceu 78%. Era um ritmo de expansão semelhante ao da população do interior do estado, que aumentou 65% entre 1890 e 1900. E, no caso do café, a produção final nem era o mais importante. Ao longo da década de 1890 o número de cafeeiros plantados em São Paulo saltou de 106 milhões, em 1890, para 220 milhões, em 1900 – um crescimento de 108%, superior ao da produção.[6] O crescimento da produção cafeeira paulista foi de tal monta que alterou a divisão do mercado mundial do produto. Em 1890, todos os demais países além do Brasil produziram 4,1 milhões de sacas de café;[7] em 1898, a produção desses países foi de 4,4 milhões, com aumento de 7,5% na década – um décimo do ritmo paulista. Como resultado, o café produzido em São Paulo, que representava 34% da produção mundial em 1890, passou a ocupar 41% do mercado.

Para completar o balanço da economia paulista na década inicial da República, resta o setor público, no qual se destacava o governo estadual. Após o aumento advindo das novas normas constitucionais em 1893, as receitas foram ano a ano acompanhando a produção de café – até alcançar cerca de 42 mil contos em 1898. Como proporção da receita federal, os impostos arrecadados em São Paulo representavam por volta de 3% na época do Império e passaram para algo em torno de 12% a partir de 1893.[8] Esse crescimento não foi suficiente para inverter a tendência global – e São Paulo continuou exportando dinheiro de impostos para a federação ao longo de toda a década. Mas as receitas estaduais tiveram um efeito importante: permitiram um emprego novo do dinheiro público, com alta concentração de investimentos em capital humano. As despesas com educação, saúde, imigração e segurança – quase sempre visando a melhoria das condições de formação da população – representaram, em 1896, 62% dos gastos totais do estado. As obras públicas, investimento em infraestrutura, totalizaram 35% dos gastos no mesmo ano.[9]

Era uma diferença radical com relação ao papel do Estado nos tempos do Império. A implantação de uma política pública de educação fez com que, finalmente, o número de crianças na escola crescesse em proporção bem maior que a população infantil. Do mesmo modo, os investimentos em hospitais e saneamento tornaram viável o início do controle das epidemias. Em suma, a economia de São Paulo passou por um crescimento extraordinário ao longo da primeira década republicana. É nesse cenário que cabe analisar o comportamento do setor financeiro. Em 1898, os depósitos totais nos bancos do estado eram de 18,8 mil contos; dez anos depois, atingiram 58,1 mil contos, um aumento de 209% – número menor do que os melhores indicadores de produção física.[10] E os bancos conseguiram empregar esses depósitos com uma produtividade crescente: no mesmo período, o total dos créditos de curto prazo saltou de 22,3 mil para 107 mil contos, multiplicando-se por cinco.

Esse melhor emprego dos recursos deveu-se especialmente aos bancos brasileiros – a fatia deles no mercado de crédito passou de 42,2%, em 1889, para 87,4%, em 1895, deixando apenas 12,6% para as filiais de instituições estrangeiras. Além da maior eficiência, os bancos nacionais também criaram novos mecanismos de crédito de longo prazo (algo em torno de 1,7 mil contos em 1897) e continuaram a investir em ações de empresas (os investimentos representavam entre 9,7 e 14 mil contos das carteiras de aplicações, entre 1892 e 1898). Com isso, o crédito total em São Paulo cresceu de 22,3 mil para 118,4 mil contos entre 1889 e 1898,[11] um crescimento de 5,4 vezes ao longo da década – ou uma média de expressivos 19% a cada ano, igual à do transporte de mercadorias despachadas pela Companhia Paulista de Estradas de Ferro.

Os indícios em todo o país apontavam na mesma direção. Em Minas Gerais, apesar do ritmo lento de crescimento demográfico, no setor têxtil foram criadas cinco grandes indústrias na primeira década republicana. A Cedro Cachoeira, maior indústria do estado, produziu 435 mil metros de tecidos em 1882 e 3 milhões de metros em 1898.[12] Foram instaladas as primeiras siderúrgicas e a malha ferroviária triplicou nessa década.[13] Concluída em 1897 a construção de Belo Horizonte, a cidade contava 12 mil habitantes no dia da inauguração. Na Bahia começava a exportação do cacau, que ajudou a impulsionar a economia – ao mesmo tempo que as usinas de açúcar pernambucanas traziam a maior produção local a um novo nível de competitividade. No Paraná e em Santa Catarina, apesar dos problemas durante a luta federalista, o nível da produção local também registrou uma alta marcada. No Centro-Oeste tiveram início os investimentos na melhoria do rebanho, com as primeiras importações de gado zebu da Índia.

Em apenas dois espaços brasileiros os sinais não eram totalmente positivos. No Rio Grande do Sul, a recuperação econômica após o conflito foi rápida. A produção de charque saltou de 18 mil toneladas, em 1896, para 28,5 mil, em 1898. As vendas de banha praticamente dobraram entre 1894 e 1896.[14] Mas esse crescimento não veio acompanhado de igual incremento na infraestrutura: a malha ferroviária teve crescimento zero durante a década, além de ter sido bastante prejudicada pelos combates. Já o estado do Rio de Janeiro foi aos poucos se recuperando da depressão causada pela adaptação dos cafeicultores ao trabalho livre: em 1899 a safra chegou ao mesmo patamar de 1889 – mas a essa altura o estado começava a receber as primeiras grandes indústrias, sobretudo no setor têxtil. As novas fontes de receita permitiram um início de estabilização na crise crônica da administração estadual.

Por fim, na economia do Distrito Federal, o setor privado se reorganizara inteiramente na década. Com 500 mil habitantes na virada do século, tinha o dobro da população de São Paulo. Era, de muito longe, o maior centro industrial do Brasil, além de ser o mais variado em produção e o mais avançado em tecnologia. Com a passagem do Império para a República, houve uma grande mudança na composição das relações de financiamento da economia e o comissário de café desapareceu como figura central da burguesia comercial. Porém, como a capital continuava sendo o grande porto importador do país, surgiram fortunas ligadas a uma mescla de comércio de importação, transporte e distribuição, cuja figura símbolo eram os Guinle, oriundos das empreitadas de obras ferroviárias para a indústria de base e a administração do porto de Santos. O mais amplo indicador da atividade econômica no mercado interno é o movimento das principais ferrovias que partiam do Rio de Janeiro: um crescimento de 8,2% anuais nas cargas (excluído o café) da Central do Brasil entre 1890 e 1895, no auge da crise. Já na Leopoldina os dados referem-se a um período maior: entre 1885 e 1899 as cargas totais foram multiplicadas por 4,2. Os produtos distribuídos pelas ferrovias tomavam o lugar do café como centro dos negócios da capital.

Levando-se em conta as economias das regiões, ressalta o desenvolvimento do mercado no país. A consolidação dos dados quantitativos em âmbito nacional ainda está por se fazer, mas os poucos e precários dados existentes apontam na direção de um crescimento forte da produção interna durante a década inicial do regime republicano. O único indicativo nacional da produção têxtil refere um aumento no número de fusos instalados, que passaram de 79 mil, em 1883, para 280 mil, em 1898. Além disso, apenas 31% dos fusos contabilizados em 1883 pertenciam a empresas organizadas como sociedades anônimas, contra 61% da segunda contagem. Bem mais consistentes são os dados do setor de transporte. A malha ferroviária brasileira passou de 9,5 mil para 14,7 mil quilômetros – uma expansão física de 54,7%,[15] algo só possível com grandes investimentos de capital. Já as cargas transportadas tiveram crescimento ainda maior: de 1,9 milhão para 3,9 milhões de toneladas, um incremento de 105%.[16]

Quaisquer que sejam as limitações desses dados para sustentar generalizações de argumentos, não há como negar que o quadro era de crescimento, muito acentuado em algumas regiões e menos forte em outras – a paralisia imperial fora rompida depressa. Vale ainda notar que a grande maioria dos dados apresentados aqui refere-se ao crescimento da produção física (e não ao valor da produção) e tem ainda outra característica: foram quase todos produzidos a partir do último quarto do século passado, quando a história econômica baseada em estatísticas começou a se difundir muito no mundo e um pouco no Brasil. A agregação de dados como esses leva a conclusões como a de Stephen Haber, que atribuiu a mudança no padrão de crescimento às mudanças legais implantadas por Rui Barbosa: "As mudanças de regulamentação nos mercados de capital permitiram que eles funcionassem melhor. As reformas diminuíram os custos de monitoramento, permitiram a empresários mobilizar capital em grupos muito maiores que os de suas relações pessoais."[17]

CAPÍTULO **44**
> *Primeira década: sertão e capitalismo*

Os dados referentes à produção no mercado interno mostram, no lado do capital, a presença de uma espiral de acumulação. Tal indicação também poderia levar a uma suposição bastante razoável: os capitalistas estariam acumulando porque agora podiam explorar os trabalhadores livres. E isso remete a questão a um ato ocorrido antes do advento da República, ou seja, ao fim da escravatura. A Abolição foi radical. Os 750 mil cativos libertados em 1888 representavam 5% da população do país naquele momento. Porém, mesmo sendo uma mudança de grande magnitude, ela não implicou necessariamente a conversão do liberto em trabalhador assalariado. Não há nenhum indício numérico relevante de que os ex-escravos viraram assalariados, passando a contribuir como mão de obra para a acumulação capitalista. Um número intuitivo diz tudo: os 750 mil escravos de 1888 formavam um contingente 25 vezes maior que o dos 30 mil operários industriais de São Paulo em 1901. No sentido inverso, o da concepção de que os ex-escravos viram-se condenados ao desemprego e à incapacidade de se enquadrarem na produção econômica – ainda que fora do regime de trabalho assalariado –, também não há indício relevante de que os recém-libertos tenham encontrado obstáculos insuperáveis para sobreviver, mesmo que relegados à pobreza, muitas vezes extrema.

Como não viraram assalariados nem desapareceram como produtores econômicos aptos a prover sua subsistência, resta então a pergunta: que espécie de trabalho encontraram para sobreviver? O predomínio do uso da noção de economia de subsistência levou muitos estudiosos a supor que a abolição apenas ampliou o fosso entre o setor que produzia riquezas e uma massa condenada à subsistência sem acumulação. Mas o abandono dessa noção permite uma nova mirada, que pode começar com a análise das condições de trabalho na agricultura cafeeira, aquela que concentrou o maior contingente de cativos libertados. Um dos pioneiros em analisar tal situação empregando novos conceitos foi Delfim Netto, que notou duas modalidades contrastantes de organização laboral: "Há uma profunda diferença econômica entre colonato e parceria. No colonato, o empresário executa de fato seu papel, assumindo os riscos do negócio. Trata-se de exploração tipicamente industrial, em que o empresário recebe remuneração residual e o trabalhador recebe a paga por seu trabalho, quer a colheita corra bem, quer não; quer o preço do café esteja alto, quer esteja baixo. Na parceria o empresário transforma-se em simples rendeiro e procura dividir o trabalho de direção e planejamento com o trabalhador rural que assume, de fato, a categoria de empresário. Nessa qualidade ele recebe mais se a colheita for bem ou se os preços forem bons, ou recebe mal, em caso contrário, mas não há garantia de remuneração para nenhuma das partes."[1]

Empregando a linguagem da economia clássica, ele distingue aquilo que, na linguagem marxista, marca duas eras: a da agricultura capitalista, na qual o proprietário compra trabalho e se apossa do resultado deste sob a forma de mais-valia; e, outra, a agricultura pré-capitalista, onde o empresário atua como rentista e o trabalhador é um empreendedor associado nos riscos e nos resultados. Em cada era, o trabalho se coloca de maneira distinta. Na agricultura capitalista impera o trabalhador assalariado; na forma anterior, proprietário e trabalhador dividem os riscos e os ganhos segundo convenção contratual entre as partes. Existem muitos estudos posteriores a respeito da convivência produtiva dessas duas formas historicamente diversas de organizar a produção no início da república. Entre eles destacam-se as análises de Hebe Mattos, que ajudam a entender o processo num dos grandes centros do cativeiro, a economia do estado do Rio de Janeiro.

Segundo essa autora, a substituição do trabalho escravo acabou sendo resolvida da seguinte forma: "Apesar da propriedade da terra aparecer como fundamento básico das novas relações de trabalho surgidas após a escravidão, apareceram novas relações de trabalho, especialmente o aforamento e a meação, ao lado da generalização do trabalho familiar, inclusive pela maioria dos proprietários."[2] Essas formas não monetárias de trabalho foram combinadas com uns poucos pagamentos em espécie: "O pagamento em dinheiro a trabalhadores diaristas não era uma forma estranha, tendo se difundido na última década do século XIX como uma solução de expediente diante da realidade da extinção do trabalho escravo, que se combinou com a parceria para garantir a continuidade da exploração agrícola."³

Outros estudos, agora sobre a economia cafeeira de Minas Gerais, revelam a mesma espécie de integração entre salários e parceria, mas de modo ainda mais complementar, como notou João Heraldo Lima: "Com duas carpas anuais, o lucro do fazendeiro seria superior àquele que se obteria por meação. Se ele pretendesse fazer, em lugar de duas, três carpas anuais, seu lucro por arroba não seria maior que aquele obtido na parceria (onde, em geral, o número de carpas não passava de duas por ano). Dada a baixa produtividade, tudo passava a depender dos salários e do número de carpas. O ajuste dessas duas variáveis é que determinaria qual dos dois sistemas seria o mais rentável."⁴

A linguagem econômica do ajuste entre variáveis coloca, com a naturalidade de uma decisão de simples escolha, algo que não é nada simples. Em primeiro lugar, racionaliza uma possibilidade de escolha também para o outro lado da equação, o do trabalho; nesse caso, a descrição só é simples quando há abundância de trabalhadores que também optavam entre uma e outra espécie de oferta. Assim, supõe-se que, no lado do trabalho, também havia grande flexibilidade. É uma verdade de grandes consequências históricas e culturais. Mostra que os sertanejos não só estavam aptos para lidar com o mercado como também transitavam sem dificuldade cultural da situação de pessoas ligadas a estruturas de fiado e contratos de risco para o mundo da moeda, salário e capitalismo. Em termos históricos, por trás da naturalidade da linguagem econômica se mostram duas eras econômicas convivendo sem grandes problemas de fronteira.

O mais esclarecedor aqui seria o recurso à noção de amalgamento. Nessa altura, a coexistência de uma organização do trabalho baseada em acordos entre empreendedores, de um lado, e em trabalho assalariado, de outro, estava presente em diversos espaços brasileiros. E tal convivência muitas vezes levava os empresários a tomar decisões racionais que nem sempre requeriam a forma historicamente mais recente do trabalho assalariado. Se é certo que a combinação de trabalho assalariado e capital – aquela que caracteriza o capitalismo – ia predominando tanto na indústria como no setor do transporte ferroviário e em muitos serviços, não é tão evidente que o arranjo tradicional tenha deixado de se mostrar competitivo em outras áreas da economia. Para entender o motivo disso, é necessário relembrar que arranjos como a parceria eram basicamente sociedades de negócio entre produtores independentes: "A figura do empreendedor era a base da produção no mercado interno do Brasil. Figura que perseguia o lucro num mercado quase sem moeda. Figura presente em um vasto espaço intermediário chamado sertão, tão próprio do Brasil como o termo, terra de lei especial, não escrita como a lei dos nativos, lei do sertão."[5]

Tal combinação de papéis na produção mercantil chegava a extremos de aparência até mesmo paradoxal. Barbara Weinstein encontrou, já no século XX, o seguinte arranjo entre índios Tupi do povo Mundurucu e comerciantes de borracha: "A ignorância [dos Mundurucu] em relação ao mercado permitia que o comerciante 'comprasse' a borracha a preços muito inferiores a seu valor comercial. [...] Não obstante, os Mundurucu conseguiam restringir suas relações com os comerciantes: a maior parte dos membros da tribo que participavam da extração da borracha o fazia em apenas parte do tempo (três meses), o que lhes permitia manter o vínculo com a comunidade tribal."[6]

O caso é bastante ilustrativo. Do ponto de vista formal, as trocas entre comerciantes e indígenas resultam da alienação mutuamente aprovada de excedentes, a troca contratual. Caso sejam aplicadas a esse exemplo as normas do costume Tupi, é evidente que se trata de uma decisão de produzir excedentes – e, nesse caso não há dúvida – especificamente para a troca. O fato de não haver dinheiro é apenas um detalhe cultural no caso. Os nativos preferiam produzir a borracha em seus domínios – e manter esses domínios era um objetivo racional maior até mesmo do que obter em quantidade algo que não lhes interessava (o dinheiro). O exemplo mostra também até onde ia a capacidade dos Tupi de produzirem excedentes para a troca: para muito além da subsistência. Nesse caso, eram capazes de competir vantajosamente com seringueiros – alocando mercadorias produzidas nas formas de seu governo tradicional para mercado no qual havia abundância de capital.

A lógica dessa troca entre formações sociais e de governo muito diversas fica mais clara quando essas relações de produção e troca são pensadas com auxílio do conceito de capital comercial, assim definido por Karl Marx: "Qualquer que seja o regime de produção que sirva de base para produzir os produtos lançados na circulação como mercadorias – seja o comunismo primitivo, a produção escravista, a produção pequeno-campesina ou pequeno-burguesa – o caráter dos produtos como mercadoria é sempre o mesmo. Os extremos entre os quais o capital comercial serve de mediador constituem para ele fatos dados. A única necessidade é que nos extremos existam mercadorias, e tanto faz se a produção é mercantil em toda sua extensão ou lança raros excedentes."[7]

A eficiência nesse tipo de arranjo de produção sustentado pelo capital comercial depende fundamentalmente do cumprimento da palavra empenhada entre o detentor de capital comercial e o produtor – seja qual for o modo de produção. E isso acontecia nos arranjos entre os comerciantes e os Mundurucu de tal modo que o negócio era racional para ambos, cada qual segundo seus pressupostos culturais. O exemplo amazônico pode ser ainda mais ilustrativo. Não apenas era mais racional para detentores de capital comercial trocar com os Mundurucu para ter mais lucro como, muitas e muitas vezes, a produção nos moldes sertanejos tradicionais do aviamento, do fornecimento fiado de meios e compra da produção, feita pelos empreendedores sertanejos que arcavam com o risco, era muito mais eficiente que o uso de capital para adquirir trabalho assalariado.

Na imensa maioria das tentativas analisadas por Barbara Weinstein de produção de borracha com base no trabalho assalariado, esta mostrou-se bem menos rentável, até mesmo num caso extremo de emprego intensivo de capital: em 1898, a companhia inglesa Rubber Estates of Pará comprou uma propriedade com 1,3 milhão de seringueiras, 2,5 mil rotas de coleta abertas e produção de 293 toneladas de borracha no ano anterior. Segundo a estudiosa, seus planos básicos eram: "Já na primeira reunião de acionistas anunciaram seu plano de reformar inteiramente o sistema de extração e de comercialização da borracha nos seringais da companhia através da 'simplificação' das relações de produção. Em primeiro lugar, a empresa iria dispensar a presença do intermediário que habitualmente recolhia a produção dos seringueiros e a entregava no depósito central, visando uma maior porcentagem de lucros. Em segundo lugar, e mais importante, pretendia transformar os seringueiros em trabalhadores assalariados, que deixariam de ter direito sobre a borracha que extraíam. Segundo os diretores, a vantagem dessa inovação era irrefutável, uma vez que o seringueiro era por demais independente e absorvia parcela muito grande dos lucros."[8]

Em tese, isto seria a passagem para o capitalismo clássico: um novo arranjo dos meios de produção, eliminando a precariedade do capital comercial e a independência dos produtores, impondo o trabalho assalariado e criando receita em decorrência da extração de mais-valia sobre esse salário. O problema foram os resultados. A produção despencou para menos de 60 toneladas, um quinto do que se obtinha com o método "antiquado" dos brasileiros – e empacou nesse patamar baixo. O caso se repetiu com muitos outros estrangeiros. A sequência de fracassos levou a reflexões – e apenas uns poucos reconheceram a superioridade competitiva do sistema tradicional, como neste caso narrado por Weinstein: "Um magnata norte-americano da borracha escreveu que 'o obstáculo principal parece ser determinadas condições existentes em áreas enormes, fracamente povoadas e negligentemente administradas, as quais são extremamente desfavoráveis para estrangeiros que ali invistam seu dinheiro'. [...] Concluía relutantemente o autor que o aviador, por mais que seus métodos pareçam primitivos e devastadores, estava mais bem preparado para lidar com as condições que o estrangeiro, ainda que provido do mais abundante capital."[9]

Todavia, esse reconhecimento de que o emprego do capital para comprar trabalho assalariado era pouco competitivo com os empreendedores independentes na organização da produção e a compreensão da racionalidade dos arranjos do aviamento foram mais a exceção do que a regra. Barbara Weinstein apresenta duas outras explicações para fracassos: "Ashmore Russan, gerente da Brazilian Rubber Trust, resumiu sua longa lamentação a respeito do colapso da firma com uma recomendação: 'Temo que não há mais nada a fazer senão utilizar chineses ou malaios, que trabalham por salário em qualquer situação em que sejam postos.' Já um investidor de Denver, com todo sarcasmo, declarava haver descoberto a 'situação ideal' para os problemas de mão de obra na Amazônia: uma força de trabalho de macacos treinados."[10]

Como naquela realidade os "macacos" saíam-se melhor do que os "homens ideais", o amálgama amazônico ganhou para sempre uma face cabocla, baseada em decisões racionais sobre a lucratividade dos empresários num ambiente de competição. As relações entre a acumulação capitalista acelerada – ou desenvolvimento dos mercados – e a produção tradicional de empreendedores deixaram uma marca peculiar no cenário econômico da primeira década de regime republicano. A fronteira do capital mudou radicalmente com seu avanço – mas aquilo que parecia ser uma formação socioeconômica tradicional e inerte dos sertões (se vista a partir da noção de economia de subsistência) mostrou (na óptica de estudos que dispensaram a noção) quase de imediato a sua capacidade, vinda desde os tempos coloniais, de reagir aos estímulos de mercado, mesmo mantendo a forma tradicional das relações entre empreendedores.

Tal ajuste se deu tanto no sentido positivo, nas regiões em que havia abundância de capital, como no sentido negativo, naquelas em que prevalecia a escassez de capital. No Nordeste, os investimentos em usinas coincidiram com os períodos de seca. A realidade do trabalho ali não conheceu as oportunidades da convivência com maiores capitais, como notou Robert Levine: "Quando, depois da Abolição, os preços do açúcar continuaram a cair, a vida do trabalhador tornou-se ainda mais precária. Para os diaristas, cujas fileiras haviam engrossado desmedidamente com a entrada de ex--escravos recentemente libertados, o salário real caiu quase à metade, se comparado com a média de meados do século."[11]

Mas no período houve uma consolidação daquele amalgamento que virou a regra em todo o Brasil. Os elos básicos da nova cadeia ganharam vários nomes regionais. Na Amazônia, os empreendedores eram chamados aviados, os comerciantes aviadores. No interior do Nordeste, proprietários e vaqueiros ou agregados; no litoral, plantadores ou donos de usinas e diaristas. No sertão pecuário do Centro-Oeste e parte de Minas Gerais, fazendeiros e boiadeiros. No Brasil todo havia parceiros, meeiros, camaradas – uma leva de nomes para uma mesma função: sócio na empreitada agrícola, dividindo riscos e lucros com um adiantador de meios. Com três quartos da população morando no campo, todas essas relações econômicas se resolviam ainda ao largo dos governos – ou, dito de outro modo, apenas entre pessoas, na sociedade. O costume revitalizou-se agora que a lei não proibia mais os arranjos formais necessários para o capitalismo.

Esse gigantesco conjunto de relações produtivas era tido pelos teóricos do governo imperial, nos tempos da escravidão, como anárquico, improdutivo e incapaz de reagir ao mercado e de progresso. A retirada da trava da escravidão permitiu o contato dos arranjos consuetudinários com relações mais próximas da produção capitalista – e aquilo que os dados econômicos quantitativos revelam sobre o comportamento do capital e do trabalho na primeira década republicana não cessa de surpreender – mas as surpresas ajudam a entender a amplitude da aceitação de Prudente de Morais.

CAPÍTULO **45**
> *Primeira década: amálgamas e incrustações*

O REORDENAMENTO LEGAL ESCRITO PROMOVIDO PELA REPÚBLICA PERMITIU UMA rápida expansão das empresas. Alterou-se o patamar da produção, assim como o do trabalho assalariado. Ambas as mudanças, contudo, não eliminaram os seculares arranjos informais, que se tornaram mais produtivos em contato com o dinheiro. Esse processo de mútua influência positiva ocorreu em escala menor em outras áreas. Uma delas foi na esfera da palavra escrita, que foi deixando de ser um privilégio de agentes do governo ou de seu entorno. A alfabetização em massa logo passou a ser promovida nos estados que tiveram maiores aumentos de receita. Começou a se tornar cada vez mais comum a cena de crianças uniformizadas a caminho das escolas públicas.

Tal fenômeno coincidia com o fato de que muitos imigrantes vinham alfabetizados – ou, pelo menos, conheciam a importância da educação para os filhos, dada a realidade de seus países de origem. E alguns fundaram escolas particulares em suas comunidades, ampliando ainda mais o emprego da escrita, sobretudo no Sul. O Rio Grande do Sul logo se tornou o estado com as maiores taxas de alfabetização do país – e isso num contexto em que, por motivos ideológicos, o governo estadual não investia no ensino superior.

A existência de um público leitor levou ao crescimento de outro negócio: o da imprensa. Até a República a regra do jornalismo brasileiro foi a mesma do Ocidente até meados do século XIX, assim descrita por Michael Schudson: "O jornal político era a regra prática e o padrão comum. Os jornais partidários dependiam de políticos não apenas para ter capital, mas para a manutenção obtida via publicidade oficial, quando o partido estava no poder."[1] Tudo isso levava, conforme o autor, a um circuito econômico modesto: "Os jornais eram caros. Cada exemplar custava seis centavos, quando a diária de um trabalhador valia oitenta. Além disso, exemplares avulsos só podiam ser comprados na redação. A assinatura era a forma usual de venda, e custava entre oito e dez dólares por ano. Não é de se estranhar que a circulação fosse limitada, usualmente entre 1 mil e 2 mil exemplares, mesmo nos maiores jornais metropolitanos. A leitura ficava confinada à elite, e o conteúdo do jornal, ao comércio e à política."[2]

Nesse contexto do jornalismo partidário – e do jornalista faz-tudo –, o prelo era a tecnologia dominante em todo o Ocidente, e a imprensa do Brasil Imperial não destoava muito do padrão mundial. No país havia eleições e troca de partidos no poder. Da mesma forma que nos Estados Unidos ou na Europa, só votava uma minoria de eleitores homens, o que explicava a limitação elitista dos jornais partidários. Desse modo, havia no país as condições básicas para a sobrevivência dos jornais partidários. Com sorte, arrancava-se dinheiro suficiente do governo durante a maré no poder para sobreviver na oposição, ainda que em condições precárias. Muitas cidades no Brasil tinham jornais, e as tiragens eram semelhantes às dos jornais partidários nos Estados Unidos.

Mas essas tiragens deixaram de ser semelhantes desde o surgimento, quase ao mesmo tempo, de um conjunto de avanços, em meados do século XIX: a impressora rotativa, o telégrafo, as ondas imigratórias e as comunicações rápidas por ferrovia. O jornalista Benjamin Henry Day combinou tudo isso numa fórmula, inaugurada em 1833: um jornal para ser vendido nas ruas por apenas um centavo. Além de custar um sexto do preço dos concorrentes, não era feito para ser comprado na redação. Lotes de cem exemplares eram vendidos por 67 centavos para aqueles que se dispusessem a pagar adiantado e tentar ganhar 33 centavos revendendo o jornal na rua – ou por 75 centavos para aqueles que levassem o maço a crédito. Em poucos dias, as ruas estavam lotadas de vendedores de jornais. Foi um choque, notado por Henry B. Turner: "Nenhum jornalista de publicação de elite imaginava-se descendo tão baixo a ponto de ter vendedores apregoando manchetes na rua."[3] Não bastasse isso, o jornal ainda trazia anúncios de si mesmo, convidando pessoas a anunciar nele.

Quando os concorrentes acordaram, tiveram de correr atrás do sucesso instantâneo do jornal *The Sun*, logo conhecido como *penny paper* (jornal de um centavo). E estavam muito atrasados: as vendas do líder logo chegaram a 19 mil exemplares diários. Estava iniciada a revolução, assim descrita por Michael Schudson: "Estamos tão completamente acostumados à ideia de 'notícia' ou ao próprio jornal que se torna difícil perceber quão dramática foi a mudança trazida pelos *penny papers*. Até então, um jornal trazia informações para partidos políticos e homens de negócio; a nova imprensa vendia o jornal como produto destinado a um público amplo, e também vendia o acesso a esse público leitor para anunciantes. Já o produto vendido para os leitores eram as notícias, um produto original em muitos aspectos. Em primeiro lugar, a ideia era apresentar, de maneira agradável e sem partidarismo, eventos importantes do mundo. As notícias de um jornal podiam ser diretamente comparadas às de seus concorrentes, o que obrigava a descrições acuradas."[4]

Essa transformação aconteceu no Brasil com o advento da República, muito especialmente no Rio de Janeiro. Para começar, havia uma concorrência forte: duas dezenas de títulos de jornais diários. Os maiores impressionaram até mesmo o jornalista francês Marc Leclerc, que esteve na cidade na época: "São providos de uma organização material poderosa e aperfeiçoada, vivendo principalmente de publicidade, organizados acima de tudo como uma empresa comercial e visando penetrar em todos os meios e estender o círculo de seus leitores para aumentar o valor de sua publicidade. Em torno deles está a multidão multicolor de jornais de partidos que, longe de serem bons negócios, vivem de subvenções e só são lidos se o homem que os apoia está em evidência ou é temível."[5]

Os dois maiores jornais eram o *Jornal do Commercio* e a *Gazeta de Notícias*; além deles, *O País*, o *Diário de Notícias* e o *Jornal do Brasil* também podiam ser enquadrados na mesma categoria. Os quatro primeiros passaram incólumes pela mudança de regime graças à estrutura econômica; o *Jornal do Brasil,* fundado em 1891, já nasceu com grande capitalização. Essa era a elite sobrevivente. O restante da imprensa da cidade padeceu com a mudança de regime, pelo simples motivo de que o grande fornecedor de meios, o governo, retirou-se do mercado. O fim das trocas partidárias do Império significou também o término das subvenções que mantinham os pequenos jornais. Para sobreviver, estes foram buscar recursos com métodos não exatamente castiços. Leclerc os descreveu: "[Consistiam] na publicação, nas colunas ineditoriais, sob o título de A Pedidos, de libelos infames, de ataques anônimos contra figuras públicas ou privadas e instituições, publicações essas pagas pelos interessados, entre os quais não raro se encontra a polícia. Este recanto mal-afamado dos jornais, onde o leitor levado por uma curiosidade malsã deita o olhar em primeiro lugar, é um ponto gangrenado do corpo social."[6]

Em São Paulo, o líder de mercado era *O Estado de S. Paulo*, cuja circulação vinha conhecendo um aumento significativo. Em 1888, quando Júlio Mesquita passou a trabalhar na publicação, a tiragem girava em torno de 2 mil exemplares e havia 902 assinantes. Em 1893, as tiragens já eram de 7 mil exemplares, e a rentabilidade, de 20,3% – a participação nos lucros paga ao jornalista permitiu-lhe começar a adquirir o controle do jornal. Na virada do século, a tiragem alcançou 14 mil exemplares. O número de páginas de publicidade saltou de 1.190, em 1894, para 1.634, em 1898 – um aumento de 38% em apenas quatro anos.

A mudança da escala do jornalismo partidário para aquela do jornalismo de massa trouxe para o Brasil a mesma espécie de noticiário que se tornava comum no Ocidente. Em vez de escrever para adeptos, os jornalistas passaram a escrever para pessoas dispostas a se informar muito pagando pouco. E, nesse tipo de jornal da primeira década republicana, a figura que marcou a passagem de um modelo a outro foi a do cronista, que anda pela cidade, observa o comportamento de indivíduos ou grupos e relata o que lhe chama a atenção. Logo um tipo específico de cronista ganhou a simpatia do público: o do profissional assalariado capaz de descrever com simpatia as figuras populares, a narrar por escrito culturas tradicionais que até então não haviam merecido registro escrito no Brasil. Lima Barreto, no Rio de Janeiro; Valdomiro Silveira, em São Paulo, com seus casos caipiras; Simões Lopes Neto, no Rio Grande do Sul, foram alguns deles.

Assim começava o processo de amalgamento de culturas antes inteiramente separadas nas letras. Começava pelos jornais modernos que circulavam no mercado, mas esses registros eram quase nada se comparados à maciça literatura feita ao modo tradicional, em geral por funcionários públicos ou eruditos amadores. A marca de estilo era tão secular quanto os arranjos produtivos informais: afirmar-se como pessoa elevada e descrever os demais brasileiros – quase todos – como um rebotalho em termos morais e físicos. Desde o final do Império essa literatura ganhou um verniz "científico", conferido não só pelos adeptos da ditadura positivista. Eruditos de toda espécie importaram textos correntes na Europa que definiam o progresso da civilização como indo do homem primitivo para o homem ocidental. Adaptavam essa ideia com grande facilidade, identificando o narrador como o desenvolvido, o brasileiro como o primitivo e a miscigenação como produtora de decadência. Isso marcou também as grandes interpretações sobre o período. Monarquistas como o visconde de Taunay apresentaram as mudanças institucionais e a política monetária expansionista da República como um truque financeiro, uma jogatina bolada pelo cérebro maquiavélico de Rui Barbosa que só causava misérias e não gerava riqueza. E o título do seu folhetim acabou ganhando um grande fôlego histórico. Até hoje continua vivo toda vez que se emprega a expressão "encilhamento" para resumir o período. Nesse caso, não se trata apenas de uma visão tornada obsoleta com o desenvolvimento das técnicas econométricas. A interpretação continua viva porque, no caso da primeira década republicana, ainda subsistem dificuldades para avaliar com clareza o quanto foi crescimento real da produção – inclusive no sertão – e o quanto se devia apenas a um efeito inflacionário.

A expansão monetária foi real no período. A quantidade de moeda era de 211 mil contos, em 1889, e girava em torno dos 600 mil contos durante a administração de Prudente de Morais, tendo praticamente triplicado em uma década. Não bastasse a maior quantidade de moeda, também aumentou a velocidade de seu emprego. O fornecimento de crédito pelos bancos paulistas no mesmo período foi multiplicado por 5,3, passando de 22,3 mil contos, em 1889, para 118,4 mil, em 1898. Mas também não resta dúvida de que a produção real aumentou no período, assim como o registro formal de produções já existentes por meio dos mecanismos legais criados pelo novo regime. Para complicar ainda mais as contas atuais, ocorreu outro fenômeno econômico de grande amplitude. Mil-réis compravam 27 pence em 1889 – e apenas 6, em 1898. Com isso, as importações se tornaram quatro vezes e meia mais caras no período. Essa mudança significava tanto proteção para a indústria local como eventualmente inflação derivada da impossibilidade de evitar certas compras no exterior. No comércio exterior, parece pouco razoável atribuir o crescimento no mercado interno a um aumento no valor das exportações: em 1889 foram de 28,5 milhões de libras esterlinas; em 1897, de apenas 25,9 milhões. Embora favoráveis ao Brasil, os saldos comerciais foram pouco relevantes. Como desde a crise de 1890 os fluxos de capital eram negativos em escala maior que os saldos comerciais, a balança com o exterior também era negativa, o que exclui a hipótese de crescimento derivado de investimentos estrangeiros.

Com tantos dados para avaliar, ainda falta chegar a uma conta aceitável que separe crescimento da produção e simples elevação nominal de preços, por um motivo substantivo: até hoje não se conseguiu calcular com precisão suficiente um índice nacional de inflação – isto é, crescimento nominal de preços menos crescimento real da produção. Por outro lado, também remonta ao período a percepção da necessidade desse tipo de supervisão pelo governo. Bernardino de Campos, ministro da Fazenda de Prudente de Morais, tinha aguda consciência da precariedade dos instrumentos aferidores do governo brasileiro, sobretudo no campo da estatística: "No Brasil os poderes públicos, o comércio e a indústria sentem a cada passo embaraços e prejuízos por falta de estatística, que é o fundamento seguro sobre o qual deve repousar a administração econômica e meio mais profícuo para atingir maior prosperidade. Os trabalhos de estatística que aparecem no país são organizados nas praças estrangeiras, que utilizam-se desses instrumentos em proveito próprio, por conseguinte, em prejuízo dos produtores nacionais. É lamentável não se conhecer nem mesmo as riquezas das propriedades rurais de todo o país."[7]

Sem contar com tais instrumentos, Prudente de Morais teve de seguir o seu instinto de governar para a maioria. Fez isso diminuindo os próprios poderes a fim de ampliar os da sociedade em que confiava: suspendeu o estado de sítio, a censura, as intervenções nos estados, a intromissão em disputas locais – e as restrições que tolhiam os cidadãos. Assim construiu sua imensa popularidade – mais fácil de entender na linha do progresso real da economia do que pensando com os argumentos de seus contrários monarquistas. O fato é que, partindo de uma situação crítica no primeiro dia de governo, ganhou apoio maciço. Ao longo de 1898, por onde andava era aplaudido. No dia 15 de novembro, o homem que tomara posse sozinho passou a faixa presidencial diante de uma multidão aglomerada na porta do palácio.

Sua primeira caminhada ao retomar o papel de cidadão comum, entre o palácio e a pensão onde agora se hospedaria, a poucos quarteirões da sede do poder, consumiu horas de cumprimentos de brasileiros entusiasmados. Antes de entrar no quarto foi chamado para a sacada, onde oradores se revezaram em mais umas tantas horas de discursos, todos aplaudidos pela multidão nas calçadas. Os banquetes de homenagens ocuparam mais três dias. O percurso entre a pensão e a estação ferroviária de onde partiria para São Paulo levou duas horas entre aplausos. A viagem durou um dia e meio, pois havia multidões em todas as estações no caminho. Havia 10 mil pessoas na estação em São Paulo (com 240 mil habitantes); participou de um banquete com dezenas de brindes. O último foi de Júlio Mesquita, diretor de *O Estado de S. Paulo*: "Prudente de Morais transformou uma república de ódios numa república de progresso e justiça. Eis aí seu serviço." Em resposta, Prudente de Morais reafirmou as suas convicções: "Esforcei-me sempre por cumprir meu dever no honroso mandato que me confiou o sufrágio da nação. Estou satisfeito porque as manifestações populares e provas de apreço corroboram aquela afirmação da própria consciência nacional. De parte a generosidade de que se revestem tais manifestações, [estas] constituem a melhor recompensa aos esforços que empreguei até o sacrifício para servir à República. Na impossibilidade de agradecer pessoalmente aos meus concidadãos, recorro a vosso jornal para apresentar a todos os protestos de um sincero reconhecimento e profunda gratidão."[8]

Dito isso, voltou para Piracicaba e reassumiu a banca de advogado. Dali, como tantos outros cidadãos brasileiros, começou a acompanhar um presidente que se revelava para a maioria dos cidadãos apenas no momento da posse – algo só possível porque a República também legislou para trás. Embora o hábito trouxesse a alternância no poder, a letra da Constituição sagrara o atraso em relação ao Ocidente construído no final do Império: o voto do analfabeto, tradição secular, foi proibido – e o atraso seria necessariamente cada vez maior. Era uma tentação e tanto voltar atrás.

CAPÍTULO **46**
> *Campos Sales e o plano regressivo*

Enquanto Prudente de Morais recebia aplausos e os interpretava como reconhecimento de que o cidadão e o presidente da República, representados e representantes, se irmanavam na soberania popular – e o capitalismo se expandia mesclando-se ao sertão –, o seu sucessor Campos Sales tomava posse publicando um manifesto, no qual se lia o seguinte trecho: "Elevado a este posto de honrosa confiança e incomensurável responsabilidade, apraz-me acreditar que o que pretendeu o voto popular foi colocar no governo da República o espírito republicano na sua acentuada significação. E esse intuito é naturalmente presumível, dada a índole de nosso regime, que, com a responsabilidade unipessoal, preferiu eliminar a política de uma coletividade para concentrá-la na pessoa da suprema autoridade, em quem reside constitucionalmente o critério que dirige, delibera e aplica."[1]

Era uma interpretação radicalmente diferente tanto do papel do eleitor soberano como daquele do presidente eleito. Em vez de delegar poder a um presidente que governa como representante, como pregava a teoria iluminista e acreditava Prudente de Morais, o novo presidente concebia o processo eleitoral como aquele pelo qual o eleitor renuncia à política e concentra poderes numa autoridade, "elevada" ao grau de "suprema autoridade". Nada disso estava na letra da lei nem no costume republicano. Tratava-se claramente de uma interpretação, do emprego da escrita para criar um significado próprio e interessado para um modo de exercer o cargo de presidente da República. Mais ainda, era uma interpretação que fora apresentada ao eleitorado por um caminho tão sutil que merece ser refeito em detalhes.

A interpretação de Campos Sales começou a ser elaborada em junho de 1897, quase dois anos antes da posse. Nesse momento o então governador de São Paulo recebeu uma carta de Bernardino de Campos, o ministro da Fazenda do presidente Prudente de Morais. Ele detalhava o modo pelo qual o governador havia se transformado em sucessor escolhido por um grupo: "Seu nome surgiu das esperanças dos políticos que rodeiam o governo, como centro de aspirações pela ordem constitucional, sustentada por um republicano histórico, de nome feito e capacidade comprovada. Nenhum dos senões opostos aos outros, nenhuma suspeição possível, nenhuma contestação a não ser de ordem geográfica. [...] A Prudente dirigi-me, francamente, por não dever agir sem ele e tive calorosa aprovação. Lembrou o nome de Rosa e Silva para a vice-presidência como boa aliança."[2]

A lista de argumentos favoráveis começa pela biografia política. Campos Sales havia sido até então bem mais que um simples militante formal da causa republicana. Filho de um tropeiro metido com a Revolução de 1842, fora ele mesmo tropeiro quando jovem – e republicano de primeira hora. Arranjou dinheiro e ajudou a manter o jornal do partido, *A Província de S. Paulo*. Foi deputado provincial e nacional pelo partido; ministro da Justiça do primeiro governo provisório; senador e governador de São Paulo. Além de apresentar a biografia como ativo político, o ministro detalha como este foi convertido em algo maior: pela ação do presidente da República e do Parlamento, tal histórico havia gerado a candidatura para o cargo de presidente, aceita pela maioria dos detentores de mandato. E Prudente de Morais se encarregara ainda da articulação para encontrar um vice-presidente capaz de arregimentar votos em todo o Norte e Nordeste do país.

Assim Prudente de Morais fazia o contrário de seu antecessor: buscava consenso no Congresso, casa maior dos representantes eleitos; apoiava o mecanismo de transformar o consenso em unidade; aplainava o terreno para que houvesse uma boa dose de firmeza entre os políticos e apoio dos eleitores para que funcionasse o mecanismo da troca de mandatário pela via do sufrágio – ainda incerto como hábito. Tudo isso feito, o escolhido teria uma estrada mais do que tranquila para percorrer caso aceitasse a indicação. Campos Sales, claro, não pronunciou uma palavra contra o presidente, nem contra as forças políticas que o apoiariam. Tampouco disse algo em público que levasse alguém a suspeitar que pudesse ter outras ideias para o governo que não aquelas que Bernardino de Campos mencionava como sendo as que moviam aqueles que o apoiavam.

Ao receber a carta do ministro, fazia menos de um mês que Campos Sales enviara uma outra, privada, a uma pessoa que não era exatamente bem-vista por Prudente de Morais: Joaquim Murtinho, que, por indicação do vice interino Manuel Vitorino, havia ocupado o Ministério da Viação e escrevera um relatório, publicado em 1897, criticando a condução da economia – cujo ministro era exatamente Bernardino de Campos. Na carta, Campos Sales dizia nada menos que o relatório era um "verdadeiro plano de governo". Como um mês depois essa afirmação iria adquirir outro peso, vale a pena examinar o argumento do relatório, que se baseava numa premissa fundamental: "Não podemos, como muitos aspiram, tomar os Estados Unidos como tipo para o nosso desenvolvimento industrial porque não temos as aptidões superiores de sua raça, força que representa o principal papel no progresso industrial deste país."[3] Para o Brasil, o ideal econômico deveria ser outro: "A supremacia do industrialismo poderá trazer-nos grandes males sociais, deixando-nos talvez a forma, mas fazendo com certeza perder a substância da nossa liberdade."[4] A insistência na indústria seria prejudicial: "A nossa organização industrial tem seguido nestes últimos tempos uma marcha anômala, irregular e profundamente viciosa. A ideia errônea e antissocial de que da grandeza industrial de nossa pátria depende sobretudo nossa libertação, cada vez mais completa, dos produtos da indústria estrangeira foi provocando a aspiração de estabelecer empresas industriais de todos os gêneros para realizar aquele desideratum pseudopatriótico."[5]

Em vez disso, uma política econômica sadia deveria se voltar para preservar a "verdadeira fonte" da riqueza brasileira: "A febre industrial acarreta para a agricultura perturbações de tal ordem que esta principal fonte de nossa riqueza está sob a ação de uma crise profunda e de difícil solução. A atração que a vida da cidade exerce sobre os operários, a ação que os lucros grandes e rápidos das indústrias exercem sobre os capitais e sobre os braços são outras tantas causas da drenagem que sofre a agricultura de seus elementos mais importantes de produção. Acrescente-se a isso a elevação dos salários produzida entre outras coisas pela carestia de vida e o hábito de uma existência mais confortável e por isso mesmo mais dispendiosa por parte dos operários."[6] O trabalho assalariado e o capital, a vida urbana e a riqueza, na visão de Murtinho, deveriam ser combatidos pela seguinte razão: "A agricultura, a indústria e os serviços custeados pela União deveriam ser as três árvores produtoras de nossa riqueza. Só a agricultura, porém, produz na realidade. Os serviços custeados pela União, de um lado, e a indústria do outro lado, transformaram-se em parasitas."[7]

Para resumir: no lugar de industrializar, aumentar o mercado, enriquecer a nação, o objetivo da ação econômica do governo deveria ser o de evitar os males do capitalismo: a atração da vida urbana, os lucros da indústria, a elevação dos salários, uma existência mais confortável. Tudo isso para que a marcha da agricultura não fosse perturbada, uma vez que aí estava a "verdadeira fonte" da riqueza. Essa era uma noção com história, como se nota pela comparação com as palavras de François Quesnay, escritas no século XVIII: "Os trabalhos da indústria não multiplicam as riquezas. Os trabalhos da agricultura compensam os custos, pagam a mão de obra do cultivo, propiciam ganhos aos lavradores e além disso produzem as rendas dos bens de raiz. Os que compram as obras da indústria pagam os custos da mão de obra e o ganho dos mercadores; mas essas obras não produzem nenhuma renda a mais."[8]

Já no século XIX, nunca é demais repetir, essa era uma posição obsoleta em economia, a se julgar pela análise de Karl Marx: "Para os fisiocratas, o trabalho agrícola é o único trabalho produtivo, porque é o único que cria mais-valia – eles não reconhecem outra forma de mais-valia além da renda da terra. Segundo os fisiocratas, a agricultura fornece matéria para toda a produção social. O operário industrial não acrescenta matéria, mas se limita a modificar sua forma; por isso não acrescenta valor à matéria. Para os fisiocratas, também o lucro não é mais que uma espécie de salário de categoria superior pago pelos proprietários de terra. [...] Nesta concepção o proprietário de terras aparece como verdadeiro capitalista, como elemento que se apropria do trabalho excedente. Deste modo o sistema feudal se apresenta reproduzido e explicado na descrição da produção burguesa, e a agricultura aparece como único setor que realiza produção capitalista."[9]

Joaquim Murtinho era um fisiocrata com pedigree, descendente do bispo Coutinho, do visconde de Cairu, do visconde de Itaboraí. Renovava a ideia de que o governo deveria agir contra o capitalismo montante. Não mais em nome da escravidão, mas contra a indústria e o trabalho assalariado. Para tanto, seu projeto tinha como ponto básico a contenção da moeda emitida nos primeiros anos do regime – que via como criadora das indústrias que não deveriam existir: "A emissão forçada se faz às cegas, impelida pela especulação, pelo jogo e por todas as loucuras da bolsa. Daí a massa de papel-moeda inconversível ligando a indústria ao crédito; não sendo mais a necessidade de uma indústria que provoca a emissão, mas a emissão que solicita a criação de indústrias sem razão de ser."[10] Os males se multiplicariam até a danação: "Organizaram-se empresas de todas as espécies na esperança de que imediatamente o Brasil se tornaria um grande país industrial. Em breve tempo a ilusão dissipou-se, deixando ver bem claro que os capitais não se haviam multiplicado, que o crédito havia caído e que os recursos distribuídos para cada empresa eram absolutamente insuficientes para seu desenvolvimento."[11]

Assim o que parecia riqueza se revelaria como pobreza: "Uma grande soma de capital circulante havia se transformado em capital fixo, imobilizando-se em máquinas e edifícios e ficando assim improdutivo durante muito tempo ou inutilizando-se para sempre. Essa imobilização improdutiva e essa inutilização definitiva de capitais acarretaram, como consequência, o empobrecimento do país e perturbações graves de nossas condições financeiras."[12]

A confusão entre indústria, capitalismo, jogo e loucura – falsa riqueza, enfim – era outra noção com história. Mas história caipira de seus chefes de escola. Como o visconde de Cairu no início do século XIX, como o visconde de Itaboraí em meados desse século, e como o visconde de Taunay de sua época, Joaquim Murtinho entendia o investimento em fábricas e bens de capital não como incremento para a produção, mas como imobilização improdutiva – e por isso identificava a acumulação capitalista, o progresso industrial e do trabalho assalariado com pura ficção numérica, falso desenvolvimento. Em plena virada da produção brasileira para o capitalismo, ele queria colocar a força do governo central a serviço da reação, da volta ao passado, para satisfazer o conceito aristotélico de que a natureza era a única produtora de valor – e a desigualdade, o fundamento da moral. Assim até mesmo as precárias condições do nascente proletariado urbano lhe pareciam "hábito de uma existência mais confortável e por isso mesmo mais dispendiosa por parte dos operários".

Depois de receber a notícia de sua escolha para a presidência, Campos Sales guardou total sigilo de sua admiração por esse tipo de pensamento, pelo simples e razoável motivo de que as ideias contra o progresso capitalista não faziam parte da propaganda republicana nem passavam pela cabeça da imensa maioria daqueles que construíam e levavam adiante sua candidatura, a começar do seu grande eleitor, o presidente da República. O apoio obtido por meio da articulação nacional capitaneada por Prudente de Morais era de tal ordem que não restava a menor dúvida sobre quem seria o vencedor da eleição. Por todo o país deputados escreviam cartas a seus apoiadores locais, que iam convencendo vereadores a convencer eleitores a votar no candidato.

A imprensa noticiava tudo isso – e era o que bastava. Com tanta gente apoiando, Campos Sales nem precisava se mexer. Seu único ato para se mostrar como candidato ao eleitorado foi o de participar de um banquete no teatro São José, em São Paulo, no dia 31 de outubro de 1897. Ali leu um discurso, com alguns pontos que eram típicos de republicanos históricos. Ele defendeu, por exemplo, o sistema federativo: "O sistema federativo caracteriza-se pela existência de dupla soberania na tríplice esfera do poder público. Suprimir um só dos órgãos dessa soberania equivale a destruir o próprio sistema".[13]

Logo a seguir, porém, vinha uma frase que trazia uma alusão significativa: "Em todos os regimes representativos, seja uma monarquia ou uma república, seja presidencialismo ou parlamentarismo, nenhum governo pode dispensar uma maioria no corpo legislativo, por meio da qual se estabeleçam relações de harmonia entre os poderes. A diferença quanto à forma consiste em que, no governo de gabinete, o Parlamento exerce uma influência direta e preponderante sobre o Executivo, e isso confere-lhe até certo ponto a partilha da função governamental. No regime presidencial, porém, o Executivo atua com completa independência, de tal sorte que o Legislativo, igualmente soberano no exercício de suas funções *não governa nem administra*."[14]

O destaque na versão impressa do discurso foi colocado pelo próprio Campos Sales, que sabia exatamente o que estava realçando: a máxima dos conservadores dos tempos do Império, que vale a pena relembrar. A citação era parte do lema do Partido Conservador em defesa dos poderes pessoais e arbitrários de D. Pedro II, a célebre máxima do visconde de Itaboraí: "O rei reina, governa e administra."

Campos Sales não era imperador – por isso dizia querer apenas governar e administrar. Sabia que, deposto o monarca, havia cessado o "reinar". Por isso não tocou no assunto. Mas, no que de fato interessava, empregou a citação para, definindo sua visão de presidência, buscar aquilo que buscavam os conservadores do regime que depusera: limitar o poder derivado da soberania popular e de seus representantes no Parlamento e ampliar o espaço de atuação do ungido republicano. Essa ideia de uma hierarquia entre poderes, com um governante posto no alto e os representantes populares bem abaixo, era clara: "Declaro que não sou daqueles que entendem que o depositário unipessoal do poder seja propriamente um chefe de partido. Qualquer que tenha sido a sua posição anterior nas lutas políticas, o cidadão, uma vez eleito, passa a ser o chefe do Estado. Ele deixa a superintendência dos interesses exclusivos do partido para assumir as altas gestões dos negócios gerais da comunidade. [...] Aquele que é elevado ao governo pelo voto popular deixa, na arena ardente das lutas e das paixões, o incessante conflito dos interesses e das opiniões para levar para as regiões serenas da aplicação só os grandes ideais."[15]

A Constituição republicana não falava em nada disso, contendo apenas a fórmula corrente de afirmar o povo como soberano e o voto como instrumento dessa soberania. Falava em três poderes iguais e independentes – mas o futuro ocupante da cadeira pretendia recriar a hierarquia da dupla soberania do Império, com a cadeira presidencial fazendo as vezes de trono: "O Congresso, como todos os corpos legislativos, tem necessidade de que sua iniciativa seja esclarecida, e mesmo, a certos respeitos, dirigida. O poder que, pela natureza de suas prerrogativas, se acha em condições de esclarecer e dirigir é o Executivo."[16] Esse era o cerne do discurso, no qual só havia umas poucas platitudes sobre finanças: "O restabelecimento do equilíbrio financeiro depende antes de tudo do civismo e clarividência daqueles que têm a responsabilidade da direção dos destinos da nação. Assegure o Executivo a ordem e a paz e dê-lhe o Legislativo o seu apoio com austera firmeza na execução de um plano, que deve começar com a mais severa economia, e estará feito um caminho para o crédito nacional."[17]

O candidato nada disse contra a indústria, a riqueza, o conforto dos assalariados, o desvio de capitais da agricultura. Também não fez a menor crítica a Prudente de Morais e a todos que o apoiavam. Ninguém ligou muito para as afirmações, até porque o atentado contra Prudente de Morais, cinco dias depois, era o tema preferencial das conversas. Coube ao próprio Campos Sales mostrar que o discurso era importante e parte de um plano – uma década mais tarde, quando já deixara a presidência da República: "O agrupamento político que levantava minha candidatura era o mesmo que apoiava o governo do senhor Prudente de Morais, com quem me achava em desacordo em questões de princípio e de forma. Era um dever de lealdade, portanto, falar diretamente ao eleitorado para definir com clareza minhas ideias e denunciar com sinceridade minhas intenções. Eu previa também que desse procedimento resultariam consideráveis vantagens para a ação governativa. Foi assim que elaborei meu manifesto. Ninguém teve dele conhecimento antes de sua leitura. Quem se propõe a consultar opiniões alheias sujeita-se sempre a modificar as suas, e era isso que eu queria evitar."[18]

As opiniões alheias não eram apenas de pessoas que poderiam sugerir mudanças no texto. Eram também as do eleitorado, que teria sido "diretamente informado" sobre as posições do candidato. Assim os vagos trechos do discurso foram reinterpretados pelo autor como sendo a apresentação de uma plataforma eleitoral aprovada pelos votos da soberania popular. Para Campos Sales, os eleitores foram às urnas não para eleger um representante a quem delegavam o exercício do poder para defender seus interesses, mas para renunciar a esses interesses, alienar todo o poder político e elevar o eleito a culminâncias de onde poderia "governar e administrar" acima da vontade dos eleitores, dos grupos que o elegeram e do Congresso. Como previsto, ele se elegeu no dia 1º de março de 1898. E, com o apoio de Prudente de Morais, governou muito antes mesmo de reafirmar sua crença como ungido no discurso de posse.

CAPÍTULO **47**
> *O caranguejo e a ostra*

Depois do banquete, Campos Sales ficou mudo, deixando o primeiro passo efetivo de seu plano para duas semanas antes das eleições, no dia 14 de fevereiro de 1898, quando escreveu a seguinte carta pessoal e reservada ao presidente Prudente de Morais: "Confirmo o que já pensava sobre o crédito estrangeiro. Aí está toda a agravação de nosso mal financeiro. Nosso ponto de partida, o único com resultados definitivos, será ou seria uma vasta operação no estrangeiro. Não julgue entretanto desesperadora, ainda que opressiva, a nossa situação. Em conversa com o Rodrigues Alves disse-lhe que, veleidades à parte, devemos tentar o empréstimo no estrangeiro dando como garantias as rendas de nossas alfândegas. Não sei se na lei do orçamento existe autorização para o empréstimo com garantia; se não existir, seria preciso pedi-la e obtê-la do Congresso custe o que custar. Julgo indispensável adotar as bases de um plano nesse sentido para oferecer aos banqueiros londrinos e provocar seu pronunciamento. Se V. entender que é necessária a ida de alguém à Europa para tomar informações, estudar as oportunidades e aplicar os meios para uma informação que resolva o problema, eu desde já me proponho a fazer a viagem a título de passeio, sem caráter oficial e guardada com a mais completa reserva sobre seu fim oculto."[1]

Segundo o diagnóstico de Campos Sales, o problema central da economia brasileira seria a falta de crédito externo para o governo federal. Deixava bem claro que não era uma situação fatal, apenas "opressiva". Propunha uma solução curiosa ao presidente: que este adotasse o projeto do candidato como se fosse seu – ou seja, que mudasse o rumo da própria gestão em benefício do sucessor. Era um pedido e tanto ao seu grande eleitor Prudente de Morais, ainda com nove meses de mandato: escrever aos banqueiros para que considerassem o empréstimo; aprovar, "custe o que custar", uma lei autorizando o governo a oferecer as rendas da alfândega como garantia – algo que nunca havia sido necessário nos empréstimos externos brasileiros, nem mesmo nos piores momentos da Regência. Por fim, oferecia-se para negociar ele mesmo o empréstimo para a nação como um emissário "sem caráter oficial" e deliberadamente "com um fim oculto". Em suma, Campos Sales se propunha a governar sem ser governo, ganhar algo politicamente e deixar a conta para o presidente, do qual discordava totalmente no modo de conduzir a nação.

Se fosse pensar como o marechal Floriano, que o antecedeu, Prudente de Morais poderia muito bem deixar a carta sem resposta, fazer o que bem entendesse até o último dia. Teria bons motivos para negar, até porque era uma proposta dura de engolir. O presidente seguia uma política econômica oposta à solução oferecida pelo sucessor. Era contrário a resolver os problemas de caixa do governo com base em créditos externos. Fazia questão de deixar isso sempre claro. Sua mensagem presidencial de 1897 definia assim a política financeira de seu governo: "As dificuldades financeiras do país, quando provêm, como entre nós, de uma crise que surgiu depois de uma transformação política radical, não podem ser removidas de chofre mas devem ser combatidas por um trabalho demorado e incessante."[2] Sendo interna a causa maior do problema, assim também seria a solução: "O Tesouro tem solvido os maiores compromissos que sobre ele pesavam, de sorte que tendem a desaparecer os encargos de caráter extraordinário que até agora tem sido o maior embaraço para o equilíbrio."[3]

Podia perfeitamente fazer mais do mesmo: suportar a tempestade até desaparecerem progressivamente as ondas de pressão sobre o Tesouro, sem recorrer a empréstimos externos como vinha conseguindo fazer até mesmo nos momentos de maiores dificuldades que ultrapassara. Era uma política viável, que vinha sendo cumprida sem maiores sobressaltos. Porém, como não via a presidência como cargo para desempenho da "vontade unipessoal" do presidente da República – e sim como delegação provisória de um soberano permanente, o cidadão, cujo interesse deveria ser sempre consultado em primeiro lugar – avaliou o pedido do sucessor com outros olhos.

Considerando legítimo que um presidente eleito tivesse opções próprias para administrar – e cabia a ele levar isso em conta pelo bem da nação –, Prudente de Morais deixou de lado as próprias razões em benefício da razão maior. Concordou em preparar o caminho para a administração do sucessor em tudo aquilo que pudesse. Por isso decidiu apoiar as propostas de Campos Sales, com plena consciência do preço que pagava.

E determinou ao ministro da Fazenda, Bernardino de Campos, que atendesse à sugestão do candidato, enviando cartas aos banqueiros indicando o interesse no empréstimo. Dois dias depois de receber o pedido de Campos Sales para viajar como negociador, apoiou-o em nome da continuidade. Porém, em vez de mandar um presidente eleito como negociador secreto, tornou oficial a viagem – só não pagaria a conta da negociação oculta, proposta pelo sucessor: "Bernardino e eu aceitamos com a melhor vontade a vossa sugestão: não poderemos ter agente melhor e mais autorizado que o futuro presidente, que agirá em nome e no interesse do atual governo, do seu governo e da República."[4]

Dessa maneira, o eleito que não falou o que pensava para eleitores e apoiadores, com apoio de seu grande eleitor (e ainda guardando reserva sobre o que pensava do modo com que este governava) empenhou sua palavra de governante em Londres, numa sala revestida de mogno do banco Rothschild. Com isso, tomou afinal partido a favor de interesses bastante claros. Pelo acordo conhecido como *funding loan*, o presidente eleito conseguiu consolidar a dívida externa brasileira e receber dinheiro suficiente para não ter de pagar prestações nos três anos seguintes. Em troca, obrigava-se a muita coisa: comprometia-se por escrito a fazer com que o governo atuasse de modo a que a taxa de câmbio passasse de 6 para 12 pence. Em outras palavras, prometia que o governo agiria para fazer uma libra investida no Brasil no dia do acordo se transformar em duas libras por ação da política do governo brasileiro – afora o lucro que o investimento pudesse colher no caminho.

Era promessa suficiente para inverter a tendência de uma década de divisas escassas. Ainda em 1898, ano em que Campos Sales firmou o acordo e governou por apenas 45 dias, os investimentos diretos e os empréstimos estrangeiros para agentes privados aumentaram 80,1%, passando de 4,3 milhões de libras para 7,76 milhões.[5] Só esse movimento permitiu um saldo nas contas brasileiras com o exterior de 2,3 milhões de libras, algo que não acontecia desde 1889. Também premiou o banqueiro que lhe dava dinheiro. Deu-lhe garantias reservadas a falidos: o governo empenharia a sua principal receita, as rendas da alfândega do Rio de Janeiro, que podiam ser sequestradas em caso de inadimplência. Para que esses escolhidos ganhassem, outros tinham de ser punidos. O presidente eleito comprometeu-se a aumentar, durante seu governo, os impostos cobrados dos cidadãos, fazer cessar os contratos de emissão de moeda ainda existentes, conseguir saldos orçamentários em mil-réis – e incinerar toda a moeda representante desses saldos. Em suma, o governo com folga de caixa iria arrancar mais dinheiro real, sob a forma de impostos arrecadados de cidadãos e empresas, ao mesmo tempo que reduzia a quantidade de dinheiro para esses cidadãos produzirem e pagarem esses impostos.

Num discurso pronunciado em Londres após assinar o acordo, o futuro presidente fez questão de deixar claro o modo como via as posições relativas dos cidadãos que representava e dos ingleses, nas palavras de seu porta-voz oficial: "[Disse] que nosso patriotismo é em geral de vaidade; somos o primeiro povo do universo, não precisamos do concurso do mundo. Mas não há povo com espírito de ordem para formar a solidariedade nacional, e nós vivemos em revoluções, com sacrifício de nossa coesão. [...] Os povos modernos que têm o bom senso de aprender não devem se envergonhar de pedir para a cultura europeia os mestres que lhes ensinam ciência, transformam os métodos de trabalho, organizam as instituições mais profundamente nacionais".[6]

Fazia assim eco às ideias de seu futuro ministro da Fazenda sobre a fraqueza do povo brasileiro, chamado a pagar a conta. Armado do dinheiro que não teve vergonha de pedir, voltou ao Brasil e escreveu um manifesto de posse no qual se despedia da condição de cidadão e se apresentava como um presidente dotado de todos os atributos do antigo Poder Moderador, como o homem que reina, governa e administra, a "pessoa de suprema autoridade": "Elevado a este posto de honrosa confiança e incomensurável responsabilidade, apraz-me acreditar que o que pretendeu o voto popular foi colocar no governo da República o espírito republicano na sua acentuada significação. E esse intuito é naturalmente presumível, dada a índole de nosso regime, que, com a responsabilidade unipessoal preferiu eliminar a política de uma coletividade para concentrá-la na pessoa da suprema autoridade, em quem reside constitucionalmente o critério que dirige, delibera e aplica."[7]

Se o candidato relutava com o "reinar", não se pode dizer o mesmo do presidente. Campos Sales fez questão de deixar claro que a tal elevação pelo voto só valia para o presidente e que os demais representantes eleitos da nação deveriam se portar apenas como auxiliares menores no cumprimento da palavra nacional empenhada em Londres – ato sobre o qual jamais dissera uma palavra a parlamentares apoiadores ou eleitores: "O atual momento assinala-se pela imprescindível necessidade de franca e resoluta cooperação do Legislativo para que seja adotada e posta em execução uma política financeira rigorosamente adequada às necessidades do Tesouro. Aí está o ponto culminante da administração. Espero muito do patriotismo do Congresso federal e da austeridade do caráter brasileiro para tornar efetivas as providências reclamadas por nossa situação. Empenhei a responsabilidade do meu governo na fiel execução do acordo financeiro celebrado em Londres. Mais do que minha responsabilidade, está empenhada nisso a própria honra nacional."[8]

Disso decorria uma série de prioridades, listadas com grande clareza. Em primeiro lugar vinha a "política financeira rigorosamente adequada às necessidades do Tesouro" – e não da nação. O "ponto culminante da administração" seria arrumar as contas do governo. A parte que ficara com a conta, o setor privado, entrava no discurso não como sendo constituída de eleitores soberanos e seus representantes, mas como objeto do arranjo feito. Por isso agora só valiam para ajudar o Tesouro. Os cidadãos que alienaram o poder na eleição deveriam, na gestão, entrar com "austeridade do caráter" – ou seja, pagar a conta. Já os representantes eleitos deveriam esquecer os eleitores e fazer leis para tornar "adequada" a situação do Tesouro.

Na mensagem ao Congresso, enviada dois meses depois da posse, Campos Sales ecoou a ideia de que a administração era uma esfera reservada privadamente ao presidente como representante do bem comum (tal como o Poder Moderador havia conferido ao monarca) e que tal poder não deveria ser perturbado pelos parlamentares – definidos (como na teoria conservadora imperial) como representantes apenas dos interesses menores dos "particulares": "A presente sessão legislativa se instala sob os favoráveis auspícios de uma época de completa tranquilidade, que assegura preciosa calma de espírito àqueles a cujo patriotismo cabe promover o bem-estar e o progresso da nação brasileira, aplicando sobretudo a sua sábia solicitude ao estudo dos graves problemas da administração, que devem constituir a suprema preocupação do atual momento."[9]

Um parlamentar reagiu: Rui Barbosa, que lutara para destruir as prerrogativas do Poder Moderador, passou a escrever uma série de artigos intitulada "Resposta à Fala do Trono" – a fórmula pela qual os parlamentares do Império respondiam ao discurso de abertura da sessão pelo imperador. Ele atacou de frente a concepção de uma presidência com poderes imperiais pregada por Campos Sales. Se este se definia como "pessoa da suprema autoridade", o jornalista o definia como "aquele a quem, entre todos os compatriotas, a competência divina conferiu o benefício da primogenitura na geração dos ungidos do povo, permitindo-lhe o cimo dessa dignidade que ombreia com os tronos".[10] E descrevia deste modo a forma como exerce o poder: "Suas convicções, não ousaríamos dizer suas prevenções, formam-lhe em torno do espírito uma esfera impenetrável, cuja ressonância interior o preserva dos rumores externos. Como a pérola na estreita avareza de sua concha, insensível à pressão do elemento azulado que o circunda, impermeável às correntes da vida submarina que a envolve, seu ideal definitivo vive ali em introspecção, desafiando as mutações exteriores."[11]

Rui Barbosa aludia diretamente ao lugar neutro definido na teoria conservadora para o Poder Moderador, assim resumido por Camilo Torres: "Todas suas atribuições giram em torno da necessidade de um poder neutro que mantivesse em equilíbrio a máquina do Estado."[12] Para tanto ocuparia um lugar especial: "O rei era a chave da abóboda, a pedra de fecho sustentando o edifício."[13] Rui Barbosa também não perdoou a concepção conservadora formulada pelo visconde do Uruguai, segundo a qual o aparato do Estado deveria servir aos interesses próprios da administração – algo possível com a concepção do corporativismo e a prevalência do Poder Moderador – em detrimento da nação: "Administração: nada mais! Madrasta ingrata e seca, a política, inimiga dos espíritos construtores, não competirá jamais com a administração, mãe inesgotável, de seios generosos e opulentos, a cujo leite se nutrem os povos grandes e os grandes condutores de povos. Nossos antecessores não sabiam aritmética e queriam governar com o ritmo dessa harmonia que embala os intelectuais. [...] O que nos faltava era aprender a contar. Se a Monarquia tivesse estudado tabuada, não teria caído. Ainda bem que a República despertou em tempo e foi bater na porta da escola onde ensinam compridamente as quatro operações aos povos endividados. Deram-nos ali a cheirar libras esterlinas, e saímos guarda-livros provectos. Verdade é que ficaram no prego as alfândegas. Mas, em compensação, os nossos credores estão garantidos e o Tesouro nacional conhece hoje correntemente as quatro regras essenciais. Chegou ao poder a vez de experimentar a ataraxia dos filósofos, a perfeita quietude da alma. Não lhe venham turvar as agitações da imprensa e da tribuna."[14]

O governo colonial insensível ao sertão dava lugar ao governo federal infenso aos interesses da sociedade, vistos como menores ou "particulares" ao modo imperial. E Rui Barbosa não parou por aí. Sobre a política econômica que o próprio presidente via como destinada a colocar os brasileiros em posição subordinada com relação ao gênio inglês, foi mais direto ainda: "O termômetro exclusivo da política de uma nacionalidade não pode ser o contentamento de seus credores. Atualmente o governo brasileiro está hipnotizado por seus credores londrinos. Quando eles batem palmas, o Catete põe-se em festa e todos nos derretemos em gáudio porque meia dúzia de folhas europeias, refletindo a satisfação de seus credores, mimoseiam o presidente atual com alguns cumprimentos. Um tal espetáculo humilha e revolta. Esqueçam-se os credores internos. Reduzam-se à miséria e à esterilidade os serviços mais essenciais. Tanto melhor. Na razão direta desses golpes contra os interesses mais vitais do país terá crescido a margem para a dívida externa. A respeito de alguns dos supremos interesses da Nação a mensagem se ressente de uma indiferença, de uma sovinaria, de uma glacialidade que não seriam talvez tamanhas na boca do estrangeiro, se já corresse por suas mãos o governo desta terra."[15]

A prática, no entanto, comprovaria a relativa inutilidade do Parlamento diante dos planos de isolar o governo central das pressões dos interesses brasileiros numa ostra – e estabelecer a partir daí uma política que combinava recessão, favorecimento dos interesses estrangeiros e um sistema eleitoral à prova do povo teoricamente soberano. Contrariando a letrada lei, o costume de um governo central que agia contra os interesses dos locais, o caranguejo da metáfora do frei Vicente do Salvador, era renomeado ostra – e logo ganharia estatuto de teoria política.

CAPÍTULO 48
> *A pérola hereditária*

Joaquim Murtinho foi convidado por Campos Sales para implantar o programa que delineara em 1897. Logo no primeiro relatório como ministro da Fazenda, vangloriou-se de estar atingindo vários objetivos patrióticos. Em primeiro lugar, acabar com o esbanjamento: "A pseudoabundância de capitais produzidos pelo papel-moeda promoveu a criação de um sem-número de indústrias e desenvolveu de modo extraordinário a atividade agrícola. Daí o estabelecimento de indústrias artificiais e a organização agrícola para a produção exagerada de café, dois fatores da desvalorização de nossa produção. O emprego de capitais e operários em indústrias artificiais representa um verdadeiro esbanjamento da fortuna nacional."[1]

O meio de evitar tal esbanjamento era a sua política de restringir o volume de dinheiro em circulação na economia: "As grandes emissões, que excitaram a febre dos negócios, desenvolvendo os canais da circulação monetária, invadiram os campos destruindo a calma, a prudência e a sabedoria no espírito dos agricultores, infiltrando-lhes a ambição das grandes fortunas realizadas com rapidez."[2] Tal afã febricitante, que geraria produção excessiva até na ponderada agricultura, contaminava-a com produção "improdutiva": "A emissão de curso forçado, alargando de modo brusco a circulação e gerando prontamente grandes lucros pela especulação que desenvolve, gera um estado especial de espírito, uma verdadeira nevrose, caracterizada pela mania de grandezas, por um otimismo exagerado, por um arrojo invencível que suprime toda a prudência e todo o critério. Nessas condições a emissão de curso forçado traz em sua própria natureza os elementos de sua ruína. Os negócios inventados por ela são em geral improdutivos, não criam nenhum valor novo."[3]

Se na agricultura a situação era de "nevrose" a ser curada, na indústria seria de vício a ser escarmentado: "Enquanto se opera lenta e gradualmente a metamorfose industrial em nosso país, não temos outro recurso senão pedir a nosso vicioso sistema industrial uma compensação dos prejuízos que ele causa às rendas da União."⁴ O adjetivo "vicioso" remete a Aristóteles, para quem a economia que lida com dinheiro era, além de artificial, imoral. Tal como Aristóteles (e apesar da extinção do trabalho escravo, o único virtuoso para o filósofo), Joaquim Murtinho tinha como virtuosa a economia que não pagava salários, não era capitalista – e, além disso, deveria ser "brasileira": "O que caracteriza uma indústria natural não é o fato de ter sua matéria-prima importada ou não. Uma indústria onde a mão de obra representa o papel principal no custo de produção deve ser considerada atualmente artificial no Brasil, mesmo que toda a matéria-prima exista entre nós. A indústria de artefatos de borracha estaria evidentemente neste caso."⁵

A volta ao patamar anterior ao salário seria a forma de reconstruir a "verdadeira riqueza" nacional. O método para chegar lá seria a destruição da indústria artificial, que apenas retiraria riqueza "natural" da agricultura prudente. Uma vez destruída tal aberração aumentariam as exportações dos produtos dos setores "naturais", que produziram mais riqueza que o esbanjamento com produção local: "Os capitais empregados nas indústrias artificiais que contribuem para redução da nossa importação, se fossem empregados em indústrias naturais, deveriam produzir na exportação renda suficiente para cobrir essa diferença na importação e ir além. A produção nas indústrias artificiais não representa um resultado econômico: os seus lucros exprimem apenas impostos sobre as outras produções; os capitais nelas empregados não são fatores, mas antes agentes parasitários da riqueza pública. Eis como as emissões, criando indústrias artificiais, contribuem para a diminuição da riqueza nacional."⁶

Atualmente é muito difícil entender uma política econômica feita com tais conceitos vindos da Antiguidade e apenas atualizados pelas crenças mercantilistas de que a riqueza se obtém por meio do acúmulo de saldos comerciais. Mas Joaquim Murtinho seguia uma tradição brasileira, da qual se orgulhava. Nos relatórios jamais deixava de louvar seus inspiradores. Naquele de 1900, depois de citar profusamente o visconde de Itaboraí, escreveu: "O programa de valorização foi sustentado com calor e convicção pelos estadistas mais notáveis do Império."⁷ E o ministro fez realmente aquilo que se propunha, inspirado nessa tradição.

Entre 1889 e 1897 o transporte de cargas nas principais ferrovias brasileiras crescera a uma média anual de 11%, passando de 1,89 para 4,29 milhões de toneladas. A inversão de tendência foi violenta. Em 1900, o total das cargas movimentadas no conjunto das ferrovias do país havia caído para 3,87 milhões de toneladas – uma diminuição de 10,3% em três anos, voltando ao patamar de 1895.[8] Há indícios claros de que foi uma queda seletiva, atingindo mais a produção interna do que a exportável. Isso se vê no volume das cargas de café em comparação com o restante da produção transportada nas ferrovias paulistas. Embora a proporção do café no total declinasse progressivamente desde o início da década de 1880, a tendência se inverteu nos últimos anos da década seguinte, passando de 19%, em 1895, para 34% em 1900 – concentrando-se nos dois últimos anos do período, nos quais a queda no transporte de produtos para o mercado interno rondou os 30%.

Enquanto a produção privada interna apanhava, o governo passou a viver na bonança. Por conta do empréstimo as despesas caíram de 889 mil contos, em 1898, para 330 mil contos, em 1901 – uma queda de monumentais 63%. As receitas do governo federal tiveram um comportamento oposto, apesar da grande recessão. Foram de 425 mil contos em 1898 e passaram para 468 mil contos em 1901, com um crescimento de 10% no período. E o crescimento das receitas se fez ainda com uma distinção clara. O governo abaixou a alíquota de muitos impostos de importação, sua principal fonte de receita. Com isso os produtos estrangeiros geraram 181 mil contos em 1899 (valor que representava 48% do total das importações) e apenas 137 mil no ano seguinte (apenas 36% do valor das importações). O favor aos estrangeiros custou caro aos brasileiros. Toda a folga financeira do governo foi empregada para queimar moeda de papel. O total de moeda em circulação no país caiu de 780 mil contos, em 1898, para 699 mil, em 1900 – uma queda de 10,4% em dois anos.

Com tanta pressão sobre a produção nacional, eclodiu uma crise no ponto óbvio: os bancos, que tinham menos dinheiro para trabalhar e muito mais demanda de crédito por parte de clientes em dificuldades. A crise estourou em 1900, e teve dois efeitos relevantes. No Rio de Janeiro, mercado dominado pela circulação de recursos públicos, acabou levando à estatização do Banco do Brasil. Vitória do governo. Em São Paulo, o maior mercado privado de crédito brasileiro, o resultado foi assim descrito por Anne Hanley: "A política econômica do ministro da Fazenda Joaquim Murtinho provocou uma forte recessão que gerou uma crise bancária em setembro de 1900. O resultado mais conspícuo do pânico foi uma acentuada reversão na posição relativa dos bancos domésticos e estrangeiros na economia paulista. Antes da crise os bancos nacionais tinham a parte do leão do mercado; depois dela, os bancos estrangeiros começaram a dominar. Acusações da época sugerem que os bancos estrangeiros provocaram a crise para se beneficiar dela – afinal, o momento de pânico beneficia os sobreviventes, que ficam em posição mais forte para absorver a clientela prejudicada."[9]

O ministro considerou a ajuda do gênio inglês para punir os negócios artificiais do crédito e da indústria paulistas como uma vitória em seu plano, expondo o seguinte argumento contra os queixosos no relatório de 1900: "As leis naturais se executam apesar dos clamores dos que não as conhecem. À medida que a massa de papel foi se reduzindo seu valor foi se elevando, e o câmbio foi o termômetro dessa elevação. Ao câmbio de 7 nossa circulação de 788 mil contos valia 19,7 milhões de libras; ao câmbio de 10 os 703 mil atuais já valiam 28,9 milhões – o que quer dizer 9,2 milhões a mais na circulação nacional. Esses milhões de esterlinos com que enriquecemos a circulação no país são os que os nossos críticos não veem ou fingem não ver através das cinzas dos bilhetes destruídos nas fornalhas. O que eles não viram é o que todos sentem comparando o valor da fortuna de cada um agora com o que ele representava no ano passado."[10]

Um exemplo muito simples ajuda a entender melhor o argumento. Imagine-se um brasileiro que aceitou por uma libra esterlina, em 1898, os 33,4 mil-réis que ela valia no câmbio baixo então vigente. Teria trocado papel sem valor intrínseco pelo ouro mais puro. Depois ele teria deixado bem guardada sua preciosa libra-ouro enquanto o ministro agia. Três anos depois, em 1901, com a "moeda valorizada", trocou a libra novamente por moeda nacional, recebendo 21,1 mil-réis – ou 33% menos moeda de papel do que três anos antes. Enquanto a posse do ouro o deixou mais pobre, um evento extraordinário se dava na via inversa. Imagine-se o sujeito que vendeu uma libra de ouro em 1898, recebendo 33,4 mil-réis. Suponha-se que ele também deixou guardado o dinheiro de papel. Três anos depois, ao trocar suas notas por ouro, os mesmos 33,4 mil-réis compravam 1,57 libra esterlina. Teria então um lucro – em ouro – de 57% nesse intervalo de três anos.

Graças à política do ministro, os bancos estrangeiros de São Paulo – como todos os aplicadores externos – não precisariam fazer mais do que isso para enriquecer. Mas aproveitaram também para comprar muitos negócios de brasileiros que ardiam nas fogueiras purificadoras ateadas pelo ministro. Por todo o período a brutal recessão provocou gritos e gemidos entre os brasileiros. Houve protestos, formaram-se partidos, as falências se sucederam, a vida piorou. Mas a casca que protegia o elemento azulado no centro do poder não foi sequer abalada: enquanto a recessão prosseguia, uma grande pérola se produzia. O programa econômico era preâmbulo de um plano maior.

Campos Sales concebera seu modelo de governo com base no antigo trono imperial. Fundara-o no dinheiro de Londres e escutava apenas a opinião de Londres – porque só dali poderia receber apoio para governar contra os interesses dos produtores e do progresso brasileiro que ele e seu ministro consideravam falso e perigoso. A sobrevivência relativamente pacífica do presidente no poder era também a prova de que o governo federal podia, naquele momento, agir contra o interesse econômico da sociedade – ou, em termos políticos, que o governo federal não representava a sociedade, não governava em nome do eleitor soberano: seguia as normas do tal "depositário unipessoal de todo o poder", representante apenas de si próprio, mas amigo do "gênio inglês" que ganhava com isso.

No entanto, Campos Sales queria ir muito além do próprio mandato. Precisava transformar o controle em sistema. Na monarquia, o sistema que garantia o controle pelo centro era legal: o rito de sagração pelas urnas do ministério escolhido se fazia de modo aberto, seguindo os passos descritos por Nabuco de Araújo: o imperador, detentor do Poder Moderador, escolhia os ministros, que nomeavam delegados partidários como presidentes de província. Estes faziam as derrubadas e assim controlavam o resultado da eleição. Nada disso afetava o rei nem seu trono, pois todos os males eram praticados por súditos – e todas as vitórias eram da Coroa, tuteladas pelo partido que fosse. A vontade popular aparecia como algo ruim, a tutela, como estabilidade.

A pérola saída da ostra foi a recriação conceitual desse modelo para o regime republicano, e deixou a casca em 1900. A doutrina foi claramente expressa por Campos Sales – e baseada em sua política econômica: "Entendi dever consagrar meu governo à obra puramente de administração, separando-a dos interesses e das paixões partidárias, para só cuidar da solução de um problema que constituía o oneroso legado de um longo passado."[11] O acordo da dívida, visto como dever de honra e solução, fundava mais um passo na tentativa de imitar o Império, agora para recriar o papel estatal de agente eleitoral máximo. Para fazer isso nos moldes da federação, Campos Sales adotou o seguinte argumento: "Julgo azado o momento para se tomar a Constituição da futura Câmara como ponto de partida para a agremiação de forças úteis que constituam um grande partido de governo, exclusivamente voltado para as questões de administração."[12]

A inversão era completa: no lugar de representantes eleitos pelos cidadãos soberanos para defender seus interesses, o Parlamento deveria ser dominado por uma agremiação de forças comandadas pelo presidente da República – visto como detentor pessoal e soberano de todos os poderes políticos da nação – com a tarefa de apoiarem tudo aquilo que este mesmo presidente via como útil. Em benefício dessa utilidade, os representantes eleitos do povo teriam o dever de agir até mesmo contra os interesses dos cidadãos, ao modo dos funcionários do Império. Campos Sales considerava essa obediência como "ordem", e a representação de interesses da sociedade contrários ao Estado feitas por parlamentares, como "assédio às eminências do poder público".[13]

Para colocar isso em prática, adotou uma interpretação específica do federalismo republicano. Nos tempos do Império unitário decaído, o poder dos delegados do poder central que fabricavam vitórias eleitorais era considerado opressivo pelos propagandistas da mudança de regime. Na República do depositário unipessoal, o mesmo controle do resultado das eleições poderia ser obtido num regime que ele considerava de "plena liberdade" graças a uma nova combinação: "A verdadeira força política, que no apertado unitarismo do Império residia no poder central, deslocou-se para os estados. A política dos estados, isto é, a política que fortifica os vínculos entre os estados e a união, é pois, na essência, a política nacional. É lá, na soma dessas unidades autônomas, que se encontra a verdadeira soberania de opinião. O que pensam os estados pensa a união."[14]

Essa interpretação produz uma ausência muito significativa. Segundo ela, a verdadeira soberania, antes concentrada no trono, estaria agora nas unidades autônomas, que "pensam" e transmitem esse pensamento para a união. Nesse esquema, há um locomotor que é desatado do carro do Estado: a soberania do cidadão eleitor. Para o presidente que concentrava poderes, esse era o gesto que faltava para completar o plano de recriar o Império pelo costume e destruir o capitalismo advindo com a República: um acordo entre o presidente da República e os governadores dos estados para construir a maioria do Congresso, maioria esta dedicada a servir como partido da administração. Em vez de representar a sociedade e trazer sua voz para o governo, os eleitos deveriam funcionar como instrumento de difusão do "detentor unipessoal" da vontade soberana, preocupados unicamente com os "elevados interesses da administração", comunicando tal sabedoria para a sociedade inerte. O sistema, conhecido até hoje como "política dos governadores", exigia mais que nos tempos imperiais. Para ser colocado em prática, necessitava a subordinação ao poder central dos governadores agora supostamente soberanos e eleitos pelo voto – e que os parlamentares igualmente eleitos fossem reduzidos ao papel de correia de transmissão entre um e outros.

Assim como na Constituição imperial não constava o parlamentarismo que a prática acabou impondo, a Constituição republicana fundava-se no pressuposto de uma única soberania, a do povo que escolhe os seus representantes. Mas o escolhido pelo soberano, empregando habilmente a escrita, tentaria agora recriar o domínio do centro como um costume. João de Scantimburgo, pensador monarquista contemporâneo, não deixou de comentar a situação com fina ironia: "Palpita, é inegável, no fundo das instituições políticas brasileiras [republicanas] uma nostalgia do Poder Moderador."[15] A prática mostraria o quão reveladora pode ser uma ironia.

CAPÍTULO **49**
> *Governo central reacionário*

No dia 20 de julho de 1901 o ex-presidente Prudente de Morais teve um encontro com seu ex-ministro da Fazenda, Rodrigues Alves, agora governador de São Paulo. Este anunciou que seria o sucessor de Campos Sales na presidência, o primeiro escolhido nos moldes da política dos governadores. E foi além. O resultado da segunda parte da conversa foi narrado desta maneira por Afonso Arinos: "O governador paulista recebeu amistosamente seu antigo chefe e dele soube que, dissentindo dos processos políticos do presidente da República, iria opor-se às candidaturas oficiais. Depois de ouvi-lo com toda a deferência, Rodrigues Alves observou, sorrindo: 'Agradeço-lhe o aviso, mas você vai perder.' 'Por que tem tanta certeza?', indagou-lhe Prudente. Em resposta, sempre sorrindo, bateu com a palma da mão na poltrona em que estava sentado e disse: 'Por causa dessa cadeira. Eu estou sentado nessa cadeira. Quem nela se senta não pode ser vencido dentro do estado.'"[1]

A frase tinha um significado histórico profundo, assinalando um significativo retrocesso no tempo político. Para que tal dimensão reacionária seja entendida na íntegra, é preciso examinar o conteúdo da conversa, sobretudo a parte das "candidaturas oficiais". Eram uma referência às candidaturas do Partido Republicano Paulista aos parlamentos e cargos executivos. O governador comunicava ao ex-presidente que a decisão sobre quem controlaria os nomes nessas chapas seria o dono da cadeira em que estava sentado – e essa era a novidade da conversa. Até ali a elaboração das chapas de candidatos acontecera por uma via bem diferente. Formados na oposição ao regime monárquico, os vários partidos republicanos não tinham como prometer cargos de governo para os seus militantes nos anos iniciais. Atuando apenas na sociedade, eles adaptaram os seus métodos a essa situação. A democracia interna estava presente em todas as esferas de organização: diretórios locais elegiam seus dirigentes, os quais elegiam as direções provinciais, que elegiam os membros da Comissão Permanente (depois denominada Comissão Central), órgão máximo da direção.

Com a proclamação da República houve um aumento explosivo na oferta de postos estatais para militantes, desde a presidência da República até os pequenos cargos em cidades do interior, e aí passaram a valer as indicações partidárias. Tal realidade provocou modificações profundas na estrutura dos diversos agrupamentos republicanos estaduais. A mudança mais radical aconteceu no Partido Republicano Riograndense, como notou José Ênio Casalecchi: "O Partido Republicano Rio-Grandense abandonou, a partir de 1889, o comportamento democrático de encaminhar decisões através de assembleias. Entre 1889 e 1923 dois próceres dominaram o partido e, nesse período, o PRR jamais se reuniu. As grandes e pequenas decisões da política local estiveram nas mãos de Júlio de Castilhos (1889-1897) e Borges de Medeiros (1897-1923), que acumularam, em todo o período, o governo do Estado e a chefia do partido. Nesse período a fraude foi costumeira no alistamento eleitoral, na apuração dos votos, no uso dos dinheiros públicos nas campanhas políticas, na ação de capangas e da Brigada Militar, acrescida do controle do eleitor pela inexistência de voto secreto."[2]

Essa conjunção de controle pessoal e simultâneo do partido e do governo, de fim da democracia interna no partido e de fraude nas eleições não havia acontecido em São Paulo, como argumenta Joseph Lowe: "Dentro do PRP as disputas entre facções eram em grande parte neutralizadas pela continuidade assegurada pela Comissão Permanente, órgão intermediário entre o governador e os coronéis. A comissão também representava os diferentes interesses regionais dentro do estado, provendo a intermediação necessária na distribuição de empregos e recursos necessários a obras públicas. Além do mais, legitimava a transferência de poder de um governador para o seguinte. Pelo menos nos primeiros anos do regime, podia também 'interceder' junto à câmara estadual em defesa de políticas específicas, além de, em comum acordo com o governador, proceder à indicação de nomes para o preenchimento de cargos."[3] Em vez de uma burocracia partidária incrustada no Estado, como ocorria no Rio Grande do Sul, a Comissão Permanente que dirigia o Partido Republicano Paulista continuava sendo eleita e operando fora do governo – e as instâncias partidárias surgidas no período da propaganda mantiveram-se, inclusive com a proibição de acúmulo de cargos no Executivo e na direção partidária.

Portanto, Rodrigues Alves comunicou a Prudente de Morais que chegava ao fim essa era da separação entre direção do partido e governo, assim como a independência da direção partidária: o governador faria ele mesmo as indicações para a Comissão Permanente. A vida do partido seria controlada desde o comando do estado, o lugar da militância e da sociedade na instituição seriam agora subalternos, e o resultado das eleições uma decorrência do domínio do cargo de governador. Mais ainda, o governador relatou a Prudente de Morais que fazia isso por orientação de Campos Sales. Este, na presidência, estava executando no plano nacional o mesmo processo. Mais tarde, Campos Sales justificaria o passo com todas as letras: "Em regra sou infenso às grandes reuniões para deliberar sobre assuntos que, pela sua natureza, se relacionem com a direção ou orientação que se deve imprimir a um determinado momento político. Esta é uma função que pertence a poucos e não a uma coletividade."[4]

A mudança ia na mesma direção daquela dos republicanos gaúchos. Embora nos tempos de juventude e oposição Campos Sales tenha tido comportamento de democrata partidário, quando no poder passou a considerar como "anarquia" até mesmo as tentativas de políticos eleitos para traduzir os interesses da coletividade em decisões políticas. E o afirmava com todas as letras: não há perigo maior do que "a violência brutal do voto" para ameaçar os "interesses da administração".[5] Daí a decisão de transferir ao governo o controle do resultado eleitoral.

Explicitado o teor da decisão que o presidente espraiava do nível federal para o estadual – extinção dos resquícios de democracia partidária e submissão do partido ao dono do governo –, é esclarecedor acompanhar a evolução do mesmo tema, o das relações entre governos e partidos políticos, numa realidade mais ampla, a da vida política ocidental. Nesse escopo mais geral o cientista político Isidro Molas traça um quadro histórico dessa relação que começa na Inglaterra do final do século XVIII: "A sociedade ficava representada por certos cidadãos eleitos através de sufrágios restritos. Isso limitava a escolha entre aqueles que possuíam grande fortuna pessoal ou maior formação intelectual, de modo que ficava afastada a possível ingerência dos setores econômica e culturalmente mais débeis ou menos 'racionais'. Tais representantes, sem nenhuma sujeição que não fosse à sua razão individual, eram porta-vozes não de seus eleitores, mas da totalidade, ou seja, da nação. Eram deputados que logo constituíam frações políticas no seio dos parlamentos, ao agruparem-se ao redor de certos líderes. Suas diferenças eram fluidas, ideologicamente pouco consolidadas e socialmente pouco acentuadas."[6]

Uma importante mudança inicial teria ocorrido com as ampliações do direito de voto, com pioneirismo dos Estados Unidos: "Cronologicamente, o aparecimento dos partidos políticos como organizações extraparlamentares aconteceu a partir da terceira década do século XIX. Nos Estados Unidos, os partidos começaram a se estruturar durante o governo de Andrew Jackson, entre 1829 e 1837. A necessidade de canalizar os sufrágios populares num momento de aumento da imigração e alargamento do censo eleitoral está na base da formação dos partidos norte-americanos. Andrew Jackson elevou a princípio sistemático o *spoil system*, dando ao candidato vitorioso a possibilidade de distribuir grande número de cargos públicos entre os componentes de suas hostes."[7]

Essa mescla de eleições e distribuição de cargos governamentais se difundiu para a Grã-Bretanha: "A divisão parlamentar entre *tories* (conservadores) e *whigs* (liberais), iniciada no século XVII, não existia na sociedade nem gerara uma estrutura partidária. Os grupos contavam com as clientelas pessoais que os *whips* (chefes) de cada facção arregimentavam com recursos que iam da corrupção à promessa de cargos. Mas a partir da reforma eleitoral de 1832 os partidos se desenvolveram. Por iniciativa dos *whigs* criaram-se sociedades destinadas a inscrever eleitores nos partidos."[8]

A ampliação do eleitorado, na década de 1870, trouxe uma nova organização para a vida partidária nas democracias ocidentais: "Com o sufrágio universal, os núcleos parlamentares tiveram de readaptar suas organizações para manter, em novas condições, a direção política da sociedade. O voto universal dava aos setores até então excluídos a possibilidade de organizarem-se para se contrapor à força econômica e social dos demais setores. Então, competindo com os antigos grupos políticos, surgirão novos partidos. Não serão mais partidos criados no seio do Estado mas fora dele, animados pelo propósito de chegar a governar para realizar seu programa. Nesse caso o peso dos parlamentares, ainda que importante, será menor; em contrapartida, aumentará o poder do pessoal permanente, seja da burocracia ou dos filiados."[9] Assim, na virada para o século XX, se completaria o processo: "O sufrágio universal combinado com a liberdade de associação alterarão fundamentalmente os regimes liberais e os converterão em democracias políticas, transformando os partidos políticos num novo sistema. Sufrágio universal, democracia e partidos se vinculam em sua origem histórica."[10]

A comparação entre o caso brasileiro e esse sumário evolutivo geral explica o adjetivo "reacionário" aposto ao funcionamento do governo com a adoção da política dos governadores: ela foi um passo decisivo para voltar a reduzir o espaço da soberania popular, do poder dos cidadãos de controlar os destinos dos partidos políticos e dos governos – recolocando tudo sob o domínio do governo, como deixara de ser nas democracias mais avançadas. A marcha a ré, que começara com a exclusão imperial do voto dos analfabetos, ampliava-se com o recuo no controle dos partidos políticos pela sociedade.

Não se tratava apenas disso. Outro cientista político, Robert Michels, traça uma distinção importante entre a primeira fase do processo, do voto limitado e da representação diluída no Parlamento, e a última, da sociedade controlando o Estado pelo voto: "A burguesia vitoriosa dos Direitos do Homem realizou a República, mas não a democracia. As palavras Liberdade, Igualdade e Fraternidade podiam ser lidas nos portais de todas as prisões francesas. [...] Houve revolução, mas foi preciso esperar pelo estabelecimento de uma democracia."[11] Esse tempo de espera duraria até a implantação do voto universal.

Michels nota que a passagem da República para a democracia, vinda na esteira dessa mudança, trouxe um dilema essencial para os conservadores: "Um conservador não obtém representação pela divulgação de suas verdadeiras crenças ou buscando aqueles que pensam como ele. Um partido de aristocratas que apelasse apenas para os membros de sua classe ou às pessoas com interesses econômicos idênticos não elegeria um único membro para o Parlamento. Um candidato conservador que se apresentasse declarando aos eleitores que não os julga capazes de tomar parte ativa na definição dos destinos do país, e que por isso deveriam ser privados de seu direito ao sufrágio, seria um homem de sinceridade incomparável, mas politicamente insano. Se quiserem encontrar um caminho para o Parlamento, só dispõem de um método: descer à arena eleitoral com democrática humildade e tentar convencer os eleitores de que têm os mesmos interesses que eles. Assim um aristocrata é obrigado a assegurar sua eleição em virtude de um princípio que abjura. Todo seu ser exige autoridade, a manutenção de sufrágios restritos, a supressão do direito universal de votar, vistos como ameaças a seus privilégios."[12]

No Brasil, a política dos governadores foi moldada segundo os princípios aristocráticos dos conservadores, que não julgavam os eleitores capazes de tomar parte ativa na definição dos destinos do país. Destinava-se a reservar tal domínio para quem se pensava como aristocrata encastelado no comando. Essa ação conservadora, baseada numa interpretação republicana da teoria política que justificava o Poder Moderador, transformou-se na arma com a qual os conservadores – que, em economia, combatiam o capitalismo – tentavam evitar o movimento histórico ocidental da democracia, desfavorável aos ideais de superioridade que fundam a consciência conservadora.

Embora reacionária, a política foi implantada na conversa entre os dois políticos. Rodrigues Alves encerrou o assunto mostrando os nomes que, como governador, iria impor ao partido. Prudente de Morais saiu da audiência com o governador e seguiu direto para uma reunião com os políticos de seu grupo, agora alijado da direção do partido. Rodrigues Alves mandou nomear os membros da Comissão Central, como ficou conhecido o organismo reformado. Prudente de Morais ajudou a redigir o manifesto do Partido Republicano Dissidente. Além dele, oito dos 22 deputados federais paulistas, 21 deputados estaduais, dois senadores estaduais e representantes em 80 dos 172 municípios do estado assinaram o texto, onde se lia: "Nós dissentimos da orientação do presidente da República, do governador do estado e da maioria da Comissão Central. Eles dissentem das crenças do partido e de suas tradições." E explicava a razão central da ruptura: "O brasileiro é de índole fundamentalmente democrática. Suas tradições o demonstram; os fatos de sua vida social o confirmam. Todos os movimentos políticos, verdadeiramente populares, que se deram nos tempos coloniais, bem como em sua vida de nação independente, tiveram um caráter acentuadamente democrático. A monarquia jamais pode lançar fundas raízes na alma nacional."[13]

Por isso apresentava a mudança de regime como vinda da sociedade para o governo: "Em várias províncias organizou-se o Partido Republicano. Em todas o espírito popular, esclarecido e emancipado, cada vez mais afastava-se da Monarquia e, evocando as tradições democráticas, voltava-se cada vez mais para a República. Por isso, quando o Exército e a Armada, obedecendo as sugestões de seu patriotismo, fizeram a revolução de 15 de Novembro, a alma nacional sentiu fortes vibrações de espontâneo entusiasmo. As novas instituições foram em toda a parte acolhidas pelo povo com francas manifestações de entusiasmo." O poder teria trazido problemas à democracia partidária: "Aumentado de elementos novos, embora republicanos sinceros, o partido foi aos poucos se desorganizando. Afastou-se das normas partidárias, profundamente democráticas, que faziam repousar a autoridade de sua direção, sempre acatada, jamais desobedecida, na vontade da coletividade e não no querer pessoal de alguém."[14]

Campos Sales, indicado pelos republicanos, teria chegado ao poder num momento em que havia dois partidos nacionais e prometera fortalecer esse sistema no dia de sua posse. No lugar de cumprir a promessa, teria feito outra coisa: "A existência de dois partidos contrariava suas aspirações de mando incontrastável, sua ambição de se tornar árbitro supremo da política nacional, aspirações e ambições que seu comportamento claramente denunciava. [...] Sob o pretexto de congraçar todos os republicanos, de fazer uma política de largos horizontes, procurou afastar todos os homens do partido que o elegeu, capazes no seu conceito de se oporem a suas tendências absorventes, e chamou aqueles do partido adversário que acreditou poderem prestar-lhe apoio incondicional." A partir daí teria empregado o Estado para eliminar a democracia: "Interferiu diretamente na constituição do Congresso Nacional. Influiu de modo ostensivo na verificação de poderes de deputados e senadores. Essa conduta significava o mais evidente atentado contra a soberania nacional, a nulificação completa das eleições, a negação absoluta do regime democrático, cuja base é o sufrágio popular."[15]

E isso tudo com apoio dos republicanos paulistas: "O Partido Republicano de São Paulo dolorosamente sentia as acusações provocadas pelo desvio político de seu antigo chefe. Não alimentava mais ilusões a respeito: as alturas do poder haviam conturbado a alma do propagandista republicano. Entretanto o partido calava generoso a sua condenação, e procurava com cautela evitar que, de seus representantes, partisse a oposição no Congresso Federal." Extintas as razões de cautela, nasceria o partido, com um ponto central no programa: "A verdade do regime republicano repousa na pureza da representação popular. E, como esta só pode se realizar pelo voto, depende do livre pronunciamento das opiniões, por meio de eleições legítimas."[16]

Mas o próprio ato de nascimento do partido já marcava seu dilema. A partir daquele momento havia uma ruptura radical entre República e Democracia. O governo agia para manter a vida política na forma primeva da República sem controle do voto pela sociedade, a fim de impedir a evolução rumo à democracia. Eduardo Kugelmas analisou da seguinte forma o resultado do passo atrás em relação ao Ocidente: "O mais grave era a extraordinária rigidez do sistema e seu caráter excludente. Para os marginalizados do clube oligárquico só havia a alternativa da submissão ou da explosão. Fazendo da letra liberal-democrática da ordenação legal uma farsa, e do sufrágio uma pantomima, o sistema era refratário a qualquer aumento de participação política e a uma verdadeira expansão da cidadania."[17]

Como o sistema era rígido e refratário, todos os que acreditavam na sinonímia entre República e Democracia tiveram sua carreira política interrompida justamente no único estado que conseguira avançar na organização de partidos políticos que fossem, mais que uma extensão do Estado, uma força da sociedade. Excluídos da política formal, encontraram os meios possíveis de reagir na sociedade.

CAPÍTULO **50**
> *Fosso*

Até a véspera da saída do Partido Republicano Paulista, o grupo dissidente poderia ser considerado uma força política relevante: um ex-presidente da República, dois ex-governadores, senadores, deputados, prefeitos, vereadores. Mas no dia seguinte, como logo eles se deram conta, eram políticos sem nenhum futuro eleitoral. Ainda assim tentaram. Primeiro, retomando um espaço que conheciam desde os tempos da propaganda: a imprensa, canal de comunicação que só ficava fechado nos tempos excepcionais de estado de sítio e censura, e que serviu para mostrar o tamanho da cisão política.

Com os dissidentes ficaram José Alves Cerqueira César, ex-governador e casado com uma irmã do presidente; Júlio Mesquita, já dono de *O Estado de S. Paulo*, deputado estadual e casado com uma sobrinha de Campos Sales. Além disso, os primeiros ataques diretos pela imprensa foram assinados por Alberto Sales, irmão do presidente, militante histórico do partido e empresário que jamais aceitara cargos no governo após a mudança de regime. Com tal história, seus artigos revelavam certo pessimismo: "Nossos antecedentes históricos são conhecidos e não precisam ser aqui amplamente narrados. Todos sabem o que foi o regime colonial em que por alguns séculos vivemos. Todos se recordam ainda dos ouvidores, dos capitães-mores, dos governadores-gerais, dos vice-reis, do absolutismo desbragado das autoridades, das impertinências da administração, das exigências do fisco e da tutela grosseira e feroz com que vivemos durante todo aquele longo e penoso período, que foi um verdadeiro cativeiro e que matou em nós todo o sentimento de independência, todo o espírito de iniciativa, toda a coragem cívica."[1]

Nem mesmo os momentos da independência eram vistos com melhores perspectivas: "Entramos no Império com o regime parlamentar de importação, que funcionou aqui por mais de sessenta anos. Por fim, descrentes com um regime que nada fazia e que ia pouco a pouco depauperando a nação, corrompendo os costumes e cavando cada vez mais o abismo de nossa miséria moral, fizemos a revolução de 15 de novembro que derrubou o Império e proclamou a República, recebendo igualmente de importação o regime presidencial." Assim teria ocorrido o inevitável: "Tanto um como outro estão em completo desacordo com o caráter nacional. Nós todos sabemos melhor do que ninguém o que somos. Não temos força de vontade, firmeza de resolução, coragem individual, confiança em nós mesmos e em nossos próprios esforços. Não empreendemos nem perseveramos em coisa alguma. Falta-nos em absoluto crença em nossa própria força, somos excessivamente tímidos, fracos e medrosos. Temos, é verdade, umas poucas qualidades morais que nos elevam frente a outros povos. Somos muito comunicativos, muito expansivos e afáveis. A nossa casa é a casa de todos e a nossa hospitalidade é proverbial."[2]

Tanto num regime como no outro, haveria uma sociedade fraca e um Estado forte. Assim chegava ao cenário atual e sua proposta de mudança: "O que é preciso fazer em um país como o nosso onde o Estado é tudo e o indivíduo é nada? Enfraquecer de certo modo o Executivo e fortalecer o indivíduo. Se o indivíduo fosse forte, a federação por si bastaria para resolver o problema, garantindo o equilíbrio do sistema. Dadas, porém, as condições de nosso caráter nacional, e tendo em vista nossos antecedentes históricos, é bem de ver-se que o desequilíbrio há de ser fatal e o aparelho há de viver das oscilações do indivíduo que ocupe a cadeira de presidente da República. [...] Não fizemos a revolução de 15 de novembro para sair da ditadura imperial e cair na ditadura presidencial."[3]

Essa forma de apresentar a questão, com uma separação completa entre o indivíduo e o Estado, sem instâncias intermediárias, era bastante recente e fazia grande sucesso entre os conservadores, desde que Gustave Le Bon publicara *A psicologia das massas*, em 1895. O livro era a tentativa de reagir a uma mudança que aterrorizava o autor: "O direito divino das massas está em via de substituir o direito divino dos reis."[4] Essa era então uma ameaça muito real à concepção conservadora segundo a qual uma minoria, graças à superioridade intrínseca de seus componentes, deve exercer a dominação sobre a maioria. O modo que o escritor francês encontrou para atualizar essa crença foi assim descrito por Gabriel Cohn: "Toda a análise de Le Bon está construída no sentido de demonstrar o caráter irracional, impulsivo e mesmo regressivo da ação das massas: 'Pelo mero fato de tomar parte numa multidão organizada [isto é, de uma associação de indivíduos com vista a alguma ação] um homem desce vários graus na escala da civilização. Isolado, ele poderia ser um indivíduo cultivado; na multidão é um bárbaro – ou seja, uma criatura que age por instinto'."⁵

Assim, embora muito mais ligado à sociedade que seu irmão presidente, Alberto Sales tinha pouca confiança no futuro pois temia – tal como o irmão – a barbárie das multidões. Esse dilema também estava claramente presente no artigo de Júlio Mesquita publicado no dia 27: "Não há liberdades populares no regime presidencial. A opinião pública está como que metida num túnel, ao qual se tivessem fechado as duas saídas. Falta-lhe o ar, falta-lhe a luz, vai morrendo aos poucos, numa asfixia dolorosa, que punge e revolta todas as consciências. Ou a revisão se faz, ou a República desaparece. Custe o que custar, precisamos sair disso".⁶

Aqui há uma diferença, um termo que chama a atenção na frase: opinião pública. Esse termo tem uma história política, assim descrita por Gabriel Cohn: "A noção original de público poderia ser entendida como congruente com uma *contraelite* – de uma minoria seleta contestadora do Antigo Regime, em nome de sua reivindicação de portadora legítima da *opinião pública*. Em consonância com as transformações provocadas pela plena emergência da sociedade capitalista de mercado, opera-se uma mudança importante. Consiste na interpenetração crescente das noções anteriormente opostas de *público* e *massa*, com a redefinição correspondente da noção de *opinião*. Nesse ponto a noção de elite passa a ser entendida como parcela minoritária da categoria híbrida 'público de massa.'"⁷

O termo estava adquirindo novo significado histórico porque ajudava a fundar outro modo de pensar o equilíbrio na relação entre o indivíduo e o Estado, que Alberto Sales entende como estruturalmente desequilibrada, com predomínio absoluto do Estado. A formulação oposta a Le Bon foi proposta, quase no mesmo momento, por Émile Durkheim, que, em 1893, publicara *A divisão do trabalho social*. Novamente Gabriel Cohn explica a diferença: "Durkheim formula uma complexa dinâmica entre o Estado, o indivíduo particular e os grupos secundários que devem se intercalar entre ambos, se o equilíbrio social deve ser alcançado. Dados apenas o homem privado e o Estado, este absorve a individualidade daquele; esta última, por sua vez, também corre perigo quando exposta sem controle à ação dos agrupamentos menores de que o cidadão faz parte. Por outro lado, o Estado não pode ser oriundo imediatamente da 'multidão desorganizada dos particulares', sob pena de perder sua autonomia e sua condição de área privilegiada da consciência coletiva (aquela onde se pode formular ideias claras dos interesses coletivos). É apenas pela articulação harmoniosa da tríade Estado / grupos intermediários / indivíduo privado que se atinge um salutar equilíbrio."[8]

Refletindo a importância dessa diferença na época, no dia 2 de janeiro de 1902, o articulista Paulo Egydio publicou, em *O Estado de S. Paulo*, um artigo cujo argumento se baseava na diferença entre o conceito de multidão, ao modo de Le Bon, e a noção durkheimiana de opinião: "O que é público? O sentido deste vocábulo não deve ser confundido com a palavra multidão. [...] O público é uma coletividade puramente espiritual, uma disseminação de indivíduos fisicamente separados, de uma coesão toda mental. Na multidão opera-se um feixe de contágios psíquicos promovidos por contatos físicos, e por isso ela tem alguma coisa de animal. [...] Quando, em nossas sociedades civilizadas, se desenham correntes de opinião, pelas quais os homens, firmes e tenazes irresistivelmente impelidos, arrancam dos parlamentares e governos a consagração de leis e decretos, esses fortes movimentos sugestivos não se produzem em praça pública. Os indivíduos sugestionados não se acotovelam, não se veem, não se ouvem; mas leem, cada qual, o mesmo jornal."[9]

Como bem-sucedido dono de jornal, Júlio Mesquita também foi encontrando os pontos positivos de sua nova situação através dessa diferença. Em artigo publicado no dia 29 de julho de 1901, ele anunciava um caminho: "Por hoje, preciso apenas afirmar que os recentes e sabidos acontecimentos da política do estado não influíram para que eu tomasse essa posição [pela revisão]. Eles foram, quando muito, a oportunidade que se me ofereceu (e que, mais dia, menos dia, teria de oferecer-se) para que eu pudesse dizer, com franqueza e em público, aos meus chefes e a meus correligionários, o que, há muito, em particular lhes tenho dito: as apreensões que me torturam e as esperanças que me animam e me obrigam a não desertar. A minha atitude não é uma surpresa para os companheiros, nem o 'Custe o que custar, temos de sair disto' um grito de rebeldia. É pura e simplesmente o desabafo natural de quem já não pode, e acha que não deve ouvir e murmurar baixinho: 'Isso não pode, isso não deve ficar assim...'."[10]

Era um primeiro passo. Visando expulsar da vida política um grupo, Campo Sales conseguira também libertar um dono de jornal para fazer aquilo que era imperativo numa publicação moderna: organizar ideias e informações, dividir esperanças e angústias em público. Pensar para os leitores, não para o governo. Mas não era exatamente um caminho fácil – pois Campos Sales, fundador e diretor do jornal que agora era do contraparente, também tinha planos claros com relação à imprensa. Tão claros que não se envergonhou ele mesmo de contar um dia: "Ao assumir o governo da República, faltava ao governo um órgão de vasta circulação em que pudesse apoiar sua política, descortinar os seus intuitos, preparar a opinião e defender seus atos. Nesta situação só restava recorrer às colunas das gazetas industriais abertas à concorrência. O meu governo ia ser necessariamente um governo de combate: teria de se empenhar em lutas tremendas, destruir vícios que levavam à paralisia da administração, afrontar a coligação de interesses feridos, impor severas restrições à despesa pública, dar novo rigor ao regime tributário. Era inevitável e fatal o recurso à imprensa industrial."[11]

O emprego sistemático de recursos públicos para comprar e controlar a opinião teria uma finalidade precisa: "Os governos veem-se forçados a agir para evitar a ação funesta dos que tentam criar falsas correntes de opinião. O ataque ao poder é o mais estimulante atrativo à simpatia pública. Ao encetar minha administração, não era a deplorável situação em que se encontrava o país que teria de indicar aos escritores desta escola a atitude a tomar. O que ia, sim, dar estímulo e vibração à sua atuação de jornalistas, despertar-lhes arrebatamentos de patriotismo, era simplesmente a *auri sacra fames*. Não corrompi a imprensa. Acatei sempre a que merecia respeito do público. Tive, porém, a mágoa profunda de encontrar jornais e jornalistas desviados de sua grandiosíssima missão e que pareciam menos dispostos a ser instrumentos benéficos de opinião."[12]

É curioso o julgamento embutido nesse argumento. A opinião pública, quando não nasce do Estado, é "falsa". Esse juízo acarreta outro: para o presidente, era inclusive de boa moral o emprego ilegal de recursos públicos: "Mantenho ainda agora a convicção de legitimidade do ato perante a moral social. Debaixo de instituições que tiram da opinião a origem de todo poder e que com ela devem viver, só resta fatalmente ao governo o recurso ao jornalismo industrial."[13]

As matérias pró-governo não eram as únicas pagas na imprensa brasileira. Também havia aquelas que anunciavam outros tempos, outros grandes desafios para a democracia que começava a se difundir pelo mundo ocidental em lugar da República – e que o presidente queria desinstalar da República que comandava. No dia 28 de agosto de 1902, o mesmo *O Estado de S. Paulo* publicou o manifesto de lançamento do Partido Socialista Brasileiro, que principiava com as seguintes palavras: "A história das sociedades humanas é a história da luta de classes." Tomando o partido de uma dessas classes, o programa tinha um ponto central: "Contra a exploração dos patrões, a exigência dos assalariados". Depois de notar que a tendência ao socialismo era avassaladora, o manifesto pedia mudanças na atitude dos patrões burgueses: "Melhor ser-lhes-ia não se contraporem à massa, que é irreprimível no seu atuar crescente."[14]

O manifesto terminava com um programa com os seguintes pontos principais: criação de um imposto sobre a renda, o fim dos impostos indiretos, sufrágio universal para homens e mulheres maiores de 18 anos, jornada de trabalho de oito horas, cidadania para os imigrantes, ensino fundamental obrigatório, igualdade de ganhos para homens e mulheres, adoção do divórcio, neutralidade do Estado nos conflitos entre capital e trabalho, liberdade efetiva de reunião e imposto progressivo sobre heranças. Era, enfim, a pauta dos partidos social-democratas dos países de capitalismo avançado, numa altura em que esses partidos eram mais influentes que os comunistas. O líder do partido, Everardo Dias, lembra das dificuldades de militar em torno dessa ideia no Brasil da época: "Era preciso agir com muita precaução e prudência para não incorrer em perseguições policiais e prisões. Basta lembrar que, tendo-se reunido um grupo de antigos militantes socialistas em meados de abril de 1893 para estudar a maneira de comemorar o Primeiro de Maio em São Paulo, foram denunciados e presos, sendo os estrangeiros transferidos para o Rio, onde penaram nove meses de detenção, enquanto os nacionais, além de presos, foram espancados."[15]

No campo eleitoral, onde de fato se obtinha poder a partir da sociedade, os dissidentes conheceram diretamente essa espécie de tratamento já na primeira eleição disputada, como lembra o próprio Dias: "As leis eleitorais não facilitavam a entrada de qualquer militante proletário tanto no Congresso Nacional como nas câmaras municipais. Estavam feitas de tal forma que nem mesmo possantes agrupações oposicionistas mal podiam obter alguma representação. Isto tornava muito precária a atuação partidária."[16]

Desse modo, a ação do governo federal, centrada na ostra do poder arbitrário, foi chegando até a base da sociedade: em vez de juntar, o governo agia para separar. No lugar do capitalismo, pelejava para a volta da "produção natural" e seu domínio na agricultura. Mas fazia isso numa sociedade que, apesar da recessão, tornava-se cada vez mais complexa – e era capaz de produzir uma voz inteiramente nova. Um livro marcaria esse salto: *Os sertões*, de Euclides da Cunha. Em resenha publicada originalmente no *Correio da Manhã*, do Rio de Janeiro, no dia 3 de dezembro de 1902, o crítico literário José Veríssimo concluía com palavras que se tornariam famosas: "A guerra de Canudos é, para o senhor Euclides da Cunha, um crime. A campanha em si parece-me, pareceu-me desde o primeiro dia, mais do que um crime, um erro crasso, imperdoável. Não faltam na nossa história sinais de ininteligência, nenhum, porém, tamanho. Crime ou crimes haverá apenas no cerco final, conforme os conhecíamos pela divulgação oral, ou por algum escrito de pouco valor, e os narra agora, com vingadora veracidade o autor de *Os sertões*."[17]

Atingindo um ponto nevrálgico, a obra trazia uma mudança nos padrões de julgamento. Cinco anos antes da sua publicação, no calor dos combates, o arraial e seus habitantes haviam sido apresentados ao público como revoltosos; no livro apareciam como vítimas de um massacre. Essa mudança de avaliação tocava planos profundos da vida do país no intervalo entre fato e romance: era parte do drama histórico central do tempo, oscilante entre duas ordens divergentes de valores, produtoras dos julgamentos opostos.

Para entender esse drama pode-se partir de uma formulação jurídica da própria época, elaborada pelo deputado Artur Orlando: "Na Roma dos imperadores o direito público existe fora e acima do indivíduo; este não tem meio legal algum para se pôr ao abrigo contra o que for decidido e ordenado na esfera do direito público. Ora, suponhamos que o imperador, que encarna em si a soberania, ordena em virtude desta soberania tal ato que violará os direitos de um cidadão romano; segundo o direito que rege o Império não há, nem poderia haver, remédio legal e a soberania representada pelo imperador não poderá encontrar obstáculo. No direito anglo-saxônico, pelo contrário, o cidadão tem direitos imprescritíveis, inalienáveis, que a autoridade não pode infringir, que devem ser salvaguardados, ao mesmo tempo, dos ataques dos particulares e das violências dos poderes públicos. [...] Perante os princípios do direito romano, o soberano não encontra obstáculos à sua vontade; perante os princípios do direito americano, os direitos do cidadão estão ao abrigo da ação da soberania, mesmo coletiva. [...] A nossa Constituição marca o meio-termo entre esses princípios opostos: de um lado o ideal de um direito superior à vontade dos indivíduos, do outro a supremacia do maior número. Assim é preciso evitar que, com uma Constituição vazada no direito anglo-saxônico, estejamos a legislar como se ainda vivêssemos sob o império da legislação romana. Em matéria de direitos e liberdades, costuma-se discorrer como se aos poderes políticos coubesse regular de um modo absoluto as relações entre os particulares e a autoridade pública."[18]

Do ponto de vista do direito romano, Antonio Conselheiro e seus seguidores seriam rebeldes e o Estado teria o direito de violar todos os seus direitos – inclusive o direito à vida – sem que pudessem opor qualquer forma legal de obstrução. Esse era o quadro legal do Império, traduzido na legislação civil das Ordenações, herdada da época medieval. E ela ainda não havia sido revogada no Brasil naquilo que havia de mais essencial: a definição dos direitos do cidadão e a formulação de um código civil que regulasse o exercício desses direitos como leis escritas.

Esse o fosso. Em vez de narrar a partir dele, como um caranguejo ou uma ostra, Euclides da Cunha julgava os fatos interpretando-os pelos conceitos do direito americano: o Estado teria invadido a esfera dos direitos inalienáveis do cidadão Antonio Conselheiro e dos membros do seu grupo, cometendo um crime, ainda que tal definição de crime não constasse da lei. Essa era a nova régua apresentada por Euclides da Cunha, esse o ideal de uma democracia, em contraste com a República regressiva da política dos governadores. Daí o grande salto da narrativa: os analfabetos de Canudos eram tratados como sujeitos na luta – como cidadãos vítimas do Estado, e não como súditos sem capacidade de discernir nem direito de se defender contra os atos do Império. E daí o espanto: seria essa massa pensada por escritores desde a colônia como composta de súditos sem palavras e sem direitos os cidadãos da República, com todos seus direitos inalienáveis?

Nesse momento Campos Sales foi julgado pela opinião pública – na medida do possível. José Maria Bello narrou seus últimos momentos na presidência: "Imensa vaia acompanhou-lhe o trajeto à estação da estrada de ferro, onde embarcaria para São Paulo. A sua vaidade muito teria sofrido com a ruidosa manifestação de hostilidade pública, tão em contraste com as aclamações que, quatro anos antes, recebera Prudente de Morais. Mas devia estar tranquila sua consciência de administrador. Depois do longo e penoso sacrifício exigido da comunidade brasileira transmitia uma casa em ordem, com a escrita equilibrada. Degradara-se ainda mais a política republicana, com a política dos governadores; aviltara-se a significação democrática do Parlamento; diluíram-se as derradeiras esperanças no livre jogo das instituições representativas; seu confessado suborno à imprensa como que oficializara a corrupção jornalística; à sombra de seu plano de extrema deflação monetária tinham feito excelentes negócios banqueiros estrangeiros e especuladores nacionais."[19]

Fez um sucessor, Rodrigues Alves. E indicou um ministro da Fazenda, Leopoldo de Bulhões, cujas crenças econômicas não haviam mudado um milímetro desde os tempos em que era deputado florianista: "A política financeira que devemos seguir é a que inspirou sempre os estadistas da monarquia: reduzir o quanto possível a massa de papel-moeda, fazer economias a fim de equilibrar o orçamento, estudar os meios de voltarmos à circulação metálica."[20] Assim pensava o ministro e assim fez o governo. Para entender como o fosso foi rompido só resta um caminho: acompanhar o surgimento de uma alternativa desde o nascimento na opinião da sociedade, passando pelas instâncias inferiores de governo e desaguando no cenário nacional.

CAPÍTULO **51**
> *O plano do café: sociedade e legislativo estadual*

Augusto Ferreira Ramos nasceu em Cantagalo, no Rio de Janeiro, em 1860. Era engenheiro de formação e professor desde 1894 da Escola Politécnica, onde começou como lente da cátedra de mecânica geral e máquinas. A partir de 1897 passou para as cátedras de mecânica elementar e tecnologia rural.[1] Enquanto desenvolvia projetos e dava aulas, aprimorou-se muito em estatística – num tempo em que esta era uma ferramenta de análise corriqueira no exterior, mas quase desconhecida no Brasil, mesmo no Ministério da Fazenda. Com o tempo foi abordando um desafio nada fácil naquele tempo: determinar o preço do café. Muitos abordavam a questão por métodos empíricos e havia poucos aptos a discutir o assunto. Entre estes estava seu irmão, Francisco Ferreira Ramos, também engenheiro e colega da Politécnica, que um dia rememorou os companheiros de conversa: "Tínhamos por companheiros um grupo de apóstolos do roteamento de terra, que discutiam calorosamente a questão. Deste grupo faziam parte Alexandre Siciliano, Olavo Egydio de Souza Aranha, Siqueira Campos, Veiga Filho e Arnaldo Vieira de Carvalho. Foi dali que surgiu a ideia da limitação de novas plantações, pelo doutor Augusto Ramos, e de consultas aos municípios, sugeridas por mim."[2]

Todos os membros do grupo tinham uma biografia interessante. O líder era Carlos Botelho, filho mais velho do conde do Pinhal. Nascido em Piracicaba em 1855, formou-se em medicina em Montpelier, voltou para o Rio de Janeiro em 1880, casou-se com Constança Filgueiras – contra a vontade do pai, com quem rompeu – e mudou para São Paulo no ano seguinte.[3] Militante republicano, tinha ideias próprias a respeito do exercício da medicina. Instalou-se num grande casarão na rua do Gasômetro, ponto de ligação entre o centro e o bairro popular do Brás. Morava no andar de cima, e no térreo mantinha uma movimentada clínica, equipada para grandes cirurgias, onde atendia gratuitamente. Vindo o novo regime, mesmo sem deixar o republicanismo, manteve-se afastado dos governos. Em 1892, na esteira do crescimento da cidade, realizou um empreendimento urbano inovador: comprou uma chácara com vários alqueires na beira do antigo caminho das tropas para Santos. Ali criou um jardim zoológico, com animais brasileiros, enviados do sertão por seu amigo Cândido Rondon, e espécimes estrangeiros obtidos em troca de animais brasileiros remetidos a vários zoológicos europeus. E abriu uma empresa dedicada ao lazer de massa, com entrada paga e muita propaganda, tendo como principal atração o zoológico. Cada animal que chegava merecia divulgação em anúncios de jornais, os quais ressaltavam também as demais atrações do parque: banda de música, barcos para remar no lago, restaurantes acessíveis. Casais de namorados alugavam barcos e podiam ao menos conversar a sós, sem controle das famílias; já o parque tornou-se um dos locais preferidos para as fotos de noivos no dia do casamento.

O segundo nomeado do grupo, Alexandre Siciliano, nascera em San Nicola Arcella, na Calábria, em 1860; com 9 anos veio para Piracicaba, onde um tio se estabelecera como comerciante e já tinha trazido seu irmão mais velho.[4] Em 1881 casou-se com Laura Augusta de Melo Coelho, uma das treze filhas do fazendeiro Frutuoso Coelho. Dotado para a mecânica, associou-se ao irmão e a Evaristo Conrado Engelberg. Juntos projetaram uma máquina de beneficiar café que foi um sucesso de mercado – ao ponto de a patente ter sido vendida nos Estados Unidos. A essa altura sua fama de fabricante tinha se espalhado por entre a parentela da mulher. Uma das irmãs de Laura, Maria Melo Coelho, era casada com João Paulino de Arruda Botelho, sobrinho do conde do Pinhal. Dessa forma a fama empresarial de Alexandre Siciliano chegou a investidores de calibre. Em 1890, com o crédito dos tempos de Rui Barbosa, ele vendeu ações de uma empresa que pretendia criar para vários investidores. Juntou 5 mil contos de reis[5] e montou a Companhia Mecânica Importadora de São Paulo. Warren Dean descreveu a empresa: "Foi construída em grande escala, a maior que São Paulo já vira; incluía uma fundição, uma seção de máquinas, uma serraria, uma carpintaria e uma olaria. Produzia vagões de estradas de ferro, máquinas agrícolas, pontes para ferrovias e postes."[6] Além de produzir, a empresa importava equipamentos, mantendo um escritório em Londres.[7] Wilson Suzigan anotou as atividades de comércio exterior:

"Importava carvão, coque, ferro-gusa, ferro fundido, barras e chapas de aço, canos, cimento, arame comum e farpado, ladrilhos e tijolos refratários."[8] A combinação de capacidade local de produção com os negócios de importação fez a empresa crescer depressa, tornando-se um dos pontos vitais da industrialização de São Paulo. Antonio Francisco Bandeira Júnior, que publicou um livro sobre a indústria paulista em 1901, classificou a empresa como "um dos mais importantes estabelecimentos da América do Sul", por causa dos "mais de 600 operários, todos de sexo masculino", que produziam "os mais aperfeiçoados e modernos maquinismos, inclusive quaisquer máquinas para a lavoura".[9]

Já Olavo Egydio de Sousa Aranha nascera em 1862 e era casado com Vicentina de Souza Queirós,[10] uma das filhas do barão de Souza Queirós, um dos grandes empresários paulistas na época do Império. Ele mesmo era campineiro e os negócios da família incluíam importantes participações acionárias, com direito a cargos de direção na Companhia Paulista de Estradas de Ferro, Banco do Comércio e Indústria, Banco de São Paulo e Companhia Mogiana. Manuel Pessoa de Siqueira Campos era banqueiro e um dos acionistas do Banco de Crédito Real.[11] O quinto da lista, Arnaldo Vieira de Carvalho, nascera em Campinas no ano de 1867, era um dos médicos mais conhecidos da cidade e professor na escola de medicina. Veiga Filho era advogado, professor da faculdade de direito e um dos primeiros defensores das ideias social-democratas no Brasil.[12] Além disso, também gostava de estatística, tendo escrito vários artigos pelos quais tentava estimar o total da riqueza paulista e brasileira (naquele tempo não existia sequer a noção de PIB). De todos, era o único que fazia política partidária, sendo deputado estadual do PRP.

O ambiente no qual o grupo desenvolveu suas ideias foi o da grande recessão do governo Campos Sales. Desde que a política econômica começou a fazer efeito vieram reações na forma de mobilização. Em 1898, pulularam os "clubes da lavoura" para canalizar os protestos dos cafeicultores – e logo surgiu o Partido da Lavoura para expressar os protestos em voz mais alta. As reações dos produtores de café também foram muitas: congressos, encontros, debates e propostas buscando fórmulas para sair da crise foram surgindo umas atrás das outras. O grupo manteve uma existência informal nesse ambiente de debate até que, em janeiro de 1902, resolveram se transformar na Sociedade Paulista de Agricultura, pedindo registro de seus estatutos numa audiência na Secretaria da Agricultura.[13] Não se tratava de uma formalização inocente. Como relembrou Francisco Ramos, a sociedade tinha uma ideia para defender – o plano para limitar a produção de café – e um foco para atuar: a consulta aos fazendeiros nos municípios, começando pela base social mais ampla. Os métodos empregados também eram claros: trabalhar no universo da opinião pública, incentivando o debate de ideias por meio da imprensa. Enquanto Augusto Ramos escreveria para *O Estado de S. Paulo* e para o *Jornal do Commercio* do Rio de Janeiro, Francisco Ramos concentraria as publicações no *Correio Paulistano*, focando na organização de encontros nos municípios e debates iniciais da proposta.

No dia 8 de maio de 1902, Augusto Ramos estreou como colunista em *O Estado de S. Paulo*. Mereceu um tratamento reservado para poucos: publicar uma série de artigos sobre um único tema, em vários dias consecutivos. Já no primeiro artigo revelaria uma convicção muito grande no uso da estatística como ferramenta capaz de proporcionar novo enquadramento a todo o drama vivido pelos cafeicultores: "Não mais se enxergarão nuvens no horizonte, hoje tão sombrio, de nosso futuro econômico. Sobre a larga estrada comercial que se rasgará entre o produtor e o intermediário brilhará, em todo seu esplendor, o sol da estabilidade estatística; e o cimento impecável da reciprocidade de interesses, como um selo sagrado, vinculará por um acordo tácito os esforços de ambas as partes no levantamento gradual das cotações."[14]

O drama que o "sol da estabilidade estatística" transformaria em glória era nada menos do que o equilíbrio entre a oferta e a demanda do café, e sua expressão brasileira de disputa de preço entre cafeicultores e importadores. A série de artigos tinha um título único, que enfatizava o resultado esperado: "Valorização do café". E o artigo inicial trazia um resumo dos passos para tal transformação, começando pelo enfoque no mercado mundial e no longo prazo: "[É necessário] o exame da situação mundial do café em toda sua complexidade e latitude, seja no tocante à produção seja quanto ao consumo ou quanto a preços, não somente no passado e no presente, como no terreno de fundadas e positivas previsões nos dez anos que hão por vir."[15] Em seguida vinha a novidade conceitual: oferta e procura eram definidas como tendências matemáticas que apenas se equilibravam estatisticamente no longo prazo – e no contexto do mercado mundial. O Brasil deveria se aproveitar desse conhecimento para planejar o volume de produção e ganhar o máximo possível com a produção de café. Eram duas premissas incomuns no debate corrente. No entendimento de então, oferta e procura eram o resultado de um embate momento a momento, cujo resultado seria o preço em Santos; em consequência, a média estatística não passaria de uma abstração. Planejar a produção no longo prazo e pensando no mercado mundial era algo que não fazia sentido com esse conceito pontual de preço.

Dessas premissas inovadoras resultava uma proposta de solução que começava com um passo simples e de fácil compreensão: uma lei que proibisse por algum tempo o plantio de novos cafezais, através da suspensão compulsória ou da cobrança de impostos. Essa lei, segundo Augusto Ramos, seria um primeiro sinal, para o mercado mundial, do predomínio da nova realidade do equilíbrio estatístico e da produção controlada: "A suspensão das plantações não produziria um efeito puramente moral; significaria positivamente um efeito estatístico. Poder-se-ia dizer: em tal ano a colheita não será maior do que tanto, com a mesma segurança com que hoje dizemos que em 1901 entraram em Santos 8 milhões de sacas. Eis o remédio que eu indico à lavoura: remédio suave, natural, reparador, lógico, infalível. É indispensável e urgente adotá-lo."[16]

Para Augusto Ramos, o "efeito estatístico positivo" seria imediatamente entendido por agentes internacionais importantes, que mudariam de atitude: "É preciso que nos convençamos: os importadores diretos de nosso café, as grandes casas de Nova York, de Londres e do continente europeu, têm tanto interesse como nós em que se elevem os preços do artigo. Confiados em que teriam curta duração as baixas de 1896-97, realizaram grandes compras. Mas nos anos seguintes a produção aumentou e a necessidade de amparar os preços foi determinando novas aquisições. Hoje os estoques são de 11 milhões de sacas. Além de não desejarem negociar hoje por 35 francos o café que lhes custou mais que isso, os importadores precisam sustentar os preços e por isso compram em Santos."[17]

Portanto, estariam prontos para ler positivamente o sinal: "Não basta que não se plante um cafeeiro durante cinco anos; é necessário, é indispensável, que os possuidores do estoque tenham absoluta certeza de que assim se fará. É indispensável que assim se convençam a fim de perderem quaisquer receios sobre o futuro de suas reservas, a fim de poderem operar com inteira segurança, cobertos de surpresas administrativas. Conquistada a confiança deles em nossa deliberação, o grande estoque perderá quase imediatamente sua catadura agressiva. Era uma ameaça, passará a ser uma reserva. Perderá seu caráter de volume, volverá a ser um valor. Ninguém mais terá pressa de alienar, e o recolhido no interior dos armazéns transforma-se em depósito precioso frente à carestia inevitável – num futuro matematicamente projetado."[18]

A questão central era inteiramente de confiança, em dois sentidos. Para os leitores visados, a confiança de que o conhecimento estatístico traria uma nova aliança política, na qual passariam da posição de explorados para a de exploradores. Para os atacadistas, a confiança na atitude de longo prazo do Brasil, pois o artigo não especificava quem seria o agente produtor dessa confiança. Pelo contrário, dizia com todas as letras que espécie de conhecimento já não produzia a mínima confiança: "A universalidade moderna já não comporta Aristóteles. E a arte de governar só pode ter possibilidade de êxito na escolha judiciosa, por parte de governantes, de auxiliares de provada competência nos departamentos que lhes são confiados."[19]

Fundado no contraponto entre uma política feita com conhecimentos ultrapassados, colocava-se a si mesmo como um técnico da sociedade capaz de formular políticas muito melhores que as do ministro no poder. Essa ideia foi recolocada de maneira ainda mais acentuada no terceiro artigo da série, quando analisou os métodos de controlar o mercado que presidiam as políticas de Joaquim Murtinho: "Alguns argumentam que a superprodução acabará por si mesma, sem necessidade de nenhuma intervenção restritiva. Mas acaba como? Não podendo ser pelo aumento repentino do consumo, será pela diminuição da produção. [...] A superprodução cessaria, mas conservando as cotações num nível sempre baixo. A carência de outro derivativo para nosso trabalho obrigaria a acompanhar as necessidades do mundo, com a cotação indefinidamente baixa. Quando mais tarde São Paulo, exausto de trabalho, esgotadas suas terras, modificado talvez seu clima, desse balanço a meio século de esforços e lutas, veria coberto seu território de pequenos lavradores empobrecidos, sem recursos para instruir seus filhos. Teríamos sacrificado o privilégio de nosso solo, um privilégio que deveria nos dar uma fortuna, para, na melhor das hipóteses, oferecer ao mundo por alguns cêntimos a menos, um café que, sem o menor sacrifício, e com plena indiferença, nos pagaria melhor."[20]

Enquanto atacava a política do governo em São Paulo, Augusto Ramos encontrou fôlego para contestar também uma alternativa defendida pelo republicano histórico, ex-florianista e senador fluminense Quintino Bocaiúva: uma intervenção no mercado de café, na qual o governo compraria toda a produção, incentivando o crescimento desta e empregando a posição dominante do Brasil para derrubar os exportadores, e, depois, para aumentar os preços no mercado internacional. Como tal posição era mais corrente no Rio de Janeiro, foi tratada nos artigos escritos para o *Jornal do Commercio* – com forte sarcasmo: "E hoje levantam-se vozes que nos vêm a gritar: 'Devemos produzir mais! É preciso esmagar nossos concorrentes! Mas, então, nosso fim é produzir dinheiro com o café ou simplesmente produzir mais café? Não queiramos fazer de nossos cafezais, de nosso campo de trabalho, um truste exclusivamente destinado a quem nos quer fazer mal. Seria, além de odioso, um truste de imbecis, um truste capaz somente de perder dinheiro."[21]

Esses dois contrapontos tornam muito claro que Augusto Ramos pensava a produção econômica com o sentido capitalista de criação de um máximo de Riqueza das Nações, conforme sua paráfrase de Adam Smith – e criticava com veemência o viés fisiocrata, a visão da produção econômica como máximo aproveitamento da riqueza produzida pela natureza – seja pelo *laissez faire* (termo fisiocrata em farta voga na época), seja pelo monopólio mercantilista, como preferia o senador Quintino Bocaiúva.

Os artigos de Augusto Ramos despertaram certo interesse e sua proposta de criação de um novo imposto chegou até a ser debatida em comissões da Assembleia estadual, sem grande sucesso – fraqueza que tinha a ver com uma situação que parecia de desespero infinito: na altura dos debates, estava terminando a colheita de uma safra de 11 milhões de sacas de café, que obrigaria a um aumento ainda maior dos estoques mundiais. Então, no dia 24 de agosto de 1902, aconteceu uma grande geada, que destruiu cerca de um terço das plantas do estado, além de prejudicar seriamente a produção dos cafeeiros no ano seguinte. Numa única manhã, todos os cálculos sobre uma superprodução foram revirados e o assunto do imposto foi inteiramente deixado de lado. Mas os dias de setembro foram passando, e um novo incômodo foi se revelando.

Pela teoria dominante sobre oferta e procura, a do ministro Murtinho e de muitos outros, a patente redução da oferta deveria se refletir de imediato em aumento nos preços. Não foi preciso muito tempo para que os vendedores descobrissem que a teoria não estava sendo comprovada na prática. Pelo contrário, mesmo com a queda na produção futura os preços continuavam a cair. Com isso muita gente coçou a orelha: será que os preços do café não seriam determinados pelo equilíbrio a longo prazo do mercado? Será que o nível de estoques mundiais tinha relação com os preços no mercado à vista? Será que oferta e demanda teriam de ser definidas de outra forma? Será que não estava na hora de adotar outra abordagem? Assim o que parecia ser uma posição diletante de repente ganhou importância. As discussões pelo interior acabavam quase sempre angariando o apoio de fazendeiros e comerciantes para a ideia – e estes iam pressionar os vereadores, a base democrática do sistema político. Os vereadores faziam o pouco que podiam: enviavam moções de apoio para a Assembleia. E assim o projeto abandonado ressuscitou em boa hora.

No dia 30 de outubro de 1902, em meio às discussões na Assembleia Legislativa sobre o orçamento do estado, o deputado Rubião Júnior, líder do PRP, apresentou a proposta de implantar o imposto sobre novos cafeeiros plantados em São Paulo como emenda pessoal, sem apoio oficial do partido nem respaldo das comissões parlamentares. A grande vantagem dessa apresentação que parecia modesta estava no fato de entrar imediatamente em votação, sem passar pelos ritos e trâmites obrigatórios das leis ordinárias. O deputado Rubião Júnior argumentou que os deputados deveriam ser sensíveis à lógica que impulsionava a ideia: "O projeto é indicado pela opinião geral, tanto dos interessados no país como fora dele. No inquérito que se procedeu neste estado, por iniciativa da Sociedade dos Agricultores, em que todos os municípios foram consultados por intermédio de seus representantes mais autorizados, as câmaras municipais, e chegou-se ao resultado que a quase totalidade dos municípios cafeeiros era por este alvitre. Além disso, há a opinião manifestada por revistas e jornais sobre este assunto."[22] O projeto saído do grupo pequeno e multiplicado pelos jornais chegara aos eleitos de governos municipais e agora ganhava amplitude estadual ao ser aprovado. A ideia se transformava em prática e se multiplicava.

CAPÍTULO 52
› *O plano do café: os estados*

Os primeiros meses de vigência da nova lei, em 1903, coincidiram com a revisão de todos os dados estatísticos por Augusto Ramos, que concluiu ter subestimado o volume dos estoques. Sendo homem fiel a seus dados, não teve pejo em voltar ao debate com uma revisão de suas propostas. Antes afirmara convicto que a limitação das plantações seria sinal suficiente para equilibrar o mercado. Agora, sem abandonar a fé no equilíbrio estatístico, apresentava uma situação mundial muito mais negativa do que aquela anterior à lei: "É impossível conseguirmos, nos próximos cinco ou seis anos, um equilíbrio entre oferta e procura pelo aumento do consumo."[1]

Ainda assim considerava possível manter o objetivo inicial de organizar o mercado e fazia questão de mostrar o quanto isso se distinguia dos processos mercantilistas que vicejavam na economia e no pensamento brasileiros: "Não se trata de concentrar todo o produto em uma só mão e impor-se o preço que se entender. Esse meio tem sido empregado muitas vezes na história dos povos, mas de modo irregular e em prazos curtos; recebeu o nome de açambarcamento e funciona somente em privilégio de um indivíduo ou grupo. A concentração comercial tem outra estrutura e é de molde permanente. É sempre o remate de uma competição encarniçada; é mais que um tratado de paz, é um acordo entre os competidores da véspera, os quais, reconhecendo o quão ruinosa era a luta dos que vendiam com prejuízo, acabam por entender-se para auferir lucros."[2]

Para obter o mesmo efeito de controle do mercado nessas condições, seria preciso muito mais ajuda – e vinda de fora, já que os produtores brasileiros não teriam força: "Não permitem as condições atuais dos lavradores que eles se abstenham de vender seus produtos, e portanto o único meio de resolvermos satisfatoriamente o problema consiste em arranjarmos um capitalista que, de acordo conosco, vá comprando e retendo toda a produção até que desapareça o estoque estrangeiro e fiquemos, nós e o capitalista, senhores do mercado." Haveria vários modos de associar as partes: "Este capitalista pode ser um banqueiro, um sindicato estrangeiro ou pode ser constituído pelos estados cafeeiros chefiados pelo governo da União." E era assim porque a operação deveria ter a finalidade essencial do lucro – ainda que ele agora admitisse o governo como parte do negócio entre capitalistas, algo que não fazia parte das ideias apresentadas no ano anterior: "Qualquer que seja a forma adotada, é essencial para que a operação seja exequível que os cafés acumulados pelo sindicato ou pelos estados coligados possam ser vendidos dentro de um prazo determinado, quando se equilibrem a oferta e a procura."[3]

Para acelerar esse prazo e diminuir os riscos da operação, o sindicato ou o capitalista deveria ter uma garantia: "É indispensável que, durante um prazo conveniente conservemos limitada a nossa produção. Desse modo o futuro possuidor dos estoques acumulados, seja o sindicato sejam os estados, ficará garantido de reaver o capital que no mesmo café houver empatado, e portanto não relutará hoje em empenhar-se no negócio." A garantia funcionaria contra um risco essencial: "Se, organizada a resistência, deixarmos livre a produção, é claro que, estimulados pelos altos preços do café os produtores ampliarão suas lavouras e de tal modo aumentarão as colheitas, e com elas o estoque da resistência de tal modo que não haverá no mundo dinheiro para as compras e a combinação desmoronará, causando a ruína geral. Sem garantir a moderação nas colheitas a resistência será irrealizável, e inútil o esforço para agremiar capitais."[4]

Havendo a garantia da moderação na produção como premissa para a operação, Augusto Ramos imaginava que esta poderia funcionar sem modificar os mecanismos de mercado: "Ao sindicato que se propuser a pagar por nossa produção preços determinados, concederemos uma certa quantia por saca durante o prazo do contrato. O comércio continuará livre, como agora, operando como bem entender. Ninguém será obrigado a vender ao sindicato o café que possuir ou de cuja colocação estiver encarregado. Poderá vender a quem quer que seja, sendo certo que, se não encontrar comprador, o sindicato por este preço o comprará, se lhe for oferecido."[5]

O artigo seguinte começava com uma simulação estatística do mercado nos primeiros anos de ação do sindicato: "Aplicada convenientemente a lei paulista e com a adoção dela por outros estados, poderemos contar que a média da produção será de 13,5 milhões de sacas nos próximos anos. Organizada a resistência nessas bases poderíamos contar que teríamos um aumento de estoque nos dois ou três primeiros anos, depois dos quais somente, estacionada a produção, começaria ele a decrescer. Serão necessários oito anos até que o reequilíbrio se restabeleça."⁶ O artigo ainda trazia o projeto de um contrato capaz de atuar nessas condições, abrangendo partes como o governo federal (como representante de um acordo entre os estados produtores de café) e um grupo de investidores privados. Estabelecido o acordo com as premissas expostas nos artigos anteriores, os produtores não teriam nenhuma obrigação de vender, mantendo-se o mercado livre. Mas, como o esboço de contrato previa a entrada do governo, essa presença exigia cuidados jurídicos. Para evitar que o sindicato corresse o risco da superprodução interna, o governo se obrigava a impedir que as exportações excedessem as 12,5 milhões de sacas. Para que não houvesse o risco de o sindicato manipular preços, o governo teria o direito de nomear fiscais e intervir nas operações de venda.

Os artigos de Augusto Ramos coincidiram com a realização em Minas Gerais de um congresso sobre a produção brasileira. Seria mais um dos muitos conclaves realizados por empresários, não fosse um fato importante: a ação de um governador para reunir as ideias dispersas que circulavam no país como alternativa à política do governo federal. Francisco Sales nascera em Lavras no ano de 1863; começou a cursar direito em São Paulo em 1881 e a militar no Clube Republicano da faculdade. Formado, tornou-se um conferencista famoso na região natal, o que se revelou mais do que suficiente para o lançar na carreira política após a mudança de regime. Faltavam republicanos para tudo, de modo que Sales virou deputado estadual com 28 anos, secretário no governo mineiro com 32, prefeito de Belo Horizonte com 36, deputado federal com 37 e governador de Minas no ano em que completou 40 anos. Comandava o estado a partir da recém-inaugurada capital, Belo Horizonte, construída a partir de um plano urbanístico inovador, com ruas largas e avenidas mais largas ainda, rede sanitária, espaços abertos.

Uma de suas primeiras atitudes como governador foi a de organizar um Congresso Comercial, Industrial e Agrícola, ainda em 1903. E fez questão de dar um sinal relevante, entregando a presidência a João Pinheiro, uma figura peculiar. Filho do imigrante italiano Giuseppe Pignataro, funileiro, e de Carolina Augusta de Morais, filha de um professor em Caeté, ele nasceu na cidade do Serro em 1860. Perdeu o pai aos 10 anos, mudou-se para a cidade da mãe, foi adotado e educado por padres, juntamente com o irmão José, que se tornou sacerdote. Descobriu cedo que não tinha vocação para a batina e tratou de ganhar a vida, dando aulas para sobreviver e juntar dinheiro a fim de estudar direito em São Paulo, para onde se mudou em 1883. Pagou os estudos, primeiro com o salário de zelador da Escola Normal, depois como professor de história da mesma.[7]

Como Francisco Sales, João Pinheiro retornou a Minas depois de formado para fazer propaganda republicana. Mas trabalhou nesta a seu modo, nos intervalos dos empreendimentos que fazia para sobreviver. Tanto quanto as ideias republicanas, esses empreendimentos serviam para que João Pinheiro formulasse propostas políticas. A vida empresarial fornecia-lhe lições que fazia questão de repetir a amigos como Pandiá Calógeras: "Ah, meu caro amigo: nunca plantastes batatas! Caí nessa asneira uma vez, cultivei uma quarta de chão, obtive uma colheita estupenda, remeti-a nuns balaios e fui pessoalmente ao Rio de Janeiro vender meus formosos tubérculos (salvo seja!). É ainda com ódio que me lembro da peregrinação humilhante, de português em português, batateiros de profissão. Como tinham o cérebro também estufado de batatas, me disseram desaforos e não me quiseram comprar a linda mercadoria. Ofereceram preço vil e afinal me obrigaram a entregar a colheita quase dada."[8] Essas lembranças não tornaram o descapitalizado batateiro um admirador das cadeias de endividamento mercantilistas, a forma de capital comercial que dominava a economia brasileira a partir dos atacadistas do Rio de Janeiro. Mas também não chegaram ao ponto de apagar a chama empresarial.

Quando veio a República, ia completar 29 anos e estava de casamento marcado em São Paulo com Helena de Barros, sua ex-aluna. Em 21 de janeiro de 1890, quatro dias antes do casamento, foi nomeado vice-governador de Minas; vinte dias depois da nomeação e duas semanas após o casamento, em 11 de fevereiro, tornou-se governador do estado, pois o titular Cesário Alvim renunciou para ser ministro de Deodoro. Ficou no cargo até junho, ao ser eleito para a Constituinte. Teve o primeiro filho em dezembro, quando participava da comissão de 21 deputados que permitiu a rápida elaboração da Carta. Com o golpe de Deodoro e a tomada do poder por Floriano, afastou-se da política.

Enquanto os filhos nasciam com regularidade, João Pinheiro tornou-se industrial. Aproveitando as possibilidades de crédito da política de Rui Barbosa, abriu uma empresa de cerâmica em Caeté, que logo ganhou nome no mercado de materiais sanitários, enquanto o proprietário arranjava tempo para ser vereador na cidade. As manilhas para esgoto que fabricava passaram a ser vendidas em várias partes do país e a lhe dar ideias sobre o sentido da atividade política, vislumbrando um outro modo de encarar a atividade: "Há a política estéril e a política fecunda. [...] Substituamos a política das competições sem objetivo pela emulação fecunda do trabalho. Cumpre que o criador e o industrial mais inteligentes possam ver seus méritos reconhecidos e proclamados."[9]

Assim João Pinheiro era uma raridade: num país onde o pensamento conservador condenava a atividade empresarial e industrial como fruto da ambição, ele via nela, com base em sua experiência como empresário, uma fonte capaz de conferir sentido ético à atividade política. A formulação peculiar encontrou eco. João Pinheiro tornou-se um político influente no estado, mesmo sendo apenas um vereador de cidade do interior. Dessa condição o retirou Francisco Sales ao convidá-lo para presidir o Congresso. O governador tinha um projeto, assim descrito por Claudia Viscardi: "Francisco Sales [queria] contemplar a tese da limitação das plantações, em prol da qual havia organizado o referido evento."[10]

Os artigos de Augusto Ramos foram publicados na semana anterior ao Congresso Comercial, Industrial e Agrícola, que teve lugar na semana de 13 a 19 de maio de 1903. Mas nem o apoio do governador nem os artigos foram suficientes para impedir que o conclave sagrasse outras teses – nascidas no Rio de Janeiro mas muito capazes de conquistar a simpatia de um industrial mineiro. A capital federal continuava sendo o maior centro industrial do país. E ali a reação à política de Campos Sales foi liderada pelos empresários industriais. Um dos maiores, Jorge Street, já em 1900 tornou-se diretor da Sociedade Auxiliadora da Indústria Nacional. No início, era uma entidade com muita história e pouca capacidade de ação. Fundada em 1827 para divulgar ideias e técnicas produtivas, ganhou algum brilho no segundo reinado, quando D. Pedro II reforçou o aspecto literário da instituição, dando palpites em sua revista. Com o advento da República e o fim do patronato, da entidade sobrara pouco mais que o nome. Street fez as coisas mudarem depressa. Em 1902 conseguiu a adesão de Inocêncio Serzedelo Correia, militar e ex-ministro da Fazenda. Os dois haviam articulado uma fusão da entidade com o Centro Industrial de Fiação e Tecelagem de Algodão e estavam organizando o Centro Industrial do Rio de Janeiro no momento em que se deu o Congresso mineiro. Levaram para este ideias que exporiam logo em seguida com clareza, num manifesto escrito em 1904 e cujo argumento central era a formação de um mercado interno: "Se cada indústria, sob o ponto de vista técnico, tem seus interesses particulares, há em todas um interesse comum, que cada vez mais se avoluma e que consiste em garantir o consumo interior das especialidades que são e devem ser produzidas no país. Nessa pugna colossal estão empenhadas todas as nações e nela carecemos também nós, industriais brasileiros, empenhar-nos."[11]

O manifesto também deixava claro o método para garantir essa finalidade: "Para reagir é necessário que o Brasil faça como fizeram os Estados Unidos, a Rússia e, recentemente, a França: o abandono cada vez mais completo do livre câmbio pelo entusiasmo cada vez mais apaixonado em favor da proteção do trabalho nacional."[12] Além de saber o que desejavam, os empresários sabiam quais eram os defensores da política que estavam combatendo: "O comércio sim, este se aproxima mais do socialismo de estado quando pede ao governo câmbio alto, para baratear os produtos estrangeiros importados."[13]

A pauta marcava claramente uma disputa. No setor privado, entre os interesses dos comerciantes importadores, que visavam produtos estrangeiros baratos, e os dos industriais, interessados em produzir esses bens no país. Do ponto de vista histórico, era uma disputa entre o capital industrial emergente e o capital comercial declinante – em suma, entre capitalismo e mercantilismo. João Pinheiro pensava como o grupo do Rio de Janeiro. Não se fez de rogado e derrotou a principal tese do governador que o convidara. Porém, como bom mineiro, sem criar a menor animosidade. John Wirth assim resumiu o percurso da tese vencedora: "A discussão estendeu-se a muitos assuntos, mas o propósito inicial deste esmerado encontro era chegar a um consenso sobre o café. [...] O Comitê Preparatório selecionou proposições que diversos comitês de estudos elaboraram antes da abertura das discussões. [...] O grupo de Pinheiro trabalhava pela disciplina do mercado por impostos e fretes diferenciais. O Comitê de Café aceitou essa proposição, mas sugeriu também que a valorização, uma política de comercialização baseada em apoio a preços mínimos, fosse utilizada, juntamente com outros estados produtores e a união. Esta teoria se coadunava com o pensamento paulista, mas não foi adotada pelos delegados."[14]

A capacidade de convencimento tinha a ver com uma atitude, revelada no discurso de encerramento. João Pinheiro fez nele outra profissão de fé, relativa às relações entre governantes e governados: "A visão da grandeza e riqueza da terra de Minas Gerais se faz ao mesmo tempo em que a das altas qualidades morais de seus filhos, aconselhando e sendo aconselhados, governando e sendo governados, ensinando e ao mesmo tempo aprendendo, governo que se quer dirigir pela opinião, opinião que deseja ser útil ao governo, tal é o espetáculo novo que os mais natos representantes de um povo inteiro oferecem ao discutir os mais graves interesses como se fora em íntima discussão de família."[15]

Lembrava Prudente de Morais, mas também servia como uma luva para a situação. A frase foi proferida por um político acostumado a governar segundo esse princípio – e ouvida por um governador de estado que vira sua proposta mais importante ser derrotada. Francisco Sales não tomou a decisão pública como ofensa pessoal. Continuou tratando João Pinheiro com a maior atenção. Os paulistas saíram felizes: sabiam que havia um governador simpático a suas teses e também aprenderam a encontrar aliados no Rio de Janeiro. E trataram de acelerar a marcha de seu projeto. Poucos dias depois do congresso mineiro, Alexandre Siciliano apresentou, numa reunião da Sociedade Paulista de Agricultura, um esboço de contrato entre o governo federal e um eventual sindicato de investidores. Dentre as novidades, as maiores eram o aumento da obrigatoriedade de compra de café para 16 milhões de sacas anuais e, sobretudo, uma cláusula pela qual o governo remuneraria o sindicato com uma comissão por saca vendida. Dessa forma, atingido um preço de mercado que fosse a soma do preço mínimo com a comissão, o café teria de ser vendido por esse preço. Essa cláusula era fundamental para evitar a retenção excessiva de café e a manipulação dos mercados externos pelo sindicato.

O projeto foi aprovado e o autor saiu dando entrevistas para divulgá-lo – ao longo das quais o projeto de Augusto Ramos acabou também ficando conhecido como Plano Siciliano. Em 24 de agosto de 1903, o industrial publicou um artigo em *O Estado de S. Paulo* realçando a vantagem de sua proposta: "O sindicato terá maiores vantagens comprando o mínimo de café possível, pois quanto menor o capital imobilizado maior será seu lucro, por consistir este unicamente no prêmio que lhe será pago por cada saca exportada."[16] O projeto, o parecer da Sociedade, o artigo do jornal e as entrevistas foram reunidos num livro de divulgação. Depois do livro vieram os debates: grupos de cafeicultores de todo o estado eram convidados a fazer reuniões locais, nas quais ratificavam a ideia. Assim o plano, que começara em um artigo, passara por debates municipais, tornara-se lei estadual, estivera em debate num congresso em outro estado, ganhara a simpatia de um governador ia se ampliando – até conquistar outro apoio fundamental.

CAPÍTULO **53**
*> O plano do café:
o mercado internacional*

Em 1904 o Partido Republicano Paulista indicou Jorge Tibiriçá Piratininga como candidato a governador. Fundador do partido, mantivera-se fiel à direção o tempo todo, de modo que não apresentava nenhuma rusga aos olhos dos conservadores. Mas não era um político tradicional. Para começar, tinha formação acadêmica: era doutor em agronomia, com título obtido em Genebra; era também empresário rural e casado com a herdeira de um quinhão importante de uma ferrovia. Além disso, era monarquista. Tudo isso compôs um governador peculiar, cuja rotina foi assim descrita por Rodrigo Soares Júnior: "Jorge Tibiriçá, avesso a cerimoniais, continua a vida da família no palácio. De dia executa sua tarefa metodicamente, atento ao encaminhamento dos papéis e às conferências que precisa entreter com deputados, senadores, altos funcionários e políticos. Terminado o horário do expediente consagra-se exclusivamente à família, preocupado com a educação dos filhos. A administração do palácio pertence exclusivamente a dona Ana Tibiriçá. A velha dama paulista, que não perdeu os sentimentos monárquicos e reverencia as velhas praxes imperiais, exige ordem. [...] Na hora que terminava o despacho do dia [o governador] tratava de fazer um passeio a pé pela cidade, em companhia do ajudante de ordens. Usualmente de fraque, bengala e chapéu, perambulava lentamente, respondendo ao cumprimento dos transeuntes. De volta ao palácio esperava o jantar e depois retirava-se para seus aposentos para se entreter com dona Ana. Entre os tópicos que alimentavam a conversa estavam os comentários que ela, sempre interessada pelos assuntos políticos, fazia dos jornais do dia. Aconselhava o marido a responder trechos que considerava injustos pelas colunas dos jornais amigos. Jorge lia, e quase sempre respondia: 'Isso não merece resposta'. Terminada a sessão de palestra, o governador se preparava para seu infalível passeio noturno: a ida a uma confeitaria, onde tomava alguns copos de chope. Dava uma boa gorjeta para o garçom não deixar pires acumulados na mesa. Às nove horas, no mais tardar, retornava ao palácio. De manhã estava de volta ao gabinete, em cuja entrada via-se um desenho intitulado 'A eloquência oficial', que mostrava um personagem lendo longas tiras de papel para uma audiência bocejante e enfadada."[1]

Se a candidatura dele resultou da larga capacidade de suportar a eloquência oficial, o período de governo foi marcado por aquilo que o interessava, e que pode ser medido pela escolha dos principais auxiliares. Para a secretaria da Agricultura, que cuidava dos assuntos relacionados ao café, escolheu Carlos Botelho, o decidido apoiador de todo o plano de valorização do café; para a secretaria da Fazenda convidou Albuquerque Lins, concunhado de Olavo Egydio, outro membro do grupo reunido em torno da ideia; para a pasta da Justiça chamou Washington Luís, casado com uma parente de Prudente de Morais. Cada um deles encarregou-se a seu modo de preparar o estado para uma mudança. Carlos Botelho reestruturou a política de imigração, cuidando de oferecer pequenas propriedades a imigrantes, e assim atraiu os primeiros japoneses. Washington Luís trouxe instrutores franceses para treinar a polícia ao lidar com cidadãos, tornou estáveis os cargos de delegado de polícia e dos juízes estaduais. Albuquerque Lins foi atrás de contatos financeiros no exterior.

Mas o que de fato interessava mal passou pelos jornais. Ainda em 1904, Augusto Ramos foi dispensado de dar aulas na Escola Politécnica. Recebeu do governador a missão de estudar melhor suas propostas, fazendo uma viagem às zonas produtoras concorrentes do Brasil. Assim que começou a preparar a viagem, Augusto Ramos percebeu que os seus artigos de jornal tiveram o condão de arregimentar apoios importantes. Ao contrário da maioria dos estudiosos brasileiros da época, que protestavam contra a exploração dos produtores nacionais pelos compradores estrangeiros, ele dizia que uma aliança com estes deveria ser a base da política de valorização. Bastou informar discretamente que estaria viajando a fim de desenvolver tal aliança para que aparecessem compradores estrangeiros dispostos a ajudar. A maior empresa alemã do mercado era a Theodor Wille. Os sócios brasileiros escreveram cartas para a matriz e de lá saíram outras recomendando Augusto Ramos a produtores e correspondentes de todo o Caribe. Uma das grandes compradoras norte-

-americanas era a Marcus Mason, de Nova York; os gerentes brasileiros escreveram para lá e a resposta foi a melhor possível, assim expressa pelo próprio Augusto Ramos: "O próprio presidente, E. O. Shernikov, abriu-me, como só se faz a um amigo, as portas de entrada de fazendas e engenhos em todos os países visitados."[2]

Com esse apoio, entre o final de 1904 e o primeiro semestre de 1905, Augusto Ramos visitou os principais compradores de café nos Estados Unidos, junto aos quais colheu dados estatísticos preciosos. Depois atravessou o México de trem e a cavalo, percorreu a Guatemala, El Salvador, Nicarágua, Costa Rica, Venezuela e Porto Rico. Foi às fazendas, anotou meticulosamente todos os dados sobre custos de produção, métodos de preparo, preços de venda nas várias etapas do processo, situação das políticas econômicas, qualidade da mão de obra – a exceção foi a Colômbia, que não percorreu "por causa dos movimentos revolucionários que perturbavam o país". Na volta, preparou um relatório secreto para o governador. Publicado apenas em 1907, com o título *A indústria cafeeira na América espanhola*, fora redigido para responder uma pergunta: caso o Brasil fizesse uma política de valorização do café, haveria o risco de os demais produtores elevarem a produção de modo a se aproveitar da situação, ganhando às custas do esforço brasileiro e tornando inútil o projeto?

A resposta era detalhada pela análise caso a caso das condições locais de produção nos países concorrentes. Depois disso vinham as conclusões gerais, que começavam com a comparação entre uma estrutura de trabalho arcaica e métodos tecnológicos modernos: "A indústria cafeeira da América espanhola seguiu o mesmo caminho percorrido pela indústria cafeeira do Rio de Janeiro. Há de chegar ao mesmo fim. [...] A crise a teria de pronto aniquilado se não fosse a admirável evolução industrial do beneficiamento pela via úmida, despolpando a massa toda de café e obtendo um gênero sem rival. A produção cafeeira dos nossos concorrentes está, pois votada ao estacionamento, na melhor das hipóteses."[3]

A capacidade trazida pelo capital não compensava os problemas com o trabalho e a política: "O que ainda mantém a indústria cafeeira hispano-americana é o salário baixo, permitindo um custo de produção igualmente baixo, embora mais elevado, em geral, que o do café brasileiro. Eleve-se o salário e desaparecerão as fazendas. Quando esta limitação para a produção não bastasse, haveria para completar a obra um fator de poderosa influência: a situação social e política de quase todos aqueles povos. [...] Onde campeia o abuso, o despotismo interesseiro e o desprezo pela propriedade, as humilhações e vexames a que todos são voltados a sujeitar-se [a] outros, é baixa a capacidade de atração de capitais."[4] Somados os fatores, a vantagem final da produção brasileira era clara: "O Brasil está colocado na vanguarda de todos os países produtores tanto no que concerne à quantidade como em relação à organização da indústria e seu aparelhamento. A indústria cafeeira em nosso país, especialmente em São Paulo, é uma verdadeira maravilha, sem rival no mundo."[5]

Além do relatório secreto, Augusto Ramos produziu um livro, publicado ainda em 1905, sob o título de *Valorização do café – Estudo sobre o projeto de Alexandre Siciliano*. Apesar da homenagem pública ao companheiro de ideias, a obra trazia uma portentosa atualização do pensamento do próprio autor, viabilizada pela qualidade dos dados estatísticos que recolhera na viagem. O norte conceitual de todo o projeto continuava sendo o mesmo da primeira apresentação em *O Estado de S. Paulo*, dois anos antes: a consideração de que o equilíbrio entre oferta e procura de café só podia ser determinado pelo conhecimento de um equilíbrio estatístico em prazos longos. Mas aquilo que era um argumento acima de tudo conceitual se transformara, depois da viagem, numa sequência de argumentos ancorados em dados reais.

O primeiro deles era a estrutura de longo prazo do comportamento do mercado: "Tratando-se de colheitas anuais como as de trigo, milho, arroz, fumo e algodão, o remédio seria moderar as plantações durante um ano, para que se estabelecesse um equilíbrio entre estoque e consumo. O café, no entanto, é uma planta que requer de cinco a seis anos para se formar, determinando o emprego de considerável capital, que deve ser empregado não somente no cuidado das plantas mas também nas instalações necessárias, tais como edifícios, maquinismos, mecanismos de transporte etc. [...] Não é possível, portanto, solver uma crise originada por excesso de produção de café de um ano para outro, nem também é possível aumentar sensivelmente o suprimento de café em tempo menor que sete ou oito anos."[6]

Também continuava de pé o pressuposto de que esse equilíbrio não era apenas uma questão regional, mas mundial. Os dados relevantes para a análise desse equilíbrio vinham no livro sob a forma de tabelas estatísticas elaboradas a partir dos dados obtidos durante a viagem. Para expurgar as variações sazonais dos cálculos de produção e consumo, Augusto Ramos empregou médias móveis de cinco anos, uma sofisticação muito incomum na época. A primeira dessas tabelas apresentava a produção mundial, além da participação do Brasil nesse cenário, no período de 1870 a 1905. Os números mostravam dois processos claros. Nesse intervalo, a produção havia mais que dobrado, passando de 7,3 para 16,4 milhões de sacas. Mas esse crescimento era desproporcionalmente distribuído entre os países. A produção de todos os demais países mantinha-se estacionária, em torno de 4 milhões de sacas, ao passo que a produção brasileira saltara de 5,5 para 12,4 milhões de sacas. Como resultado dos dois processos combinados, a participação brasileira aumentara de 45% para 76% de todo o mercado mundial. Mais ainda, o grosso desse salto acontecera na década anterior; entre 1895 e 1905 a participação brasileira passara de 59% para 76% do mercado mundial.

A segunda tabela montada por Augusto Ramos mostrava que o aumento da produção vinha acompanhado de um crescimento do consumo em todo o mundo no período 1880-1905. Mais ainda, permitia entrever uma constância no incremento do consumo, num período que conhecera duas tendências opostas de preços (forte alta entre 1885 e 1896 e fortes baixas daí até o momento do estudo). Os números sustentavam uma afirmação: "Por essa tabela se vê que no meio de todas as vicissitudes atravessadas e não obstante os altos preços mantidos durante longo período, o consumo de café esteve sujeito a um constante aumento, garantindo um certo acréscimo na produção."[7]

Se a primeira tabela mostrava a construção de uma posição dominante do Brasil e a segunda uma tendência positiva para o mercado, a terceira relacionava a produção e o consumo com estoques e preços, conduzindo diretamente ao dado fundamental: havia necessidade imperiosa de um estoque para manter o equilíbrio entre oferta e procura. A razão para a estocagem vinha dos próprios ciclos da produção: as safras do café são irregulares, variando de acordo com o clima e a produção anterior . Esse fato era demonstrado em números. A tabela mostrava que os estoques mundiais se mantiveram elevados mesmo no período de preços altos anteriores a 1897. E cresceram violentamente quando começara a baixa, passando de 4 milhões de sacas, em 1897, para 12,3 milhões, em 1904 – caindo pela primeira vez no ano seguinte, para 11,3 milhões. Como proporção do consumo mundial, nos mesmos períodos os estoques subiram de 32% em 1897 para 78% em 1904 e desceram para 71% em 1905.

Depois de considerar produção, consumo e estoques, Augusto Ramos entrava na análise dos preços. Essa análise considerava a existência de um nível obrigatório de estoque, por ele estimado em 50% do consumo mundial. Tal obrigatoriedade fundava uma suposição importante: quando os estoques atingiam esse patamar, seus detentores o mantinham mesmo em caso de forte alta de preços, como ocorrera no período 1885-1887, pois seria mais lucrativo reter que vender. Inversamente, o café comprado na baixa era estocado para garantir a continuidade do preço no varejo. A combinação das duas tendências resultava na estabilidade desses preços: ao longo do ciclo de alta e baixa, o preço no varejo permanecera quase constante tanto na Europa como nos Estados Unidos. Assim o estoque servia para equilibrar oferta e procura no longo prazo, equilíbrio esse expresso pela estabilidade do preço no varejo.

Toda essa análise era quase inteiramente estranha aos formuladores das políticas brasileiras. Eles empregavam conceitos de ajuste entre produção e consumo que, perto do refinamento do método de Augusto Ramos, eram extremamente toscos. A teoria de Joaquim Murtinho e Leopoldo Bulhões supunha ajustes automáticos entre oferta e procura pelo preço à vista praticado nos portos brasileiros, ignorando as tendências de longo prazo e o papel dos estoques para regular a combinação de oferta instável com demanda ascendente. Todo o projeto de Augusto Ramos, com base em novos conceitos estatísticos (os mesmos empregados pelos investidores que detinham o estoque), trazia também novas soluções – igualmente baseadas em projeções estatísticas, dessa vez relacionando o futuro do mercado com as tendências históricas mostradas pela análise do passado. E começava esse passo com uma avaliação da produção futura brasileira: "Com referência à produção brasileira, foram taxadas proibitivamente as novas plantações em São Paulo há mais de dois anos, tendo de continuar em vigor a mesma lei até 1907. Consequentemente a produção brasileira não pode aumentar nos próximos nove anos."[8]

O texto, escrito para publicação imediata, mantinha em reserva a conclusão do relatório da viagem, pela qual também os concorrentes não teriam capacidade de aumento rápido da produção. Dessa forma, o raciocínio previa uma produção mundial estável. Por isso todas as projeções para o futuro se faziam com uma combinação de produção média estável de 16 milhões de sacas anuais e aumento de 2,5% anuais no consumo – taxa menor que a tendência histórica nas duas décadas anteriores. Tais pressupostos embasavam as projeções futuras: o estoque mundial de café aumentaria em 1906, caindo lentamente nos anos seguintes. Seguindo a proporção, os estoques chegariam a 50% do consumo em 1910 – quando então os preços deveriam sofrer um aumento acentuado: "Ao fim da safra de 1910-11 (30 de junho de 1911) o consumo total terá atingido 18 milhões de sacas e os estoques estariam reduzidos a 6 milhões, isto é, um terço do consumo. Os preços se elevariam a mais de 100 francos."[9]

Mas essa alta não era a que interessava ao estudo. Pelo contrário, o objetivo do projeto era a estabilidade. Por isso o preço que se queria era outro. Também foi calculado estatisticamente, com base no custo médio do café ao longo dos vinte anos anteriores para um comprador francês (o que mostra que ele também recebera estatísticas de outros mercados): "Tomemos a média e vejamos o justo preço do artigo: 81 francos por 50 quilos. O Brasil, no entanto, se contentaria com menos: 70 a 75 francos."[10] Essa seria a renda dos produtores brasileiros caso o café fosse comprado por capitalistas estrangeiros e transformado em estoque regulador a ser colocado no mercado nas condições estabelecidas pelo projeto de Alexandre Siciliano: liberação automática das vendas quando o preço fosse atingido.

Assim ficava acabado um plano concebido e forjado na sociedade brasileira e que ganhara consistência à medida que passava por críticas que resultavam em aperfeiçoamentos e no apoio de produtores dispersos, autoridades municipais, congressos nacionais. Daí se institucionalizara um pouco, através do Legislativo paulista. Agora recebia forma acabada graças ao apoio de um governador. Mas o que de fato interessava não era o conhecimento do passado, mas a viabilidade para o futuro. No trabalho, essa viabilidade aparecia apenas como projeções estatísticas supondo o mercado controlado pelos detentores do estoque. A primeira e mais atraente suposição era a da compra do café por um preço 50% maior do que o praticado no mercado à vista em Santos naquele momento, que era de 50 francos e passaria a 75.

Mas havia duas condições hipotéticas essenciais para a operação ser bem-sucedida: um comprador com dinheiro para pagar e um governo capaz de garantir o controle da oferta pelo prazo mínimo de seis anos. Naquele momento havia apenas uma regulamentação punitiva de aumento da produção em um estado. Todo o mais era pura esperança: "A realização do negócio representado pelo projeto oferecerá incalculáveis vantagens para ambas as partes interessadas."[11] No momento em que o relatório foi redigido, a maior dificuldade era a de encontrar alguma relação entre o emprego da palavra "governo" na proposta e a realidade brasileira. No papel era fácil aplicá-la com o sentido de um sócio essencial do negócio, que daria a segurança necessária para a operação ao entrar com as garantias de contenção da produção, durante um período mínimo de seis anos. Lendo o relatório, o mais plausível ator nesse papel, o governador Jorge Tibiriçá, sabia muito bem que nenhum investidor estrangeiro de porte chegaria ao ponto de confiar seriamente nessa definição. Mas então os fados da política operaram milagres.

CAPÍTULO **54**
> *O plano do café:*
oportunidade quase milagrosa

Ainda enquanto Augusto Ramos se preparava para partir em viagem, no final de 1904, o senador José Gomes Pinheiro Machado solicitou uma audiência ao presidente Rodrigues Alves. Filho de um sorocabano que fugira para o Rio Grande do Sul na revolução de 1842, ele ganhara muito dinheiro comprando mulas na campanha gaúcha e revendendo-as na feira de Sorocaba. Assim mantinha fortes ligações com os negócios paulistas. Já os laços políticos eram mais tênues. Depois de formado voltou para casa e foi um fiel militante do Partido Republicano Riograndense. Seguia todas as orientações do ditador Júlio de Castilhos, incluindo a de se tornar senador. Depois da morte de Castilhos, passou a seguir as ordens do ditador herdeiro, Borges de Medeiros, mas agora com luzes próprias. Como o novo ditador era um político local e o senador tinha bastante experiência na política da capital, Borges de Medeiros delegou-lhe ampla autonomia no cenário nacional.

Pinheiro Machado soube aproveitar. Por seu mérito havia se tornado vice-presidente do Senado, cargo que implicava outras fidelidades. Jamais afrontou o presidente da República, como faziam outros políticos positivistas. Desenvolveu com isso um estilo muito próprio. Morava numa mansão no morro da Graça.[1] Saía de manhã e, durante o dia, andava pela cidade com trajes peculiares: casaca durante a semana ou bombachas nos finais de semana, invariavelmente acompanhadas de botas de montar de salto alto, chapéu-de-chile, gravata bem laçada presa por uma pérola, colarinho engomado e lustroso, cabelos longos soltos na nuca, a bengala com uma figura de unicórnio engastada em marfim. Enquanto perambulava, ia convidando quem achava interessante no caminho para jantar em sua casa. Quando chegava lá, no começo da noite, a sala estava cheia. Mandava botar a mesa, servia-se em primeiro lugar. Às vezes não havia comida para todos e então se providenciavam porções extras de farofa. Depois do jantar ia para a sala de visitas e conversava até a chegada do fiel Jouvin, seu parceiro diário de bilhar. Enquanto os dois taqueavam, reinava o silêncio, só interrompido por aplausos ao anfitrião, invariável vencedor das partidas.

Ali gestara uma ideia adequada a seus modos finórios, que foi testar na audiência presidencial. O registro da conversa de raposas foi detalhado por Rodrigues Alves em seu diário íntimo: "Apareceu-me em uma manhã o general Pinheiro Machado, que deu-me conhecimento de suas intenções. Achava bom o Campos Sales: já tinha sido presidente; precisava de uma reparação pelo modo como saiu; era paulista, mas indicado por um amigo de outro estado, por certo a indicação não me molestaria."[2] Em seguida vinha o essencial, o não dito: "Não acreditei na sinceridade do Pinheiro Machado, e a minha primeira impressão foi que ele queria inutilizar São Paulo ou os candidatos paulistas, seja para favorecer o Rui [Barbosa], de quem se mostrava íntimo, ou ao menos para dividir-nos no estado, porque ele conhecia a sua política e sabia muito bem das tendências contrárias a Campos Sales vindas do seu seio."[3]

Mesmo vislumbrando a manobra, o presidente da República não teve como evitá-la. Pinheiro Machado saiu da conversa com o presidente para as entrevistas com jornalistas, e logo havia uma candidatura na praça. Melhor ainda, o candidato lançado não hesitou em vestir a carapuça. Ao ler o seu nome nos jornais, lembrado por alguém desvinculado do presidente, Campos Sales mostrou-se nas nuvens em carta a um amigo: "Só num caso ser-me ia permitido aceitar uma segunda eleição: o de que minha indicação viesse a ser o resultado inequívoco de um movimento espontâneo e generalizado da opinião do país, fora da esfera de influência oficial ou dos intuitos das facções. A não ser isto, nada. Ora, uma intervenção, embora velada, do presidente, seria bastante para fazer suspeitar da espontaneidade deste movimento. Ao Rodrigues Alves só cabe uma atitude se porventura for lançar minha candidatura: a mais completa e escrupulosa abstenção."[4]

Campos Sales ignorava, em nome da esperança no "movimento espontâneo", a regra que ele mesmo lançara: a sucessão era assunto de exclusiva competência do dono da cadeira presidencial, após consultas aos donos de algumas cadeiras de governador. Deixando-se embalar pelo sonho da volta, colaborou para diminuir muito a margem de manobra do "depositário unipessoal" na sucessão. O ex-presidente era vaidoso – mas não cego. Na total ausência do "movimento generalizado de opinião" a seu favor, em 5 de março de 1905 escreveu a Pinheiro Machado: "A questão das candidaturas presidenciais, segundo penso, já está bastante clara para que possamos tomar resoluções definitivas. É fato agora conhecido que Jorge Tibiriçá, em decidida solidariedade com o grupo oficial que o rodeia, manifestou, por carta a Rodrigues Alves, suas simpatias pela candidatura de Bernardino de Campos. [...] Agora sabe-se que Rodrigues Alves é hostil à minha candidatura (está claro que não indago os motivos) e que, se nesse sentido não age a descoberto, vai, entretanto, autorizando calculadas indiscrições. Diante dessa fase imprevista – ao menos para mim – temo que meu nome possa servir para agitações. [...] Não procurei afastar meu nome desde o primeiro momento, porque, como os amigos me indicaram, cheguei a crer, talvez por demais confiadamente, que ia no movimento iniciado por V. Exa. uma manifestação real e espontânea da opinião nacional. Confesso que não deixava de encher-me de grato desvanecimento por ver aí a consagração de minha conduta no governo. Uma vez sob o estímulo de interesses de outra ordem se abre o litígio, e apraz-me dar-me por vencido, sem combate. Ponho-me fora da liça."[5]

O atilado Pinheiro Machado, alegando estar perdido nalguma coxilha comprando animais, levou mais de um mês para responder – e retrucou pedindo que seu candidato não desistisse oficialmente, pelo menos até quando voltasse da viagem. Ainda no interior, conseguiu organizar manifestações de apoio ao candidato em vários estados. Uma delas, essencial, foi a dos acadêmicos de direito em São Paulo. As palmas e vivas dos estudantes tiveram o efeito desejado: Campos Sales não tornou pública a renúncia e continuou no papel de candidato não oficial – já sabendo que jogava contra o presidente, magoado pela "hostilidade" dele à candidatura. Pinheiro Machado foi às nuvens. No dia 6 de maio foi entrevistado em Santos, a bordo do navio que o levava de Porto Alegre ao Rio de Janeiro. Toda a entrevista foi uma defesa da candidatura de Campos Sales, sem deixar de criticar o presidente: "Sou absolutamente contrário à escolha do presidente da República feita pelo seu antecessor. Este deve manter a mais completa e estrita neutralidade e deixar que o país se manifeste livremente."[6]

Todos os atores importantes no cenário – Rodrigues Alves, Jorge Tibiriçá, Campos Sales e Pinheiro Machado – sabiam perfeitamente que a candidatura Campos Sales era inviável. Mas não puderam evitar o efeito temido pelo presidente Rodrigues Alves desde o dia em que conversara com Pinheiro Machado: havia de fato uma divisão em São Paulo. Mas também eram matreiros, de modo que Jorge Tibiriçá resolveu dar o troco para Pinheiro Machado na mesma moeda: indicou ele mesmo outro paulista para a presidência, Bernardino de Campos. E este estreou como candidato também pela imprensa. No dia 26 de junho de 1905, uma entrevista sua virou manchete de *O País*, jornal carioca que apoiava o governo. Apresentou seu programa com as seguintes palavras: "A situação do Estado é boa, urge atender o povo. É evidente que o ideal republicano não é chegarmos à situação de termos o Estado próspero e uma população miserável; é obtermos uma situação onde a prosperidade do Estado seja o expoente da prosperidade da população. O que é preciso para isso? Ora, que na indústria pastoral, na indústria fabril e nas extrativas, que o resultado do trabalho reverta para elas, permitindo uma vida melhor e a acumulação de reservas."[7] Com relação ao câmbio, Bernardino propunha uma medida imitativa: "Poderíamos admitir talvez um mecanismo semelhante à Caixa de Conversão argentina."[8]

Essa caixa comprava moeda estrangeira a preço fixo, emitindo títulos de papel para a circulação interna – algo que soava como música para os defensores da valorização do café. Para completar, Bernardino propunha que a ação do Estado, na esfera federal, se deslocasse para as áreas da educação e da infraestrutura – inclusive sugerindo formas de reforma agrária – para alcançar as novas metas de desenvolvimento nacional. Como notou Américo Lacombe: "Dizia simplesmente que no Brasil tudo estava errado, estava tudo torto, necessitando de completa e urgente reorganização. Uma refusão tão profunda nas bases econômicas do país, uma reforma tributária e administrativa tão ampla que, sem o dizer, indicava uma próxima reforma constitucional. O exame foi feito de uma maneira tão áspera que assustou ao mundo político."[9] A existência de duas candidaturas paulistas era um sinal claro: não haveria presidente da República saído de um estado dividido. Pinheiro Machado leu o sinal e tomou o trem para Minas Gerais, onde conversou com o vice-presidente, Afonso Pena, pensando em apoiá-lo como candidato. Ainda segundo Américo

Lacombe: "Pena objetou ao general Pinheiro que o modo por que compreendia os deveres do cargo, além de antigas relações pessoais com o presidente da República, não permitiam que ele se tornasse um centro de oposição."[10]

Apesar do recado claro da lealdade ao presidente, Pinheiro Machado começou a trabalhar quase abertamente pela candidatura de Afonso Pena, como se ela fosse de oposição. Em 27 de julho de 1905, Pinheiro Machado anunciou em público a candidatura. Mas Afonso Pena, na carta em que comunicou o fato ao governador mineiro Francisco Sales, avisou: "Pinheiro Machado quer evitar a conflagração que virá fatalmente se o Dr. Bernardino de Campos for eleito presidente."[11] Pensando como se a candidatura de Bernardino de Campos fosse séria, Pinheiro Machado tratou de preparar as maiores adesões que conseguisse, entre elas a indicação de Nilo Peçanha, governador do Rio de Janeiro e conhecido florianista, para a vice-presidência. Mas era também vaidoso de seu papel como construtor de uma presidência, de modo que não percebeu certos detalhes fundamentais nem mesmo quando Afonso Pena falava em lealdade ao presidente – frase cujos fundamentos eram desconhecidos pelo senador.

O presidente Rodrigues Alves deixou Pinheiro Machado aparecer à vontade com as apresentações públicas de candidaturas e os palpites sobre o que deveria fazer um presidente. Mas fez o que devia, conhecendo as pretensões do senador. Já em fevereiro de 1905, ainda quando o arauto visitava as coxilhas, Campos Sales nem havia escrito a carta de renúncia e Bernardino de Campos não era candidato, mandou um emissário de confiança a Barbacena, para uma conversa reservada com Bias Fortes, um dos líderes do Partido Republicano Mineiro. Após a reunião, este escreveu a Afonso Pena: "O doutor Lamounier aqui esteve ontem e afirmou-me que o Dr. Rodrigues Alves não cansa de falar na sua candidatura. Entende o Dr. Rodrigues Alves que o Lauro Muller era um bom candidato, mas que é moço ainda. Diz o Lamounier estar o presidente aflito que se aclare a situação a favor de sua candidatura, por ficarem afastadas as de Campos Sales e Bernardino com as quais se conformaria só por imposição da maioria, que julga difícil ou senão impossível."[12]

Duas semanas depois, em 15 de março, o próprio Rodrigues Alves escrevia a Afonso Pena: "Tinha conseguido que meu estado não se adiantasse, de modo que eu pudesse, na ocasião própria, conhecendo as correntes, animar a que fosse mais indicada. A atitude do Pinheiro Machado, fazendo uma agitação intempestiva, perturbou essa expectativa. O seu fim era evidentemente contrariar a corrente que ele supunha estabelecida para o estado de Minas e, direi melhor, em torno de seu nome. [...] É provável, pois, que haja muitas dificuldades a vencer e daí a necessidade de procurarmos guardar uma certa conformidade de vistas, evitando divergências e acalmando ressentimentos."[13]

Cinco meses depois, o presidente e o candidato mineiro continuavam mantendo conformidade de vistas. Ao receber todo o apoio de Pinheiro Machado, comunicou o sucesso ao presidente da República a quem tinha sido fiel o tempo todo. Quando soube que a isca tinha sido mordida, o presidente teve o prazer de dar a fisgada. No dia 13 de agosto de 1905 o presidente Rodrigues Alves escreveu a Bernardino de Campos: "Há dois dias dão-me conhecimento da adesão definitiva de Minas à candidatura do Dr. Afonso Pena. [...] Parece agora que o melhor será o Sr. fazer pronunciamento pelo Dr. Pena, com a promessa de interessar os seus amigos no mesmo sentido. Poderá fazer diretamente esta comunicação, dando conhecimento à imprensa do que houver decidido. Penso que este arbítrio não lhe causará muito, pelo que me recordo que, quando o ouvi sobre a candidatura Pena à vice-presidência, referiu-se a ele em termos muito lisonjeiros. Assim terá a vantagem de concorrer para que se dê em favor da referida candidatura uma unanimidade que afastará o caráter que querem lhe dar de oposicionista ao atual governo. Peço-lhe que converse a respeito com o Dr. Tibiriçá."[14]

Em apenas dois dias o pescador virou pesca. No dia 16 de agosto o governador Jorge Tibiriçá declarou seu apoio a Afonso Pena. Quase na mesma hora, a Comissão Central do Partido Republicano Paulista informava que daria total apoio à decisão de seu indicado à presidência. Todos pensavam que era Bernardino de Campos. Mas, nesse mesmo dia, ele fez vazar para *O Jornal*, de São Paulo, os termos de uma carta enviada ao presidente da República pela qual enaltecia seu papel na candidatura vencedora: "Nela tece o Sr. Bernardino de Campos os maiores elogios à correção do Sr. conselheiro Rodrigues Alves neste delicado assunto, salientando sua imparcialidade face aos dois candidatos, ele e o Sr. Campos Sales, apresentado pelo senador Pinheiro Machado, quando de toda gente eram conhecidas suas simpatias pessoais pelo Sr. Afonso Pena."[15] De repente o candidato de oposição ganha todo o apoio da situação – e Pinheiro Machado se vê na gaiola. Até mesmo jornais informados, como *O Estado de S. Paulo*, passaram recibo da desinformação atarantada: "Mas, surpresa! Quando a coligação formada pelo Sr. Pinheiro Machado se tornara poderosa, invencível, como procederam o Sr. Rodrigues Alves, o Sr. Tibiriçá, a Comissão Central? Procuraram conquistar a opinião nacional? Tiveram a hombridade de provar o quanto eram sinceros? [...] Deviam sustentar seu candidato até o fim. É o que lhes sugeria a honra. Mas, não! Preferiram abandoná-lo, ferido em sua honra, maltratado, perdido. Digam o quanto disserem que ele renunciou. A verdade não pode ser encoberta."[16]

A verdade, no caso, é que, num único golpe, dera-se o milagre: havia um candidato a presidente da República sagrado e quase eleito – que também sabia tirar proveito do que não falou – como Campos Sales havia feito com suas ideias econômicas. Afonso Pena não tinha falado uma palavra sobre o Plano de Valorização do Café. Sagrado candidato, continuou mudo a respeito. Mas a candidatura era o sinal: estava na hora de colocar em prática o plano.

CAPÍTULO 55
> *O Convênio de Taubaté*

A PRIMEIRA INFORMAÇÃO DE QUE A VALORIZAÇÃO DO CAFÉ ESTAVA PASSANDO DA fase das teses e conceitos para a luta real veio em 16 de agosto de 1905, o mesmo dia em que o governador Jorge Tibiriçá anunciou em público a adesão à candidatura de Afonso Pena. O autor do aviso foi o senador estadual Siqueira Campos, membro da Sociedade Paulista de Agricultura: "São Paulo, por si só, não pode resolver o problema da valorização do café. Precisa recorrer à ajuda de outros estados para poder enfrentar aqueles que especulam sobre o café. Nesse sentido o governo no estado está mandando emissários aos governos do Rio de Janeiro e de Minas, para se entenderem sobre um modo de estabelecer uma ação conjunta."[1]

Oito dias depois, um jornal da cidade de Juiz de Fora, *O Farol*, inadvertidamente dava um furo. Na edição do dia 24 de agosto, anunciava a partida de José Monteiro Ribeiro Junqueira, deputado federal e presidente da companhia de eletricidade Cataguases-Leopoldina, rumo à cidade de Taubaté, a fim de "trabalhar no plano de valorização do café com delegados de São Paulo e Rio de Janeiro".[2] Afora esse pequeno vazamento, a reunião prévia dos emissários aconteceu em total segredo, mas suas deliberações repercutiram em vários pontos. Logo após a conversa, os parlamentos estaduais passaram a aprovar leis. Em Minas Gerais, o governador Francisco Sales conseguiu passar uma delas em apenas duas semanas, como mostrou Marcos Martins de Oliveira: "Foi aprovado o projeto que autorizava o governador a entrar em acordo com o governo federal e outros estados cafeeiros 'para adoção de medidas que tivessem por fim elevar o valor do produto, regularizar sua exportação e normalizar o seu comércio'. Além disso, houve a 'disposição que lançava um imposto proibitivo sobre as novas culturas', transformada na lei número 400, de 13 de setembro de 1905."[3]

Rodrigues Alves sabia que leis não dão em árvores e entendeu o sinal mineiro: a implantação do programa de valorização do café estava em curso. Era uma descoberta amarga. Repetia-se, com sinal trocado, a ingrata surpresa que o presidente-eleitor Prudente de Morais tivera com o programa do presidente eleito Campos Sales. Com pouco mais da metade do mandato cumprida, Rodrigues Alves estava vendo se armar uma manobra para lhe impor, à vista de todos, uma política econômica oposta à que defendia em público. Não fez como Prudente de Morais, que engoliu o sapo para que o governo da nação tivesse continuidade. Mandou a banda tocar na rua: pediu ao amigo (e companheiro no antigo Partido Conservador imperial) Antônio Prado para atacar o projeto de valorização do café pela imprensa. O mais rico empresário de São Paulo se entendeu com o maior jornal do país – o *Jornal do Commercio*, do Rio de Janeiro. Assim, o anúncio da resistência foi um verdadeiro petardo.

No dia 23 de setembro de 1905, *O Estado de S. Paulo* reproduziu a reportagem publicada no dia anterior na capital do país. A primeira pergunta era um pedido de opinião sobre "o projeto de valorização do café que o governo de São Paulo adotou e que está servindo de base para acordos iniciados com os governos de Minas e do Rio de Janeiro".[4] A resposta de Antônio Prado foi direta: "Penso que estão completamente iludidos os que julgam ter encontrado remédio para a crise da lavoura cafeeira com esses processos." Sobre a proposta correlata de desvalorização cambial, foi igualmente duro: "Pode parecer que o produtor, vendendo sua mercadoria em ouro, lucra mais com a baixa do câmbio. Porém, são tais as oscilações cambiais que o lucro quase sempre desaparece." A interpretação foi inequívoca: essa seria a posição do governo e do presidente da República. Até então, um tiro como esse sempre fora fatal: em toda a República, ninguém ousara desafiar a autoridade do dono da cadeira, ainda mais em guerra aberta.

Mas dessa vez seria diferente. No mesmo dia da entrevista com Antônio Prado, o jornal publicava um sinal de que o plano de valorização continuava valendo: um artigo do industrial Alexandre Siciliano discutindo a estrutura do contrato a ser firmado e que permitiria a compra do café. Era uma discussão importante, porque faltava ainda um detalhe essencial: saber quem seria o "governo" sempre citado nos planos mas nunca especificado. No dia 25 de setembro de 1905, os senadores estaduais paulistas começaram a discutir um projeto autorizando "o poder executivo do estado a entrar em entendimento com os governos dos estados interessados na cultura de café para a adoção de medidas que assegurem a valorização do produto".⁵ E já na segunda sessão apareceu o desenho completo de uma medida que fazia parte do projeto mas também não fora especificada: uma mudança na política cambial brasileira. O encarregado de apresentar a medida foi o senador Luiz de Toledo Piza e Almeida.

Nascido em Capivari, Luiz de Toledo Piza era advogado e dividia o tempo entre os negócios da Companhia Antarctica Paulista, a direção do Instituto Histórico e Geográfico de São Paulo (em cuja revista publicava trabalhos sobre os primeiros anos da vila), a cátedra de economia política da Escola Normal[6] e a direção do *Correio Paulistano*, o principal concorrente de *O Estado de S. Paulo*.[7] Por conta própria, ele aproveitou as discussões da autorização para negociar a questão do café e introduziu nela um adendo na sessão de 26 de setembro de 1905: "Devo remeter ao Senado nos próximos dias uma indicação para que se dirija ao Congresso Nacional uma representação no sentido de se adotar na legislação financeira do país uma medida idêntica à que a Argentina adotou em 1891 e cujos resultados têm sido os mais eficazes."[8]

Na Argentina, a medida fora adotada em meio a um turbilhão, ocasião em que o país se tornara o centro da crise mundial ao não honrar o pagamento de suas dívidas. Era uma ideia simples: o governo criou uma instituição que comprava e vendia moeda estrangeira e títulos cambiais pelo preço de mercado do dia – então, apenas 42% da cotação oficial do peso. A compra era paga com notas de papel, que podiam ser trocadas de volta pela mesma cotação. Além de simples, o mecanismo revelou-se muito eficiente. Como a Argentina mantinha saldos comerciais positivos, havia moeda estrangeira disponível para ser comprada. E como não havia limite para as compras, que eram pagas com mero papel impresso pelo governo, ninguém apareceu para especular contra o mecanismo vendendo ouro. O êxito do esquema permitiu que a Argentina saísse depressa da crise, combinando emissão de papel-moeda e estabilidade cambial, pois não faltaram portadores de moeda lastreada em ouro para vender. A taxa de juro baixou, o crédito se ampliou e o crescimento econômico voltou a ser explosivo como antes.

O senador Toledo Piza registrou as diferenças com admiração: "Hoje a República Argentina está inteiramente na comunhão econômica de todos os países adiantados do mundo, ao passo que nós estamos no mais absoluto isolamento. A Argentina goza de uma folga extraordinária, ao passo que nós somos oprimidos por uma insuportável deficiência de capital."[9] Também não deixou de notar de onde viria a resistência para sua sugestão: "Desde já responderei à primeira objeção que se oferecerá, e que é a mais grave: é aquela que se contém no parecer de todos os nossos economistas e financeiros, e se repete ultimamente nos relatórios do ministro da Fazenda: que, sendo tal processo uma quebra de padrão monetário, ele representa uma falência interna, uma falta de fé nos contratos. Este argumento nada prova, uma vez que o resgate gradual do papel não é outra coisa senão uma quebra parcializada do padrão monetário. Quando o governo contrai um empréstimo para resgatar parte do papel, ele resgata pelo preço corrente na praça, não pelo estalão monetário. Nessas condições dá-se a falência parcial, a falsa fé com relação àquela parcela, por pequena que ela seja, subtraída à circulação."[10]

Toledo Piza tinha, portanto, uma noção bastante exata das resistências à sua proposta, que ia no sentido oposto ao dos principais ensinamentos de toda a vasta escola derivada da tradição conservadora do Império, guia de todos os ministros do partido – e lei pétrea das duas últimas administrações republicanas no poder: a correspondência entre determinada quantidade de ouro e outra de mil-réis, expressa numa lei de 1846, era a promessa sagrada do soberano, a base da credibilidade de todos os contratos, o objetivo final de toda a política econômica. Tudo o que acontecia na realidade, no dia a dia dos mercados, nas trocas efetivas entre os agentes, deveria ser subordinado a esse norte único, fixo, invariável: o governo estava empenhado em garantir a promessa da troca da moeda nacional por ouro na quantidade prometida. Esse objetivo não significava apenas adesão ao padrão-ouro. Era uma adesão numa proporção determinada, no valor fixo de 27 pence por mil-réis. Como essa possibilidade não se realizava na prática do mercado, a culpa era jogada sobre a moeda de papel, fonte de todos os erros morais, e não apenas monetários.

O mecanismo argentino, chamado de "caixa de conversão", dividia o problema em duas metades. De um lado, o país mantinha a paridade legal. Porém, em vez de um norte absoluto, passou a tratá-la como questão de conveniência. Acima da cotação legal foi posto o objetivo da estabilidade: a caixa comprava e vendia pelo valor de mercado, abaixo do oficial. Quando julgasse oportuno, o governo poderia dar passos na direção da coincidência entre o valor de mercado e o valor legal da moeda. A criação de um padrão estável, ainda que não o da lei, funcionando sem que a paridade legal tivesse sido abolida, gerava uma diferença fundamental. Havia a vantagem da taxa relativamente fixa e previsível, mesmo numa moeda inconversível. Mas, sendo uma taxa mais baixa do que a prevista em lei, permitia o estudo de cada um dos fatores – paridade e câmbio estável – de maneira isolada.

Assim se descortinava um mundo novo, inclusive para o Brasil, anunciado pelo senador: "Se fizéssemos uma operação desta natureza teríamos a possibilidade de avaliar nosso café aqui internamente, avaliar nosso trabalho, avaliar as remunerações sem as possibilidades das oscilações que têm ocorrido. [...] Nós produtores de café não estaríamos isolados do esforço conjunto de toda a nação. O produtor de borracha teria as mesmas vantagens que nós, bem como os produtores de outras matérias exportáveis. Nessas condições não é possível que, por preocupações meramente teóricas, deixemos de realizar um passo que não nos traz risco nenhum."[11] As vantagens da caixa de conversão não seriam apenas setoriais, uma vez que não tinham a mesma natureza da compra de estoques de café. Elas serviriam para aumentar a renda de todos os exportadores brasileiros. Seria um caminho nacional, não um trabalho regional.

E também um caminho para alianças políticas. Lançada numa casa de políticos, a ideia em poucos dias foi vista como o ovo de Colombo, empolgando o Senado paulista. Toledo Piza transformou a empolgação numa curta emenda, que previa "representar ao Congresso Nacional sobre a conveniência e oportunidade de serem adotadas medidas tendentes à fixação definitiva do câmbio, a exemplo do que se fez na República Argentina".[12] Com a aprovação da emenda, dois instrumentos concorreriam para mudar a situação: a compra do estoque de café, visando aumentar a renda dos produtores, e um mecanismo cambial capaz de manter essa renda no Brasil e em moeda nacional, impedindo a alta das taxas de câmbio. No entanto, ainda restava um problema. Se o investimento em estoque desse certo e a renda dos produtores de café e de todos os exportadores nacionais crescesse, haveria mais riqueza nacional. Mas para onde iria essa riqueza?

Uma das aplicações mais óbvias para ela seria no próprio setor cafeeiro, mas isso ficava explicitamente de fora das cogitações, pois continuaria valendo a proibição de plantar. O senador Toledo Piza tinha uma resposta:

"Devemos cogitar de fazer do paulista, além de um povo laborioso, agrícola, um povo comercial, um povo industrial, porque a indústria não é mais que a aplicação do comércio à produção; a indústria é a transformação dos produtos naturais, a elaboração exigida sobre os requintes de consumo além daquilo que a natureza oferece."[13] Mas a natureza estava trazendo requintes inesperados para a batalha, como notou Thomas Halloway: "Excluídos acidentes como geadas, o tamanho de cada safra pode ser aferido oito a nove meses antes, observando, em setembro/outubro, a abundância relativa da floração. Assim os paulistas tiveram aviso prévio de que a nova safra seria muito grande; as estimativas preliminares para a safra 1906/1907 foram em torno de 12 milhões de sacas. Mas, ao longo dos meses seguintes, uma combinação incomum de condições climáticas e fatores biológicos foi elevando as previsões."[14]

As estimativas só tornavam mais agudas as incertezas, e patético o ritual político oficial que se cumpria com sua coreografia lenta. No dia 13 de outubro de 1905, no Cassino Fluminense, teve lugar o banquete político para a apresentação pública do ungido Afonso Pena. A mesa principal era um prodígio de união: Pinheiro Machado no centro, o vice-presidente e futuro presidente à sua direita, o governador Nilo Peçanha à esquerda – e todos os ministros do presidente Rodrigues Alves na mesa principal. O encarregado do discurso de apresentação era ninguém menos que o ex-ministro Joaquim Murtinho, que propagou a seguinte versão do programa econômico do candidato: "A coligação republicana não é papelista, pensa que o programa econômico e financeiro tem como ponto fundamental de sua solução a fixidez de nossa moeda. Sem fixidez da moeda não há cálculo nem previdência possível. A indústria, o comércio, todo o trabalho nacional ficam sujeitos à incerteza. A transformação do papel--moeda em papel conversível, eis o primeiro dever da República na esfera financeira e econômica. Problema de solução lenta e difícil para aqueles que o encaram pelo prisma da realidade; problema de solução rápida e fácil para aqueles que o enxergam pelo prisma da fantasia, os que pregam a conversão imediata e fixam o câmbio para esta conversão – e assentam assim esta operação em uma desonestidade por parte do Estado. Assim, meus senhores, se esta fantasia pudesse se realizar, ela modificaria de tal forma os contratos que ninguém poderia calcular a grandeza da catástrofe que pesaria sobre o comércio e, sobretudo, sobre a produção nacional."[15]

Afonso Pena, que sabia muito bem por que Toledo Piza dizia exatamente o contrário de tudo isso, fez o que devia no ritual: falar muito e não dizer nada. A transcrição da infinidade de platitudes consumiu cinco colunas maciças nos jornais. Sobre economia, falou pouco: "Para a solução do importante e complexo problema monetário, estão estabelecidas bases seguras nas leis. [...] Em tais reformas, a sabedoria do homem de Estado consiste em deixar de lado as quimeras e contar exclusivamente com os fatos reais. De uma boa situação financeira decorrem corolários práticos da maior importância para o progresso nacional. Nos tempos modernos, essa é a questão por excelência que preocupa a atuação dos governos e estadistas."[16]

Depois disso, como notou a edição do dia 27 de outubro de *O Estado de S. Paulo*, "o Sr. Afonso Pena recolheu-se aos bastidores. Foi a Minas esperar a eleição do dia 1º de março e meditar acerca do que terá de fazer".[17] Enquanto o candidato fechava-se em copas, Jorge Tibiriçá ganhava novos motivos para rir cada vez que contemplava a sua caricatura predileta, aquela da "Eloquência Oficial". Sem fazer discursos, estava pronto para desencadear novos atos. Depois da aprovação das medidas legislativas prévias em São Paulo, Minas Gerais e no Rio de Janeiro, veio a avalanche federal. No Congresso, o deputado federal Cândido Rodrigues, articulador político do governador paulista, realizou uma manobra reservada para veteranos na Câmara dos Deputados: aproveitou a discussão do orçamento para introduzir uma emenda que, como disse Afonso Arinos, "autorizava o presidente da República a entrar em acordo com os estados cafeeiros a fim de regular o comércio de café e, dizia-se expressamente, 'promover a sua valorização', dando garantias às operações de crédito realizadas para tal fim".[18] A emenda foi aprovada, tornando legais os gastos que o futuro presidente fosse fazer em nome do plano no ano vindouro. Findos os preparativos, veio a chamada de Jorge Tibiriçá para o ato inaugural da guerra.

CAPÍTULO 56
> *A guerra: o front parlamentar*

Domingo, 25 de fevereiro de 1906, dez da manhã. O trem levando o governador Jorge Tibiriçá encosta na estação de Taubaté. Recebido com foguetes e bandas de música, o governador e a sua comitiva embarcam em carruagens e cruzam a cidade embandeirada e enfeitada. Param todos na casa do coronel Marcondes de Matos, onde, às onze da manhã, é servido o primeiro banquete do dia. Em seguida, as autoridades visitam um asilo, o hospital e a sociedade de apoio às artes. Às seis da tarde voltam à estação, para receber os governadores de Minas Gerais e do Rio de Janeiro, que chegam num trem especial. Às sete horas começa o segundo banquete do dia, na casa do coronel Leite. Findos os discursos e brindes, os governadores e os negociadores se acomodam num salão fechado, às nove da noite. Apenas na segunda-feira os jornalistas conheceriam o resultado da reunião, que se estendeu até as três e meia da madrugada. No comunicado à imprensa com o texto do acordo, além das assinaturas dos governadores, havia as dos técnicos que o elaboraram, entre eles Augusto Ramos, criador do plano que, depois de circular na sociedade, nos municípios e nos legislativos estaduais, agora se tornava compromisso oficial de três governos estaduais.

Pelo Convênio de Taubaté, esses governos anunciavam que tomariam para si três responsabilidades básicas: comprar café por um preço entre 55 e 65 francos por saca de café tipo 7 (naquele momento, antes da colheita da safra, o preço estava em 38 francos); cobrar um imposto de 3 francos por saca, para cobrir as despesas do programa; criar um serviço de propaganda do café brasileiro no exterior. Para levar adiante o programa, os signatários autorizavam o governo paulista a contratar um empréstimo de até 15 milhões de libras, dando como garantia a arrecadação dos três impostos estaduais a serem criados. Até aí, assuntos de competência de governos estaduais. Mas o texto ia além. O artigo oitavo previa a razoável hipótese de que os eventuais fornecedores do dinheiro não se contentassem com a garantia dos impostos estaduais e exigissem o aval da União:

"caso se torne necessário o endosso ou fiança da União para as operações de crédito, serão observadas as disposições do art. 20, parágrafo 10, da lei 1452, de 30 de dezembro de 1905". Era a emenda atiladamente introduzida no orçamento pelo deputado Cândido Rodrigues, criando o caminho legal para a hipótese aventada no texto.

O mesmo artigo dizia mais sobre o eventual empréstimo. Se contratado, deveria ter um emprego exclusivo: "Será aplicado como lastro para a Caixa de Emissão Ouro e Conversão, [...] criada pelo Congresso Nacional, para a fixação do valor da moeda." Essa era uma flagrante invasão de competência. Os governadores presentes eram todos políticos experientes. Sabiam perfeitamente que não podiam dizer ao Congresso Nacional que fizesse essa ou aquela lei. Mas também sabiam que, sem pressão, o Parlamento manteria a política econômica tal e qual vinha sendo executada. Daí a eloquência oficial, mas havia um sentido. O Convênio de Taubaté não visava apenas comprometer os governos estaduais com a compra de café a determinado preço. Era também uma demonstração explícita de que os governadores se reuniam para lutar contra a política econômica existente – no Congresso Nacional.

A reunião aparatosa, com bandas, banquetes, discussões e tratado, tinha a finalidade de apresentar essa pauta ao público. De apelar para a opinião pública no sentido de forçar os parlamentares na direção almejada pelos governadores. A reunião pública mostrava também que a união não era pontual: o texto do acordo era de adesão a um programa claro e concatenado, discutido por vários anos e aceito politicamente. Enfim, reunia hostes importantes de um lado – e a presidência reuniu as do outro. No dia seguinte ao evento, o presidente indicou o ministro Leopoldo de Bulhões como interlocutor para tratar com o futuro presidente Afonso Pena.

A primeira carta de Bulhões ao presidente, de 27 de fevereiro de 1906, foi logo ao ponto: "Em Taubaté discute-se a valorização do café. O movimento paulista é um protesto contra tudo que se tem feito para melhorar a situação financeira e condenar a alta do câmbio. Agora quer-se a estabilização da taxa e um grande empréstimo para lastro da emissão conversível: dois coelhos mortos: conversão do papel-moeda e, ao mesmo tempo, valorização do café. Quebra de padrão é falência, já dizia Robert Peel em 1819. A grande diferença que ele notava entre a Inglaterra e os outros estados é que esta nunca havia violado seus compromissos, sua honestidade."[1] Achou pouco e voltou à carga no dia seguinte, cobrando posição do eleito: "O futuro presidente da República, em sua plataforma sobre a política financeira, afirma sua continuidade. Pois bem. Três governadores de estado reúnem-se em Taubaté e decretam: um empréstimo de 15 milhões, alteração do padrão monetário, emissão. Os telegramas de apoio chovem, uma convocação do Congresso é anunciada, o apoio das bancadas prometido. Estaremos no mundo da lua?"[2]

Mais um dia, na quinta-feira seguinte ao Convênio, com Afonso Pena significativamente mudo enquanto os governadores faziam barulho, os brasileiros foram as urnas para eleger um presidente da República. Como na época demorava a contagem de votos, a confirmação do resultado somente veio mais de uma semana depois. Só aí o presidente agiu. Em 14 de março, Rodrigues Alves negou o pedido de convocação extraordinária do Congresso para debater os projetos apoiados pelos governadores. As discussões só começariam em maio, data próxima demais ao início da colheita da monumental safra, já estimada em 20 milhões de sacas – muito além de qualquer outra jamais colhida. E, na data da abertura do Parlamento, o presidente foi claro em sua mensagem: "Não é fenômeno econômico singular o da baixa do preço do café por excesso de produção. Nunca providência legislativa alguma foi considerada eficaz para levantar, de pronto, o preço das mercadorias. Medidas provisórias, de caráter comercial ou especulativo [...], podem agitar por um tempo o mercado e produzir um movimento animador nos preços, mas a situação assim criada não subsistirá."[3]

O Convênio pretendia regular a oferta, sem alterar os preços nos mercados de consumo. O presidente considerava a hipótese fantasiosa e o desastre, certo: "Não há quem não tenha pela lavoura, a cuja classe pertenço, o mais decidido interesse. Deve-se atender a seus reclamos com critério, sem a preocupação de lisonjeá-la, afagando esperanças exageradas e irrealizáveis. Medidas imprudentes poderão produzir o efeito negativo de restringir o consumo de café, provocar reações hostis dos países que o recebem e levar os nossos mercados à ameaça de agitações."[4] Outro objetivo do Convênio também era uma taxa de câmbio baixa. O presidente defendia o contrário como verdade única em teoria econômica: "É um desacerto pensar que a lavoura do país não pode prosperar sem câmbio baixo, e uma corrente tem se formado em favor da ideia de uma taxa que a beneficie. As estatísticas demonstram, ao contrário, que, com taxas melhores que as atuais, a lavoura tem vivido e prosperado. O bom câmbio é sinal de crédito, de bem-estar e prosperidade, e todo o esforço do governo tem consistido em elevá-lo. Não será prudente abandonar essa tendência nem perturbar um trabalho que se firma em métodos financeiros já consagrados."[5]

Declarada a guerra, os parlamentares seriam juízes não apenas de concepções opostas, expressas por escrito (o que era novidade na vida brasileira), mas também de atos econômicos fundamentais que ocorreriam em seguida, assim que a safra chegasse aos portos. Como o tempo era curto, os defensores do projeto foram rápidos para avaliar a situação – com pouco mais de um mês de conversas no plenário e nos bastidores, perceberam diferenças na avaliação de cada parte do projeto: havia uma tendência a aprovar antes como lei nacional a parte do texto do convênio que autorizava os governos estaduais a comprar café, cobrar impostos e pedir empréstimos. Nada disso tinha qualquer implicação federal, até porque um aval da União teria de ser aprovado de forma separada. Já a aprovação da Caixa de Conversão seria bem mais complicada.

O projeto foi dividido segundo essa tendência. Em apenas dois dias, Senado e Câmara aprovaram as leis que tornavam nacional o apoio à intervenção no mercado de café. Além dos efeitos práticos de dar maior sustentação legal às compras, a vitória parlamentar mostrava, depois de muitos anos, que a teoria do Legislativo submisso aos "interesses da administração" era mais uma afirmação sobre um momento do que uma verdade de longo prazo. O round seguinte da luta tornou ainda mais evidente a distância. Os debates em torno da aprovação da Caixa de Conversão foram de fato discussões em torno de visões de mundo opostas. Houve várias expressões destas, mas uma mostrou-se significativa.

Até por motivos familiares, por ser um conservador com real tradição – bisneto do visconde do Uruguai, um dos maiores teóricos conservadores do Império, e neto de Paulino de Souza, que fora presidente do Senado –, o deputado Paulino de Souza era adversário exemplar do projeto. O discurso pelo qual justificou seu voto contrário contém um resumo essencial do modo como um conservador via a economia naquele momento. Na base do raciocínio, estava o conhecido dogma: "O padrão é uma medida em ouro pela qual os particulares estão obrigados a receber o papel em suas transações. Se diminuirmos essa medida indiscutivelmente há quebra no padrão, quebra da equação estabelecida entre o numerário ouro e o papel emitido pelo governo."[6] E a quebra desse padrão equivalia a fazer desabar o mundo: "A alteração do padrão é a alteração de todos os preços, é o amanhã incerto, é a desordem permanente. A moeda não cumpre mais seu papel essencial, não garante mais a transformação de bens presentes em bens futuros equivalentes. O padrão, que é a medida em ouro de todos os valores, inclusive do próprio papel-moeda, tem como primeira condição, e condição essencial, a invariabilidade em todas as épocas. A unidade da moeda deve ser absoluta no tempo e no espaço sob pena de não haver certeza nas transações."[7]

Essa relação fixa, esse pilar do mundo, deveria ser também a base única do conhecimento teórico sobre economia e o norte moral dos governantes: "Dizer que se pode, ao talante do legislador, alterar a taxa legal, isto é, o valor da moeda, conforme as condições do país aconselharem, é avançar uma proposição prática e cientificamente inadmissível."[8] O abandono desse norte era visto como atentado à razão e à justiça. O bom governo jamais poderia agir assim, e daí o discurso passava da teoria para a história, defendendo os últimos bons governos: "Se houvesse força maior, isto é, impossibilidade absoluta de o governo manter os compromissos assumidos, seria necessário afrontar com coragem uma situação tão dolorosa. Mas estamos nesta situação? Olhemos para 1897 e para a situação atual, situação cheia de esperanças, à qual chegamos pelos sacrifícios que foram solicitados da nação e que esta tem suportado tão nobremente."[9] Mas dos sacrifícios teria resultado a bonança econômica: "O valor da exportação tem aumentado, o comércio reanima-se, a situação bancária é muito mais sólida, os negócios incontestavelmente renascem. Nós tivemos a coragem de afrontar a situação em que o país se viu naqueles dias de incerteza, aceitamos o *funding loan* e o cumprimos rigorosamente."[10]

Depois de tudo isso, a proposta da Caixa de Conversão só podia ser vista como flerte com o caos: "Podemos comprometer com fantasias arriscadas uma situação cheia de esperanças, faltar aos compromissos mais solenes que uma nação pode assumir? Alega-se conveniência ou interesse público. Não conheço interesse público maior que o da justiça, segundo o qual o credor não pode repudiar suas dívidas. Não conheço interesse maior para um país que sustentar seu crédito, ainda que à custa dos maiores sacrifícios."[11]

Depois de mostrar a teoria e defender o bom governo, o deputado passou a argumentar sobre o atendimento dos interesses da sociedade. Começava pela indústria: "A nossa indústria não produz para o mercado estrangeiro; não lucra, portanto, com a moeda depreciada. Em geral, são indústrias de transformação. Têm, portanto, de importar as matérias-primas, além das máquinas de que carecem, as quais são todas fabricadas no estrangeiro, além do carvão que, no dizer de um escritor, é a segunda matéria-prima de todas as indústrias. Tudo tem, pois, a lucrar com a apreciação do câmbio, que, além disso, determina uma diminuição do custo de produção."[12] Os assalariados também ganhariam: "A alta do câmbio favoreceu também os operários, uma das classes mais dignas de interesse do legislador. A carestia da vida, consequente à elevação de todos os preços determinada pela desvalorização da moeda, mais do que qualquer outro, é sentida pelo operário, que vive de *jour en jour*, ganhando cada dia apenas o suficiente para ter o teto e a alimentação. A lentidão com que os salários acompanham os preços faz com que as classes laboriosas sofram com a depreciação da moeda."[13]

A política de elevar o câmbio também beneficiaria os compradores de produtos importados, o governo federal, os estados e os municípios: "Também desejam a subida no câmbio todos os que têm pagamentos no exterior. Acha-se em primeiro lugar o Tesouro federal. Foi a extraordinária depreciação da taxa cambial, fazendo-se sentir nas grandes remessas do Tesouro, que tornou, em 1898, tão grave e insustentável a situação orçamentária. À medida que o câmbio melhora, mais fáceis tornam-se os nossos pagamentos no exterior. O mesmo acontece com os demais estados e algumas municipalidades."[14] Os próximos na lista de beneficiados vinham de fora: "É igual o benefício para todas as empresas constituídas com capitais estrangeiros. Entre essas avultam-se as estradas de ferro. Ao lado desses interessados, acham-se aqueles que importam ou compram gêneros no exterior."[15]

Somando tudo, a valorização era o melhor: "Ela atende à maioria da nação. Ponderemos o seguinte: o valor da importação, em 1904, foi, desprezando as frações, de 500 mil contos. Ao câmbio de 16, compramos com essa soma produtos equivalentes a 33,4 milhões de libras esterlinas. Se subisse a 27, teríamos mercadorias equivalentes a 56 milhões. E como esses produtos importados são, em grande parte, gêneros de primeira necessidade, que interessam à alimentação e ao vestuário, bem se pode compreender quanto interessa à vida e ao conforto de todas as classes sociais a valorização da moeda."[16] Entre os beneficiados estariam também todos os produtores do mercado interno: "É preciso desfazer um equívoco. A produção nacional não se limita ao que se exporta, nem é essa a produção mais importante. É preciso distinguir a produção para o consumo interno e para o consumo externo. O primeiro, que não lucra com a depreciação da moeda, mas com a valorização, apresenta proporções muito maiores."[17]

Contra todos esses interesses beneficiados com a política existente, apenas um pequeno grupo lucraria com a Caixa de Conversão: "Apenas desejam a depreciação da moeda nacional os que, produzindo para o mercado externo, recebem em ouro as suas mercadorias. Estes querem o papel depreciado porque, pela mesma quantidade de ouro, recebem uma quantidade muito maior de papel."[18] Além de pequeno, estaria também iludido: "A valorização da moeda diminui o custo da produção para o fazendeiro, e a proteção que lhe dá o câmbio baixo é passageira, pois só pode durar enquanto todos os outros preços, especialmente os salários, não se levantam no mesmo nível. Assim pois o câmbio baixo a todos prejudica, ao passo que uma ascensão, lenta e moderada, a todos aproveita."[19] Por tudo isso valia a pena pensar num futuro baseado na reiteração do passado: "Os defensores do novo projeto e das quimeras perigosas e funestas que o constituem acoimam de obsoletas essas opiniões. Atribuem ao espírito atrasado e à rotina aquilo que é fruto do saber, da experiência e do bom senso. Por minha parte, foram esses os princípios que aprendi na história financeira de meu país. Sempre os defendi, com a mais firme convicção de meu espírito. Hei de sempre pugnar por eles enquanto tiver voz na representação nacional."[20]

A defesa da lei levou à expressão de posições simetricamente contrárias, como a defendida por outro deputado fluminense, José de Barros Franco Júnior, representante do estado nas negociações que levaram ao Convênio de Taubaté. A oposição começava já no modo de se definir. Em vez de se apresentar em nome da ciência e da moral, Franco Júnior se colocava no papel de empresário e de observador empírico: "Não encaro este assunto do ponto de vista doutrinário. Homem prático, lavrador representante nesta casa de um estado que quase exclusivamente vive do seu trabalho rural, pergunto, como simples observador, completamente alheio aos princípios científicos de qualquer ordem, mesmo porque não me sobra tempo para me dedicar a esses estudos, esses trabalhos, pergunto: é ou não imprescindível fixar o câmbio tendo em vista os fenômenos que têm se dado desde longa data?"[21]

Ao modo de Augusto Ramos, em vez das verdades científicas, o deputado preferia se guiar pelas observações estatísticas: "Se observarmos os dados estatísticos, veremos que nos últimos 40 anos a taxa de 27 pence só foi atingida cinco vezes, e dessas cinco vezes apenas num ano foi a taxa média, o que quer dizer que ela nunca foi a taxa permanente."[22] Para Franco Júnior, os fatos tinham valor muito maior que a paridade legal: "Essa é a taxa real. Não quebra o padrão a lei; quem quebra são os acontecimentos. Quem faz o valor da moeda é a riqueza do país; quem faz o valor da moeda é a diferença na troca dos valores internacionais. A lei não eleva nem abaixa o câmbio, essa é a verdade."[23]

A Caixa de Conversão, e não a lei da paridade, seria o instrumento adequado para lidar com a realidade. E seria uma instituição justa por sua finalidade: impedir a continuidade das altas cambiais e, assim, garantir renda aos produtores – que também não estariam interessados em receber em moeda estrangeira: "Os três governadores, ao firmar o convênio, tiveram o intuito de defender o principal produto de nosso país, dar remuneração ao trabalho do proprietário agrícola de modo a não desanimá-lo e enriquecer o país. Mas de que isso valeria a nós outros, lavradores, se houvesse uma elevação do câmbio? Nada, pois todas as nossas relações são satisfeitas em papel."[24] Da mesma forma que seu oponente, Franco Júnior listou os interesses que deixariam de ser prejudicados pelo câmbio alto: "É um fato que não se pode negar: todos os lavradores são prejudicados. É o Pará, o Amazonas com a borracha. São as terras de cana de Pernambuco, Alagoas, Sergipe. São o fumo e o cacau da Bahia. O café do Espírito Santo, Minas Gerais, Rio de Janeiro e São Paulo. O mate do Paraná e do Mato Grosso. Os couros do Rio Grande do Sul. E o Brasil todo com a indústria pecuária, pois esta é nacional."[25] Os interesses amplos beneficiados pelo câmbio baixo iriam muito além da agricultura: "Quando digo produtores sintetizo todos quantos neste país trabalham, desde as classes liberais até as classes que vivem lavrando os campos. Todos precisam de uma medida cambial que signifique a verdade do momento."[26]

Para o deputado, todos esses amplos interesses seriam satisfeitos com o câmbio proposto – e, eventualmente, um câmbio mais baixo poderia significar mais progresso: "Foi com o câmbio de 6 que se plantaram 500 milhões de pés de café, que dão hoje ao Brasil incontestável predominância no mundo inteiro. Foi com este câmbio que se criou a maior parte das fábricas no território nacional. E tanto elas dependem dele que, quando o câmbio ultrapassou a taxa de 15, vieram os fabricantes pedir ao Congresso um aumento nas taxas alfandegárias."[27] Somando tudo, Franco Júnior chegava a uma conclusão pesada, capaz de gerar um tumulto, devidamente registrado nos anais: "Nós produtores somos no Brasil 19 milhões contra 1 milhão na capital da República (o Sr. Barbosa Lima e outros Srs. deputados dão apartes. O Sr. presidente faz soar os tímpanos)."[28] Acalmados os ânimos, o deputado prosseguiu: "Peço a atenção dos senhores deputados para o seguinte cálculo do prejuízo que teve a classe agrícola do país, que tiveram os 19 milhões em 20 milhões, e as vantagens que teve o Tesouro Nacional com a subida do câmbio. Para este remeter à Europa 7,5 milhões de libras, teve a lavoura um prejuízo de 12 milhões de libras."[29]

Apesar dos exageros retóricos, o ponto era claro: o câmbio elevado seria de interesse do Tesouro e de interesse dos importadores localizados na capital. Por causa disso, o projeto teria um significado histórico: "Senhores, em 1888 o Brasil conseguiu sua emancipação social. Em 1889 conseguiu sua emancipação política. Em 1906 vai conseguir sua emancipação econômica."[30] Seria a vitória da opinião da sociedade contra a opinião do governo: "A opinião brasileira está representada por 19 milhões de brasileiros. Não está somente na raiz do cafeeiro, pois está também no algodoeiro, no cacaueiro, está em todas as manifestações do trabalho nacional. Como isso interessa a todos os estados da República, estou convencido de que todos almejam que este projeto se converta em lei, para a felicidade de todo o país."[31] Os deputados e senadores foram se agrupando, e foi ficando claro que a maioria estava mudando de lado, passando a apoiar a Caixa de Conversão, de fato aprovada por 115 votos a 25, no dia 8 de outubro de 1906.

CAPÍTULO **57**
> *A guerra: o quebrador de ossos*

Duas semanas antes da assinatura do Convênio de Taubaté, no dia 9 de fevereiro de 1906, o secretário da Agricultura de São Paulo, Carlos Botelho, requisitou um funcionário da Escola Politécnica para "desempenhar-se de comissão a lhe ser confiada", como dizia a pequena nota de *O Estado de S. Paulo* que registrou o fato.[1] A secretaria da escola anotou no seu prontuário a natureza oficial da missão: "Designado comissário-geral substituto do governo do estado de São Paulo na Bélgica."[2] Uma semana mais tarde, o jornal adiantaria outro ponto: "Foi nomeado comissário-geral para imigração no norte da Europa o Sr. Francisco Ferreira Ramos, lente da Escola Politécnica."[3] Pouca gente estranhou o fato de a Bélgica não vir a ser exatamente um centro de fornecimento de imigrantes para o Brasil, de modo que os registros continuaram sendo telegráficos. O do dia 22 dizia: "A bordo do vapor alemão *Prinz Waldemar* seguiu ontem para a Europa o Sr. Dr. Francisco Ferreira Ramos, comissário de imigração em Antuérpia."[4] A julgar pela nota seguinte, ele já estaria no destino em abril: "O Sr. secretário da Agricultura solicitou ao da Fazenda a remessa de 500 libras esterlinas em favor do Dr. Francisco Ferreira Ramos, para despesas com os serviços de seu cargo."[5]

O primeiro contato de Ferreira Ramos parece ter sido com o estatístico M. Laneuville, no Havre, na França.[6] Juntamente com ele, fez as necessárias atualizações de seus dados – e as notícias do que trazia eventualmente chegaram ao conhecimento de atacadistas de café na cidade. Da França, o brasileiro seguiu para a Bélgica, onde encontrou um importante interlocutor. Nascido em 1851, Edouard Bunge era filho de um comerciante de Antuérpia. Começou a carreira como vendedor, percorrendo os Estados Unidos por seis anos, antes de entrar como sócio da empresa familiar aos 24 anos. Decidiu, então, arriscar a sorte na Argentina, onde abriu uma filial da companhia em 1884. O grande sucesso do negócio na América o levou a um patamar elevado em seu país de origem: "Estimulado pelo rei Leopoldo II, criou a Companhia Real Belgo-Argentina para fazer uma ligação regular entre a Argentina, o Brasil e Antuérpia."[7] Na virada do século, Bunge organizou praticamente toda a exploração imperialista do Congo Belga, transformado numa fonte de matérias-primas. Isso não o impediu de expandir os negócios no Brasil: entrou no mercado de café em 1905, comprando uma empresa de armazenagem em Santos. Por força de tudo isso, tinha ótimos contatos no mundo financeiro europeu.

Francisco Ferreira Ramos encontrou nele um dos primeiros interlocutores capazes de eventualmente financiar a operação de valorização. Iniciaram juntos as prospecções, encontrando ressonância na França, mas não demorou para que chegassem à conclusão de que se tratava de uma operação em escala mundial, que exigiria articular os maiores atacadistas do planeta. Por mais que tentassem, sozinhos não iriam a lugar algum. Só havia uma pessoa capaz de comandar a façanha, mas o problema era a fama dessa pessoa.

Herman Sielcken nascera em Hamburgo, na Alemanha, em 1847, filho de um pequeno padeiro. Com 21 anos, empregou-se numa empresa que o enviou à Costa Rica; em menos de um ano, estava em São Francisco, na Califórnia, trabalhando como comprador de lã. Passou a maior parte dos seis anos seguintes percorrendo os amplos espaços entre as Montanhas Rochosas e o Pacífico, visitando sitiantes e criadores. Numa dessas viagens, a diligência capotou. Sielcken quase morreu, ficou com sequelas permanentes nas costas e decidiu mudar de vida. Em Nova York, virou caixeiro de uma loja de cristais e porcelanas, e casou-se com Josephine Chabert, filha do dono de um pequeno restaurante. Mas a regularidade da loja e da vida de casado logo aborreceu Sielcken, de modo que acabou se empregando como vendedor na empresa Crossman & Brothers, que vendia de tudo.

Ali conseguiu ser nomeado comissário para a América do Sul e, logo nos primeiros meses de viagens, arranjou ótimos pedidos, que cessaram de repente, levando os donos do negócio à conclusão de que o viajante havia morrido em algum lugar inóspito. Então, num belo dia, Sielcken apareceu na loja como se nada tivesse acontecido. Colocou sobre a mesa um grande pacote e disse: "São encomendas, muito maiores que as esperadas como resultado de minha viagem. E acho que uma pessoa que trabalha tão duro e tão bem como eu merece ser sócio da empresa."[8] Seu patrão, George Crossman, ficou lívido. Era um homem muito austero: embora dono de uma firma de certo porte, vivia modestamente. Segundo o *New York Times*, "a simplicidade de sua vida se refletia nos bens pessoais: uma casa modesta e móveis ordinários".[9] Mas Crossman cedeu ao pacote do vendedor ambicioso, e não se arrependeu. Sielcken tornou-se sócio em 1881, multiplicou os negócios na América do Sul e transformou a empresa correta num leão do mercado, que quebrava os ossos e arrancava a carne de concorrentes, mesmo à custa de condenações em processos judiciais movidos pelos derrotados. Com esses métodos, obteve o controle de siderúrgicas e de uma ferrovia do Kansas, disputando-as na justiça com os proprietários.

Sielcken nunca desistiu do café. Era um dos maiores importadores e atacadistas, trabalhando sobretudo com a mercadoria do Brasil, onde tinha contatos desde os tempos de viajante. Queria dominar o mercado, mesmo sendo um mercado no qual o líder era um gigante. A Arbuckles vendia café desde 1859 e não ganhara a posição à toa. John Arbuckle, filho de escoceses, inventou o empacotamento e a venda no varejo de café torrado e moído, além de investir obsessivamente em inovações. A empresa atuava tanto no atacado como no varejo, vendia doces para acompanhar o café e, em 1896, resolveu acrescentar o açúcar a seus produtos. Com essa última estratégia, John Arbuckle arranjou um inimigo feroz: Henry Havemeyer, que dominava a venda de açúcar no varejo. Este reagiu e proporcionou a Sielcken a tão sonhada oportunidade de tentar reinar. O anúncio da sociedade entre os dois mereceu uma reportagem do jornal *New York Times*, "Os homens do açúcar retaliam", na qual se dizia: "A American Sugar Refining contratou os serviços de Herman Sielcken como executivo e diretor de seus negócios de café."[10]

O novo executivo comprou uma empresa em Ohio, que distribuía o café Lion, e começou a vender em todos os lugares em que atuava a Arbuckles, mas com preços menores. Nos anos seguintes, os dois grupos travaram uma luta sem tréguas, que só acabou quando os reis do açúcar admitiram a derrota e venderam a empresa para Sielcken, por uma pequena fração do que valia. Então, como por mágica, a companhia passou a dar polpudos lucros. Sentindo-se logrado, Havemeyer iniciou um processo contra o novo dono e os seus métodos. Mas, além do dinheiro, acabou perdendo o processo – e, a essa altura, Sielcken já era chamado de "o rei do café".

Na virada do século, o padrão de vida de Sielcken era outro. Em Nova York, morava no luxuoso hotel Waldorf Astoria, onde volta e meia sua mulher reunia amigas e fechava o salão de baile para festas de caridade. Mas sua disposição de jogar duro nos negócios permanecia imensa. Continuou empenhado em manobras para controlar o mercado norte-americano de café, especulando com notícias e estoques. Nessas manobras, não economizava adjetivos. Segundo Thomas Holloway, "distribuiu, em 1903, uma circular que negava a capacidade intelectual dos brasileiros". E ficaria conhecido "pelo tratamento desumano que dispensava aos empregados, por suas manipulações no mercado e pelo desrespeito aos brasileiros".[11]

A fama gerada por esse comportamento fazia de Sielcken alguém perfeito para ser atacado como bandido, em especial no Brasil, onde tantos criticavam a violenta exploração dos produtores locais pelos tubarões do mercado internacional. Todavia, ao contrário desses críticos, Francisco Ferreira Ramos procurou essa gente, até por motivos filosóficos. Como seu irmão, estava convencido de que os atacadistas existentes – e o maior deles era Sielcken – seriam os principais aliados do plano brasileiro. Havia um sólido motivo para isso: a dor no bolso. Caso o preço do café caísse muito com a gigantesca safra – algo mais que previsível –, seria quase certa a entrada de novos atacadistas no mercado. Quem tivesse dinheiro poderia comprar café a preços menores que os das sacas estocadas e revender com lucro por preços que levariam à falência os atacadistas existentes. Assim, o apoio ao projeto brasileiro seria eventualmente a opção menos pior para Sielcken.

Ferreira Ramos conseguiu marcar um encontro com Sielcken na Alemanha, em sua residência de verão, na estação termal de Baden-Baden. Era uma casa à altura de um rei: num parque de 80 mil metros quadrados, a mansão principal de Mariahalden tinha 2,7 mil metros quadrados e havia ainda mais quatro vilas para visitantes, além de um balneário privativo ao lado da casa principal, num jardim onde se cultivavam 170 espécies diferentes de roseira. Tanta opulência clamava por admiração, de modo que o número de convidados girava em torno dos vinte todos os dias. Nas noites de lua, o jantar era servido ao ar livre, ao som de uma orquestra completa, especialmente formada para entreter os comensais com boa música. Durante o dia, a programação incluía passeios pelo parque, com destaque para conversas à sombra dos pinheiros especialmente importados do Oregon para dar magnificência à paisagem.

Nesse ambiente, o rude rei do café praticamente desaparecia. Surgia em seu lugar um cavalheiro de bons modos, que apreciava contar sobre suas aventuras nas pradarias norte-americanas ou os naufrágios nas costas da América do Sul. O único e discreto sinal de negócios no local eram os mensageiros que iam e vinham da agência local do correio. Como Sielcken dormia apenas cinco horas por noite – da uma às seis da manhã –, fazia o trabalho sozinho, longe das vistas dos hóspedes, sem secretárias nem ajudantes.

Com a chegada de Ferreira Ramos, o tempo de trabalho aumentou. Embora os diálogos entre os dois nunca tenham vindo à tona, o jornal *New York Times* resumiu os conceitos das conversas e do acordo de Mariahalden: "Os produtores brasileiros argumentavam que a safra era produto de condições climáticas excepcionais e que nos próximos anos elas seriam menores – seriam necessários pelo menos doze anos até que as plantas se recuperassem do esforço. [...] Herman Sielcken, comerciante, financista e, acima de tudo, identificado há 35 anos com o comércio brasileiro, era um dos poucos que acreditava que o café era o único produto agrícola cujo mercado poderia ser estabilizado, que a produção excedente poderia ser mantida fora do mercado sem desastres e gradualmente vendida quando a demanda requeresse. [...] A história [do acordo] ficou famosa em Wall Street. Ele ouviu a teoria dos produtores de São Paulo e só não concordou com o preço pelo qual os estoques deveriam ser comprados."[12]

Antes de falar do pouco com o que Sielcken não concordou, é preciso saber do muito com o que ele concordou ao ouvir o plano brasileiro de controle do mercado. A ideia elaborada por Augusto Ramos afinal encontrava um interlocutor à altura. Sielcken aceitou de imediato o enfoque estatístico, o enquadramento geral da compra de excedentes, a formação de um grande estoque central pelo Brasil, a regulagem do mercado por um longo prazo a partir desse estoque nos preços atuais do varejo, a sindicalização para atrair vários atacadistas (ideia de Alexandre Siciliano), a fixação antecipada dos objetivos e dos parâmetros de preços. Tudo isso, literalmente, caía dos céus para Sielcken realizar seus desejos. Por isso as discussões se restringiram às diferenças relevantes. O dono do roseiral queria lucros máximos e, por isso, não via o menor sentido em pagar pela safra mais do que conseguiria obter explorando a superprodução.

Ele insistia em comprar barato para vender caro. Já para os brasileiros, a posição era clara: só valia a pena correr riscos se os produtores ganhassem mais.

Mas havia território para aplainar as divergências. Existiam grandes vantagens na proposição feita por um governo interessado em seus governados, os quais eram donos de mais da metade do café produzido no mundo – não era um concorrente direto, não envolvia disputas entre atacadistas, e isso valia muito. Todas as tentativas anteriores de regular o mercado haviam fracassado porque nenhum comprador isolado era capaz de controlar os estoques mundiais. Essa era a solução, que vinha com a contrapartida de um risco: governos mudam, e uma mudança de posição do governo poderia transformar o ganho certo em prejuízo monstruoso – o que ocorreria, por exemplo, se o governo saísse vendendo na hora errada ou para as pessoas erradas. Demorou muito pouco tempo para que os dois acertassem o compasso.

Sielcken se comprometeu a arranjar o dinheiro necessário para o governo paulista comprar todo o excedente. Mas pelo seu preço, estimado para baixo com a safra gigantesca – em torno de 5,5 centavos de dólar por libra-peso, ou 80% do que o governo paulista prometera pagar pelo Convênio de Taubaté. A diferença, um presente para os agricultores, que ficasse por conta dos paulistas. Para quem não tinha nenhum centavo nas mãos, isso era muito mais do que Ferreira Ramos poderia desejar. Além de acertar a compra, os dois acertaram as vendas. O negociador brasileiro reafirmou que o estoque financiado pelos atacadistas não poderia ser empregado contra os cafeicultores, o que requeria um mecanismo de supervisão do estoque. Como os brasileiros também não queriam que os atacadistas retivessem café além do limite do preço estatístico, era preciso controlar também esse ponto. Para satisfação de ambos, acordou-se que a supervisão caberia a um comitê de sete membros (dos quais apenas um indicado pelo governo paulista), que se incumbiria das regras para a venda assim que o mercado atingisse patamares de preço considerados razoáveis.

Acordo firmado, Sielcken passou a mandar telegramas freneticamente. Relatando as condições, conseguiu dinheiro de atacadistas amigos e inimigos ao redor do mundo, entre os quais Bunge, o alemão Theodor Wille e os irmãos Arbuckle. Cada um que entrava no negócio procurava seus banqueiros e pedia um empréstimo com o próprio aval, em condições boas o suficiente para esses banqueiros nem olharem direito o nome do comprador do café – o governo paulista, para quem o empréstimo era transferido. Herman Sielcken tinha, assim como Jorge Tibiriçá, a noção exata de *timing* – a oportunidade de controlar o mercado por muitos anos seria um prêmio apenas no caso de um único comprador reter todo o estoque da safra gigantesca que começava a chegar ao porto de Santos. Também sabia que esse prêmio cobiçado não seria deixado por aí de graça. E, enquanto fazia sondagens e organizava o grupo, percebeu que as adesões e as promessas de dinheiro vinham de várias partes do mundo, menos dos banqueiros dos atacadistas ingleses.

Arguto como era, Sielcken não demorou para perceber que ali estava a concorrência, que em torno deles se juntavam os interessados na baixa, na oportunidade de comprar muito barato a safra para concorrer com os atacadistas estabelecidos. Resolveu, então, atacar primeiro. Na página 2 da edição do dia 27 de julho de 1906 de *O Estado de S. Paulo* (três dias após a aprovação do Convênio de Taubaté no Parlamento), com um título muito discreto, aparecia um comunicado com a seguinte apresentação: "O Sr. H. Seilckmen [sic], da firma Crowsman [sic] & Seilckmen [sic], de Nova York, dirigiu-nos a seguinte circular sobre a momentosa questão do café."[13] Seu nome era tão pouco conhecido que saiu grafado errado. Mas o texto atirava pesado: "A propósito da valorização do café e da projetada defesa, no Brasil, de seu principal produto agrícola, tem surgido por toda parte largas discussões e, entre outros argumentos, se tem alegado que os srs. Rothschild, os banqueiros do governo brasileiro, são inteiramente contra este plano, que consideram contrário a todo método financeiro da época." Sem perder tempo, argumentava: "É realmente admirável que sejam tão numerosos os ataques ao plano brasileiro, sobretudo partindo das rodas financeiras, quando os esforços de todos os estados nada mais representam senão obter do governo proteção eficaz para interesses reais, em um momento em que ela se torna necessária para seu principal produto. Esta ação do Brasil em prol de seus produtores não significa um simples auxílio à sua agricultura, mas uma proteção necessária à sua própria vitalidade."

O quebrador de ossos dizia com todas as letras que estava pronto para esmagar a tradição secular que prendia as finanças internacionais do Brasil a seu barão banqueiro. Iria montar um monopólio de mercadorias para romper a cadeia financeira inglesa. Estava se juntando ao governo paulista para arrancar esse intermediário do mercado e tomar sua parte no butim. E ainda dizia que, depois do banquete, ambos iriam palitar os dentes com os ossos da presa. A passagem das palavras aos atos não levou nem uma semana. No dia 1º de agosto de 1906, uma quarta-feira, um representante do Brasilianische Bank für Deutschland apresentou ao governador paulista um contrato enviado da matriz por ação de Sielcken. Por meio dele, abria um crédito de 1 milhão de libras esterlinas pelo prazo de um ano. Para as práticas bancárias do tempo, as garantias eram mínimas: o governo paulista emitiria bônus em valor igual ao do empréstimo, para serem vendidos pelo banco. Com o dinheiro em caixa, o governo paulista assinou o primeiro cheque, comprou a primeira saca de café pelo preço prometido no Convênio. Era o primeiro tiro de uma guerra total, como bem lembrou Thomas Holloway: "Os planejadores da valorização sabiam que, uma vez consumada a operação, o estado ficava comprometido a levá-la adiante por todo o ano-safra. Se houvesse falta de fundos que obrigasse o estado a paralisar as compras antes do tempo previsto, tudo estaria perdido: tanto as reservas [de café] que já houvessem sido adquiridas quanto o dinheiro investido."[14] Era tudo ou nada. Jorge Tibiriçá sabia o que estava deflagrando ao assinar o primeiro cheque, mas não tinha a menor noção de como a guerra iria acabar. Ele só possuía 15% do dinheiro de que precisava – e emprestados por um ano, quando seus planos de batalha indicavam um mínimo de seis anos de combate. Mas a luta global já estava aberta.

CAPÍTULO **58**
> *A guerra: a batalha dos cheques*

A PARTIR DO PRIMEIRO CHEQUE ASSINADO, O PROBLEMA PARA A ASSOCIAÇÃO ENTRE os produtores de café, o governo paulista e os especuladores que apostaram na ideia passou a ser um só: conseguir dinheiro. A solução também era uma só: apresentar um plano e obter empréstimos junto aos donos do dinheiro. Este começou a aparecer em conta-gotas, nem sempre nas melhores condições. Delfim Netto mostrou as condições de uma das primeiras remessas: "Sobre o adiantamento fornecido pelos grandes torradores norte-americanos, o estado de São Paulo pagaria 6% de juros e 3% de comissões anuais. Sobre este custo incidia ainda o juro do capital levantado pelo próprio estado de São Paulo. Vemos assim que o café deveria ser recolocado no mercado com a maior brevidade, para impedir a realização de prejuízos."[1]

Eram condições para negócios de grande risco, e era disso mesmo que se tratava. Francisco Ferreira Ramos, o comissário do Convênio de Taubaté na Europa – e, portanto, o encarregado de arranjar dinheiro em nome do governo paulista – lembra as dificuldades que passou: "Ainda em 1906 tive de tratar da *warrantagem* de 1 milhão de sacas de café em Anvers, com um grupo de capitalistas apoiados pelo Banco Nacional da Bélgica e com Edouard Bunge. Fui obrigado a defender o crédito do estado contra os ataques a ele dirigidos por uma formidável campanha organizada pela especulação baixista na imprensa, na tribuna e pelo telégrafo, na Europa e na América do Norte. Tão bem dirigida era essa campanha que vários capitalistas e banqueiros do consórcio de Anvers começaram a hesitar para fornecer capital a São Paulo."[2]

A discussão foi tensa: "O mais receoso de todos, o barão de Ampin, fez bruscamente uma pergunta: 'Se o café nada valer amanhã, São Paulo por si só é capaz de garantir a nossa dívida?' Então o Sr. Wegimont, antes que eu pudesse usar a palavra, respondeu: 'Senhores, um povo com 3 milhões de habitantes produz 16 milhões de sacas de café em um ano. Tal povo merece não apenas nossa confiança, mas nossa admiração.' Essas palavras foram saudadas com aplausos e a questão se resolveu."³ Resolveu-se, mas não acabou. Logo em seguida os argumentos baixistas ressoaram no Parlamento do país: "O governo belga foi interpelado por deputados para explicar o concurso do Banco Nacional da Bélgica, o primeiro banco de um país a prestar o seu apoio ao governo do estado de São Paulo nesta operação. Graças à simpatia do governo belga, a questão foi resolvida a nosso favor. Então o ministro De Capelli me disse: 'O plano concebido pelo governo paulista é inteligente e novo. Os senhores estão nos dando lições de como proteger nossa produção.'"⁴

Num cenário muito mais decisivo, o ministro reproduziu uma constatação que começara a surgir em artigos de jornal e conversas entre empresários em 1902: o plano concebido por Augusto Ramos era muito convincente, a ponto de levar à assinatura de cheque ou concessão de avais para empréstimos. Por outro lado, não só os conservadores brasileiros tinham restrições ao plano: argumentos semelhantes eram brandidos no mercado financeiro internacional. Como resumiu o *New York Times*, "os banqueiros viam o plano para controlar a oferta como um despropósito econômico".⁵ Como raros eram os banqueiros influentes que pensavam de outro modo, apenas uma porta se manteve aberta para Francisco Ramos: "Apesar das garantias que o governo paulista oferecia, os banqueiros europeus – menos o barão Schroeder – exigiam o endosso da União, como uma garantia."⁶

Quando afinal começaram as compras, não só tal garantia inexistia como o banqueiro do governo brasileiro estava em campanha aberta contra o projeto, como assinalou Pierre Denis: "A valorização tinha inimigos poderosos, que não eram apoiados apenas pelo *Jornal do Commercio*. Havia a imensa autoridade de lorde Rothschild, que censurava severamente o esquema paulista, seja por considerar a valorização um experimento perigoso seja por ser hostil à Caixa de Conversão."⁷ A disputa no Parlamento brasileiro reproduziu-se em âmbito global: os principais fornecedores de dinheiro do mundo, incluindo o maior deles e banqueiro do Brasil, desaconselhavam os investidores a apostarem na ideia. Em consequência, no início o dinheiro apenas pingava. Na hora decisiva, o governador Jorge Tibiriçá contava com pouco mais do que a fé, assim expressa em carta ao senador Pinheiro Machado: "Nós vamos ter uma safra abundante, cuja colheita está em andamento. É pois o momento oportuno para nossa intervenção. [...] Se não aproveitarmos a circunstância excepcional para organizarmos nossa resistência, teremos perdido uma ótima oportunidade. Os exportadores apoderar-se-ão dessa grande safra por preço mínimo, refarão seus estoques e nos colocarão na impossibilidade de valorização no próximo ano. Por isso é absolutamente necessário que a valorização aproveite a safra atual."[8]

O governador agiu de acordo. Na falta de dinheiro e como parte do "absolutamente necessário", fez um acordo com os donos das ferrovias, quase todos interessados no sucesso do plano, convencendo-os a restringir o transporte de café para Santos, e com isso ia ganhando tempo. Mas não fazia milagres. Ao longo de 1906, conseguiu recursos para comprar apenas 2,5 milhões de sacas, ou 15% da safra. Concentrava as compras em Santos e nos cafés superiores, o que provocou considerações ponderáveis de seus aliados. Os governadores de Minas Gerais e do Rio de Janeiro eram sócios do negócio, respondendo a apelos dos cafeicultores e empresários do estado. Quando perceberam que não estavam acontecendo compras dos cafés de seus estados, deixaram de cobrar os impostos que pagariam as despesas pelas compras. Os cafeicultores também notaram um problema: Minas Gerais e o Rio de Janeiro produziam sobretudo cafés de tipos inferiores, que não estavam sendo comprados – e protestaram com razão. Já os cafeicultores de São Paulo perceberam que podiam vender no Rio de Janeiro e deixar de pagar impostos, aumentando seu lucro.

A falta de recursos fazia o primeiro grande estrago. Para sorte de Jorge Tibiriçá, desde 15 de novembro o presidente da República era Afonso Pena e no Ministério da Fazenda estava Davi Campista, o deputado que liderara a defesa do projeto no Parlamento. Campista chefiou as tensas negociações que levaram a um aditamento no Convênio: Minas Gerais e o Rio de Janeiro deixaram de se comprometer com empréstimos e pagamentos da dívida, mas passaram a cobrar os impostos. O governo de São Paulo arcaria sozinho com as compras e os riscos. Em janeiro de 1907, como havia entrado algum dinheiro, as compras passaram a ser feitas no Rio de Janeiro, com os preços equalizados.

A pressão aumentou, mas o mesmo não se deu com o fluxo de cheques. Em 13 de maio de 1907, com o cofre quase vazio e ainda muito café para comprar, Jorge Tibiriçá anunciou à boca pequena que ia arrendar a Estrada de Ferro Sorocabana para quem desse mais dinheiro. No dia seguinte de manhã, um telegrama com a notícia foi aberto em Londres por um elegante senhor que tomava o café em seu hotel. Seu nome era Percival Farquhar e seu currículo incluía uma variedade notável de atividades: vereador em Nova York, com acusações constantes de compra de votos e violência na campanha; especulador ferroviário em Cuba, onde desembarcou na esteira das tropas norte-americanas que invadiram a ilha; dono de ferrovias na América Central; proprietário da empresa que explorava eletricidade no Rio de Janeiro, cuja concessão obteve, em meio a violentas disputas com o grupo Guinle, graças ao apoio de ministros amigos.

Farquhar agia com a rapidez crucial para os grandes especuladores. No mesmo dia arrancou 200 mil libras do Bank of Scotland – e levantar dinheiro britânico para apostar contra os Rothschild não era algo simples. O diretor do banco que arranjou o dinheiro, o conselheiro Balfour, também era diretor da ferrovia inglesa que operava em São Paulo, além de aliado dos Rothschild. Mas aceitou por se tratar do pedido de um "escocês", e os dois ainda comemoraram com um jantar na Saint Andrew's Society. Segundo Charles Gauld, a explicação do banqueiro foi tipicamente britânica: "Como presidente do conselho do banco não me permiti lembrar que era também presidente do conselho da ferrovia."[9]

Depois de obter recursos nas hostes adversárias do governo paulista, Farquhar convocou os seus dois secretários, atravessou o canal da Mancha e foi buscar o resto do montante em Paris. O último banco que visitou foi a Société Générale, que tinha coberto alguns investidores franceses na valorização. Ali, o diretor Louis Dorizon gostou da ideia, mas alegou que a agenda de emissões do banco estava sobrecarregada. O caso parecia perdido, até que ocorreu um evento assim narrado por Charles Gauld: "Farquhar passou dias ansiosos. Seu tempo estava se esgotando. De repente, num sábado de manhã, Dorizon telefonou e pediu-lhe que fosse imediatamente ao banco. Explicou que havia sido agendada uma emissão de ações da Westinghouse para segunda-feira, mas – coisa incrível – os banqueiros de Pittsburgh forçaram a falência da empresa na sexta-feira, para se apoderar dela. No mesmo dia Dorizon substituiu o lançamento pelo da Sorocabana. Graças a esse inacreditável golpe de sorte, Farquhar ganhou a corrida. Triunfante, telegrafou para seu procurador em São Paulo; na quarta-feira, 22 de maio, este se encontrou com o governador e assinou o contrato."[10]

Era um alívio, que permitiu atingir 7 milhões de sacas adquiridas. Mas, como ainda faltava café para comprar, a saída foi pedir ajuda ao governo federal: um empréstimo de 3 milhões de libras esterlinas, para adquirir o que faltava e rolar as dívidas mais incômodas da manutenção do estoque. O presidente acedeu e enviou o pedido ao Parlamento, lembrando que estava de acordo com a lei aprovada em 1905. O Parlamento aceitou, mas os debates foram violentos.

Até aquele momento o governo federal não havia gasto nem um centavo com tudo o que estava acontecendo. O pedido de São Paulo era de um dinheiro emprestado de todos os brasileiros, com garantias de pagamento. Assim havia dois problemas a serem discutidos: a natureza do pedido e as garantias de pagamento. O senador Barata Ribeiro, representante do Distrito Federal, embora industrial e com posições econômicas que não eram conservadoras, analisou a questão da seguinte forma: "A situação lisonjeira e feliz à qual São Paulo deve pela maior parte suas forças é devida principalmente ao concurso eficaz que lhe prestou sempre o governo da nação desde o Império, concurso que o representa nos orçamentos nacionais com muitos milhares de contos de réis, quando os demais estados cafeeiros, e a generalidade daqueles do Norte, figuram apenas pelas sombras da miséria em que se debatem."[11]

A afirmação sobre os favores fiscais do Império contrariava fatos, mas o empréstimo para uma unidade da federação ajudava a tornar o argumento verossímil. A apresentação da situação de um favor inconfessável sustentava outra parte do argumento, esta relacionada ao futuro: "Basta ler-se a mensagem do governo daquele estado para se verificar que este empréstimo não será pago."[12] Outro caminho, a seu ver, seria mais realista: "Só obrigaria a União a acorrer favoravelmente à solicitação de São Paulo dando, em vez de emprestar, o dinheiro. E dando para que não se iludisse a nação com a falsa promessa de que tal dinheiro voltaria a seus cofres, e porque tal doação, ao menos, lisonjearia nossa vaidade indígena pela certeza de que, com ela, resgataríamos [o estado] da crise agônica em que está sua lavoura."[13]

Dar seria melhor porque o dinheiro contribuiria para um desastre inevitável: "O senhor governador [de São Paulo] removeu do país produtor para os países mercadores de café o que, a seu juízo, representava superprodução, para que esses países soubessem que temos muito café para vender. E, feito isso em sua cadeira governamental, ouviu o longo ruído da corte que festejava o aparecimento do Messias econômico, deleitando-se com a ideia de ter retirado 8 milhões de sacas de café, quando não fez mais que antecipar a remessa de café para vender, para colocá-lo nas mãos da especulação bolsista nas praças comerciais."[14]

O discurso do senador lidava com expectativas, mas relacionadas a uma questão real. Com o empréstimo, o governo paulista concluiu a compra da safra de 1906 e o café foi enviado ou para a Europa ou para os Estados Unidos, de acordo com a origem do dinheiro emprestado. Ainda assim não estava tudo acabado: como estabelecia o plano, era preciso manter esse café armazenado até que se manifestasse uma alta nos preços, prevista para 1909, para só então ele começar a ser vendido com lucro. Entretanto, o governo paulista precisava ir pagando os juros dos empréstimos ou – esta era a aposta – jogar o café no mercado com grandes prejuízos. Sendo um governo que vivia da mão para a boca, a suspeita do senador corria também no mercado europeu.

A tradução de um artigo de um analista francês, publicada por *O Estado de S. Paulo*, dá conta da situação: "No mercado quase que só há baixistas, uns poucos por interesse e muitos por um sentimento de amor-próprio que nos surpreende. Ambos procuram forçar a baixa porque pretendem, havendo as grandes liquidações do governo, adquirir o gênero por um bom preço. É uma esperança muito legítima, mas é sempre perigoso falar de herança no leito do enfermo, que muitas vezes desilude aqueles que contavam com a sua morte. Não querem ver que nem mesmo para o consumo não há mais o necessário, mas que há mesmo tendência para vender o que não existe nos negócios a termo."[15]

As expectativas nas quais o senador fundava suas opiniões e os baixistas os seus cheques eram as mesmas. Mas os fatos sobre os quais as expectativas se aplicavam, já perceptíveis em 1907, eram outros. A safra desse ano foi de apenas 8 milhões de sacas, metade do consumo mundial, justificando o uso dos estoques, e com os especuladores da alta "vendendo o [café] que não existe [no mercado real] em mercados a termo". Mas o preço continuou baixo, e assim permaneceu até 1908. Em maio desse ano, o governador Jorge Tibiriçá entregou o governo do estado de São Paulo ao sucessor, o secretário da Fazenda Albuquerque Lins, que comandara as operações. Apostara muito no projeto de Augusto Ramos e dos empresários que trouxera para o governo. Na saída do cargo deixava muitas fichas em jogo.

O novo governador começou fazendo um balanço de tudo para os cidadãos, outro sinal de que o tempo era mais de contas e reavaliações do que de enfrentamentos. Na abertura dos trabalhos da Assembleia, entregou aos parlamentares um relatório no qual, em vez de discorrer sobre um orçamento, falava sobre um balanço – a forma de contabilidade das empresas, não dos governos. Mas havia sentido nisso.[16] No balanço eram apresentados os ativos do estado: propriedades imobiliárias (avaliadas em 113 mil contos), dívidas a receber (22,7 mil contos), dinheiro em caixa e outros valores. Somando tudo, os ativos do governo paulista chegavam a 562 mil contos de réis. O mais importante dos bens aparecia na rubrica "Valor dos cafés armazenados", com um montante de 271 mil contos de réis – ou nada menos que 49,5% do total dos ativos. No entanto, para manter estocado o café, foi obter recursos emprestados, gerando um passivo. Este era contabilizado na rubrica "Dívida proveniente de adiantamentos e saques feitos contra remessas de café e empréstimos contraídos para o serviço de defesa do café", no valor de 291 mil contos – ou 53% do total do passivo. A diferença entre o valor do café, lançado como ativo, e o das despesas para manter esse café, expressas no passivo, mostrava um prejuízo contábil de 20 mil contos de réis. Ou seja, caso o estoque fosse vendido pelo preço indicado no balanço, o governo estadual teria um prejuízo nesse valor com a guerra em que se metera. Esses números podem ser comparados a um terceiro para dar uma dimensão do que significavam. A arrecadação tributária de São Paulo fora de 42 mil contos. Sendo assim, o café estocado custara o equivalente a 6,9 anos de receitas estaduais. Já o prejuízo contábil, se fosse realizado, equivaleria a 49% dos recebimentos anuais.

Pouco depois o governador enviou outro relatório, destinado ao presidente Afonso Pena. Junto ia um pedido, dessa vez para que a União avalizasse um empréstimo destinado a consolidar todas as dívidas do estado num novo empréstimo, de modo que ele foi enviado para o Congresso.[17] Era um retrato ainda mais completo da situação. O governador informava o tamanho exato do estoque paulista naquele momento: 6.994.920 sacas, distribuídas por vários portos na Europa e na América do Norte. Do total de 8,4 milhões de sacas compradas, haviam sido vendidas 1,4 milhão. Como se constata no confronto com o balanço, mesmo depois das vendas as dívidas superavam o valor do estoque.

O relatório também indicava algo sobre as proporções dos investimentos de cada participante no plano. A operação acumulara uma dívida de 12,78 milhões de libras, das quais apenas 2,33 milhões vinham de empréstimos concedidos ao governo paulista. Nada menos que 10,45 milhões de libras esterlinas, ou 82% do total, haviam sido levantadas pelos especuladores reunidos por Francisco Ramos e Herman Sielcken nas condições em que puderam, nem sempre as mais favoráveis. O passo à frente não mudou os argumentos do debate parlamentar sobre o pedido de aval. Os positivistas gaúchos e muitos parlamentares do Distrito Federal lideraram as críticas, dessa vez com um novo aliado: o deputado mineiro Pandiá Calógeras. Ele exprimia uma expectativa sobre o futuro como se fosse certa: "A crise é fatal. A próxima colheita, avultada como vai ser, vai formar, além do estoque do governo de São Paulo, um novo estoque, este quase igual ao que determinou a política intervencionista, o que dará lugar a uma crise inevitável em dois anos. Não sei com que direito se pode exigir que o Brasil inteiro se torne responsável pelos erros da lavoura paulista, porque em São Paulo e só em São Paulo se desenvolveram de forma tão inconsiderada as plantações."[18]

Para Calógeras, a crise seria também decorrente do esquecimento de verdades seculares: "Uma vez abandonados os princípios sãos da verdadeira doutrina econômica, nada pode entravar o desdobramento sucessivo deste fenômeno de alucinação coletiva."[19] Mas o aval foi aprovado, e com ele foi possível realizar o empréstimo que consolidava não só as dívidas, mas também a associação profunda entre o governo do estado brasileiro que produzia mais da metade do café do mundo – e era agora dono de um estoque equivalente a pouco menos da metade do consumo mundial – e banqueiros assim detalhados por Thomas Holloway: "No empréstimo de 15 milhões de libras para a consolidação da dívida, a J. Henry Schroeder, de Londres, entrou com 10 milhões, dos quais 2 milhões foram fornecidos pelo National City Bank, de Nova York. A Société Générale, de Paris, e o Banque de Paris et Pays Bas emprestaram os cinco restantes."[20]

A lista traz o nome daqueles que apostaram no projeto e deixa entrever um grande perdedor. Desde o empréstimo para o reconhecimento da

Independência brasileira, em 1825, até esse momento haviam se passado 83 anos. Por todo esse longo período, o Banco Rothschild teve o monopólio do financiamento do governo central brasileiro. Os negócios ingleses se beneficiaram muito dessa situação – os brasileiros nem tanto. Mas agora chegara a concorrência nesse restrito mercado, e vinha com novidades. A principal garantia do empréstimo para o governo paulista não foram as suas limitadas receitas, e sim o estoque de 7 milhões de sacas, com o qual, literalmente, o café se transformava em reserva internacional, em valor muito acima daqueles conseguidos pela suada política de restrição monetária nacional do *funding loan*.

Como parte do acordo foi nomeado um comitê para gerir o estoque, assim descrito por Thomas Holloway: "A composição do comitê de sete membros mostra que as maiores empresas ainda estavam envolvidas no negócio. Francisco Ferreira Ramos foi nomeado representante do governo de São Paulo, com poder de veto. Os outros membros do comitê eram o visconde de Touches, de Havre; Edouard Bunge, de Antuérpia; um representante da Société Générale, de Paris; o barão Bruno Schroeder; um representante da Theodor Wille, de Hamburgo; e Herman Sielcken, de Nova York."[21] Os bancos eram os novos quartéis da guerra, e o comitê gestor, o Estado-Maior. Chegara a hora da batalha final.

CAPÍTULO **59**
> *A guerra:
brasileiros contra brasileiros*

Para uma pessoa o acordo de consolidação da dívida já era uma vitória imensa. Augusto Ramos, no primeiro artigo intitulado "Valorização do café", escrito seis anos e meio antes do acordo, no dia 8 de maio de 1902, fizera um vaticínio: "Não mais se enxergarão nuvens no horizonte, hoje tão sombrio, de nosso futuro econômico. Sobre a larga estrada comercial que se rasgará entre o produtor e o intermediário brilhará, em todo seu esplendor, o sol da estabilidade estatística; e o cimento impecável da reciprocidade de interesses, como um selo sagrado, vinculará por um acordo tácito os esforços de ambas as partes no levantamento gradual das cotações."[1] Entre a concepção inicial e o resultado do acordo aconteceu muita coisa, tanto no Brasil como no mundo. Mas quase tudo o que ele previra se realizou. Havia um acordo entre o maior produtor de café e os maiores atacadistas mundiais, com o objetivo de usar os estoques controladores e uniformizar os preços. O sol da estabilidade estatística brilhara: os preços se comportaram tal como previsto. As cotações subiram e o selo sagrado do lucro dividido unia as partes.

Os empresários que se juntaram em torno da ideia entraram cada qual com sua parte: os produtores com o estoque, os atacadistas com o dinheiro – e o governo de São Paulo atuou como o armazenador fiel e controlador dos preços. Estes eram os ganhadores, os premiados pelos novos conceitos, pelos riscos de negócios e pelos projetos de desenvolvimento a eles associados. E ganhavam dinheiro à custa dos que apostaram contra: uma parte dos atacadistas internacionais, os financiadores de apostas na baixa, os analistas de mercado e os governos que duvidaram do plano. Encerrada a fase das apostas e iniciado o ciclo de alta e estabilização do mercado, faltava apenas que os perdedores adaptassem suas antigas concepções à nova realidade. No grupo dos que antes duvidavam, os primeiros a se adaptar foram os investidores e especuladores do mercado financeiro. Concluído o empréstimo de consolidação, os bancos participantes lançaram títulos lastreados nele. A lista dos bancos credores deixava claro que havia capacidade financeira para sustentar a manutenção do estoque no longo prazo, e, portanto, a compra desses títulos seria agora um negócio seguro e lucrativo. E, como foi acentuada a procura pelos títulos, o mercado financeiro passou a reforçar ainda mais a situação dos valorizadores.

Outros que reviram as suas convicções foram os atacadistas que, nas palavras do cronista francês, apostaram na morte do moribundo, na liberação dos estoques retidos a preço baixo pelo governo paulista. Quando se deram conta de que não haveria venda descontrolada de café por um governo paulista falido, foram obrigados a repassar os números e viram-se numa situação muito desagradável. Ao longo de 1908, o consumo superara a produção em mais de 1 milhão de sacas, provocando uma redução dos estoques no mundo para 13 milhões de sacas, das quais sete milhões eram de propriedade do governo paulista e estavam sob controle do comitê – o que era um problema para quem agora precisava comprar café.

Sabiam que não adiantava esperar bondades de um grupo onde estava Herman Sielcken. E tinham certeza de que ninguém plantara café nos últimos tempos, de modo que haveria um mínimo de quatro anos até que novos cafezais começassem a produzir. Como as opções ficaram escassas, só restava pensar seriamente em comprar um pouco do café estocado pelo governo paulista, pagando em dinheiro o preço da aposta errada. Como notou Delfim Netto, a equação entre oferta e procura obedecia a novas regras e gerava novos preços no atacado mundial: "Ficou evidente que o estado de São Paulo poderia manter por muito tempo fora do mercado o estoque de café adquirido, enquanto a situação melhorava, pois o suprimento anual era inferior à procura. Esses fatos provocaram uma inversão das expectativas, e o preço do café passou, de uma média de 6,28 cents por libra-peso, no segundo semestre de 1908, para 7,97 cents por libra-peso no primeiro semestre de 1909."[2]

Era a última previsão estatística de Augusto Ramos que se realizava: a reversão do mercado aconteceria três anos depois da compra. O efeito dessa mudança de expectativas gerou também uma reversão na situação daquele que até a véspera era visto como insano por muitos críticos, o governo paulista. O aumento nos primeiros meses de 1909 foi de 26%. Aplicado ao valor de balanço do estoque paulista de 1908, o café comprado por São Paulo valia agora 341 mil contos de réis – 50 mil contos a mais que as despesas declaradas no mesmo balanço. A transformação da posição contábil era radical.

Antes do empréstimo, o prejuízo contábil equivalia a 49% do orçamento estadual; com a alta, o lucro contábil passou a equivaler a 78,5% das receitas totais do estado, ou 119% das receitas ordinárias. A continuação do ciclo de alta e a sequência de vendas foram confirmando que a operação seria altamente lucrativa. Em 1918, ao ser paga a última parcela da dívida (e governadores ainda levantaram dinheiro sobre ela no meio do caminho), o governo paulista era dono de 3 milhões de sacas livres de ônus – nada menos de 29% do total de sacas compradas em 1906 ou 43% das estocadas em 1908.

Essa mudança radical no mercado mostrou-se inexorável na distribuição de prêmios sob a forma de lucros, para quem acreditou na valorização – e punições sob a forma de prejuízos, para os que duvidaram dela. Algo semelhante poderia se passar na esfera da política, com os defensores da ideia sendo premiados com poder e os que apostaram contra ela sendo punidos com a perda dele, caso o sistema fosse tão competitivo como o mercado. Mas o Brasil era um país no qual ainda persistia um hábito: encarar as eleições nacionais como um ritual comandado desde o centro. Nos tempos do Império, para sagrar com a maioria o partido escolhido para comandar o ministério; nos tempos da República, sobretudo após a política dos governadores, para sagrar o indicado pelo presidente da República. Também Afonso Pena pensava dessa forma, e tinha já um sucessor aprovado pelo governo de São Paulo: João Pinheiro, o governador de Minas Gerais. Mas o acaso interveio, com a morte de Pinheiro em outubro de 1908. Afonso Pena voltou-se então para um amigo de toda a vida, Rui Barbosa.

Acontece que esse amigo também julgava que uma eleição presidencial não deveria ser um simples ritual de unção. Por isso, em vez de aceitar um encontro no qual seria convidado, preferiu escrever uma carta explicando por que não cabia ao presidente a função de ungidor: "Um candidato à Presidência deve ser proposto por um movimento de opinião pública, por um partido político, ou por um estado da União. [...] O atual presidente da República ocupa a cadeira não tanto por expressão de seu valor pessoal, aliás indiscutível, quanto como encarnação do princípio que recusa ao chefe do Estado o direito de iniciativa ou deliberação na escolha de seu sucessor. Nós o negamos ao Dr. Rodrigues Alves e não podemos deixar de negá-lo hoje."[3] E arrematava com uma mescla de conselho e alerta de problemas: "Reflita, meu caro amigo, entre no íntimo de si mesmo e, aconselhado por este fundo resistente de bom senso, honra e patriotismo que a política o mais das vezes não consegue extinguir nos homens substancialmente honestos como você, exonerará o seu governo, a sua carreira pública, a sua consciência, de uma responsabilidade inútil e funesta. Ela lhe amargurará os dois últimos anos de administração."[4]

O presidente preferiu não seguir o conselho. Tentou indicar um sucessor para João Pinheiro no governo de seu estado, mas foi derrotado pela ala conservadora do partido, que emplacou Venceslau Brás, filho de um chefe local conservador no Império e seguidor das ideias do pai. Com isso um governo estadual caiu nas mãos de críticos da política do presidente da República. Afonso Pena tinha esperanças, fundadas na visão tradicional da unção, de que poderia passar por cima da diferença e indicar um continuador da vitória econômica que ajudara a construir. E isso porque o governador de São Paulo, Albuquerque Lins, lhe dera carta branca para lidar com a sucessão. Aproveitando o apoio, o presidente o consultou sobre o nome do ministro da Fazenda, o mineiro Davi Campista, que foi aprovado. Com isso, pelo figurino tradicional, tinha nas mãos grandes trunfos: o apoio de São Paulo para um político mineiro.

Em janeiro de 1909, comunicou isso ao novo governador de Minas Gerais, pedindo que cumprisse seu papel de acordo com o figurino tradicional: anunciar o nome, que receberia o apoio de São Paulo e, com tudo isso, permitiria que o próprio presidente colhesse o apoio dos demais estados. Mas o anúncio não veio e o presidente interpretou mal o silêncio. Tanto Venceslau Brás como os conservadores mineiros tinham sido postos na posição de optar por um mineiro com apoio de São Paulo e dentro das regras da sucessão ritual. Mas isso significaria sacrificar as convicções conservadoras, abaladas com a implantação de um novo modelo de desenvolvimento econômico por mecanismos contra os quais todos haviam lutado.

Dessa vez quem interpretou corretamente o silêncio foi Pinheiro Machado, que passou a misturar demonstrações de lisonja ao presidente com insinuações sobre a candidatura do ministro da Guerra, o marechal Hermes da Fonseca, gaúcho e amigo dos positivistas. No dia 14 de maio de 1909, ao ler uma entrevista do líder conservador Bias Fortes, o presidente ficou sabendo que os conservadores mineiros haviam decidido rifar a candidatura de seu compatriota progressista para apoiar o marechal, com total apoio de Pinheiro Machado. Em apenas três dias a articulação apareceu por inteiro, com um grupo parlamentar apoiando o nome do marechal Hermes. Nesse mesmo dia 17, Afonso Pena cumpriu dolorosamente o seu dever. Convocou o ministro da Guerra, que sempre jurara lealdade e que jamais iria ser candidato (a eloquência oficial...). A conversa, segundo Américo Lacombe, foi penosa: "Afonso Pena, estranhamente revestido de nobre serenidade, disse que [...] saberia cumprir seu dever até o fim, que jamais negara aos militares o direito de serem candidatos, mas negava-lhes o direito de empregar a força para obterem esses cargos ou impor candidatos. [...] Nesse momento o presidente, empalidecendo terrivelmente, sentiu-se mal. O ex-ministro da Guerra, de pé, reverente, esperou que o presidente se refizesse e saísse amparado."[5]

Dali o presidente iria para a cama, sofrendo muito mais que as dores vaticinadas por Rui Barbosa. Este reagiu a seu modo, publicando um artigo no qual descrevia a situação como resultado de um método ritual anacrônico e propunha outro modo de encarar uma eleição: "Vivemos habituados, os políticos dessa terra, a supor que o Brasil se resume ao círculo estreito onde nos movemos. São efeitos de um costume vicioso. Seria mister começarmos a contar com a opinião pública, o povo, a vontade nacional. Déssemos nós o rebate de uma campanha que teria o intuito de manter ao país o direito de eleger o chefe do Estado e, ainda que todos os governadores se achassem contra nós, uma candidatura verdadeiramente popular, verdadeiramente nacional, a candidatura de um homem sério, digno e benquisto, reunindo nos estados todos os elementos dissidentes e no país todos os homens de opinião, havia de se impor e prevalecer."[6]

Reaparecia em sua integridade o desafio dos não conservadores: na República, não mais havia o amparo da lei para o uso do poder pessoal da Coroa para se colocar acima do soberano direito do cidadão de eleger o representante que o governava. Mas a praxe sobrevivera como hábito inveterado dos políticos, todos acostumados a se considerar no alto, pairando num círculo acima dos demais cidadãos. E esse costume ritual serviria aos positivistas e conservadores para conquistar poder político, depois de se engajarem contra as instituições econômicas que estavam se mostrando vencedoras no mercado. Tentando se contrapor a isso, Rui Barbosa propunha uma campanha política que falasse diretamente com o eleitor, que apelasse à sua vontade soberana, ao seu direito de escolher.

Vinte anos de República não haviam sido suficientes para fazer isso, de modo que a proposta era apresentada como novidade: "Teríamos então, pela primeira vez, o espetáculo do povo brasileiro concorrendo efetivamente às urnas para nomear seu primeiro mandatário. Mas quando não o tivéssemos, ao menos, vencidos, o seríamos com honra, que é melhor que vencer sem honra, e salvar princípios que se devem salvar sempre, ainda quando se perca tudo o mais. A eles se acha ligada a minha consciência, a minha tradição. [...] São compromissos que representam a minha vida inteira. Se eu os quebrasse, reduzir-me-ia, a meus olhos próprios, a um trapo."[7]

Enquanto isso, a candidatura de Hermes da Fonseca recebia adesões de peso – o vice-presidente indicado foi Venceslau Brás. Para Afonso Pena era outro ato de traição. Sua doença foi piorando e morreu em menos de um mês, no dia 14 de junho de 1909. Assumiu o vice, Nilo Peçanha, cujo primeiro ato foi mostrar o que pensava de economia: para o Ministério da Fazenda, indicou Leopoldo de Bulhões, o mesmo que atacara o plano de valorização do café quando ministro de Rodrigues Alves. A campanha de Rui Barbosa foi a primeira a ser organizada no Brasil com o intuito de convencer os eleitores. Foi lançada em convenção realizada num teatro, com grande plateia, e sagrada por delegados eleitos nos municípios. Prosseguiu com comícios de rua promovidos por defensores da ideia e explorados pela imprensa. Foi arrematada por uma viagem que reuniu multidões em torno do candidato – e plateias que assistiam a conferências que expunham o programa de governo. A grande bandeira era a defesa do voto secreto: "A exigência de nossa moralização eleitoral consiste em extinguir radicalmente a publicidade no voto. No dia em que tivermos estabelecido o recato impenetrável da cédula eleitoral, teremos escoimado a eleição das suas duas grandes chagas: a intimidação e o suborno. A publicidade é a intimidação do votante. O segredo, sua independência. Para a conquistarmos, cumpre tornar obrigatório, absoluto, indevassável o sigilo do voto."[8]

Era a forma possível de apresentar a defesa da soberania popular sem defender a ampliação do voto para todos os homens (o padrão da época) – e fez imenso sucesso. Por todo lado apareceram cidadãos dispostos a apostar na ideia de que eles deveriam escolher o presidente da República. Já a campanha do marechal Hermes foi concebida segundo o molde ritual republicano: um banquete para a leitura da plataforma em recinto fechado, lido para os apoiadores da unção. As posições conservadoras ficaram mais que claras: "Não sou dos que aplaudem movimentos prematuros de opinião, nem poderia sê-lo porque pertenço à escola conservadora. [...] Em matéria financeira julgo perigosas quaisquer inovações precipitadas. Os últimos governos, mesmo em luta com as consequências de erros de natureza política e administrativa que perturbaram a marcha normal dos negócios públicos, têm se preocupado sempre com a valorização do meio circulante. O regime metálico é a nossa maior aspiração."[9]

Os programas de uma e outra campanha eram o de menos. Rui Barbosa conseguiu levantar a torcida. O eleitor soberano compareceu para votar. Sua vontade foi processada com os muitos instrumentos que o governo tinha para controlar eleições, todos velhos conhecidos: derrubadas, força bruta, pressão direta na escolha de quem podia votar, falsificação de atas etc. Rui Barbosa perdeu, mas aproveitou para denunciar as violências, deixando claro que a vontade do eleitor fora falseada e declarando ilegítimo o vencedor. Dois padrões se estabelecem. Do lado conservador, a clara noção de que os erros de fato nas previsões catastróficas feitas a partir de seu dogma metálico não significariam necessariamente a perda de poder político; do lado dos derrotados na eleição, ficava claro que haveria um longo caminho para transformar as eleições presidenciais em expressão da vontade do eleitor. Mas ao menos houve uma vitória parcial: dali em diante, os eleitores passaram a considerar a hipótese de escolherem eles mesmos o vencedor.

Assim que passaram no teste político, ainda no governo Nilo Peçanha, os conservadores resolveram fazer o de sempre: tentar anular as mudanças na economia e fazer voltar atrás o capitalismo. As bases para o ataque foram cuidadosamente preparadas por Leopoldo de Bulhões. Logo depois da posse, mandou uma mensagem ao presidente propondo um novo destino para as reservas brasileiras acumuladas no Fundo de Garantia da Caixa de Conversão. Sugeria que, em vez de sustentar o câmbio baixo estável de 15 pence, fossem empregadas com outra finalidade, aquela prevista na lei de 1846 que marcava o padrão metálico brasileiro em 27 pence: "O Fundo de Garantia realizava este efeito tonificador: acumulava ouro em depósito, e à medida que o depósito ia aumentando, transformava em aproximações progressivas a data do troco [por ouro], ou da reabilitação completa do meio circulante."[10]

Julgando que essa interpretação anulava a necessidade de manter a estabilidade cambial, passou a acumular dinheiro na Caixa de Conversão. Os depósitos eram de 5,6 milhões de libras no final de 1908; o movimento cambial total de operações com moeda estrangeira no Brasil fora de 5,9 milhões de libras nesse mesmo ano. Bulhões fez chover dinheiro contábil: na base de acertos de contas com o Banco do Brasil e o Tesouro, transferiu 9,4 milhões de libras dessas fontes para a Caixa de Conversão, entre setembro e dezembro de 1909, elevando seus depósitos a 14,3 milhões de libras. Pelas regras da Caixa, o equivalente em mil-réis foi entregue aos fornecedores das libras. Com isso o Banco do Brasil ficou com uma montanha de mil-réis em depósito e a necessidade de comprar libras no mercado para honrar seus compromissos nessa moeda.

Adiado para depois da vitória eleitoral, o grande ato foi assim descrito no Parlamento pelo deputado Josino de Araújo: "O Banco do Brasil não empregou seus recursos para comprar ouro, permitindo que o fizessem os bancos estrangeiros. E era natural que os bancos estrangeiros, tendo conhecimento de que a opinião do ministro da Fazenda era favorável à alta – e o deputado Calógeras admite com sinceridade que essa razão psicológica pode ter contribuído em favor da alta –, levando em conta esta opinião publicamente revelada do ministro, dizendo que as condições do Brasil autorizavam maior taxa, fizeram muito legitimamente seu negócio, isto é, trataram de comprar ouro por menor preço para vendê-lo para a Caixa de Conversão por preço certo. Era uma operação que podiam tentar com total segurança, graças à posição inerte do banco oficial."[11]

Em bom português: o governo brasileiro preparou o terreno para uma manobra especulativa – explicitamente para que lucrassem os bancos estrangeiros que haviam perdido com a valorização do café e tivessem prejuízos os produtores brasileiros que ganharam com ela. Em abril de 1910, no momento em que o Banco do Brasil mais precisava de divisas (e a Caixa de Conversão estava abarrotada daquelas que lhe foram tiradas), entraram libras esterlinas no país como há muito não se via. Em apenas 45 dias, entre o início do mês e 13 de maio, investidores estrangeiros depositaram 6 milhões de libras – mais que o movimento de todo o ano de 1908 – e receberam os mil-réis equivalentes pela taxa de 15 pence. Assim o total dos depósitos ultrapassou 20 milhões de libras. Pela lei, o câmbio podia então flutuar. Só então o Banco do Brasil entrou no mercado, e fez o possível para elevar a cotação: comprou um quarto da produção de borracha da Amazônia em mil-réis, para tornar ainda mais abundante a oferta de libras. Depois foi comprando libras com cotações cada vez mais altas, que chegaram a 18 pence em novembro. A essa altura, aqueles investidores estrangeiros que receberam 16 mil-réis por cada libra que depositaram em abril podiam comprar 1,203 libras. O banco oficial trabalhava para esse sucesso. Mas a grande guerra era para arrancar o dinheiro que iria pagar essa conta – e o alvo central eram os produtores de café de São Paulo. Eles deveriam desovar o grosso da safra bem na época em que a pressão chegava ao auge. Se vendessem como sempre, em libras, receberiam apenas 13,3 mil-réis por cada uma – 2,7 mil-réis a menos que a cotação de abril. Pagariam a conta da manobra especulativa, ganhariam menos do que os fornecedores de libras teriam de lucro.

Mas então os cafeicultores receberam uma providencial ajuda. O governo paulista tinha agora reservas de café – e, graças a elas, acesso a créditos no exterior. Não se sabe exatamente o que foi acertado entre o governo paulista e seus banqueiros internacionais, mas o fato é que, no momento em que os cafeicultores paulistas mais precisavam de empréstimos em moeda nacional para resistir ao cerco e deixar suas letras de câmbio tão guardadas como os mil-réis entesourados pelos bancos federais, o socorro chegou. Veio de uma fonte assim descrita por Cincinato Braga: "O Banco Agrícola Francês, com sede em São Paulo e com ligações legais com o governo do estado, ofereceu seus recursos para atenuar a situação da praça."[12]

Os investidores estrangeiros, vendo que não estava sendo possível comprar café com seus lucros, preferiram ir comprando as libras baratas que estavam disponíveis no mercado, graças à manobra altista do governo federal. Como o café não ajudou na manobra, a especulação se esgotou e a conta, em vez de recair sobre os produtores de café, como previa o plano original, ficou para o maior especulador, como mostra Winston Fritsch: "Em 22 de setembro de 1910 o ministério, completamente desligado da opinião geral, decidiu não alterar a taxa do Banco do Brasil. Apesar das extraordinárias perdas de reservas que a posição gerou, foi teimosamente mantida até o dia 15 de novembro. A esta altura, a sustentação da taxa superestimada custou quase todos os créditos em moeda forte do banco, e algo em torno de três quartos das reservas londrinas do Tesouro."[13] Ao contrário do teste político, o teste econômico da política conservadora levou a uma derrota acachapante, que doeu apenas em suas teorias. O dinheiro jogado fora era do governo do qual eles continuariam donos – e a conta ficava para os contribuintes federais, que não apitavam na hora de pagar. Dessa forma os testes brasileiros se acabaram: havia uma nova realidade econômica positiva de longo prazo, fundada em conceitos novos e visando o desenvolvimento do capitalismo com medidas consensuais.

CAPÍTULO **60**
> *Capitalismo no topo da velocidade do mundo*

A RESISTÊNCIA DO PLANO DE VALORIZAÇÃO DO CAFÉ AOS ATAQUES VINDOS DE dentro e de fora do Brasil fez com que se tornasse um ponto de referência, assinalando um antes e um depois na história econômica do país, como se vê nesta análise de Carlos Peláez e Wilson Suzigan: "Durante a valorização [do café] a economia brasileira experimentou pela primeira vez uma taxa de crescimento real per capita superior à dos Estados Unidos. A taxa foi provavelmente maior que 2% ao ano. Com base em qualquer dos indicadores de preços pode-se concluir que a economia cresceu rapidamente."[1] Afirmações como essa mostram o momento a partir do qual volta a existir certo consenso entre os econometristas. A unanimidade anterior, para recordar, era aquela referente aos 70 anos do Império como sendo um período de total estagnação da economia, no qual a renda per capita permanecera inalterada. Agora a unanimidade se dá nas circunstâncias de uma economia em crescimento, com taxas superiores às dos Estados Unidos, o que merece outro tipo de comparação.

Em seu livro *O capital no século XXI*, o econometrista Thomas Piketty distingue períodos uniformes na evolução econômica dos países do Ocidente como um todo.[2] Um desses períodos, de 1820 a 1913, tem como característica principal o fato de que a economia teria passado por uma profunda transformação, decorrente da disseminação do capitalismo. As revoluções burguesas teriam rompido os limites da aristocracia e dos impedimentos estamentais para a acumulação do capital. Com o domínio deste sobre o trabalho assalariado desencadeou-se uma espiral de crescimento, cujo resultado aparece com toda a sua potência nos números apresentados no livro. O ritmo de crescimento da produção econômica passou de 0,5% para 1,5% ao ano, enquanto o crescimento demográfico subiu de 0,4% para 0,6%. Em consequência dessas duas tendências, o crescimento da renda per capita ganha uma velocidade exponencialmente maior do que o conhecido desde a pré-história, de 0,1% ao ano: no período denominado por Piketty de "o longo século XIX", o crescimento das economias capitalistas salta para 0,9% anuais.

Esses números relativos às economias do Ocidente como um todo dão uma dimensão comparativa para a análise do caso brasileiro. Sair de um patamar de crescimento da renda per capita próximo a zero e alcançar, em apenas 16 anos, um ritmo de crescimento muito superior ao da média do crescimento mundial – e até mesmo da nação ocidental mais bem-sucedida naquele período histórico – não era um evento trivial. Tal ruptura significava uma mudança de eras, uma passagem acelerada do mercantilismo para o capitalismo, do Antigo Regime dos monopólios da era do capital comercial (e dos governos que os mantinham) para a acumulação de riqueza nos mercados.

O comparativo mundial também evidencia outro ponto. A alteração radical de comportamento da economia brasileira ocorreu num mesmo período evolutivo da economia ocidental como um todo. Mas não foi uma revolução trazida de fora, e sim uma revolução construída aqui dentro. No plano mais básico, o papel mundial do Brasil continuou o mesmo nesse período: exportador de café e outras matérias-primas agrícolas. No que se refere à inserção global da economia brasileira, não se deu nenhuma mudança estrutural entre o período de estagnação e o de crescimento acelerado. O marco da mudança de padrão é claro: o Plano de Valorização do Café. Não é um marco da exportação, mas do desenvolvimento interno do país. Mesmo continuando a ser um produtor cafeeiro, o Plano de Valorização colocou o Brasil em outra posição no mundo, a começar pela autoria.

Era um plano inteiramente elaborado no Brasil e por brasileiros. Mas foi capaz de despertar a atenção de investidores mundiais. Mais que isso, foi considerado tão bom que um governo sem recursos conseguiu captar no exterior os recursos para pagar a conta. Mas, sobretudo, conseguiu mudar radicalmente as relações financeiras e econômicas da economia brasileira. Desde a Independência, o Brasil era fundamentalmente um devedor de recursos. Mais precisamente, uma nação cujo governo central vivia preso à sua dívida externa – e fazia isso até mesmo com consciência, pedindo ajuda ao gênio inglês para permanecer atado a seu banqueiro e para manter desatados do capitalismo os seus cidadãos.

Jamais acumulara reservas significativas, isto é, reservas não atreladas às dívidas.

O Plano de Valorização do Café mudou a situação. O governo de São Paulo tornou-se senhor de um estoque de mercadorias no exterior – a contrapartida da dívida para com aqueles que haviam fornecido o dinheiro para as compras. Logo ficou claro que o estoque valia muito mais do que a dívida. Com isso o estoque passou a ser um passe para levantar dinheiro, quase uma reserva internacional líquida. Essa passagem da posição de devedor temeroso para a de dono do próprio nariz financeiro foi uma decorrência do Plano, a despeito de todo o esforço do Banco Rothschild, detentor do monopólio sobre as dívidas do governo federal do Brasil. A derrota foi tripla para o banco: perda da ascendência sobre a política econômica brasileira, perda dos ganhos de monopólio sobre o financiamento dos entes públicos e perda de oportunidades no financiamento do comércio exterior.

Essa última pode ser medida de maneira muito direta. Os financiadores do Plano de Valorização do Café eram originários sobretudo de quatro países: Bélgica, França, Alemanha e Estados Unidos. Em 1905, esses quatro países adquiriram 65% dos produtos exportados pelo Brasil e venderam 24% dos produtos importados pelo país.[3] Em 1913, vitorioso o investimento, compraram 61% dos produtos, uma proporção menor que antes do Plano, mas venderam 46% dos produtos importados pelo Brasil, quase o dobro da proporção anterior à associação. Isso ocorreu em parte à custa da Grã-Bretanha. Antes do Plano de Valorização, em 1905, esse país fornecia 27,2% das importações brasileiras; em 1913, a proporção havia decrescido para 23%. Mas a grande queda registrou-se nas compras dos produtos brasileiros pelos ingleses: em 1905, estes adquiriram 18% das exportações brasileiras; em 1913 essa proporção havia caído para apenas 12%, um terço a menos que no período anterior.

A transformação das posições de mercado e das finanças permitiu outra mudança interna de longo prazo. O Plano de Valorização do Café não foi feito para produzir mais café – e continuou em vigor a proibição de novas plantações –, mas, como bem colocou Augusto Ramos, visava produzir mais riqueza no Brasil a partir do café. Todo o forte crescimento nacional – não em um estado, mas em toda a economia brasileira – que se seguiu ao êxito do plano era, basicamente, um crescimento do setor industrial, em ritmo muito maior que o da agricultura. Uma tradução direta dessa prioridade republicana de duas fases (uma por ocasião das medidas tomadas por Rui Barbosa, outra depois do Plano) é visível na proporção de equipamentos importados para a produção industrial no total das importações brasileiras.

Um indício de que o crescimento industrial teve início antes da mudança de regime é o aumento dessa proporção da compra de equipamentos nos últimos anos do Império: de apenas 1% em 1880, ela mais que dobrou até 1889, quando atingiu 2,6%.[4] A mudança de regime ocasionou imediata acentuação da tendência, com as importações de equipamentos para a indústria subindo para 5,5% do total das importações. A partir daí registrou-se um lento declínio, com queda para 3,4%, em 1897. A recessão provocada por Campos Sales golpeou com força essa espécie de investimento: em 1901, apenas 1,7% das compras no exterior foram de equipamentos industriais, menos do que nos últimos anos do regime monárquico. Ao longo do governo Rodrigues Alves, o patamar foi se recuperando e chegou a 3% em 1905, ainda bastante inferior ao da primeira década republicana. A Política de Valorização do Café permitiu não só retomar o crescimento, mas estabilizá-lo num nível elevado até 1913 – último ano antes da Primeira Guerra Mundial, o evento que encerraria o "longo século XIX" – quando as importações de equipamentos foram de 2,8 milhões de libras esterlinas, um recorde histórico de volume, representando 4,2% do total das importações.

Desse modo, torna-se compreensível o modo pelo qual o regime republicano como um todo foi encontrando o caminho para o desenvolvimento. A passagem da estagnação secular da monarquia para a dinâmica republicana acelerada, num ritmo de crescimento superior ao das economias ocidentais, está muito mais relacionada às mudanças internas do que ao cenário externo. Essas transformações podem ser entendidas por meio de uma exposição de Augusto Ramos, redigida em 1910 com outros colaboradores do plano, em especial o ex-deputado José de Barros Franco. Enquanto buscava capitais e supervisionava a implantação de um novo empreendimento – a construção do bondinho do Pão de Açúcar, obra tida como visionária e sem sentido econômico na época –, Augusto Ramos voltou ao combate, contrapondo-se à política do ministro Leopoldo de Bulhões.

Seu argumento começava com a observação de que, no mais fundo dos sertões, havia unidades produtivas uniformes: "O Brasil é um vastíssimo campo de trabalho dividido em regiões constituídas por núcleos economicamente autônomos, mas entre si ligados por indissolúvel solidariedade. Essa solidariedade prende entre si as várias regiões, constituindo uma dilatada federação econômica."[5] Além da uniformidade nos laços, internamente se organizavam segundo várias modalidades de associação de trabalho e capital: "Nas regiões genuinamente agrícolas, qualquer de seus núcleos é constituído em geral por uma propriedade central, seja simples sítio, fazenda ou usina, rodeada de operários assalariados, ou de empreiteiros, ou ainda de arrendatários que, mediante um acordo com o proprietário, lhe cultivam a terra em troca de uma remuneração."[6]

Dada a concordância entre as partes, havia produção com receitas variadas: "Sempre que se tornou possível um contrato capaz de vincular os riscos e proventos das duas partes interessadas esse contrato foi aceito de comum acordo por ambas. Assim a cana produzida é paga por um preço frequentemente ligado à produção do açúcar; o café é cultivado a meias em vários estados, o milho à terça etc."[7] Na época, Augusto Ramos era o único a reconhecer a produção do sertão, secularmente organizada por acordos entre produtores independentes, firmados entre empreendedores e empresários, como uma formação essencialmente ligada ao mercado, visando enriquecimento e acumulação, sem a qual tudo definhava: "Cada vez que, por inviável ou por um acidente qualquer, fechava a porta um destes estabelecimentos, os operários viam-se atirados à miséria, como imediatos participantes da sorte de seus patrões."[8]

Além de responderem a estímulos de mercado (e não por serem produtores restritos ao mínimo de subsistência), esses conjuntos se constituíam, eles mesmos, em peças importantes para outros mercados: "O conjunto dessas grandes figuras de nossos campos – patrões e operários – constitui também a grande classe dos consumidores."[9] Essa estrutura que produz e consome constituía a base do mercado interno brasileiro, numa cadeia de trocas: "Cada região, no limite de sua importância, fornece-se do produto das outras e nelas encontra outros tantos consumidores. O charque do Rio Grande caminha semanalmente até o extremo Norte, semeando seus contingentes de porto em porto, e de lá enviando de retorno as mercadorias de que carecem os rio-grandenses. Pernambuco e outros estados do

Norte despejam em Santos três quartas partes do açúcar que ali se consome, maior contingente fornecendo ainda ao Rio de Janeiro; e tanto Santos como o Rio de Janeiro retrucam com o que sabem produzir as regiões ao redor."[10]

Dessas trocas internas da produção rural resultaria a prosperidade nas grandes cidades: "As cidades do litoral, arvoradas naturalmente em entrepostos, do interior recebem produtos exportáveis e para o interior enviam os que das outras regiões lhes são destinados, sendo tributárias das lavouras, cuja boa ou má sorte partilham, como membros da mesma família e construtores do mesmo edifício. Pergunte-se ao negociante do Rio Grande, do Paraná, de São Paulo, por que prospera ou definha, e ele invariavelmente responderá: porque estão em alta ou em baixa o café, o charque, o mate, o fumo ou o açúcar."[11] Esse conjunto comandado desde os sertões era o centro da vida econômica nacional, com o comércio externo absorvendo apenas as sobras: "O centro de todo o sistema, ninguém o contestará, é a lavoura, este formigueiro de gente que em todos os sentidos revolve os vargedos e as encostas de nosso território e do seio arranca produtos de toda sorte que, movimentando os entrepostos, derramam-se, cruzando em viagem pelo país inteiro e indo transbordar sobre o exterior e ali motivando a importação."[12]

Também diferentemente da imensa maioria de seus contemporâneos, ele via nesse complexo produtivo interno de trocas com o sertão o âmago de todos os interesses econômicos relevantes do país: "São produtores todos e todos consumidores. Sendo avaliada em 90% a nossa população agrícola em relação à nacional, é evidente e absolutamente incontestável que prejudicar a produção agrícola do Brasil igualmente prejudicará a pelo menos 85% dos brasileiros."[13] A partir dessas considerações ele criticava violentamente as justificativas do ministro Bulhões para especular com a alta do câmbio – centradas no barateamento do custo de vida nas grandes cidades pela facilidade de importar alimentos: "Um economista sensato jamais se lembraria de lançar mão da valorização do câmbio para baratear a vida da população. Revolver os cantos todos do país, ferir suas classes fundamentais, levar a perturbação a milhares de famílias, indo sacudi-las e despojá-las até o mais remoto dos sertões, sob pretexto de baratear a vida das populações do litoral seria positivamente uma obra de insensatos, não fora o resultado de um enorme erro de apreciação. O artifício deve ser condenado *in limine*, por ser monstruosamente iníquo."[14]

Com todas as letras ele deixava claro que o objetivo do ministro vinha a ser o mesmo de todos os pensadores conservadores desde o início do século anterior: combater a indústria: "A causa do mal – se houvesse nisso um mal – é o nosso desenvolvimento industrial. Será um mal necessário. A não ser nas classes abastadas, não se consomem no Brasil senão produtos de fabricação nacional."[15] O mesmo processo tem uma interpretação mais recente, proposta por Wilson Cano: "Há uma crescente integração do mercado nacional, com predominância cada vez maior da economia paulista. Essa integração é, ao mesmo tempo, reveladora de um específico sistema de trocas inter-regionais: de São Paulo para o resto do país aumentam continuamente as exportações de produtos industriais, ao passo que as importações paulistas vão cada vez mais se constituindo de matérias-primas e de gêneros alimentícios, demonstrando claramente uma relação estrutural de comércio típica de 'centro-periferia' [...] As importações provenientes de outras regiões supriam parcialmente a economia de São Paulo com alimentos e outros bens de consumo industrializados ou não; passavam, agora, gradativamente a abastecer a economia paulista de gêneros alimentícios que eram escassamente ou dificilmente produzíveis em São Paulo: açúcar, minérios, madeiras, animais de corte etc."[16]

Embora apresente o mesmo mecanismo de formação do mercado – as trocas entre regiões –, essa explicação tem um foco diverso: concentra-se na indústria paulista, afinal o tema do seu trabalho. Isso é bem mais palatável ao entendimento por não se afastar da secular tradição de concentrar as significações no caranguejo. Nesse caso, com ferramentas atuais: separar a formação da indústria da formação de um mercado interno, o "moderno" do "arcaico", inclusive do ponto de vista geográfico. Wilson Cano tem total razão sobre a natureza do crescimento trazido após 1906, com a industrialização acelerada, sobretudo em São Paulo, resultando de aumento das trocas com o restante do país. Mas, antes de entrar de vez nesse período, vale a pena tentar responder à pergunta central deste livro com apoio tanto das suas ideias como das ideias de Augusto Ramos: que relação há entre o surto de desenvolvimento econômico e os governos?

O plural aqui é mais necessário do que nunca – começa na própria esfera mais alta de governo. A passagem da Monarquia para a República se fez com uma reforma muito profunda nessa esfera: o Poder Moderador foi eliminado e suas franquias distribuídas tanto para outras esferas de governo como para a sociedade. Com isso, a estrutura do governo federal era uma versão bastante desidratada da pletora de poderes imperiais. Os governos estaduais ganharam parte do que foi retirado do centro, porém o mais significativo foi o fim da intervenção do governo nas decisões econômicas dos cidadãos. O governo central teve seu papel reduzido a uma entidade de registro legal e supervisão. Isso terminou com a restrição do mercado às "casas particulares", como vinha ocorrendo desde os tempos de frei Vicente do Salvador, e permitiu que compradores e vendedores atuassem em mercados públicos. Impuseram-se assim as formas capitalistas: uma esfera privada de produtores e outra pública, de um governo que dá suporte aos negócios privados.

É essa a rede de conceitos que Augusto Ramos aplica à formação brasileira, e com ela mostra o capitalismo surgindo nas relações entre, de um lado, industriais e operários urbanos, e, de outro, produtores independentes do sertão ligados ao capital comercial. Não como relações mediadas pelo governo, mas antes mediadas pelo interesse na riqueza. Sociologicamente falando, mostra duas estruturas que, embora de composição diversa, conseguiam se entender em prol de um objetivo comum, apesar das diferenças sociais inerentes à acumulação de riqueza. Nesse sentido, o desenvolvimento que se registrou após o plano de sua autoria é apresentado como uma realidade favorável às duas partes – mas que precisa ser defendida da ação do governo central no sentido contrário ao desenvolvimento. É apresentado também num jornal, como havia sido apresentado o seu projeto.

A despeito de todos os problemas, o regime republicano trouxera alternância no poder. As sucessões aconteceram pela regra marcada na Constituição, impondo-se o cumprimento dos mandatos. É certo que tais sucessões obedeciam mais ao ritual de sagração de um ungido pelo alto (em conformidade com as noções de "República" da maioria conservadora) do que por decisão do eleitor soberano (o que estaria mais de acordo com o conceito de "democracia"). Mas também é igualmente certo que, apesar da tentativa por parte de Campos Sales de reforçar o modelo da sagração, os primeiros mandatários adotaram abordagens muito diferentes no poder. Houve variedade tanto do papel de presidente em relação aos outros poderes e à sociedade quanto dos objetivos de política econômica. Com isso, as gestões presidenciais apresentaram grau muito maior de alternância real na condução do país do que os antigos ministérios imperiais. Também houve efetiva redistribuição de poderes entre a esfera federal e a estadual. Mesmo com as imensas diferenças de recursos, até mesmo o estado mais pobre contava com capacidade orçamentária bem maior do que nos tempos em que era província. Em nível estadual também se registrou essa variedade de opções no poder – desde a ditadura quase explícita no Rio Grande do Sul até a ousadia dos estados aliados em torno do Plano de Valorização do Café.

Tal variedade se refletia no leque de serviços públicos oferecidos com o dinheiro arrecadado. Com raras exceções, a prestação regular de serviços de educação, segurança pública, saneamento e suporte a investimentos produtivos acabou sendo na prática reservada aos estados – limitando-se a federação àquilo que fazia nos tempos do Império, inclusive no que se refere ao funcionalismo. Nos municípios, porém, é que a variedade mostrou-se muito maior. Começaram a se destacar os mais ricos, os centros do comércio e/ou da indústria, capazes de prover infraestrutura urbana e até de lazer. Mas em todos manteve-se a tradição secular das eleições e dos governos eleitos, assim como da solução de todo tipo de problemas – e isso ainda era quase toda a atividade de governo na maior parte do território brasileiro onde havia mercado e as tais unidades agrícolas descritas por Augusto Ramos.

Enfim, em relação aos tempos coloniais – quando predominou a aliança entre Tupi-Guarani e portugueses num primeiro momento, e a miscigenação geral (depois do ouro) –, o Plano de Valorização do Café trouxe uma mudança radical, tornando a relação entre o industrial que produzia e o sertanejo que consumia esses produtos o elemento crucial para o crescimento da economia brasileira – agora sob a forma de um mercado interno capaz de, por si mesmo, alimentar a espiral de acumulação. Augusto Ramos, o homem que formulou essa visão, era um empresário privado interessado na riqueza da nação, autor de um plano que resultara de fato em produção de riqueza – comandada pelo setor privado e arrancada, em momentos favoráveis, de diversas instâncias de governo, mas também em luta direta com o governo central na maior parte dos oito anos decorridos entre a concepção inicial e a concretização bem-sucedida do plano.

O sucesso não se media pelo governo, mas pelo fato de o setor privado ter colhido efetivamente os frutos do crescimento. Cálculos de econometristas indicam que a soma dos tributos recolhidos por todas as instâncias de governo nessa época giravam em torno de 6% do PIB – ou, inversamente, que o setor privado ficava com 94% do valor da produção nacional. Os parcos 6% do setor público tinham de ser divididos. Em termos de distribuição dos recursos entre as esferas de governo, a União ficava com cerca de 3,5% do PIB, os estados com 2% e os municípios com 0,5%. Eram governos pequenos no tamanho, modestos nas oficinas (que se distribuíam inversamente à riqueza: os municípios prestavam muitos serviços para muita gente; os estados concentravam um pouco mais a clientela; e o governo federal servia a uns poucos). Mas essa composição também era um indicativo de problema. Assim como o derrotado ministro não conseguiu fazer o crescimento voltar atrás, o setor privado não teve forças para fazer o governo andar para a frente.

CAPÍTULO **61**
> *1910-1918: tempos excruciantes I*

HERMES DA FONSECA FOI O PRIMEIRO POSITIVISTA A CHEGAR À PRESIDÊNCIA DA República por meio de eleições. Resolveu passar os seis meses entre o pleito e a posse na Europa, acompanhando manobras militares na Alemanha. Planejou uma volta com estilo: no início de outubro de 1910 embarcou no encouraçado *São Paulo*, que fazia sua viagem inaugural. A embarcação representava um grande salto tecnológico: era o navio de guerra mais avançado da época, com uma dúzia de canhões de 10 polegadas (o navio mais poderoso da frota inglesa possuía apenas dez), couraça de 24 centímetros de espessura (no mais poderoso encouraçado inglês eram 18 centímetros). Tanto poder de fogo, contudo, requeria destreza: o coice dos canhões era tão violento que exigia ordem precisa de disparos; havia comportas a serem manobradas de modo coordenado; as quatro turbinas deviam ser controladas com cuidado. As novas tecnologias influenciavam até o relacionamento entre os tripulantes, todos marujos especializados e obrigados a conviver em espaços apertados. Em vez da secular tradição de alojamentos e refeitórios separados para oficiais e marinheiros, todos partilhavam um único ambiente.

No dia 25 de outubro o encouraçado aportou no Rio de Janeiro ao lado de seu gêmeo, o *Minas Gerais*. Cada um deles custara o equivalente a 1 milhão de sacas de café. A manobra de atracagem foi acompanhada pelos apitos e tiros de saudações de uma verdadeira frota de belonaves estrangeiras, ali presentes para abrilhantar a festa de posse de alguém que apreciava as demonstrações militares. O navio projetava uma imagem de orgulho, poderio, modernidade – à altura de uma elite que se pensava como civilizada. Depois de desembarcar o marechal foi conhecer a máquina de governo que comandaria. Em sua ausência, coubera ao senador Pinheiro Machado formar o ministério. Ele ainda providenciara a criação de um partido de apoio, o Partido Republicano Conservador. O senador também conheceu o primeiro problema de governo, derivado do entusiasmo por afinal exercer o poder que tanto almejara.

Pelas regras da política dos governadores, o governador do Amazonas, Antônio Bitencourt, amigo pessoal do presidente Nilo Peçanha, arranjara votos para o futuro presidente. Mas o senador Pinheiro Machado tinha outros planos. Conseguiu que o Exército substituísse o comandante militar da região, trocando um general pelo coronel Pantaleão Telles, que foi encarregado de dar um ultimato ao governador para que deixasse o cargo. Era uma retomada da velha praxe das derrubadas, agora com um novo agente: a força militar nacional à qual pertencia o presidente. Várias reações foram aumentando o custo da manobra. Pela imprensa, o general deposto protestou contra o uso político do Exército. Ao receber o ultimato, o governador telegrafou ao presidente Nilo Peçanha, que, sem saber de nada, garantiu que o governador estava seguro. Bittencourt negou-se a deixar o cargo. O coronel mandou bombardear a cidade, atingindo, entre outros edifícios, a Santa Casa e a igreja dos Remédios. Nas ruas, as tropas investiram contra os soldados da polícia estadual. Cônsules estrangeiros negociaram a entrega do poder.

Assim que soube de tudo, Nilo Peçanha denunciou a manobra no Parlamento e exigiu que os ministros militares depusessem o coronel e voltassem tudo atrás. A sangrenta e desastrada intervenção foi uma má notícia temporária para o marechal prestes a tomar posse, mas reveladora de que a derrubada imperial estava de volta – duas décadas após a extinção do regime monárquico, continuava sendo uma prática muito cara aos positivistas. Já outra má notícia era de longo prazo: o fracasso da manobra especulativa contra o plano do café tinha custado não apenas as reservas, mas toda a capacidade do governo federal para influir na economia. Nos próximos anos, mal e mal pagaria as contas.

Bastou uma semana de governo do marechal para explodir o conflito. Na noite de 22 de novembro, após sessão de açoite de um marinheiro num dos encouraçados, o radiotelegrafista João Cândido desencadeia o motim. Os marinheiros assumem o controle dos dois encouraçados e do cruzador *Bahia*. A frota, comandada pelo novo almirante, manobra com grande precisão. Pelo rádio, é transmitida a única exigência dos amotinados: o fim dos castigos físicos na Marinha. A notícia corre na capital e, como se trata de uma cidade com meios modernos de comunicação, um jornalista consegue subir a bordo. Colhe declarações do líder da revolta, já alcunhado de Almirante Negro: "Isso de almirante é uma miséria. Nunca despi minha blusa de marinheiro. Sou [...] marinheiro e hei de morrer marinheiro, dentro deste ou de outro navio. E me orgulho de dizer tal coisa. Luto apenas para que as carnes de um servidor da pátria só sejam cortadas pelas armas dos inimigos, nunca pela chibata de seus irmãos. Não nos queixamos de trabalho, que tanto fatiga, nem da miséria que ganhamos, pois aqui não se vem para encher o bolso. A chibata avilta. É castigo para animais ou escravos. O soldado é um pouco mais que isso."[1]

A cidade aplaude o marinheiro negro que falava como cidadão de uma República onde todos tinham direitos. O Parlamento também: aprova uma anistia solene aos marinheiros, e João Cândido se torna herói popular. Vencedor, João Cândido devolve o comando dos navios intactos. Enquanto isso, oficiais das marinhas de todo o mundo presentes na baía avaliam o desempenho da Armada brasileira, impotente para reagir às manobras dos amotinados. Essa visão de fora torna ainda mais duro o problema de dentro: o convívio entre cidadãos estava entranhado tanto no projeto dos navios modernos como na mente do simples marinheiro que sabia comandar tudo, mas não na mente dos oficiais, formada na lógica do Antigo Regime, na separação radical entre senhor e escravo que justificava o uso da chibata. Essa lógica antiquada emergia agora num cenário novo e cruel para o governo federal. Com o capitalismo e a igualdade formal entre os cidadãos, a ação governamental teria de dar conta de uma nova configuração social, na qual não bastava mais reafirmar uma velha ordem, aquela que separaria um governo no alto e uma sociedade muito abaixo.

A estreia do marechal nessa seara não se limitou a obedecer a lei, no caso a da anistia. A maior parte dos oficiais e muitos políticos conservadores reagiram na forma da lei civil vigente, que trazia resquícios das seculares Ordenações, as quais não reconheciam cidadania nem direitos de nenhuma espécie dos súditos contra o Estado. Com apoio superior, os oficiais atacaram. Marinheiros foram submetidos a maus-tratos em massa. Diante de um protesto na ilha das Cobras, os navios iniciaram o bombardeio, enquanto o presidente decretava estado de sítio. Morreram 550 dos 600 marinheiros que estavam na ilha; 22 líderes da revolta, mesmo anistiados, foram presos numa cela sem janelas, na qual os oficiais jogaram cal depois de trancarem a porta. Dois dias depois, quando foi aberta, só restava um vivo: João Cândido. Levado para um hospital, escapou de ser embarcado com outros 200 marinheiros num navio civil que zarpou rumo ao Norte. Durante a viagem muitos acabam fuzilados, outros jogados ao mar. Os sobreviventes foram despejados nus nas barrancas do rio Amazonas. Tudo isso só foi possível mantendo censura à imprensa, o que impediu por meses a discussão do caso. João Cândido foi processado e expulso da Marinha.[2]

Era um sinal dos tempos. Depurada das exigências de cidadania, a força militar tornou-se o principal instrumento dos positivistas no governo federal. O figurino repetiu-se em muitos estados: candidatos derrotados em eleições estaduais alegavam fraudes, solicitavam a intervenção federal, que vinha sob a bandeira do "salvacionismo", sempre resgatando militares e massacrando civis. Em Pernambuco, para impor como governador o ministro da Guerra, general Dantas Barreto, foi preciso transformar Recife em praça de guerra: o Exército o conduziu ao palácio em meio a tiroteios e morticínios, malgrado o irrelevante fato de ele ter perdido a eleição. Na Bahia foi pior ainda: o general comandante da praça enviou um ultimato ao governador para que renunciasse em uma hora. Diante da recusa, repetiu-se em escala ampliada a tática inaugurada em Manaus pelos indicados de Pinheiro Machado. A cidade foi bombardeada e centenas de pessoas morreram em meio a grandes incêndios. O Supremo Tribunal Federal garantiu a volta do governador ao palácio, o que só provocou a continuidade do massacre, até que o escolhido do governo, o ministro do Interior, tomasse posse. Em Alagoas, os mesmos métodos colocaram no governo Clodoaldo da Fonseca, militar e primo do presidente, e as vítimas chegaram ao milhar. No Ceará, a mesma coisa: o governador foi deposto a bala pelo Exército, registrando-se centenas de mortes. Como o empossado não conseguiu estabilidade, cinco governadores se revezaram no posto nos cinco anos seguintes, durante os quais, em meio às guerras, se percebeu o sinal oposto: o crescimento econômico chegava ao mais fundo do sertão.

Cícero Romão Batista era o típico padre secular dos tempos do Império, filho de família pobre e empreendedor. Em 1873 tornou-se pároco no arraial de Juazeiro, que nem sequer era vila. Em março de 1889 começou a se espalhar a notícia de um milagre feito pelo padre: uma hóstia transformada em sangue. Embora atraísse fiéis, a história não caiu bem entre os seus superiores. No Brasil, a Igreja Católica havia passado da alçada do governo para a do Vaticano, e os novos responsáveis não apreciavam santos de casa fazendo milagre: após um inquérito, o milagre foi negado e o padre, proibido de administrar sacramentos. Este volta-se então para aquilo que lhe é permitido: fazer negócios e política. Do lado econômico, a força de seu prestígio é suficiente para fixar pequenos produtores ao redor do vilarejo, que vira um centro de abastecimento regional e núcleo de produção de algodão. Como político, ele se envolveu na guerra civil iniciada pela intervenção no estado a mando do marechal Hermes e obteve vitórias locais, sendo nomeado prefeito do recém-criado município de Juazeiro do Norte. Como administrador, acelerou o progresso capitalista na região, que se refletia na movimentação em sua casa: uma fila permanente na porta sempre aberta, na qual se viam candidatos em busca de voto, ingleses compradores de algodão, comerciantes atacadistas do Recife, pedintes de favores políticos – e romeiros que afluíam de todos os lados para conhecer o santo milagreiro.

O progresso veio tão depressa que nem a hierarquia da Igreja podia mais ignorar tanto movimento. Em 1916, o bispo do Ceará recebeu ordem para excomungar o padre Cícero; em vez disso, preferiu criar uma paróquia, restaurar em parte as ordens do padre e obter o controle financeiro do santuário. A partir daí, o padre voltou a rezar missas e pregar do púlpito. Além da indústria, o turismo religioso tornou-se fonte de renda da cidade, que progredia depressa. Esse progresso fundado na ação e na autoridade locais em meio a uma incerteza quase completa sobre aquilo que seria "governo" nas situações estaduais criadas pelo salvacionismo aconteceu também em outras localidades, como, por exemplo, Campina Grande, na Paraíba; Caruaru e Petrolina, em Pernambuco; e Juazeiro e Feira de Santana, na Bahia.

Também em São Paulo uma derrubada começou a ser armada. Havia um candidato hermista, o senador Rodolfo Miranda. Havia uma desculpa oficial, a necessidade de empregar o Exército para colaborar no massacre dos índios Caingangue. Havia a possibilidade de que a eleição fosse de fato conflituosa: o governador Albuquerque Lins, aliado de Rui Barbosa a ponto de ser o vice em sua chapa, tinha o controle do partido e até um sucessor de coração: Olavo Egydio, colaborador no Plano de Valorização do Café desde o primeiro minuto, depois senador. Mas em São Paulo o peso de certos fatos econômicos influía na política. Em 1911, a cotação do café era 53% superior à de 1907. Com isso o estoque de café do governo ficava avaliado em 21,6 milhões de libras esterlinas – e a dívida sobre ele era bem menor que os 15 milhões de libras iniciais, o que proporcionava larga margem de crédito para o governo. Além disso, como não se plantava café em São Paulo, o imenso lucro dos cafeicultores não retornava à produção agrícola e, em sua maior parte, acabava aplicado em bancos, que se viram cheios de dinheiro para emprestar aos empresários – e os industriais eram aqueles que mais tomavam empréstimos para ampliar os negócios. Desse modo, a indústria vinha crescendo de forma explosiva, e não apenas aquela para o mercado local.

Nos 10 anos entre 1897 e 1907, a venda de tecidos das indústrias paulistas para outros estados brasileiros saltou de 274 contos para 15 mil contos; as vendas de chapéus foram de mil contos para 2,4 mil contos; as de solas, de 164 contos para 1,7 mil contos. O restante das exportações industriais de 1897 estava agrupado numa única rubrica alfandegária, com valor de 234 contos. Em 1907, vários itens já haviam sido discriminados desse grupo: calçados, com vendas no valor de 5,4 mil contos; aniagem, 2,7 mil contos; cerveja, 1,2 mil contos.[3] O indicador mais claro da mudança eram os depósitos bancários, que dobraram entre 1906 e 1910, passando de 91,8 mil contos para 184,6 mil contos. Esse incremento quantitativo provocou uma mudança qualitativa, assim descrita por Anne Hanley: "Após 1906, os bancos domésticos se transformaram em verdadeiros intermediários institucionais. Essa mudança é crítica para o desenvolvimento econômico porque reduz a importância dos laços pessoais na obtenção de capital. Com a intermediação impessoal, um empreendedor precisava agora muito mais de uma boa ideia e um sólido plano de negócios que de conexões pessoais para obter dinheiro."[4]

Tudo isso eram interesses do setor privado, motor do desenvolvimento, que os políticos levaram em conta. O próprio Olavo Egydio achava má estratégia abrir espaço para uma disputa e se dispôs a abrir mão do governo; seu grupo resolveu ressuscitar o ex-presidente Rodrigues Alves, convidando-o para ser governador numa chapa única. Ele convenceu os conservadores, que convenceram Rodolfo Miranda a desistir, em troca da indicação de um terço dos deputados. Com o apoio nas mãos, o ex-presidente foi ao Rio de Janeiro e negociou um acordo de não intervenção com os hermistas e o presidente, afinal acertado em 8 de janeiro de 1912. Uma semana depois aconteceu o tradicional banquete de sagração do candidato, que dessa vez sagrava um acordo de substância. Nele, o ex-presidente Rodrigues Alves, agora falando como futuro governador, fazia um *mea culpa* sobre o Plano de Valorização do Café: "Deve ser considerada como um dos maiores acontecimentos dos últimos tempos a solução dada, neste estado, ao problema da valorização do café, não só pela audácia do empreendimento como pelo volume considerável dos valores envolvidos no conjunto da operação. Não tive a fortuna de estar de acordo com algumas das ideias que se entrelaçaram no encaminhamento daquela solução, sem que esta divergência pudesse significar desapreço aos que a promoveram."[5]

Depois mostrou a grande vantagem de ser um conservador: aderiu por completo à mudança já efetuada, e aos homens que tiveram de lutar contra ele para realizar a mudança – pois tudo agora seria irreversível e digno de conservação. Tão digno que agora os reconhecia como aliados, enquanto os defensores da política conservadora anterior eram convidados a rever também suas posições: "Os que assim raciocinam estão persuadidos que as opiniões, por mim manifestadas, sobre a Caixa de Conversão e a valorização do café não podem explicar a minha convivência política com os homens públicos que tiveram a responsabilidade por essas grandes providências e as executaram. É um desacerto de apreciação. Instituições fundadas em lei, à sombra delas foram criadas numerosas relações de direito, fizeram-se contratos, levantaram-se empresas industriais, foram contraídos compromissos de várias espécies, como, sem grave ofensa ao critério dos que dissentiram, com mágoa, de algumas das indicações formuladas, recear que ação deles possa, no governo, exercer-se no sentido de não acatar uma situação geral daquela natureza?"[6]

Com isso tornou-se líder nacional da adesão dos conservadores às novas realidades da regulação do mercado de café, do câmbio baixo e da emissão de moeda em níveis que levassem em conta a expansão do mercado interno – e testemunha do crescimento da indústria. Em torno desse novo programa conservador formou-se a chapa para a sucessão presidencial. Dessa vez, o mesmo Venceslau Brás que abandonara Afonso Pena abandonou o marechal Hermes e Pinheiro Machado. Como estava se tornando tradição na República, na forma de uma surpresa: o vice-presidente ganhou o apoio do presidente por sua fidelidade, que acabou no dia da sagração. Venceslau Brás descartou os positivistas que ajudara a colocar no governo, prometendo aos governadores que não haveria derrubadas nem apoio a intervenções ditatoriais nos estados. A paz conservadora permitiu inclusive um progresso real inusitado: no dia 1º de janeiro de 1916 foi promulgado o primeiro Código Civil brasileiro, a lei destinada a marcar a regulação estatal das relações entre as pessoas e destas com o Estado. Ele começaria a valer um ano depois, tempo necessário para que juízes estudassem a nova lei e jogassem fora as centenárias versões das Ordenações do Reino e dos alvarás régios dos tempos coloniais, que ainda funcionavam como leis válidas no Brasil.

Mas a mudança coincidiu com a total erradicação das forças políticas sensíveis a mudanças no papel do governo, como aquelas trazidas pelo Programa de Valorização do Café. O massacre pelos conservadores foi impiedoso. Os jovens colaboradores de Afonso Pena tiveram suas carreiras cortadas: Davi Campista foi mandado para a Noruega como embaixador; o presidente da Câmara, Carlos Peixoto, e o líder parlamentar do governo, James Darci, foram excluídos da política ainda no governo Hermes da Fonseca. A partir da exclusão de Francisco de Sales, o governador que assinara o Convênio de Taubaté, o Partido Republicano Mineiro passou a ser controlado com mão de ferro a partir do palácio de governo. Em São Paulo, Rodrigues Alves mostrou que o convívio com os criadores do Plano de Valorização não incluía sua transformação em autoridades: na esteira da escolha de Venceslau Brás, expulsou-os do Partido Republicano Paulista, interveio para transformar a Comissão Permanente em extensão do palácio e fez um sucessor pensando na própria candidatura a presidente.

Assim, enquanto perdiam a capacidade de intervir na economia, os conservadores usaram o monopólio político para se perpetuarem no governo central e se consolidarem nos governos estaduais – a ditadura positivista gaúcha passava a ser a única nota destoante. Com cada locomotor puxando de novo para um lado, como nos tempos da decadência imperial, os choques entre uma sociedade cada vez mais moderna e um governo aferrado ao arcaísmo foram se repetindo em escala ampliada. Em 1917 eclodiu em São Paulo uma greve geral, que mobilizou centenas de milhares de operários de milhares de empresas em torno de um conflito trabalhista, e o governo paulista comportou-se como agente conservador atarantado. Os operários queriam mais salários, os patrões queriam mais trabalho. Começaram a aplainar suas diferenças com uma pauta de negociação. Já o governo queria ordem e agiu com violência, com a polícia matando um operário no Brás e prendendo lideranças que eram importantes para negociar. A greve se expandiu e os tumultos aumentaram, até que as partes privadas encontraram um caminho: fazer as rodadas de negociação na sede de *O Estado de S. Paulo*, jornal cujas posições eram favoráveis aos grevistas, e deixar o governo de fora da conversa.

Sem a presença do intermediário incômodo, as diferenças se acertaram em um dia. Mas o acordo foi muito difícil de ser implementado na parte que envolvia o governo. As razões mais diretas podem ser encontradas no diário íntimo do governador Altino Arantes, no qual ele registrou as seguintes definições: "Minhas impressões sobre o movimento grevista que acabáramos de assistir: do manifesto mentiroso e francamente ameaçador que os jornais da manhã – ou melhor, que *O Estado de S. Paulo* divulgara, assinado por uma intragável 'Liga de Defesa Operária', e de outros indivíduos veementes, a conclusão a se tirar era que, no fundo de toda essa injustificável agitação, o que havia era nada mais nada menos que uma clamorosa exploração política contra o governo do Estado e contra a ordem. Os inimigos eram, aliás, bem conhecidos e nesse caso não se ocultaram convenientemente. O seu reduto estava no *Estado* [*de S. Paulo*] e os seus antecedentes – parlamentaristas, monarquistas ou militaristas – autorizam plenamente a convicção de se terem convertido à causa socialista ou mesmo anarquista."[7]

Vendo as complexidades da sociedade capitalista pela óptica de uma antiquada noção de ordem, o governador Altino Arantes misturou todos os agentes sociais capitalistas no mesmo balaio e deu ordens: processar o jornal e os jornalistas; prender ilegalmente operários e expulsar os estrangeiros do país; aumentar o gasto de dinheiro público no jornal oficial do governo, para fazer campanha contra os desordeiros. Tinha a mesma visão das relações entre governantes e governados herdada das Ordenações e empregada no tratamento cruel dos marinheiros da Revolta da Chibata, com leves nuances de atualização. Na via inversa, o mundo privado continuou se relacionando entre suas partes para transformar a sociedade, a despeito do governo.

CAPÍTULO **62**
> *1917-1930: tempos excruciantes II*

No dia 12 de novembro de 1917 o arguto jornalista Júlio Mesquita escolheu, para tratar em sua coluna "Boletim Semanal da Guerra", um tema que parecia marginal: a tomada do poder pelos bolcheviques na Rússia. Mais que isso, atribuiu importância decisiva ao evento: "Se o mundo atual fosse o mesmo de pouco antes da guerra, diríamos sem hesitar que a Rússia caminha a passos gigantes para uma ditadura, para o mando severo e merecido de um general ousado e feliz. Mas, como não podemos sondar os mistérios do vastíssimo tumulto em que se forja a transição para um mundo novo e diferente, não dizemos nada. Suceda o que suceder, tanto na Rússia como em toda parte, existe, latente, o que na Rússia explodiu: o mundo que há de vir, por mais imperfeito que seja, há de ser melhor que este que arde e se consome ao fogo inextinguível da própria maldade que o criou."[1]

A oscilação entre passado e futuro valia também para a avaliação do papel do líder da revolução, Lênin: "Suponhamos que o caso de Lênin é o de uma infâmia comum. Perderá ele, sem demora, todo o prestígio perante os fanáticos, que até este trecho da jornada cegamente o seguiram. Mas se este agitador, a soldo do inimigo, de repente se emancipa e se nos revela um sincero, impulsionado por uma paixão alta e nobre? Nesta hipótese, que não é nenhum sonho, o leitor percebe facilmente que, de todas as nações em guerra, a Alemanha há de ser a primeira vítima da arma de dois gumes, que imprudentemente manejou."[2] É muito raro um jornalista se debruçar sobre um evento lateral de um conflito mundial e nele vislumbrar uma era nascendo *in fieri*, mas foi o que ocorreu nesse caso: a revolução de massas de fato se tornou parte crucial do mundo que resultou das fornalhas da guerra. Chegara ao fim o "longo século XIX", durante o qual o Iluminismo havia sido a teoria mais prestigiosa de organização dos governos.

Desde meados do século XIX desenhara-se a alternativa socialista, que, fundada na constatação do custo humano do capitalismo, exigia outra espécie de governo. Nos esboços iniciais de Karl Marx, a estatização dos meios de produção e uma ditadura comandada pelo proletariado seriam o caminho para melhorar radicalmente a vida social. O herdeiro por ele designado (e editor dos volumes finais de *O capital*, publicados após a morte de Marx), Karl Kautsky, juntamente com Edward Bernstein, conheceram os efeitos do sufrágio universal e dos partidos de massa, e conceberam a alternativa social-democrata, na qual caberia ao Parlamento colocar o Estado no papel de regulador das relações entre capital e trabalho, mantendo mercado e democracia. Essa opção vinha se tornando dominante em vários países da Europa, sobretudo na Alemanha e nos países nórdicos. A vitória de Lênin revirou o jogo. A alternativa revolucionária atraiu a atenção da Europa pós-conflito e passou a ser defendida por novos teóricos, num momento em que os sobreviventes do prolongado conflito mundial tentavam encontrar caminhos para um futuro menos tétrico.

No Brasil do governo federal e dos governos estaduais, apesar da sua participação no conflito ao lado dos vencedores, a discussão teórica sobre novas formas de organizar o governo foi vista como algo remoto, confuso e desprovido de sentido. Os consolidados rituais de sagração eleitoral se mantiveram inalterados, com Rodrigues Alves sendo eleito presidente em 1918. Mas ele faleceu antes de tomar posse e Rui Barbosa foi lançado como candidato. Aceitou, desde que não fosse candidato oficial de governos. Como tal hipótese era inconcebível para a elite política, uma candidatura foi providenciada, a de Epitácio Pessoa. Embora estivesse na Europa discutindo o tratado de paz em nome do país, obteve apoio de todos os governadores e da quase totalidade do Parlamento. Rui Barbosa lançou-se então em sua segunda campanha civilista. Dessa vez seria uma campanha exclusiva da sociedade contra as candidaturas gestadas e paridas no interior dos palácios de governo. Marcou a sua posição a partir de duas conferências de relevância simbólica: uma para o capital, na Associação Comercial do Rio de Janeiro; outra para o trabalho, dirigindo-se a uma plateia de operários no Teatro Lírico. O tema de ambas era comum: o lugar do governo na sociedade.

Para os empresários, Rui Barbosa propunha uma nova era nas relações deles com o governo. No lugar daquelas vigentes, marcadas pelos pressupostos muito arcaicos de tutela estatal, ele pregava o fim da fusão perversa de negócios particulares (não privados, mas particulares mesmo, como eram considerados no Antigo Regime e pelos conservadores) com o dinheiro público (nos moldes mercantilistas do favor): "As belezas do presidencialismo brasileiro escorraçaram dos augustos laboratórios da legislação republicana o talento, a eloquência, a verdade. Baixaram, de legislatura em legislatura, naqueles recintos consagrados à caricatura da soberania nacional, o nível da capacidade e do decoro, da independência e da respeitabilidade, poluíram a vida parlamentar de chagas inconfessáveis, de segredos tenebrosos, de máculas sem nome. Na publicidade, lado a lado com os grandes órgãos onde se guarda a herança do pudor, abriam-se as casas de mancebia política, teúda e manteúda com o dinheiro público, donde saem à praça, tais quais messalinas transfiguradas no Carnaval em gênios, anjos e deidades, as mais feias culpas do governo engalanadas como as mais finas joias da palavra. É a corrupção das consciências, exercida não à penumbra das alcovas, como os vícios pudendos pelos libertinos, mas à luz da publicidade. Todo mundo conhece, nomeia e censura todos os que compram e os que vendem."[3]

E foi claro: não haveria virtude porque os votos não falariam a verdade da soberania do eleitor: "A convenção de fevereiro venceu, e vencerá. Vencerá e venceu como vence o mal, quando o bem capitula. Venceu e vencerá como vencendo estava a barbárie alemã. Venceu e vencerá, como não teria vencido, e não haveria de vencer, se o nojo contra ela, na sociedade brasileira, pudesse reanimar de repente as urnas eleitorais e arrancar delas o sentimento nacional, num voto, onde, pela primeira vez nesse regime, se reconhecesse a expressão da verdade."[4]

As relações com o Estado também foram o foco da conferência feita para os operários. Mas, nesse caso tratava-se, em vez de diminuir, de aumentar a área de atuação governamental, o que exigia daquele senhor, às vésperas de completar 70 anos, uma revisão das próprias crenças, a começar da noção de direitos individuais: "A concepção individualista dos direitos humanos tem evoluído rapidamente, com os tremendos sucessos deste século, para uma transformação incomensurável nas noções jurídicas do individualismo restringidas agora por uma extensão, cada vez maior, dos direitos sociais. Já não se vê na sociedade um mero agregado ou justaposição de unidades individuais, mas uma esfera orgânica em que a esfera do indivíduo tem por limites inevitáveis, de todos os lados, a coletividade."[5] Essa mudança o levava a mudar de campo: "Estou, senhores, com a democracia social. [...] Quando trabalha para distribuir com mais equanimidade a riqueza pública, em obstar a que se concentrem nas mãos de poucos somas tão enormes de capitais que, praticamente, acabam por se tornar inutilizáveis, e, inversamente, quando se ocupa em desenvolver o bem-estar dos deserdados da fortuna, os socialistas têm razão. E não têm menos razão quando se trata de imprimir à distribuição de riquezas normas menos cruéis, e lança os alicerces deste direito operário, onde a liberdade absoluta dos contratos se atenua, quando necessário seja, para amparar a fraqueza dos necessitados contra a ganância dos opulentos."[6]

E dizia com toda a franqueza como isso se faria: "Não há neste mundo quem embrulhe a questão social com a observância dos contratos livremente celebrados entre capital e trabalho. Quando se fala em 'medidas reclamadas pela questão social', o que se cogita não é em cumprir tais contratos, mas em dar, fora desses contratos, acima deles, sem embargo deles, por intervenção da lei, garantias, direitos, remédios, que, contratualmente, o trabalho não conseguiria do capital."[7] Em seguida, relacionava os pontos nos quais se daria a intervenção do Estado acima dos contratos: casas de operários, trabalho de menores, jornada de trabalho, previdência social, higiene no trabalho, licença-maternidade, acidentes de trabalho, situação especial do trabalho agrícola, seguro de vida, trabalho noturno. Essa pauta teria futuro, formando o núcleo da intervenção estatal nas relações de trabalho nas décadas seguintes. Ao mesmo tempo ele criava um curioso argumento para não tomar o caminho do comunismo: "Nomes há que atuam como espantalhos. 'Capitalismo' é um deles. Não acrediteis que todos os males do sistema econômico predominante no mundo venham de que os meios de produção estejam com detentores de capitais. Os operários não melhorariam, se, em vez de obedecer a capitalistas, obedecessem aos funcionários do Estado socializado."[8]

Também nessa conferência Rui Barbosa analisou posições dos políticos adversários, como fora o caso dos conservadores criticados na conferência para os empresários. Dessa vez os adversários escolhidos foram os positivistas: "Quereis ver o que são meus acusadores? Assombrai-vos em o apreciar no discurso do senador rio-grandense que tomou a si, na baixa comédia da Convenção, a tarefa de reduzir a pó a minha entrevista com o *Correio do Povo*, de Porto Alegre, sobre a revisão constitucional. Nessa oração, em que o espírito reacionário corre parelho com a insensibilidade à vida contemporânea, nos declara peremptoriamente o situacionismo borgista que o Estado não pode intervir com suas leis nas discórdias entre o capital e o trabalho [...] senão como garantia da ordem."[9]

Empregando como critério a realidade do mundo transformado pela guerra, que colocara no centro do pensamento sobre governos a questão das relações entre capital e trabalho, Rui Barbosa fez uma campanha clara para a sociedade, mas incompreensível para os conservadores e positivistas que monopolizavam o controle do governo federal. Para ambos a atividade de governar equivalia essencialmente a manter a ordem, pensada esta como o reconhecimento de uma hierarquia na qual o governo estivesse acima dos interesses e, inversamente, a sociedade abaixo do Estado. Essa concepção vinda do Antigo Regime, que mal e mal propiciara brechas para o desenvolvimento do capitalismo na sociedade, agora se via às voltas com um mundo que pensava na regulação da riqueza.

Uma rápida mirada sobre a ação administrativa de Epitácio Pessoa ajuda a entender a combinação. Desde o primeiro momento havia problemas, que ele mesmo narrou: "Quando assumi o governo em 1919 era tal o estado do Tesouro que, ao aproximar-se o fim do primeiro mês, verifiquei que não tínhamos com que pagar a tropa e o funcionalismo público. Preso da maior angústia, enviei um emissário ao governador de São Paulo. [...] Pedi-lhe 8 mil contos, que ele enviou prontamente. Foi o que nos valeu."[10] Em meio a esta penúria, para realizar sua maior ideia – a participação do governo federal em obras contra as secas nordestinas –, o ministro da Viação, José Pires do Rio, teve de ser criativo. Embora seu ministério gastasse 53% do orçamento, a margem de manobra era mínima: quase tudo estava comprometido com a infraestrutura que sustentava a posição econômica do Rio de Janeiro e do Rio Grande do Sul.

No primeiro caso, o governo geria a Central do Brasil, maior ferrovia do país; a Estrada de Ferro de Teresópolis; a Estrada de Ferro de Maricá; a Estrada de Ferro Vitória a Minas (cuja inauguração, nas palavras do próprio ministro, teve como resultado "abrir à economia do maciço central de Minas as possibilidades decorrentes de um melhor escoadouro de suas produções para o porto do Rio de Janeiro, cujo centro comercial, muito mais que Vitória, facilita a exportação da produção");[11] o próprio porto do Rio de Janeiro; o canal de Macaé a Campos; o Loide Brasileiro, empresa de navegação com sede na capital; e até serviços locais, como as autarquias que cuidavam do abastecimento de água da capital.[12] No caso do Rio Grande do Sul estavam as ferrovias e o porto de Rio Grande. Não se tratava de acidente, pois a mesma concentração de gastos se repetia em outros ministérios, especialmente os militares. No todo, a ação efetiva do governo federal era ainda a mesma dos tempos imperiais: captar impostos no país e gastar de maneira concentrada em duas unidades da federação – não à toa aquelas nas quais predominava o positivismo, acentuadamente influente entre funcionários federais. O ministro só obteve condições para os gastos no Nordeste quando transferiu ao governo estadual gaúcho o controle das ferrovias e dos portos. E foi tudo o que o governo federal conseguiu fazer, o que era nada perante as mudanças que aconteciam na sociedade.

Uma dessas mudanças torna ainda mais claro o contraste. Na noite de 15 de fevereiro de 1922, abrindo a Semana de Arte Moderna, Menotti Del Picchia leu o seguinte trecho: "Este é o estilo que esperam de nós os passadistas para enforcar-nos, um a um, nos finos baraços dos assobios de suas vaias. Para eles somos um bando de bolcheviques da estética, correndo a 80 por hora no rumo da paranoia. Somos o escândalo com duas pernas, o cabotinismo organizado em escola. Julgam-nos uns cangaceiros da prosa, do verso, da escultura, da pintura, da música, amotinados na jagunçada do Canudos literário da Pauliceia Desvairada. [...] Aos nossos olhos riscados pela velocidade dos bondes elétricos e dos aviões, choca a visão das múmias eternizadas pela arte dos embalsamadores. Cultivar o helenismo como força dinâmica de uma poética do século é como colocar o corpo seco, embalsamado em bandas de um Ramsés ou de Amnésis, para governar uma república democrática, onde há fraudes eleitorais e greves anarquistas. Aos discóbolos de Esparta opomos Friedenreich."[13]

Essa imagem rompia com outra, secular. Canudos, anarquistas e o craque do futebol Friedenreich faziam parte, ao mesmo tempo, do fundo do sertão e do mais moderno do mundo. É desse ponto de vista que se avalia o modelo secular, o modelo do Antigo Regime, da Ordem como era vista pelos conservadores. Até aquele momento, essa era a visão da norma do caranguejo, pela qual os moradores do Brasil apareciam como desviantes, seja na versão acolhedora de Gregório de Matos, seja no horror do conde de Assumar ou na ostra de Campos Sales. No discurso modernista, pelo contrário, a autoridade do alto é definida pela presença de figuras mumificadas – o governo central de corte colonial que não se liga com a sociedade vibrante nem ajuda a produzir riqueza.

As virtudes são fruto da metrópole onde signos europeus, celestes e sertanejos se misturam na modernidade, como misturada era a população brasileira, há séculos esperando por esse momento. Assim o modernismo criava a primeira imagem estética da nação como era vista a partir da sociedade. Vinha daí o projeto de transformar a fala popular em norte da língua, a arte popular em padrão da arte erudita, o brasileiro em centro da nação, derrubando o modelo secular que o enquadrava como desvio do padrão europeu de nobreza. Para além das representações, o mundo econômico moderno, o mundo saído da Primeira Guerra Mundial, continuava a existir no país, ao largo do governo federal. Na esfera estadual, marcou presença em duas unidades da federação. Uma delas foi São Paulo, onde os conservadores deram início a uma versão própria de política estatal para o café.

A guerra dispersou em campos opostos os financiadores do estoque regulador. A alta após o programa havia gerado um novo ciclo de produção, inclusive no Brasil: a partir de 1915 surgiram novas plantações, e em 1918 a produção superava o consumo mundial. O governo de São Paulo comprou o excedente por sua conta. No ano seguinte, uma geada monumental provocou a quebra na produção e um aumento de preços tão grande que todos os estoques (inclusive o restante do café comprado em 1906) foram vendidos com altos lucros. A euforia levou a mais plantações. Logo ficou claro que havia mais capacidade de produzir que o consumo mundial – a mesma situação da virada do século. Pensando nos lucros de antes, os governantes estaduais resolveram que era hora de comprar e estocar café eles mesmos, eliminando do negócio o sócio atacadista. Conseguiram dinheiro emprestado no exterior, criaram um banco estatal para operar as finanças da operação e foram às compras com seus funcionários.

Parecia o mesmo negócio, mas a nova posição do governo mudava muita coisa. Na estrutura que antes havia se mostrado eficaz, todo o café fora comprado, estocado e vendido sem a intervenção direta do governo no mercado ou nas vendas (quem comprava, distribuía pelo mundo e estocava eram os agentes privados), pois se tratava de uma aliança entre produtores e distribuidores, limitando-se o governo a atuar como intermediário aliado. Agora se tratava de uma operação governamental para subordinar uns e outros ao dono estatal do estoque, o que gerava um perfil estratégico bem diverso. Já nas compras iniciais o governo privilegiou aliados políticos, deixando claro aos produtores que o mercado nem sempre seria o critério para as aquisições. Diante disso, os atacadistas internacionais reconheceram que havia um novo e forte concorrente no mercado – e, em vez de confiar nele, saíram atrás de outros fornecedores. Os produtores estrangeiros, por sua vez, sentiram-se tentados a plantar também, uma vez que alguém lá fora sustentaria preços com dinheiro público. Ao longo da década de 1920, essa atitude manteve o crescimento da economia local, mas não a unanimidade política. Em 1926, os dissidentes expulsos duas vezes do Partido Republicano Paulista por Rodrigues Alves formaram o Partido Democrático, cujo programa era uma versão mais amena daquele proposto por Rui Barbosa. O que o caracterizava, porém, era a qualidade da propaganda: cartazes, anúncios em jornais, eventos e comícios pediam o voto secreto e mudanças na forma de administrar. Encontraram aliados.

O Rio Grande do Sul foi a segunda unidade da federação a sofrer mudanças no governo estadual. Até o início da década de 1920, a ditadura positivista fora uma mistura similar ao governo federal: monopólio político violento e timidez administrativa. Com resultados modestos na economia local, cujo principal produto era a carne, que vinha fazendo fortunas na Argentina e no Uruguai desde a virada do século, quando houve o processo de industrialização, passando da charqueada (de mercado local e baixa qualidade) para os frigoríficos. A mistura de ditadura, infraestrutura precária (não houve melhoria da rede ferroviária local) e predomínio dos charqueadores atrasou a mudança gaúcha até 1917. Enquanto ela não veio, os pecuaristas vendiam as melhores reses (e faziam as maiores compras) nos países vizinhos, deixando o gado de baixa qualidade para os charqueadores locais – enquanto os ditadores positivistas reafirmavam a posição de que o governo não deveria intervir na economia. Em consequência, o estado registrou crescimento abaixo da média nacional, inclusive na indústria. A arrecadação do governo era relativamente pequena: 20 mil contos anuais no período da Primeira Guerra, contra 80 mil contos em São Paulo. A administração das ferrovias e do porto, a partir do início da década de 1920, melhorou drasticamente a posição do governo gaúcho. A arrecadação sextuplicou até 1925, chegando a 120 mil contos.

Na esteira disso, os positivistas acusaram o influxo de uma nova alternativa para o problema da realocação do papel do Estado. Em 1922, Benito Mussolini deu um golpe e tomou o poder na Itália à frente do Partido Fascista, cuja ideologia central pregava o Estado nacional como fonte do progresso e da superioridade do país, lutando em meio a um cenário internacional marcado por disputas selvagens. Desse modo, a ação política visava a união nacional, assim como a administração da luta de classes por meio da intervenção do Estado, a fim de aumentar a produção capitalista. O cimento da união seria a força, e o próprio partido adquiria acentuadas características militares.

Influenciados por tais ideias, os positivistas gaúchos – sobretudo no Exército – iniciaram seguidas tentativas de assalto armado ao poder. Embora alegassem na propaganda que eram democratas (diziam que as eleições falseavam a vontade do eleitor, os métodos de administração eram obsoletos, e havia incapacidade técnica nos governos eleitos), queriam na verdade atualizar o velho ideal da ditadura positivista, pregando agora um governo "revolucionário", no sentido que lhe dava Mussolini. Socialista de origem, o ditador italiano empregou o termo da linguagem bolchevique para justificar o projeto de substituir o sistema democrático-representativo por uma ditadura. Tal versão caiu como uma luva para dar um novo sentido às ideias comtianas de afastar do poder os políticos, substituindo-os por técnicos, como queriam os defensores da ditadura positivista.

O aumento da importância dos governos estaduais na economia local, desse modo, aconteceu apesar das crenças diversas. Enquanto essas duas alternativas se desenvolviam com bases políticas e administrativas próprias em estados importantes, o governo federal continuava na mesma toada: administrativamente, uma versão desidratada do que fora no Império; politicamente, um monopólio conservador garantido pela manipulação cada vez mais violenta das eleições. A despeito disso, a vida nacional seguia adiante: a economia continuava avançando. Ao longo da década de 1920, o crescimento manteve o mesmo ritmo elevado, desde o Plano de Valorização do Café, acima dos 7% anuais, com a indústria crescendo a um ritmo de dois dígitos. Mas, em 1929, o impasse ganhou outra ordem. O crescimento do comércio internacional, que fazia girar a roda da dinâmica econômica, transformou-se em seu oposto de um momento para outro. A crise foi violenta e rápida. As exportações brasileiras desabaram de 94 milhões de libras esterlinas em 1929 para 65 milhões no ano seguinte. Nesse período os conservadores no governo federal fizeram o que estavam acostumados a fazer, ou seja, tentaram evitar qualquer mudança, o que acentuou ainda mais a crise. Os positivistas do Rio Grande do Sul conseguiram o apoio dos democratas de São Paulo e até dos conservadores mineiros para remover o governo federal paralisado há décadas. Uma nova era começava, o que torna oportuno um balanço da era que se encerrava.

CAPÍTULO **63**
> *1889-1930: um balanço*

PARA SE AQUILATAR AS TRANSFORMAÇÕES OCORRIDAS NO BRASIL ENTRE A PROCLAMAÇÃO da República e o momento em que Getúlio Vargas tomou o poder, o melhor é recorrer aos números disponíveis, apesar de toda a imprecisão que ainda guardam. Para começar, os relativos à população. De 14,3 milhões de pessoas em 1890 passou a 30,5 milhões em 1920, crescendo 113% nessas três décadas.[1] Não houve Censo em 1930; o de 1940 apontou uma população de 41 milhões de pessoas, com crescimento de 36% no intervalo de 20 anos, bem menos acentuado que no primeiro intervalo.

Não é fácil calcular a distribuição dessa população entre a cidade e o campo. Um modo mais intuitivo de avaliar essa distribuição é o exame da relação entre a população das 10 maiores cidades do país e a população total. Em 1890, essa proporção era de 7,4% da população total. Em 1920, chegava a 10%. Em 1940, estava na casa de 11%. Tanto quanto se pode inferir de dados tão precários, o período entre 1889 e 1920 foi de considerável aumento da população das grandes cidades em relação ao restante do país, e essa mudança evoluiu de maneira bem menos atenuada nas duas décadas seguintes. Outra maneira de entender as mudanças é examinar a relação entre o número de operários e o de trabalhadores agrícolas. Em 1900, o contingente dos primeiros representava 6,4% dos trabalhadores no campo; em 1920, essa proporção havia dobrado, chegando a 12,8%.[2]

Embora os dados não sejam comparáveis por virem de fontes diferentes, os diversos censos industriais revelam clara tendência de crescimento da indústria. O primeiro desses censos, em 1907, listou 3,25 mil fábricas no país. Aquele de 1912 relacionou nada menos de 9,4 mil estabelecimentos industriais. O Censo oficial de 1920 registrou 13,3 mil indústrias. No primeiro censo industrial, o cálculo era de 151 mil operários; em 1920 foram contabilizados 275 mil operários.[3] A tendência de crescimento fica clara. E os dados relativos a setores ligados à indústria podem fornecer indicativos indiretos do crescimento. Um deles é o do consumo de energia elétrica. Em 1900, ainda nos primórdios do emprego dessa fonte de energia, ele foi de 16 Gwh.[4] Dez anos depois, em 1910, atingiu 245 Gwh. Em 1920, saltou para 775 Gwh, e o crescimento continuou no mesmo ritmo ascendente, chegando a 1.367 Gwh em 1930.[5] Outro dado nacional é o da quantidade de objetos postados anualmente pelos Correios.[6] De 50 milhões de itens em 1890 passou para 278 milhões em 1900, depois atingiu 543 milhões em 1910 e 642 milhões em 1920. Chegou a 2,1 bilhões em 1929, volume que só seria superado em 1935.

No período, o maior investimento em infraestrutura ocorreu no setor ferroviário. Em 1890 havia 9,9 mil quilômetros de linhas férreas no Brasil.[7] Em 1900, as linhas estendiam-se por 15,3 mil quilômetros. Em 1910, chegaram a 21,3 mil quilômetros; em 1920, a 28,5 mil quilômetros. Em 1930 atingiram 32 mil quilômetros, mais do que o triplo do momento da mudança de regime. Outro indicador de desempenho é a tonelagem das mercadorias transportadas pelas estradas de ferro. Em 1904, foram 4,3 milhões de toneladas.[8] Em 1910, 6,9 milhões. Em 1920, 16,5 milhões. Em 1929, 25 milhões – seis vezes mais que no momento inicial, mostrando que as cargas de mercadorias cresceram em volume bastante superior à quilometragem das linhas.

Por fim, uma série importante para avaliar o crescimento da indústria é a importação de equipamentos industriais. Nesse caso, notam-se oscilações de acordo com as conjunturas, que não deixam de ser significativas. Em 1889, ano da mudança de regime, essas importações alcançaram o valor de 631 mil libras esterlinas.[9] Com a política de Rui Barbosa, a elevação foi muito forte, atingindo 1,38 milhão de libras em 1891. A partir do ano seguinte e até 1896, oscilaram em torno de 900 mil libras anuais. Caíram para o patamar de 600 mil libras até 1899. Nos dois anos de maior recessão no governo Campos Sales, as importações recuaram a 410 mil libras, abaixo do nível de 1883. A retomada ocorreu no governo de Rodrigues Alves: em 1905, atingiram 891 mil libras, o mesmo nível de 1895. Em 1907, primeiro ano do Programa de Valorização do Café, chegaram a 1,6 milhão de libras esterlinas; e foram subindo até chegar a 2,9 milhões de libras esterlinas em 1913. A guerra afetou duramente as importações, que retrocederam aos níveis do Império. E mesmo após o fim do conflito os investimentos foram limitados, girando em torno de 1,1 milhão de libras esterlinas até 1923. A partir daí cresceram com força, atingindo de novo o patamar de 2,8 milhões de libras em 1929.

Para efeito de comparação, vale a pena registrar o desempenho do principal produto de exportação, o café. Em 1890, foram vendidas 5,1 milhões de sacas,[10] que renderam 17,8 milhões de libras esterlinas; em 1900, as vendas atingiram 9,8 milhões de sacas, enquanto a receita caiu para 14,4 milhões de libras. Em 1910, o volume foi menor que aquele de dez anos atrás (9,7 milhões de sacas) mas as receitas aumentaram para 26,7 milhões de libras. Em 1920 foram exportadas 11,5 milhões de sacas, no valor de 40,4 milhões de libras. Em 1930 o país vendeu 15 milhões de sacas e obteve 41,4 milhões de libras. Houve crescimento, mas em ritmo bem menor que a indústria ou os transportes.

Para além da economia, outro dado é relevante: a alfabetização. Os cálculos foram feitos por Alberto Carlos Almeida a partir dos dados oficiais: em 1890, apenas 17,4% da população brasileira eram alfabetizados.[11] Em 1920, a taxa subiu para 28,8%, alcançando 39,8% em 1940. E, nesse caso, deve-se levar em consideração que o crescimento da população em idade escolar atingiu nada menos que 3,15% ao ano no primeiro intervalo – caindo para 1,5% ao ano no segundo –, o que torna ainda mais relevante o esforço realizado pelo regime republicano em seus anos iniciais. Em termos absolutos, o número de alfabetizados passou de 2,4 milhões, em 1890, para 16 milhões, em 1940, multiplicando-se por 6,7.

A escolha de dados mostrando volumes físicos ou valores em moeda forte, todos retirados das estatísticas oficiais do país, não é casual, propiciando um vislumbre do aumento da produção e dos pontos de mudança social. Isso é muito importante no caso da economia, pois permite um entendimento sem que se recorra a valores em moeda nacional – e sem o emprego dos índices de preços reajustados, cuja imprecisão sustenta interpretações disparatadas sobre o período, mesmo entre econometristas. Assim se pode focar melhor naquilo que muitos estudos econométricos começam a revelar com clareza cada vez maior sobre o período, e que as interpretações clássicas não permitiam alcançar: o padrão de crescimento da economia brasileira mudou com a República. Comparada com o passado imperial, a economia deixou para trás a estagnação ao iniciar o desenvolvimento capitalista. E, comparado com o mundo, o Brasil deixou a posição de atraso crônico, mostrando uma economia não só vigorosa, mas das que mais cresceu no período.

Os números assinalam a combinação de duas tendências dinâmicas. Uma era a do comércio internacional, perceptível no desempenho positivo do principal produto de exportação. Outra, e em ritmo ainda mais forte, era a do crescimento do mercado interno, sobretudo nos setores da indústria e de serviços como os transportes. Ou seja, as oportunidades oferecidas pelo crescimento do comércio internacional foram aproveitadas e desencadearam um surto de crescimento do mercado interno. A indústria vendia para o sertão, o sertão vendia para a cidade – e essas trocas iam constituindo esse mercado interno, impulsionadas pela capacidade de, explorando o cenário internacional, exportar café e importar equipamentos industriais. Certamente ainda resta muito para tornar mais consistentes os números que poderiam detalhar melhor o processo, em especial na primeira década republicana. As discussões ainda estão longe de terminar. Tal como os hábitos, as visões ideológicas continuam arraigadas, e sempre haverá quem não acredite nos indicativos numéricos, preferindo se aferrar a crenças tradicionais e explicações prestigiosas. A confusão pode durar – sobretudo quando se entra na seara central deste livro, o papel dos governos nesses resultados econômicos.

E a carência de dados tem um significado muito relevante no entendimento do papel dos governos no período. A influência da noção de economia de subsistência adotada por todos os clássicos gerou uma interpretação que enfatizava demais o quadro externo do comércio internacional crescente como fonte única do dinamismo econômico. E a isso se juntavam as afirmações sobre a inércia das relações produtivas internas, pois afinal esse é o corolário da noção de economia de subsistência. A partir daí se constrói uma interpretação na qual se concebe a ação governamental como incapaz de vencer a estagnação pressuposta na definição de subsistência – e toda a política é vista pelo aspecto da persistência de grupos no poder.

A comprovação numérica de uma dinâmica interna ainda mais acelerada que a externa tem, para a análise desse período, uma decorrência similar à da época colonial: mais do que buscar novas explicações, trata-se de recolocar o problema. Em vez de ser uma continuidade do atraso, cabe explicar a ruptura e o desenvolvimento capitalista que marcam o período, associados à exportação agrícola. O novo enfoque do problema muda também a forma de se entender o papel dos governos – e, nesse sentido, é essencial o plural "governos". Tanto quanto a noção de economia de subsistência impede a visão da dinâmica efetiva do desenvolvimento no sertão, uma secular elaboração imagética mostra a realidade brasileira como decorrente de uma dupla formação: o governo central como parte ativa (centro do dinamismo econômico, da política civilizada e da esfera letrada) e o sertão (imobilizado na economia de subsistência, bárbaro em política e analfabeto, portanto incapaz de articular formalmente o seu lugar no mundo).

Em termos simbólicos, essa imagem de Brasil é herança direta da visão de mundo corporativista portuguesa, que mostrava o governo central como cabeça pensante e o restante da sociedade como corpo obediente com funções especializadas. Até o Império essa grande metáfora – derivada também das imagens de senhor e escravo, fulcro da concepção de governo aristotélica – inspirou a organização do sistema governamental e das instituições civis, das leis que regiam as relações entre governados. Toda a ação do governo central na colônia e no Império pautou-se pela reiteração dessa distância. O grande empenho, nesse sentido, foi a manutenção seja do analfabetismo generalizado, seja do mercado como instituição marginal que – relembrando a definição de frei Vicente do Salvador no século XVII – acontecia nas casas, mas não nas ruas.

A principal diferença na passagem para a vida de país independente fora de nuance. Enquanto os governos coloniais fundavam-se na crença de uma soberania monárquica única, o governo imperial sustentou-se admitindo a fórmula das duas soberanias, mas forcejando o tempo todo para subordinar a soberania do eleitor. Na via inversa, o espaço da soberania popular aumentou em relação ao da colônia, mas não o suficiente para impelir as instituições centrais da economia na direção do capitalismo – ou da democracia, se pensada a partir da progressiva implantação do voto universal e de eleições que obrigassem o governo à vontade do eleitor soberano.

O emprego da noção de economia de subsistência permitiu que essa grande imagem corporativa/dualista fosse aplicada também ao período republicano. A falta de dados numéricos no campo da economia, nesse momento, ajudou a manter a essencial impressão de uma falta de dinamismo no sertão. Havia base real: a regressão no sistema eleitoral reforçava a continuidade do papel apenas ritual das eleições comandadas pelo governo central – e a soma gerava o foco interpretativo da continuidade do atraso. Mas a realidade numérica agora visível é de ruptura do padrão de desenvolvimento, o que leva a buscar fatores de ruptura também no lugar do governo como promotor de desenvolvimento.

A primeira e mais evidente ruptura promovida pelo regime republicano foi a abolição do Poder Moderador, a autoridade central arbitrária e irresponsável. Com isso se promoveu, muito rapidamente, uma inversão fundamental entre costume e lei no que se refere à economia. Durante a colônia e o Império, o viver pelo mercado e o empreendedorismo foram costumes gerais, mas praticados num ambiente legal que relegava tudo isso a um plano marginal. Em parte, o governo central – governo federal, no período republicano – mudou radicalmente esse cenário já em seus primeiros dias.

Depois dos decretos de Rui Barbosa em 1890, o governo renunciou ao papel de interventor vigilante na vida econômica e criou as condições legais para que empresários pudessem atuar com liberdade. No lugar de desviantes que fugiam da tutela da autoridade, puderam agir sob a égide da lei. Bastou esse ato para que os empresários se libertassem do confinamento de sua atividade à casa (isto é, a seus negócios pessoais) e oferecessem os produtos de suas empresas (agora pessoas jurídicas legalizadas) no mercado (agora uma instituição capaz de funcionar com apoio da lei). A mudança fez toda a diferença para os industriais e financiadores do sistema de crédito que atuavam na direção do capitalismo. A organização formal de uma empresa era necessária para juntar capital, próprio ou por meio de crédito (agora legal, com os bancos privados se multiplicando), tanto em empresas pessoais quanto em sociedades anônimas (antes o capital de risco só podia ser reunido com autorização do governo).

Portanto, a legislação que retirava o governo de seu papel tutelar ajudou muita gente a ir para o mercado legal. Essa nova realidade explica as empresas, os produtores, mas fica ainda uma pergunta: quem eram os novos compradores, os consumidores? Uma figura simbólica, criada por Monteiro Lobato, serve de exemplo: "Quando o Jeca Tatu, piraquara do Paraíba e maravilhoso epítome de carne onde se resumem todos os característicos típicos da raça, vem a falar com o fazendeiro cujas terras anda parasitando, seu primeiro movimento, após prender nos lábios um palhão de milho, sacar o rolete de fumo e dar uma cuspurada, é sentar-se jeitosamente sobre os calcanhares. [...] Nos mercados, para onde leva a quitanda domingueira, é de cócoras, como um faquir de Brahmaputra, que vigia o feixinho de palmito e o cacho de brejaúva. O que ali costuma mercar vale todo um tratado. [...] Vive num corrupio de barganhas nas quais exercita uma astúcia nativa. [...] Pesa nos destinos econômicos do país com o polvilho azedo de que é fabricante, tendo amealhado mais de 200 mil-réis em prata no fundo da arca."[12]

A crônica define muita coisa sobre o sertanejo e seu duplo papel na economia do período. De um lado, vai ao mercado como consumidor maior da produção industrial; de outro, como empreendedor e também produtor independente, que "pesa nos destinos econômicos do país como fabricante". Tudo isso sem deixar de ser um "epítome da raça", um sertanejo acabado. Jeca Tatu é a versão da Primeira República dos milhões de sertanejos que eram produtores independentes, donos dos meios de produção e das mercadorias, responsáveis eles mesmos pela comercialização.

Essa imagem microscópica de um tipo geral facilita o entendimento de uma diferença. Nos termos das análises fundadas na noção de economia de subsistência, Jeca Tatu poderia ser visto como mais uma prova da falta de dinâmica da vida sertaneja, mais um exemplo de analfabeto que tem a "astúcia nativa" como única arma de sobrevivência. Monteiro Lobato, no entanto, cria um personagem que, apesar de sertanejo, é não apenas fabricante como também pessoa capaz de acumular dinheiro depois das trocas no mercado, ou seja, como empresário que lucra com sua produção. Enfim, o mercado não lhe era estranho. Novidade republicana, se há na descrição, é que não era mais um mercado que corria apenas nas casas. Jeca Tatu já vende no mercado público, não entrega polvilho na venda e recebe produtos fiados, como fora obrigatório por séculos. Nesses tempos anteriores, por mais que barganhasse, seria difícil para Jeca Tatu terminar o domingo levando mil-réis para acumular no fundo da arca.

Aí está a segunda mudança promovida pelo governo federal republicano: imprimir dinheiro de papel em quantidade suficiente para que até as trocas no sertão se servissem dele para acumular saldos. Jeca Tatu tinha "astúcia nativa" suficiente para guardar o resultado de seu trabalho em dinheiro, em vez de se manter como cliente cativo de um comerciante capaz de fazer fiado. Assim se percebe que industriais e sertanejos melhoravam ambos de vida quando o mercado se desenvolvia – e que ambos apoiassem o progresso republicano. Também se deduz disso que os intermediários comerciantes talvez não apreciassem tanto essas mudanças trazidas pela indústria e pelo dinheiro, já que perdiam o controle de clientes pelas cadeias de fiado, e com elas boas oportunidades de lucros. Por aí se vê também que o motor do crescimento da economia foram as trocas no setor privado entre industriais e produtores independentes (muito mais relevantes para o crescimento nesse período que os trabalhadores assalariados, ainda que estes tivessem um peso crescente).

Esse simples exemplo torna compreensível a maioria dos números gerais do período, sem apelar para a noção de economia de subsistência. Industriais levavam produtos ao mercado, assim como os Jecas Tatu. Ambos realizavam trocas, com resultados satisfatórios, que se refletiam em crescimento. Enfim, eles compunham, agora que a lei incentivava empresas, um setor privado pujante. Eram complementares no desenvolvimento – agora que as instituições criadas com o afastamento da tutela permitiam essa relação. Industriais queriam mercado – e o encontraram em Jecas Tatu que, há séculos, sabiam lidar com os estímulos do mercado para conduzir suas vidas. Mas restava uma diferença relevante entre as partes: os industriais ganhavam com a formalidade e a possibilidade de trabalhar dentro da lei; o Jeca Tatu dependia ainda da "astúcia nativa", daquilo que aprendera no costume, da palavra falada. A igualdade real só era possível com algo que apenas quem estava fora do sertão podia fornecer: letras e direitos.

Um século e meio de governos iluministas no Ocidente havia mostrado que o princípio da igualdade perante a lei, que começara como ideia constitucional, acarretava necessidades que iam além da formalidade. Foi parte da política desses governos, de um lado, a universalização da escrita por meio de escolas e, de outro, a dos direitos políticos, com avanço progressivo rumo ao sufrágio universal – que em alguns países ia se completando com o voto feminino. Tais políticas permitiam que o Estado processasse os interesses da sociedade como um todo, o que exigia que se organizasse para atuar em realidades cada vez mais complexas. E, no período do pós--guerra, a oferta dessa capacidade operacional se convertera na principal fonte de disputas políticas no Ocidente.

Essa decorrência institucional do capitalismo, que os sertanejos estavam impedidos de construir por si mesmos, não aconteceu pela ação dos governos republicanos. O país manteve o retrocesso eleitoral do Império, com a exclusão do voto dos analfabetos, e foi lentíssimo na criação de leis civis adequadas à realidade contratual da ação econômica da população sertaneja. Apenas na escolarização houve avanços, que não se deram por causa do governo federal. Ainda que dentro desses limites, ocorreram outras mudanças. A ruptura republicana gerou mais do que uma nova institucionalização econômica favorável ao desenvolvimento. Houve também, ainda nos tempos do Governo Provisório, reformas que reduziram outros poderes de intervenção, a mais importante das quais foi a privatização na esfera religiosa, com o fim do Padroado. Com isso diminuiu muito a capacidade de intervenção administrativa da esfera governamental.

A Constituição de 1891 fez o resto: nos moldes iluministas, inverteu as posições entre lei e costume, retirando do cenário legal o soberano arbitrário e relegando ao costume a ação de seus muitos defensores, que passaram a ir infiltrando seu modo de ver no cenário institucional. Outra ruptura se deu na amplitude da esfera intermediária de governo. Desde a época colonial as capitanias perderam poderes, e o Império preservou a subordinação das províncias. A transformação dos estados em governos formalmente soberanos, apesar de todas as idas e vindas, logo ganhou substância própria.

Todas as funções modernas de Estado presentes no período vieram dos governos locais. Foram estes os únicos a criar redes de prestação de serviços para os cidadãos: escolas, segurança pública, saneamento, saúde. Essas redes de serviços, em grau variado, permitiram uma nova forma de diálogo entre governantes e governados. Os governos estaduais passaram a funcionar como processadores dos interesses internos e como prestadores de serviços com pretensão universal. Com isso, afinal, os moradores do sertão passaram a contar com o apoio de algo mais do que a autoridade local democrática que eles mesmos compunham. No sentido inverso, houve o processamento da pressão vinda da sociedade, ainda que dentro dos estreitos moldes políticos das franquias eleitorais e das eleições rituais. Talvez o mais conspícuo exemplo de mudança construída nesse formato seja aquele mostrado na implantação do Plano de Valorização do Café.

Vale notar que toda a sofisticada tentativa de uma política governamental visando acelerar o crescimento econômico foi concebida no âmbito privado e elaborada inicialmente na sociedade. Passou a interessar os governos de baixo para cima: câmaras municipais, assembleias estaduais, governos estaduais – e começou a ser implantada na esfera federal por intermédio do Parlamento. Em todo o processo, o governo federal fez oposição cerrada enquanto pôde. Mesmo depois de tudo aprovado, seus únicos atos efetivos foram um aval e um empréstimo logo liquidado – ou seja, pouco mais do que apoio institucional. Em 1910, o ministro fiel ao anticapitalismo dos conservadores imperiais ainda gastou todas as reservas internacionais do país para tentar reverter as mudanças.

O Plano de Valorização do Café sobreviveu, apesar de tudo. O Parlamento foi o centro da articulação do acordo nacional que permitiu a sua implementação, centrado menos no apoio aos exportadores de café do que no aumento das rendas trazido pelo câmbio baixo – algo que também interessava aos industriais, como proteção do mercado, e aos sertanejos, como atividade econômica. Os governos dos estados nos quais se plantava café contribuíram ainda para o enquadramento legal, além de cobrarem impostos. No final, a operação acabou recaindo sobre o governo de São Paulo, que não só auferiu lucros extraordinários como soube apoiar a transferência dos ganhos dos cafeicultores para o financiamento (por meio do setor privado de crédito) de uma forte expansão do setor industrial. Dali a lição se espraiou aos governos estaduais, que passaram a ver com outros olhos seu papel na sociedade, exatamente a exigência do pós-guerra. Falta muito para ir além de sugestões como essas e se chegar a explicações, mas os indícios apontam para a natureza do fenômeno desse período a ser explicado: muito mais desenvolvimento com menos poder central.

Para concluir com números, vale notar que o tamanho do setor público em relação ao total da economia não mudou com as novas funções das esferas descentralizadas. A proporção calculada por econometristas para a primeira década do século se manteve: a soma dos tributos recolhidos por todas as instâncias de governo no final da década de 1920 girava em torno dos mesmos 6% do PIB – ou, inversamente, o setor privado ficava com 94% do valor da produção nacional. Em termos de distribuição dos recursos entre as esferas de governo, para relembrar, a União ficava com cerca de 3,5% do PIB, os estados com 2% e os municípios com 0,5%. Sendo assim, parece pouco razoável pensar na radical transformação republicana a partir da secular imagem do caranguejo ou de suas atualizações dualistas. Mas o mesmo não vale para o período seguinte, no qual estas ganharam nova substância.

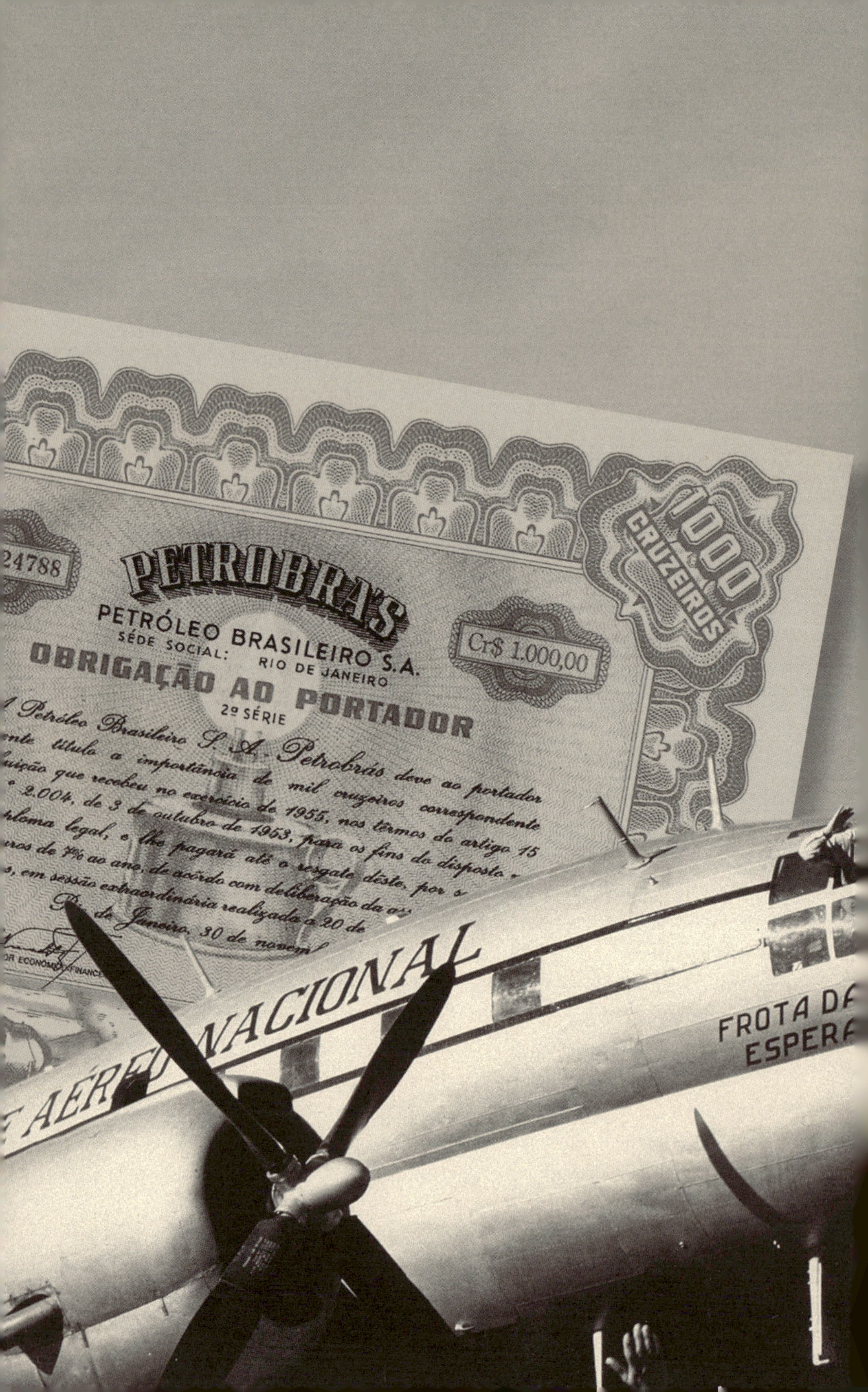

24788
PETROBRÁS
PETRÓLEO BRASILEIRO S.A.
SÉDE SOCIAL: RIO DE JANEIRO
OBRIGAÇÃO AO PORTADOR
2ª SÉRIE
Cr$ 1.000,00
1000 CRUZEIROS
Petróleo Brasileiro S.A. Petrobrás deve ao portador
título a importância de mil cruzeiros correspondente
que recebeu no exercício de 1955, nos têrmos do artigo 15
2.004, de 3 de outubro de 1953, para os fins do disposto
legal, e lhe pagará até o resgate dêste, por
de 7% ao ano, de acôrdo com deliberação da
em sessão extraordinária realizada a 20 de
de Janeiro, 30 de
NACIONAL

IV › 1930-2017

A era do muro: uma centralização, dois resultados

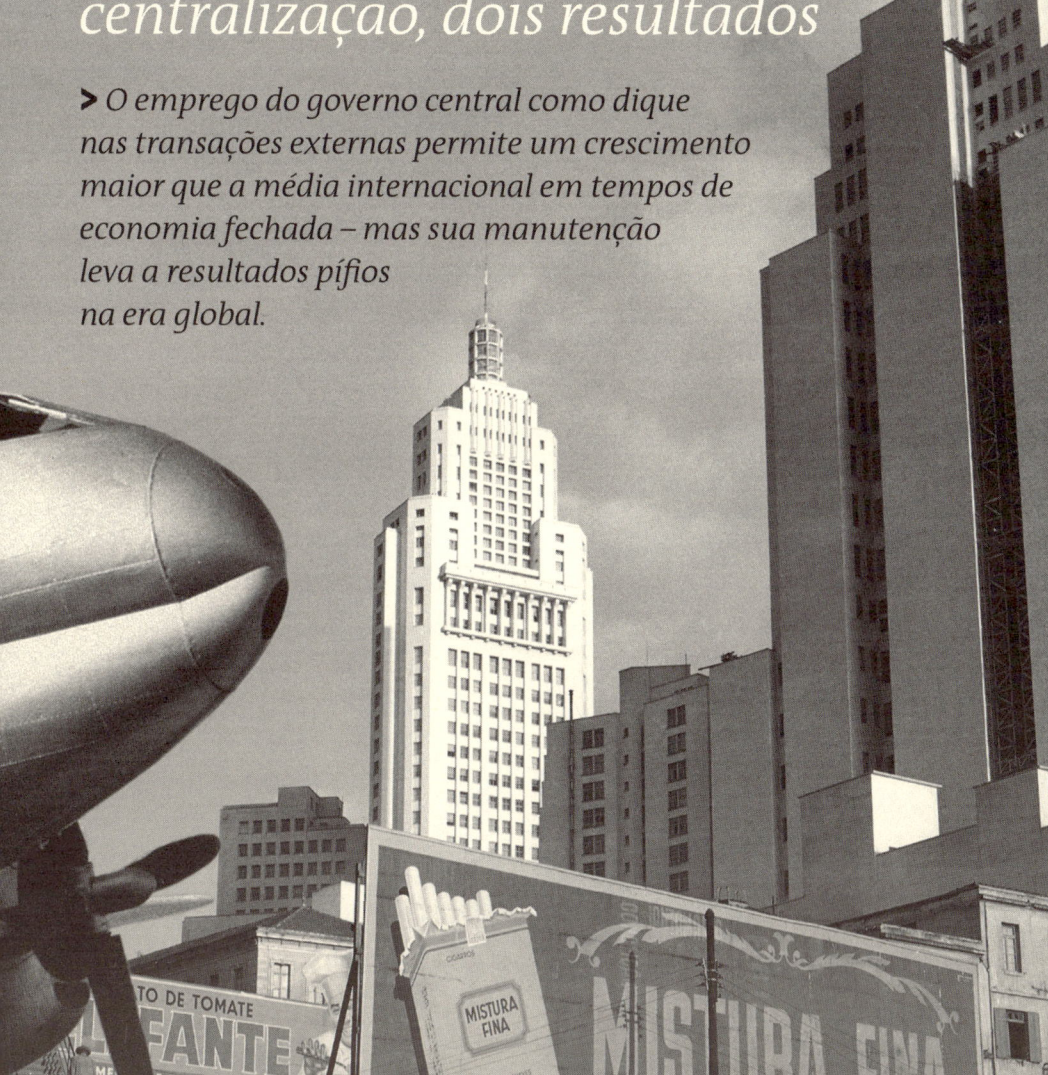

> *O emprego do governo central como dique nas transações externas permite um crescimento maior que a média internacional em tempos de economia fechada – mas sua manutenção leva a resultados pífios na era global.*

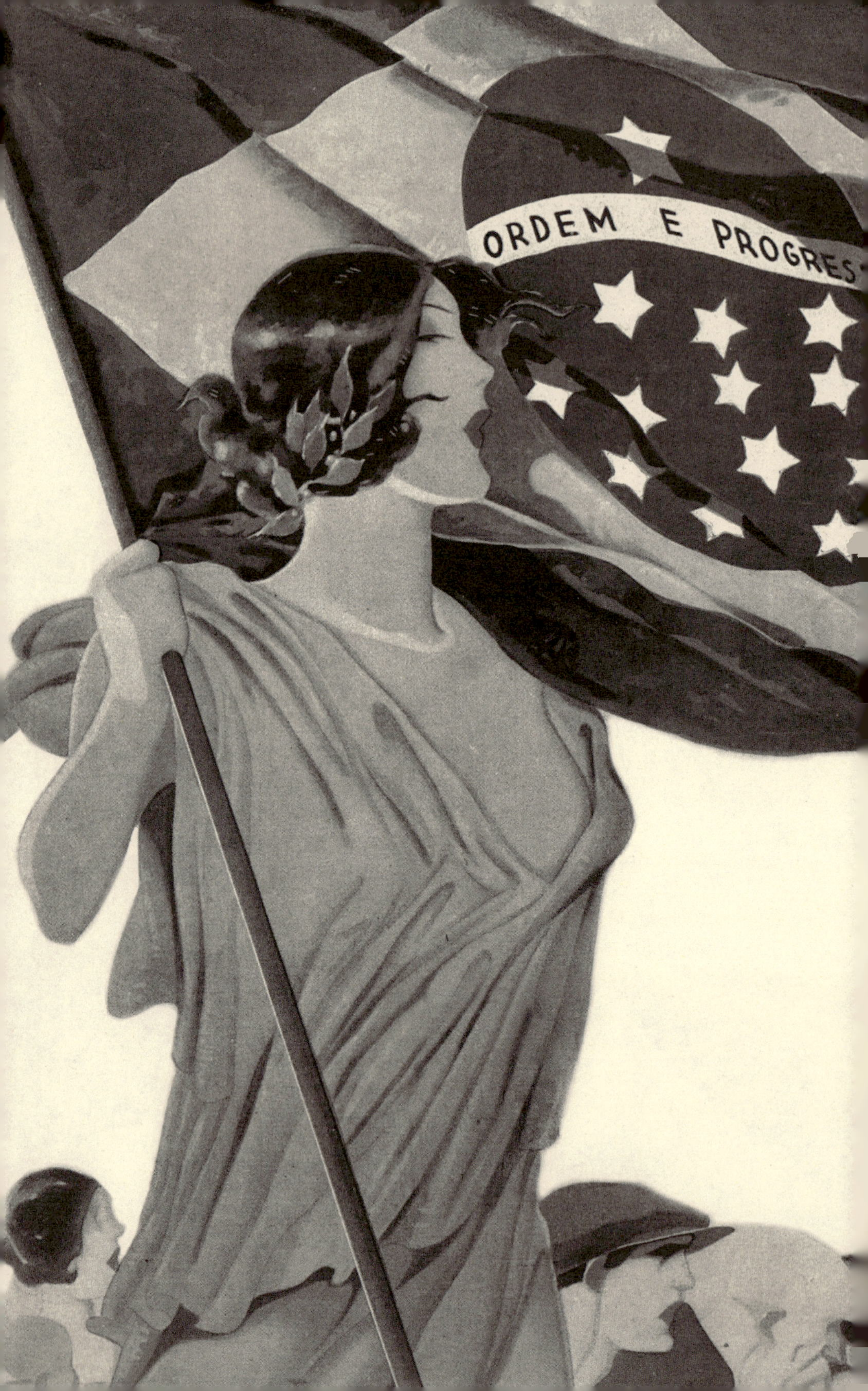
ORDEM E PROGRES

CAPÍTULO **64**
> *Centralização com sentido*

O DECRETO INICIAL DAQUELES QUE CHEGARAM AO PODER EM 1930 TRAZIA diferenças e continuidades importantes em relação ao primeiro decreto republicano de 1889. A principal diferença estava na reorganização dos poderes, a começar da assinatura. Quem decretava era "o chefe do governo provisório", portanto o "depositário unipessoal" do poder, na terminologia de Campos Sales. As instituições políticas foram organizadas em torno desse comando pessoal. O decreto abolia os poderes legislativos em todas as instâncias, desde as câmaras municipais até o Congresso nacional. Também abolia toda a autonomia local: os estados passariam a ser dirigidos por interventores nomeados pelo chefe do governo provisório, e os municípios, por interventores designados pelos interventores estaduais. A única obrigação desses governantes com a sociedade seria a de dar publicidade na "amplitude que as condições locais permitam" de seus gastos. O único direito da sociedade para limitar atos do governo seria através de "recurso para o chefe do governo provisório".

Era o figurino de sonhos da ditadura positivista, com todo o poder de executar e legislar concentrado na figura do ditador, que iria "reinar, governar e administrar". Nem mesmo o imperador que acumulara maiores poderes discricionários – D. Pedro I antes da abertura do Parlamento – se comparava com isso: afinal, ele governou com câmaras e poderes municipais autônomos. No capítulo das continuidades a lista era extensa. O decreto reconhecia a validade da Constituição de 1891 em todos os pontos que não contrastassem com o decreto: continuavam a valer a forma federativa de organização do país; todas as leis estaduais e municipais; toda a dívida pública, inclusive de estados e municípios; todos os direitos civis e todos os contratos privados. Além disso, o decreto mencionava explicitamente que os poderes concentrados no chefe do governo provisório só seriam válidos até que fosse instalada uma Assembleia Constituinte – embora não marcasse data para sua convocação.

O chefe do governo provisório chamava-se Getúlio Dorneles Vargas e tinha 48 anos de idade no momento em que se revestiu de todos esses poderes. Filho de um militante positivista e agente político do governo castilhista na cidade gaúcha de São Borja, toda sua formação foi marcada por essa filosofia. Estreou na vida pública como redator de *O Debate*, órgão financiado, montado e mantido pela ditadura local, segundo o seu biógrafo, Lira Neto: "Teve oficinas compradas e reativadas para rodar o novo jornal com apoio financeiro de dirigentes do Partido Republicano – e chancela política de Borges de Medeiros e Pinheiro Machado. O próprio Borges costumava descer pessoalmente à redação de *O Debate*, situada a poucas centenas de metros do palácio, para conferir os artigos de fundo e certificar-se que as diatribes seriam publicadas com a virulência desejada."[1] A filosofia necessária para sustentar as diatribes era simples e assim resumida num editorial do jornal: "Para manter o equilíbrio na sociedade, assegurando-lhe a tranquilidade, a paz e harmonia, torna-se necessário o estabelecimento de um poder superior que lhe dite normas e as faça seguir. Daí a indispensável existência do Estado, conduzido por governos fortes e capazes que guiem os destinos coletivos."[2]

Tais ideias estavam de acordo com a crença comtiana do grupo positivista, segundo a qual a democracia fundava-se na "ideia metafísica" de representação, a ser superada pela ciência. Por isso a ditadura baseada na ciência seria uma forma de governo na qual a técnica tomaria o lugar da política, com os positivistas monopolizando o exercício do poder. Mas a carreira política de Vargas começou numa época de mudança do governo construído segundo tal ideal: uma de suas primeiras tarefas como adestrado servidor do regime foi defender, na Assembleia estadual, a reviravolta econômica pela qual passava a ditadura local, depois de três décadas pregando a limitação do governo estadual gaúcho a umas poucas funções, além da reserva de máximo espaço para a iniciativa privada. Como parte dessa filosofia, Borges de Medeiros sempre dizia que os investimentos em infraestrutura deveriam ser feitos pela União, o conceito que era repetido por todos os partidários. Mudou de ideia quando o governo gaúcho passou a cuidar de portos e ferrovias, e o líder na Assembleia não demorou a difundir a nova diretriz. Encarregado de criar a argumentação para renegar o passado, Getúlio Vargas acabou se transformando em defensor efetivo de que o governo desempenhasse outro papel na economia.

Embora formado nos rigores do autoritarismo positivista, Getúlio Vargas foi bem além da escola. Eleito deputado federal em 1923, apanhou bastante quando tentou defender em plenário o regime ditatorial de seu estado, mas compensou a desvantagem com a atuação nos bastidores a favor do regime e com a atenção que dedicou à imprensa escrita e aos novos meios de comunicação. Alcançou destaque suficiente para ser escolhido para o cargo de ministro da Fazenda de Washington Luís, se tornando um dos raríssimos gaúchos a chegar a esse nível de mando. Deixou o posto para substituir Borges de Medeiros, que deixava o poder após duas décadas à frente do governo estadual. Aproveitou a posse para marcar um novo estilo: convidou centenas de políticos de todo o país, montou uma grande festa pública e mandou filmar tudo e exibir as cenas para as multidões que frequentavam as sessões de cinema.

No governo do estado, tratou com civilidade as oposições, deixando de lado o tradicional método da bala. A contratação de um grande empréstimo externo, numa ditadura que quase não prestava conta de seus gastos, permitiu-lhe acumular muitos meios partidários – que incluíam armas, jornais favoráveis e agentes políticos. E empregou esses meios para se tornar candidato de uma coligação que tinha o apoio dos governos de Minas Gerais e da Paraíba, competindo contra a chapa indicada pelo presidente da República e por todos os demais estados. Deu-lhe o nome de Aliança Liberal e um programa de três pontos: anistia aos perseguidos políticos, voto secreto e mudança nos métodos políticos. Era quase o mesmo programa de Rui Barbosa em 1908, mas agora endossado por uma pessoa que nunca acreditara nele. O resultado eleitoral foi igual ao de todas as campanhas disputadas desde os tempos do Império: perdeu o candidato sem apoio do alto. Vargas reagiu como todos os perdedores desde a primeira campanha de Rui Barbosa, queixando-se da falsificação da vontade popular pela compressão vinda do governo.

Mas a campanha coincidiu com um imenso abalo na economia mundial. A crise financeira eclodira no final de outubro de 1929, quando se formavam as chapas para a disputa presidencial. Acelerou-se no primeiro trimestre do ano seguinte, época em que se realizaram as eleições. Depois destas, o governo federal continuou ignorando solenemente o problema. E ignorou porque seu programa tinha como foco o secular objetivo econômico conservador: garantir um valor fixo da moeda com base no padrão-ouro. Por conta disso, recusou-se a mexer na política de câmbio e a lidar com a política do café.

Enquanto isso, o mundo desabava. As exportações brasileiras caíram de 94,8 para 36,6 milhões de libras entre 1928 e o final de 1932. A principal fonte de receita do governo, o imposto de exportação, teve uma queda de 56% entre 1929 e 1931. O comércio internacional, que sustentava o crescimento de todas as economias do mundo desde o início do século XIX, sofreu derrocada ainda maior, caindo a um quarto do que era em 1929 em apenas quatro anos. Levou apenas sete meses para que a inércia danosa do governo federal em meio a toda essa devastação transformasse o candidato derrotado no ditador que acumulava todo o poder. Explorando a paralisia do presidente, Getúlio Vargas reuniu apoio para um golpe. Ele veio do Partido Democrático de São Paulo, de políticos tradicionais de vários matizes e de um grupo de ex-militares conhecidos como tenentes. Definiam-se como "revolucionários", mas pelo termo entendiam apenas o apreço a métodos técnicos de comando e ao afastamento dos "políticos tradicionais" – a receita tradicional positivista, revisada após o êxito dos fascistas italianos.

Com apoio de tais grupos, Getúlio Vargas chegou ao poder. Seu primeiro foco não foi ideológico, mas pragmático, de alguém muito preocupado com a crise. Depois de fracassos iniciais, escolheu para o Ministério da Fazenda um advogado que praticamente nada sabia de economia, mas que tinha qualidades muito apreciadas até mesmo por um economista de forte viés teórico como Mario Henrique Simonsen: "Oswaldo Aranha percebeu, em 1931, que cabe ao governo articular os mercados em época de crise. Se isso é intervenção, dane-se o *laissez faire*. [...] Pôs em prática, entre 1931 e 1934, uma política econômica altamente intervencionista e nacionalista, mas que era recomendável no quadro da Grande Depressão."[3]

Essa política teve dois pilares fundamentais, um relacionado aos fluxos financeiros e o outro, aos fluxos comerciais da economia. Na primeira vertente, não havia muita opção: as reservas brasileiras caíram de 31 milhões de libras esterlinas a quase zero em apenas dois anos, durante os quais o país tentou manter a condição de pagador sempre adimplente dos débitos externos. Dada a realidade, Oswaldo Aranha fez o que podia: estatizou as operações de câmbio, tornando o Banco do Brasil o único agente autorizado a comprar e vender divisas. Com isso transferiu ao governo federal poderes secularmente exercidos por agentes privados. O Estado se tornava o único agente e, portanto, capaz de controlar os fluxos financeiros externos da nação. Esse poder foi empregado segundo critérios que não eram os do mercado: pagava o que podia com o dinheiro de que dispunha, inclusive no que se refere a mercadorias.

Armado de tais poderes, o ministro passou a lidar com segunda vertente de intervenção, relativa aos fluxos comerciais. E os grandes atos nessa seara se fizeram no mercado de café. O problema não era de quantidade: o volume das exportações do produto pouco caiu entre 1928 e 1932: de 13,8 milhões de sacas para 11,9 milhões. Mas o preço despencou, arrastando consigo as divisas recebidas: 67,9 milhões de libras esterlinas em 1928 e apenas 26,2 milhões quatro anos depois. A queda no mercado presente deu-se em circunstâncias delicadas para o mercado futuro – mais precisamente, na política de estoques. A crise aconteceu num momento de transição de ciclos do mercado, semelhante ao da primeira década do século, quando se fez o Plano de Valorização do Café. Em 1906, o Brasil produzira 133% mais café do que o consumo mundial, excedente usado para formar o estoque regulador que estabilizaria o mercado nos anos seguintes.[4]

A partir da compra do Plano de Valorização, a proporção entre oferta brasileira e consumo foi caindo devido à proibição de novas plantações, chegando a um mínimo de 91,5%, em 1916. Essa relação caiu porque o número de cafeeiros em produção cresceu apenas 5% entre 1900 e 1915, com a produção se tornando insuficiente para acompanhar o crescimento do consumo.[5] Após o final da Primeira Guerra, com a previsão de um novo ciclo de crescimento, foram sendo autorizadas novas plantações. Assim, o número de cafeeiros cresceu 56% entre 1915 e 1929 – e quase 30% desse crescimento devia-se a plantações posteriores a 1923, quando ficou claro que a produção instalada seria insuficiente para abastecer um mercado em expansão. Apenas em 1927, quando os novos pés entraram em produção, a oferta brasileira passou a superar o consumo mundial. Justamente em 1929 a proporção entre oferta brasileira e o consumo mundial voltou a um nível semelhante ao de 1906, ou seja, a 151% do consumo. Era hora de formar o estoque para garantir a estabilização do mercado nas décadas seguintes, nas quais os novos cafeeiros produziriam. Mas dessa vez seria diferente. Houve uma violenta queda do consumo, contrariando a tendência de crescimento lento e constante. Essa tendência, mesclada com aumento aos saltos da produção, sustentava todas as hipóteses de estabilização a longo prazo do mercado, por meio de estoques reguladores. Todavia, devido à queda no consumo, já em 1930 os estoques passaram a representar mais de dois anos da demanda global.

Criou-se assim um problema triplo: excesso de produção; queda de preços e do consumo; desequilíbrio completo na gestão a longo prazo dos estoques. Oswaldo Aranha atacou os três problemas de uma vez: colocou o governo como comprador da produção presente, comprador dos estoques físicos passados de posse do governo paulista (arcando com as dívidas) e vendedor de café para o exterior. Depois de séculos de inação, o governo central entrava diretamente no apoio à produção nacional. Para todos os envolvidos era pegar ou largar, arcando com prejuízos. Todos pegaram. Os cafeicultores passaram a receber menos pelo produto e a pagar mais impostos ao governo, mas tinham para quem vender. O detentor do estoque (o governo paulista) teve de entregar o produto por menos que lhe custara, mas entregou junto os títulos de dívida. Os compradores estrangeiros tiveram de comprar do único vendedor que restara no mercado, o governo federal.

Controlando os movimentos de divisas e do mercado físico de café, Oswaldo Aranha soube aproveitar a passagem para suas mãos das dívidas com a formação do estoque de café. Como se tornou o único devedor relevante do país, o governo federal podia jogar com a situação. Em meio a moratórias no mundo inteiro, Aranha conseguiu reescalonar com desconto toda a dívida externa brasileira, pagando apenas 33% do valor dos débitos anteriores.[6] Desse modo converteu um desequilíbrio de 28 milhões de libras esterlinas nas contas externas brasileiras (comércio mais capital) em equilíbrio já no ano de 1932. Graças às medidas extremas de intervenção do governo federal, o Brasil conseguiu equilibrar sua situação externa num período muito curto, bem antes de muitos países, inclusive os Estados Unidos. Na frente interna, a disposição para comprar café com moeda nacional permitiu que a renda dos produtores em moeda nacional caísse bem menos do que aconteceria se a solução se desse a preço de mercado. E a compra foi possível porque se fez apenas com moeda nacional.

Além do equilíbrio, a política de intervenção teve outro poderoso efeito interno. O Produto Interno Bruto caíra 2,1%, em 1930; no ano seguinte, enquanto se operavam as primeiras intervenções, a queda foi de 3,3%.

A partir de 1932 – antes ainda do total equacionamento das intervenções –, a economia retomou o crescimento, puxado pelo mercado interno, uma vez que esse foi o ano de maior queda na receita de exportações. E, como a redução fora maior na agricultura que na indústria, em 1933 este setor superou a produção rural e se tornou o mais importante da economia. Mas vale notar que isso aconteceu num ano em que a produção industrial atingiu um nível levemente superior ao de 1928 – ou seja, antes da crise o setor industrial já era muito relevante na economia. A partir de 1933 o crescimento industrial manteve um ritmo de incremento mais forte que os outros setores, retomando o padrão que, com exceção da recessão conservadora da virada do século, vinha desde a proclamação da República.

As intervenções do governo federal foram fundamentais para manter o modelo de industrialização anterior, fundado na troca de produtos agrícolas no mercado externo por equipamentos industriais – e nas trocas internas entre o sertão e as cidades que formavam o mercado interno. O processo, antes realizado como aproveitamento de oportunidades no comércio internacional e políticas cambiais, ganhou outra forma. Controlando com mão de ferro o destino das divisas, o governo federal conseguiu fazer com que as compras de equipamentos industriais crescessem a partir de 1933, mesmo em circunstâncias de importações restritas. O ritmo desse crescimento foi o possível: o valor dos equipamentos industriais importados em 1939 ainda era inferior ao dos anos posteriores ao Plano de Valorização do Café e o recorde de 1913 não chegou a ser quebrado em todo o período.[7]

Mas a obra estava feita: o governo central passara a desempenhar um papel completamente distinto. Durante séculos fora pouco mais que um posto aduaneiro, mais preocupado com as próprias receitas do que com qualquer outra coisa. Nesse figurino houve longos períodos de progresso, tanto nos tempos coloniais como nas primeiras décadas republicanas. Tais surtos ocorreram basicamente por causa da inação, da incapacidade do governo central de isolar as relações entre o Brasil e o mundo, de modo que empresários podiam se aproveitar das brechas para crescer. Nos primeiros séculos, governando a si mesmos e estabelecendo alianças, além de realizar negócios com os vizinhos ou a África; na República, encontrando parceiros no exterior para sustentar o mercado de café.

Apenas no período do Império, graças à confluência de concentração de poder, dívida externa e contração monetária, o governo central funcionara efetivamente como um muro, um isolante entre o mercado interno e a situação internacional, uma barreira aos avanços da época, que impedia a chegada do capitalismo e o crescimento da economia. No quadro criado com a crise de 1929, a pronta resposta do governo provisório recriou o muro. Só que dessa vez era um muro muito eficaz em meio à devastação do comércio internacional: ele impediu que a queda geral se transferisse para o mercado interno, criando as condições para que o governo federal logo retomasse a política ativa de desenvolvimento industrial baseada no controle do câmbio e das licenças de importação.

Tal mudança fez diferença no cenário interno. Com ela o governo federal tornou-se uma instância capaz de influenciar positivamente o desenvolvimento da economia. E também um governo atento a outras mudanças. A Grande Depressão alterou a dinâmica social do trabalho: como na prática haviam se interrompido os fluxos migratórios, toda a mão de obra para a indústria e os serviços passou a ser buscada no mercado interno. Começou então a fase de migração maciça de nordestinos para o Sudeste, em especial para São Paulo, estado que continuou aumentando sua participação na economia nacional no mesmo ritmo de antes, pois ali seguia vigorando a lógica de crescimento iniciada com o Plano de Valorização do Café e fundada na possibilidade de importar máquinas industriais a partir dos saldos do café. Desse modo, o crescimento da economia começou a acontecer numa combinação até então inédita na história brasileira: um cenário internacional de retração do comércio e um cenário local de dinamismo. Dessa vez, o muro entre o país e o mundo assegurava taxas de crescimento do mercado interno bem maiores que as do mercado mundial. Apesar da boa relação com as demais economias, essas taxas de crescimento eram inferiores às do período anterior, e se tornaram ainda menores a partir do início da Segunda Guerra, em 1939.

CAPÍTULO **65**
> *A sonhada ditadura*

Ao redor do mundo, a adaptação das economias à desagregação do comércio internacional se fez com base na ação dos Estados nacionais e deu origem a uma série de nacionalismos. Na União Soviética, a ditadura de Stálin foi justificada com a tese do socialismo num só país: a revolução mundial deixava de ser o principal objetivo dos socialistas, que se concentrariam na manutenção do governo nacional já instalado. Como a influência de Moscou era grande, os partidos comunistas de todo o mundo acabaram por se tornar agências de relações exteriores desse governo nacional, cujo inimigo maior seriam os adeptos do "social-fascismo", assim definido por Stálin: "O fascismo é a organização de combate da burguesia que se apoia no auxílio ativo da social-democracia. A social-democracia é objetivamente a ala moderada do fascismo."[1]

Disso decorreu todo um conjunto de ataques à democracia, assim como o fortalecimento do fascismo. Sob influência de Moscou, o Partido Comunista alemão adotou como prioridade a denúncia da social-democracia e a pregação da iminência da revolução. Um dos líderes da Revolução russa, Trótski, expulso do partido e exilado por se opor à ideia do socialismo num só país, era um dos poucos que via as coisas de modo diferente. Passou a defender uma frente única de comunistas e social-democratas na Alemanha com o seguinte argumento, expresso em novembro de 1931: "No fundo da situação mundial, que está longe de ser pacífica, a situação da Alemanha se destaca com nitidez. Os antagonismos políticos atingiram neste país uma gravidade inaudita. Está chegando o momento em que a situação tem que se transformar em revolucionária ou... contrarrevolucionária. [...] A tomada do poder pelos nacional-socialistas significará a exterminação da elite do proletariado alemão. A obra infernal do fascismo italiano parecerá quase uma experiência humanitária em comparação do que poderia fazer o nacional-socialismo alemão."[2]

O assalto à democracia a partir de dois extremos que se definiam como revolucionários – de um lado, os comunistas soviéticos, e, de outro, os fascistas italianos e os nacional-socialistas alemães – marcou profundamente a situação mundial, especialmente a partir da tomada do poder na Alemanha pelos nacional-socialistas. Nesse período, mesmo os países que preservaram a democracia como sistema de governo viram tolhidas as possibilidades de tal sistema enfrentar com êxito a crise econômica. Foi o que ocorreu nos Estados Unidos e na Inglaterra: as economias ficaram em recessão até que acabaram encontrando um caminho nas ideias de Keynes, que defendia o aumento dos gastos públicos para compensar em parte os efeitos da depressão econômica. No entanto, tais ideias só se tornaram a base da política dos Estados Unidos com o New Deal do presidente Roosevelt, a partir de 1933. A recuperação foi lenta, o que foi interpretado muitas vezes como falência do modelo político democrático.

Getúlio Vargas estava entre aqueles que, nesses tempos turbulentos, pensavam estar inaugurando uma nova era, pós-democrática, com seu regime, e o rápido êxito de sua política de intervenção na economia contribuiu para reforçar suas concepções autocráticas, herdadas da formação positivista. O sucesso econômico o levou a ampliar o escopo das ideias positivistas. Para tanto, fez largo uso da obra de Oliveira Viana, na qual encontrou os argumentos que permitiram recriar, no ambiente republicano positivista no qual se formara, uma vertente que se somava aos ideais monárquicos de centralização – por meio de um Estado interventor e dominado por uma elite que contrastaria com a sociedade. O cerne do argumento fora explicitado por Oliveira Viana na obra *Evolução do povo brasileiro*, publicada em 1923: "A obra, que os nossos estadistas da Independência e do Império empreendem, é verdadeiramente ciclópica. Eles são forçados a renovar tudo, tanto os métodos da política como o aparelho de governo do período colonial – e o fazem com capacidade admirável. E a sua atuação, durante os quase setenta anos do Império, pode ser resumida numa frase sintética: *uma luta heroica e contínua em prol da unidade nacional contra a formidável ação dispersiva dos fatores geográficos*. [...] O mecanismo centralizador, que constroem, encheria de surpresa os velhos políticos coloniais. É uma edificação possante, sólida, maciça, magnificamente estruturada, constringindo rijamente nas suas malhas resistentes todos os centros provinciais e todos os nódulos de atividade política do país: *nada escapa, nem o mais remoto povoado do interior, à sua compressão poderosa*."[3]

O autor tornou-se ídolo de Vargas e foi convidado para o governo, para transformar a ideia em objetivo. Porém, sendo Vargas um político bastante realista, no princípio não deixou que as convicções autoritárias turvassem a sua capacidade de tomar decisões. Embora fosse de fato um ditador, nem por isso a concentração de poderes lhe permitia agir tão bem e tão depressa em política como agira na área econômica, onde praticamente não houve oposição aos atos de Oswaldo Aranha. Na área política, a organização institucional do governo provisório havia, de um lado, ampliado a margem de ação discricionária do Executivo, mas, de outro, reduzira de maneira drástica os instrumentos para equilibrar a diversidade de posições na sociedade. Fechado o Parlamento, canceladas as eleições, anulados os poderes locais num país de extensão gigantesca, a margem para acomodações de posições diversas (ainda que não divergentes) se tornara mínima.

O único meio que restara para essa finalidade eram as nomeações para os cargos ministeriais, no nível federal, e dos interventores, no âmbito estadual. Esse era o recurso mais relevante para a operação cotidiana de acomodação da sociedade ao governo, e Vargas dele lançou mão com frequência no princípio, alternando bastante as indicações. Na maioria das vezes contentava políticos tradicionais, que iam fazendo as composições necessárias para manter o apoio. Outras vezes recorreu aos tenentes, que, sendo neófitos, logo tratavam de empregar o cargo para formar uma base de apoio político, em geral juntando os interessados que aparecessem, vindos de fora dos círculos tradicionais de poder. Aqueles que demonstravam mais aptidão reuniam forças suficientes para governar; os mais desastrados acabavam se tornando um problema.

Também se abriam novos caminhos, como a tentativa de recriar as estruturas clientelistas na realidade do capitalismo. A primeira ação efetiva nesse sentido foi a promulgação de um decreto que organizava sindicatos patronais e de trabalhadores para "defender, perante o Governo da República e por intermédio do Ministério do Trabalho, Indústria e Comércio, os seus interesses de ordem econômica, jurídica, higiênica e cultural".[4] Assim começava a ação para retirar as relações entre capital e trabalho do âmbito privado, subordinando-as ao arbítrio do Executivo ditatorial, e não à lei. Esse primeiro esboço teve efeito quase nulo na dinâmica política, de modo que as tensões com os tenentes acabaram levando os muitos políticos eleitos, que apoiaram Getúlio Vargas no que se referia à "reforma dos processos políticos", a interpretar a frase como sinônima de realizar eleições para a Assembleia Constituinte, prevista no decreto inicial do governo.

Os primeiros comícios em prol da ideia tiveram lugar em São Paulo. Em seguida, políticos da capital federal resolveram organizar um comício no Rio de Janeiro, para o qual receberam autorização do ministro da Justiça. Todavia, os tenentes cariocas, reunidos no Clube Três de Outubro, mandaram avisar que impediriam o ato, ainda que tivessem de usar a força. Então o ministro da Marinha proibiu o comício. O jornalista José Eduardo Macedo Soares, dono do *Diário Carioca*, expressou sua opinião num editorial: "A rapaziada do Clube Três de Outubro está querendo construir um arranha-céu com palitos [...] A finalidade do clube é sustentar, pela violência, um regime de poderes discricionários, que o Sr. Getúlio Vargas planeja prolongar no país. Para organizar a ditadura não podia contar com os democratas. Tenta, por isso, um sistema militarista que se aproveita da legenda de heroísmo e abnegação dos antigos revolucionários e do interesse e ambição dos novos."[5] A resposta não tardou: a redação, em pleno centro da cidade, foi atacada por tropas do Exército, que vararam a fachada a tiros e destroçaram metodicamente todos os móveis menos um: a cadeira do diretor, na qual cravaram uma bala de fuzil. Dias depois, o presidente recebeu uma comissão de tenentes chefiada por Pedro Ernesto, nomeado interventor no Distrito Federal e em cujo gabinete estava lotada parte dos soldados atacantes. Ele foi direto ao assunto: "Chegado o momento em que Vossa Excelência sente a necessidade de atos de força, como nos parece ter chegado, tem o apoio de todos nós. [...] Apoiaremos de modo absoluto o governo de vossa excelência como ditador." A resposta também foi direta: "Sois a vibrante mocidade civil e militar que não quer ver a revolução se afundar no atoleiro das transigências, dos acordos, entre os falsos pregoeiros da democracia."[6]

Os pregoeiros da democracia que não queriam se atolar numa ditadura agiram. Os ministros gaúchos ligados ao federalismo e os mineiros com maiores pudores eleitorais pediram demissão. Pior foi em São Paulo, onde o interventor nomeado, o tenente João Alberto, conseguiu a proeza de juntar politicamente os membros do Partido Democrático, que apoiara a revolução, com seus adversários do Partido Republicano

Paulista. O governo federal conseguiu evitar rupturas radicais no Rio Grande do Sul e em Minas Gerais, mas perdeu o controle em São Paulo. Em maio substituiu João Alberto por Pedro de Toledo, há anos afastado da política. O cálculo por trás da nomeação seria típico de Getúlio Vargas: escolher alguém que deve o cargo ao nomeante e que lhe seria grato e fiel. A hipótese falhou: o interventor nomeou um secretariado formado por defensores da Constituinte – e estes foram à luta. A derrota militar desse movimento, em 1932, não impediu que o ditador visse o essencial: naquele momento os tenentes de fato não podiam construir um arranha-céu com palitos, de modo que ele mesmo se transformou num pregoeiro da democracia.

Para começar, entregou o governo de São Paulo de porteira fechada aos vencidos. Armando Sales de Oliveira, do Partido Democrático, implementou um programa que começava por ampla reforma fiscal. Os impostos sobre produção e consumo – típicos do capitalismo – passaram a formar a base da receita, substituindo o precário imposto de exportação que sustentara o governo paulista no período anterior. Mas outro ato de seu governo teve um papel histórico: em 1933 fundou a Universidade de São Paulo, a primeira a funcionar efetivamente no Brasil, quase quatro séculos depois da primeira universidade instalada no continente. Até então nenhum governo, central, regional ou local, conseguira fundar uma, nem a iniciativa privada reunira recursos para tanto.

Assim voltava a existir competição entre regimes de governo no interior do país. Getúlio Vargas sabia o que isso significava: conviver de novo com as formalidades do regime eleitoral que ele desprezava, mas que também sabia manobrar. Por isso reforçou os poderes em outras searas. Sempre atento aos novos meios de comunicação, em 1932 promulgou um decreto que permitia a veiculação de publicidade no rádio. Ela não era proibida, por isso o decreto funcionou como um avanço do governo ditatorial sobre uma área antes inteiramente privada. Decretos seguidos foram estendendo os poderes de intervenção, até que o Executivo passou a ter um programa diário em rede nacional, arrebanhando a maior audiência do país. Ao mesmo tempo, reforçando velhos métodos, forneceu meios para que Assis Chateaubriand fosse comprando jornais país afora, os quais formariam a primeira rede de comunicação de abrangência nacional, sempre muito atenta às indicações do Catete.

Em 1934, a Constituinte foi eleita e elaborou uma Carta no figurino tradicional da soberania popular, e com uma série de inovações importantes. O capítulo tributário, uma versão ampliada da reforma fiscal paulista, criava novas fontes de receitas para os governos, quase todas baseadas em atividades do mercado interno. A medida acabava com a secular dependência do Tesouro em relação às receitas do comércio exterior e abria espaço para a continuidade do crescimento do mercado interno. A Carta também formalizava os direitos de trabalhadores – quase todo o programa de Rui Barbosa em 1919 estava lá. A novidade era acompanhada da constitucionalização do papel do Estado como intermediário entre patrões e trabalhadores. Com isso, um setor antes privado passava a ser tutelado pelo governo, como nos tempos imperiais.

Nesse mesmo ano, Getúlio Vargas tornou-se presidente de uma República na qual o governo federal contava com poderes bastante ampliados para enfrentar a crise, tudo dentro dos princípios seculares de representação nacional e do princípio quase cinquentenário de soberania única do eleitor. De uma República na qual havia indícios da retomada de um crescimento econômico baseado na indústria, com os empresários investindo em novos setores como a metalurgia (crescimento anual de 24% a partir de 1933), química (29,9% anuais), material de transporte (39% anuais) e cimento (16% anuais). As primeiras siderúrgicas estavam sendo construídas, contribuindo para a formação de uma indústria de base local, capaz de substituir a importação de bens de produção.

O presidente podia se limitar a colher os frutos da situação favorável, mas era adepto de ideias específicas sobre seu tempo. E, mais uma vez, foi encontrar justificativas nos argumentos de Oliveira Viana. Em 1930, este publicou o livro *Problemas de política objetiva*, todo baseado na convicção de que a democracia representativa estava em extinção no mundo: "O mais grave, o mais absurdo, o mais anacrônico preconceito de nosso tempo é a crença na competência onisciente dos parlamentos, na sabedoria infusa dos homens que, em virtude do mecanismo do nosso sistema representativo, acontecem chegar ao poder. Esse estado de espírito é já evanescente nos centros parlamentares e governamentais do velho mundo. [...] O traço mais distintivo que o observador recolhe ao estudar os processos de elaboração legislativa modernamente adotada pela quase unanimidade das democracias contemporâneas é que nenhuma lei é hoje obra exclusiva dos parlamentos. [...] Por toda parte a competência técnica vai substituindo a competência parlamentar. Essa evolução, tão sensível em toda a Europa, é assinalada mesmo na Inglaterra, a Inglaterra dos parlamentos onipotentes. Hoje, o centro da gravidade da vida política não é mais o Parlamento, e sim o gabinete."[7]

Essa mirada peculiar para o trabalho do Parlamento liberal inglês indicaria um caminho para o Brasil, mas distinto da subordinação das comissões técnicas ao poder dos parlamentares britânicos: a assessoria técnica deveria substituir o mecanismo da representação, abrindo caminho para a extinção do Parlamento. E a supressão das eleições seria necessária para criar "governos populares", capazes de alcançar um objetivo maior: "Dar às nossas instituições legislativas e administrativas uma feição pragmática que torne possível o estabelecimento de um verdadeiro regime de opinião, de um sistema de governo realmente popular, intérprete real dos interesses do povo e infinitamente muito mais democrático do que aquele que, há cem anos, estamos procurando realizar pelo sistema representativo, pela prática da soberania das urnas, pelo sufrágio universal, pela eleição direta, pela representação das minorias, pela atividade legislativa das assembleias parlamentares."[8]

Com isso, os brasileiros iriam superar os velhos liberais ingleses e buscar um objetivo mais elevado e mais adequado ao país, equiparando-se aos alemães: "A liberdade e a democracia não são os únicos bens do mundo; há muitas coisas a serem defendidas em política além da liberdade – como sejam a civilização e a nacionalidade; que muitas vezes acontece que um governo nem liberal, nem democrático, pode ser, não obstante, muito mais favorável ao progresso de um povo na direção daqueles dois objetivos. [...] Em nenhum povo o sentimento dessa verdade tem sido mais vivo do que no povo alemão. O alemão divinizou o Estado. Este é para ele a expressão suprema da nação organizada. O alemão tem a religião do Estado, o culto da autoridade: obedece-o, e obedecendo-o fá-lo com um sentimento equivalente ao que ele põe na obediência aos dogmas de sua religião."[9]

A reforma centralizadora dos primeiros anos de governo fora importante, mas continuava aquém do ideal de estimação de Getúlio Vargas. Para chegar aos níveis de poder central que desejava, era preciso uma situação como a que levara Hitler ao poder: a ação de comunistas. O Brasil conhecera lutas operárias, um partido socialista e até mesmo um pequeno partido comunista, fundado em 1922. Todos atuavam no movimento operário, mas sem subordinação direta a Moscou e às teses estalinistas. A situação mudou quando Luís Carlos Prestes, um dos líderes tenentistas, mudou-se para a União Soviética, em 1931. Três anos depois, por pressão da Internacional Comunista, foi aceito no Partido Comunista brasileiro. Tinha alguma popularidade, suficiente para que fosse criada a Aliança Nacional Libertadora, uma frente que reunia uns poucos ex-tenentes descontentes com o domínio dos políticos após a volta das eleições e o fim das vias de acesso direto ao poder. A ALN apresentou um programa fundado na ideia de um governo popular, elegeu Prestes presidente de honra e começou a organizar comícios. Em julho de 1935, o presidente ouviu do embaixador inglês que Prestes entrara ilegalmente no país, acompanhado de militantes enviados de Moscou, com o objetivo de tentar um golpe de Estado, e que um espião inglês infiltrado fornecia informações regulares sobre o grupo.[10]

Em vez de usar as informações para prender os líderes, Getúlio Vargas vislumbrou uma oportunidade para aumentar os próprios poderes. Decretou o fim da ANL com estardalhaço, mostrando que esta era parte do perigo comunista. Na ilegalidade, Prestes continuou com o plano de tentar um golpe, confiando em seu prestígio. A tentativa dos comunistas de tomar o poder, em novembro de 1935, resumiu-se a dois episódios dominados em um dia. Mas forneceu o combustível político de que Vargas necessitava para fundar um governo autoritário. Decretou estado de sítio, censurou a imprensa, prendeu sem processo. Em menos de duas semanas conseguiu do Parlamento uma ampliação de poderes que o tornava ditador quase sem contraste. Misturando discursos em cadeia nacional de rádio, difusão controlada de informações pela imprensa e prisões sem processo em massa – foram 7.056 em seis meses[11] –, criou-se o caldo de cultura necessário para que se disseminasse a ideia de uma ameaça incontrolável. Torturas violentas e mortes nos cárceres forneciam o material para novas versões, pelo tempo que foi possível. O tempo do mandato estava se esgotando, as campanhas eleitorais para a sucessão foram para as ruas. Tudo isso ia tornando mais complicada a renovação regular dos poderes excepcionais do presidente. Para contornar a situação foi preciso recorrer a um falso plano comunista escrito por um militar amigo, mas apresentado ao país como prova última de que só uma ditadura resolveria a situação.

Em 10 de novembro de 1937, o próprio Getúlio Vargas desencadeou o golpe. No mesmo dia, promulgou uma Constituição cujo primeiro artigo dizia que "Todo poder emana do povo e é exercido em nome dele e no interesse em seu bem-estar". O exercício cabia ao ditador; o maior direito do cidadão era o de representar a ele pedindo clemência. O mecanismo da representação era substituído pelo da competência técnica, fundada na dependência do Executivo. Todos os cargos eletivos passavam a ser ocupados por gente nomeada pelo ditador – menos o de vereador, eleito por pequenos colegiados. Voltava aos tempos de ditador e da maior concentração de poder arbitrário acontecida até então no Brasil. Pela primeira vez o mecanismo da eleição de representantes, funcionando desde 1532 nas cidades, era quase todo eliminado na lei permanente. O projetado Legislativo (nunca foram convocadas eleições) seria formado por representantes na Câmara e por técnicos indicados no que seria um Conselho Federal – ambos subordinados a um Conselho de Economia Nacional, constituído por técnicos incumbidos pelo ditador de fazer o orçamento. E tudo isso apresentado pelo regime por meio de uma onda avassaladora de propaganda oficial, produzida com métodos modernos. Destinada a funcionar num ambiente de rígida censura e total compressão política, divulgava a imagem de Getúlio Vargas como um pai benéfico de um povo desamparado, a versão renovada da Cabeça Mística do corporativismo.

Em termos administrativos, a grande alteração foi o aumento da intervenção estatal nas relações entre capital e trabalho. Entidades de patrões e empregados foram classificadas como órgãos técnicos, com a finalidade de "colaborar com os poderes públicos no desenvolvimento da solidariedade entre classes". A ideia de que era impossível o entendimento entre as partes e que apenas o ditador paternalista resolvia o problema resultou nos mais de 900 artigos da Consolidação das Leis do Trabalho.

Mal teve início a sonhada ditadura, o cenário na qual se baseava – o do declínio inevitável da democracia representativa – foi se mostrando pouco adequado aos fatos. Aos poucos, os Estados Unidos e a Inglaterra foram enquadrando o fascismo e o nazismo como inimigos piores que a União Soviética. Moscou, por sua vez, assinou em 1939 um tratado com a Alemanha nazista, permitindo que esta invadisse a Polônia, aliada da Inglaterra. Era uma nova guerra mundial, que somente começaria a se definir em 1941, quando os alemães atacaram a União Soviética, levando-a para o lado dos aliados.

Assim se confirmou, de maneira ampliada, a aliança pregada por Trótski no início da guerra: uma união mundial contra os regimes autoritários de direita. Diante disso, Getúlio Vargas deixou as afinidades ideológicas de lado e retomou o pragmatismo, negociando a entrada do Brasil na guerra ao lado dos aliados. Até mesmo Francisco Campos, o autor do texto da Constituição de 1937, soube avaliar as consequências antes mesmo do fim do conflito: "A Constituição de 1937 caducou. Nossa organização política foi montada em torno de ideias que não resistiram ao teste da luta. O Sr. Getúlio Vargas já pensou demais em si mesmo. É tempo de ele pensar um pouco no Brasil."[12] Dessa vez, contudo, não havia margem de manobra. Em outubro de 1945, o ditador foi deposto pelas próprias forças armadas, pois até estas haviam se convencido da impossibilidade de manter uma ditadura num cenário mundial em que as democracias, com apoio do Brasil, haviam se mostrado vitoriosas.

CAPÍTULO **66**
> *Democracia populista*

O MUNDO QUE EMERGIU DA SEGUNDA GUERRA MUNDIAL FOI CONCEBIDO PELO presidente norte-americano Franklin Roosevelt e por seus auxiliares de modo a que estivesse baseado em instituições reguladoras da política e da economia internacionais. A Organização das Nações Unidas cuidaria dos aspectos gerais: cada nação entraria com um representante e um voto numa assembleia (uma fórmula defendida em vão por Rui Barbosa em Haia, no ano de 1907), mas um núcleo formado pelos vencedores da guerra, o Conselho de Segurança, teria poder de veto sobre as decisões. No campo econômico, a instituição central seria o Fundo Monetário Internacional, responsável pelo fornecimento de créditos para manter em equilíbrio o sistema. Tendo lutado na guerra ao lado dos vencedores, o Brasil tinha o direito de participar desse processo. O candidato nato a representar o país nessas conversas era o chanceler Oswaldo Aranha, que tinha acesso direto aos teóricos ao redor do presidente norte-americano. Mas Aranha foi demitido por Vargas em 1944, justamente quando a vitória aliada estava à vista e começavam as discussões para o pós-guerra. Mesmo afastado, o prestígio do ex-chanceler foi suficiente para que presidisse as primeiras assembleias da ONU, tendo papel ativo na primeira grande decisão da instituição, a criação do Estado de Israel.

Ao afastar o leal colaborador, Getúlio Vargas sabia que retirava de cena um concorrente, com potencial para o suplantar. Em seguida, manobrou para se manter vivo em maré adversa. Também sabia que seu investimento na ditadura não seria bem-visto no novo contexto mundial. Ao negociar a participação brasileira na guerra, Vargas havia obtido recursos para a instalação de uma grande siderúrgica, que virou o símbolo da opção que passara a orientar o governo: a aposta na ampliação do muro estatal erguido na década de 1930, incrementando a participação direta do governo na economia por intermédio do setor industrial. Por isso, antes mesmo do final da guerra, além da siderurgia, foram criadas empresas estatais nas áreas de mineração, química e transportes.

O desenho do muro construído após 1930 foi reavaliado no contexto de instituições democráticas, mas sua restauração acabou facilitada pelo sucessor do ditador deposto, o presidente José Linhares. Este recorreu a seus conhecimentos jurídicos para, graças a emendas na Constituição de 1937, nomear interventores nos estados, convocar eleições simultâneas para a presidência da República e uma Assembleia Constituinte. Com isso, o país ganhou tempo (não foi necessário esperar o Parlamento aprovar a nova Carta para depois escolher um presidente), mas acabou premiando aqueles que haviam ocupado cargos governamentais durante a ditadura.

E estes logo mostraram que o muro estatal não servia apenas para controlar a economia de forma ditatorial, como acontecera em meados da década de 1930. Muitas mudanças faziam sentido mesmo após a guerra. Eurico Gaspar Dutra, o candidato à presidência favorecido pelo ex-ditador, e os partidos que este organizara fizeram maioria no Parlamento.

Todos ganharam passagem privilegiada para a nova realidade. Haviam começado como agentes do governo discricionário e contrário ao sistema representativo, mas se tornaram políticos com potencial de voto, e aprenderam a viver sem os cacoetes positivistas, tal como fizera Vargas. O cinismo da autoridade técnica deu lugar ao bom comportamento dos ungidos em eleições de sagração, surgindo um conservadorismo efetivamente capaz de ir além das atas falsificadas da época da ditadura positivista gaúcha ou dos banquetes conservadores anteriores a 1930.

Em 1945 votaram 6 milhões de eleitores. Como a população brasileira, em 1940, era de 41 milhões de habitantes, o contingente eleitoral girava em torno de 14% da população total. Essa proporção era próxima à da última eleição imperial na qual votaram analfabetos, a de 1879. Bem menor do que nas democracias em que o sufrágio era universal, mas o suficiente para legitimar o pleito. As novidades do voto feminino e do voto secreto ajudavam nesse sentido, impedindo as falsificações grosseiras da soberania popular. A adaptação de conservadores e positivistas ao secular modelo representativo nascido dos governos locais era um progresso, ainda que relativo, pois a exclusão dos direitos políticos dos analfabetos refletiu-se diretamente no desenho institucional que veio em seguida às eleições.

A Constituição de 1946 tinha nove títulos, contra cinco da Carta de 1891. Quase todo o acréscimo estava em novas atribuições do Estado em relação com a sociedade. Pela organização e minudência do tratamento, a descrição dessas atribuições, feita caso a caso, lembrava mais as antigas Ordenações do Reino com suas ordens desiguais (tão a gosto de conservadores e positivistas) do que as cartas iluministas fundadas no princípio da igualdade. No que se refere à organização, começava tratando do alto (o poder federal), passava pelas instâncias intermediárias dos estados e municípios, e trazia um rápido capítulo com os direitos do cidadão (mantendo a proibição de voto dos analfabetos). Até aí, tudo semelhante à Constituição de 1891.

Em seguida vinha um título dedicado à ordem econômica, definindo poderes amplos para o governo federal, a começar pela possibilidade de ação nos mercados: "A União poderá, mediante lei especial, intervir no domínio econômico e monopolizar determinada indústria ou atividade. A intervenção terá por base o interesse público e por limite os direitos fundamentais assegurados nesta Constituição." O governo federal também ficava com o monopólio das riquezas do subsolo (e da concessão de licenças de exploração), além da capacidade de distribuir concessões, em especial na área de comunicações. A Carta também consagrava o papel do governo como intermediário obrigatório nas relações entre trabalhadores e patrões, por meio da Justiça do Trabalho, instância que tornava quase sem valor os acordos diretos entre os agentes privados que produziam. Por isso havia uma lista minuciosa de direitos constitucionais a serem tutelados pelo governo, desde a duração da jornada de trabalho até a participação nos lucros das empresas.

Esse detalhamento prolixo poderia levar a supor que o governo federal agora desfrutava de uma situação inversa à do período anterior, passando a ter autoridade efetiva sobre todo o território do país e todas as classes da sociedade. Basta uma rápida mirada para pontos pouco detalhados da Carta para se perceber certas nuances. Pelo artigo 156, "[a] lei facilitará a fixação do homem no campo, estabelecendo planos de colonização e de aproveitamento das terras públicas. Para esse fim, serão preferidos os nacionais e, dentre eles, os habitantes das zonas empobrecidas e os desempregados. Os estados assegurarão aos posseiros de terras devolutas que tenham morada habitual, preferência para aquisição até 100 hectares". A Carta afirmava, portanto, que as posses seculares não valiam nada e que as terras eram "públicas", ou seja, do governo. Não bastasse, os direitos trabalhistas detalhados para a população urbana eram negados aos sertanejos. O mesmo se dava com os direitos políticos. Assim a maioria da população era excluída. Tudo isso dava novo sentido à antiga metáfora do corporativismo ou à sua versão dual do caranguejo litorâneo e do sertão ignoto e fora do mundo do conhecimento. O progresso capitalista e o mundo urbano eram enquadrados como filhos da tutela governamental e cercados de privilégios, ao passo que o sertão se mantinha separado e inferiorizado. Essa recriação modelava o momento populista.

Antes de lidar com o tema populista, vale a pena mostrar algo das relações entre sertão e cidade naquilo que interessa, ou seja, nas relações entre os seculares produtores independentes e o capitalismo do pós-guerra. Há um estudo de Antonio Candido, intitulado *Parceiros do Rio Bonito*, feito no período imediatamente posterior à aprovação da nova Constituição. Ele revela a permeabilidade entre a cultura caipira (como então era chamada a cultura sertaneja em São Paulo) e o capitalismo: "A relativa indiferenciação [social, no período anterior ao capitalismo] é substituída pela estrutura mais complexa, sobrepondo o fazendeiro [que emprega trabalho assalariado] a seu parente sitiante (muitas vezes com tantas terras quanto ele, mas trabalhando-as pessoalmente), que por sua vez se sobrepunha aos agregados sem estabilidade. Nas três camadas encontramos a presença da cultura caipira; mas na intermediária se localizaram suas manifestações mais típicas, visto como a superior tende com o tempo a se desligar dela, acompanhando a evolução dos núcleos urbanos, e a inferior nem sempre possui as condições de estabilidade."[1]

Assim a cultura secular não só convivia com o capitalismo avançado como ainda tinha possibilidades conscientes de sobrevivência: "Pequenos lavradores, sitiantes ou parceiros, embora arrastados cada vez mais para o âmbito da economia capitalista, e para a esfera de influência das cidades, procuram ajustar-se ao que se poderia chamar de mínimo inevitável de civilização, procurando por outro lado preservar o máximo possível das formas de equilíbrio. Daí a qualificá-los como grupos que aceitam, da cultura urbana, os padrões impostos – aquilo que não poderiam recusar sem comprometer a sua sobrevivência –, mas rejeitam os propostos, os que não apresentam força incoercível."[2]

Apesar dessa capacidade dos nativos e sertanejos de conviver sem problemas com um capitalismo industrial já avançado, a Constituição de 1946 recriou diferenças típicas da imagem corporativista: mantinha tanto os governos indígenas como as vastas populações dos sertões à margem do direito de propriedade – e à margem da lei de uma economia produtiva. Enquadrava a produção sertaneja como economia informal, economia do costume, tal como nos tempos da colônia, ignorando que, apesar do tratamento ideológico, era uma economia de empreendedores, e essencial para o mercado nacional formal. Mesmo sem direitos, essa grande parcela da população continuou sendo a maior consumidora de produtos industriais e a maior fornecedora de produtos para os centros industriais e de serviços. As trocas entre essas partes, isoladas tanto do mercado externo quanto da ação do governo federal, continuaram sendo aquelas que geravam a dinâmica de crescimento da economia.

Ainda para esse período recente, a aplicação da noção de economia de subsistência continua gerando cenários que não se adequam aos números – embora estes já existissem em abundância. As observações qualitativas de Antonio Candido, indo para muito além dessa noção normativa, são muito mais compatíveis com o cenário atual, quando mostram a total complementariedade e compatibilidade entre a formação social secular do sertão e a economia capitalista. Com essa imagem em mente se pode entender que a reconstrução da tutela no populismo era menos uma exigência do progresso que uma recriação da tradição.

A incorporação política era uma possibilidade óbvia, mostrada pela história da gestão municipal, que voltava para as mãos dos governos representativos depois do curto lapso de interrupção ditatorial. A incorporação civil era fácil, com a simples transformação do direito de posse em direito de propriedade. A medida teria provavelmente um efeito econômico ainda maior do que o trazido pelas medidas de Rui Barbosa: tanto o mercado de crédito como o de bens logo entrariam na esfera da produção capitalista, uma vez que as populações estavam mais que preparadas para tanto. Mas nada disso aconteceu: a letra da lei, embora com preâmbulo iluminista, repunha o ideal corporativo de tratar cada parte do corpo social de um modo, de criar hierarquias, de negar a igualdade.

A única mudança real trazida pela Constituição de 1946 ocorreu em outra área. A alínea "r" do artigo 5, que definia os poderes da União, previa "a incorporação dos silvícolas à vida nacional". É uma definição curiosa, na medida em que os índios, desde a Constituição imperial, eram tecnicamente cidadãos brasileiros. No momento em que a Carta foi escrita, eles ainda dominavam a maior parte do território do país, embora esse espaço estivesse restrito à Amazônia e ao Centro-Oeste, pois o avanço da agricultura no Sul e no Sudeste, durante a primeira metade do século XX, ocasionara nessas regiões a devastação das populações nativas e a tomada de seus territórios. Como sempre, os índios eram agentes efetivos da produção de excedentes e faziam rodar a economia nacional – embora, nesse aspecto, a produtividade industrial tenha aberto um fosso muito maior. Por isso a breve menção na Carta era melhor do que nada: abria caminho para que o Estado iniciasse uma política para garantir aos povos indígenas o controle das terras que ainda ocupavam: um projeto republicano conduzido a duras penas pelo pioneiro Cândido Rondon.

Somando tudo, afinal a elite conservadora incrustada no governo central conseguira se adaptar um pouco mais ao país onde estava instalada. O muro pós-1930 já não era mais o lugar apenas dos caranguejos, o mercado já não existia apenas nas casas. O governo central deixava de ser, na economia, uma instância apenas de captação de impostos aduaneiros; em política, se enraizava nos interesses da população, agora minimamente expressos no voto. Mas o fim da ditadura não significou o fim da pretensão de superioridade conservadora nem a adesão a uma identidade nacional caipira ou multiétnica. Na lógica de José Bonifácio, não deixava de representar um passo no amalgamento que faria a unidade da nação, se tudo desse certo.

E o "tudo certo" se concentrava na manutenção dos mecanismos de controle dos fluxos externos da economia que permitiam um crescimento econômico acima da média mundial. A razão de ser do muro passou muito bem pela primeira prova prática no novo regime. As expectativas de retomada do comércio mundial nas bases multilaterais pensadas por Roosevelt logo se revelaram irrealistas, como notou Sergio Besserman Viana: "Não havia equilíbrio possível nas condições de mercado. Os Estados Unidos haviam crescido 11% em média ao ano entre 1940 e 1945 enquanto a Europa e o Japão tiveram parte de suas populações dizimadas, suas economias desarticuladas e seus parques produtivos em parte destruídos . [...] A volta ao multilateralismo era prematura. Foi necessário o malogro da conversibilidade do esterlino, em 1947, para que se medisse a natureza e amplitude de um desequilíbrio que se anunciava duradouro."[3]

O reconhecimento desse desequilíbrio ocasionou uma alteração de métodos e cronogramas. Os Estados Unidos passaram a bancar a recuperação das economias destruídas pela guerra, enquanto a União Soviética expandia o regime comunista para seus vizinhos. Começava a Guerra Fria, que daria continuidade ao cenário mundial de crescimento baseado mais nos mercados internos do que nas oportunidades internacionais, apesar da manutenção do desenho institucional do multilateralismo. Dessa vez a reação brasileira foi imediata. No campo econômico foi fácil voltar atrás, com o fim da breve experiência de liberação da venda de divisas e com a retomada do monopólio estatal e do controle das licenças de importação. No campo político, o ajuste à Guerra Fria se fez com a proibição das atividades do Partido Comunista Brasileiro, após um período igualmente breve de legalização.

Com isso cessou a discussão interna: o muro estatal era tão necessário na nova fase mundial quanto na ditadura que o reforçara como reação à crise de 1929. O governo federal passava a ser o controlador efetivo das estreitas portas do comércio e do movimento financeiro internacionais do país. Todos os agentes econômicos que precisavam circular por esses caminhos teriam ainda de acender velas nos altares da burocracia federal. A lógica geral do processo ainda era a mesma por trás do Plano de Valorização do Café: trocar produtos agrícolas por equipamentos de produção industrial. Mas a sua execução não tinha mais nada a ver com os mecanismos de mercado: agora era processo discricionário, uma vez que o controle das portas estreitas do comércio internacional exigia muito do governo federal.

Do ponto de vista operacional, o controle dos fluxos externos ampliou-se com o monopólio de compra dos principais produtos agrícolas de exportação: café, açúcar, cacau e mate eram adquiridos por autarquias em moeda nacional. Isso apresentava uma dupla vantagem: reduzia a pressão nas portas e dava mais poder de fogo ao governo federal na hora das vendas. O governo federal era ainda o maior estocador mundial de café, mas agora sua ação para forçar preços funcionava como subsídio de concorrentes externos, de modo que a posição foi se deteriorando ao longo do tempo. Era um sacrifício para a agricultura afastada das portas, mas elemento crucial na administração dos fluxos. No sentido das importações, na maior parte do tempo as licenças resultavam de processos arbitrários, que favoreciam o setor industrial. Além de permitir o acesso a equipamentos, as portas estreitas criavam uma quase obrigatória reserva de muitos mercados para a produção nacional, mesmo havendo produção mais barata no exterior. Porém, como essa era mais ou menos a situação das principais economias do mundo, as reclamações eram mais protocolares que qualquer outra coisa.

Mesmo os Estados Unidos, os únicos de fato capazes de sustentar o multilateralismo, muitas vezes tinham de se curvar ao realismo nacional. Para vender produtos de suas indústrias no Brasil, financiavam até mesmo projetos contrários a seus interesses globais. Além da siderurgia, boa parte dos investimentos estatais no setor industrial, em especial na área elétrica, contou com financiamento de longo prazo dado ao governo brasileiro por agências norte-americanas – algo muito bem-vindo num ambiente de escassez que se estendia ao lado financeiro das transações externas. Nessa seara, a luta era mais dura ainda. Os fluxos de capital eram controlados a conta-gotas. Toda hora faltava dinheiro para equilibrar a balança. A cada soluço nos preços do café havia choradeira dos importadores, dos empresários que precisavam remeter capital, dos credores do governo – que ficava ainda maior quando se recorria às emissões de moeda nacional para fabricar milagres e gerar inflação.

Em meio a tantos solavancos, o resultado foi positivo. Ao longo das décadas de 1940 e 1950, permaneceu a tendência iniciada com a República: o crescimento da indústria manteve um ritmo muito superior ao das demais atividades, especialmente a agricultura. Como, a partir de 1947, passou a existir um cálculo do PIB, essa medida deixou de ser marcada por imprecisões estatísticas. A média anual do período era superior a 7%, o que colocava a economia brasileira entre as mais dinâmicas do planeta. Tudo num cenário de crescimento próximo a zero do comércio internacional. As exportações brasileiras foram de 1,1 bilhão de dólares em 1947; em 1962, de 1,2 bilhão de dólares. Apenas num ano excepcional, 1951, chegaram a 1,7 bilhão de dólares. Foi exclusivamente graças a um extremo esforço discricionário que se manteve a dinâmica da economia. O bom desempenho devia-se quase que apenas ao crescimento do mercado interno, justificando o desenho institucional do muro.

Mas o próprio sucesso teve suas consequências. A sociedade mudava de cara. Para manter esse elevado ritmo de crescimento sem o recurso a imigrantes, cresceu a migração originária da região produtiva, mas desprotegida pela lei, para aquela na qual se concentravam os privilégios concedidos ao trabalho formal. Sua marca maior foi a vinda de nordestinos para o Sudeste (sobretudo São Paulo). Pelas regras, toda essa gente, ao mudar do sertão para a cidade, ganhava direitos, aumentando as pressões sobre o sistema político. Nos primeiros anos, a maior fonte de oposição vinha dos prejudicados pelos privilégios concedidos à indústria no acesso às divisas, como os importadores e os investidores estrangeiros que precisavam remeter lucros. E a posição deles era expressa por economistas que atualizavam a antiga posição fisiocrata anti-industrial em ortodoxia financeira.

Essa crítica ao arbítrio governamental era ampliada com medidas no âmbito interno que provocavam grandes desequilíbrios nas relações produtivas, e que se tornaram uma tentação para políticos em busca de popularidade rápida. Getúlio Vargas elegeu-se com facilidade em 1950 e quis deixar uma imagem que fosse além daquela de ditador, como um pai dos pobres democrata. Como seu governo andou meio de lado e o mandato estava acabando, apelou para a elevação do salário mínimo em 100% por decreto, seguida pela adesão do Executivo a uma proposta da oposição que criava uma empresa estatal monopolista na área de petróleo. Essas foram fontes relevantes da perda de apoio político entre empresários, seguida da perda do controle do Congresso – o que levaria ao gesto do suicídio.

Mesmo um grande solavanco como esse não alterou o rumo geral do período. O que parecia uma crise impossível no governo interrompido pelo suicídio de Vargas foi superado com facilidade quando Juscelino Kubitschek soube se aproveitar da recuperação no cenário internacional para alargar as portas da felicidade industrial, atraindo o capital estrangeiro de risco para a montagem da indústria automobilística. Ao mesmo tempo construiu Brasília, rompendo a secular ligação entre sede do governo e sede da região importadora do país, em clima de Bossa Nova e modernismo. Rasgou estradas de rodagem pelo sertão onde foi erguida a nova capital, viabilizando a rapina das posses dos moradores e tornando urgente um mínimo de igualdade entre os brasileiros.

Tudo isso exigiu um comportamento muito heterodoxo no controle das portas, em tal medida que aconteceu um milagre: em 1960, pela primeira vez em toda a história do Brasil, um candidato de oposição ganhou uma eleição para a chefia do Executivo. Seu nome era Jânio Quadros e tinha como programa uma administração econômica mais ortodoxa. Tomou posse com extrema minoria no Parlamento: quatro quintos dos parlamentares eleitos eram dos partidos que apoiavam as administrações anteriores. Logo tomou uma medida histórica: a criação do Parque Nacional do Xingu, primeira terra delimitada para os índios na República. Não teve tempo para muito mais. Tentou reverter a desvantagem com uma manobra política heterodoxa – uma renúncia para forçar um golpe de Estado – e acabou indo contar sua história em bares, como cidadão comum. O vice-presidente, João Goulart, chegara ao cargo por artes da política. Não tinha nada a ver com o renunciante nem com seu programa, pois era parte do espectro ideológico oposto. Enfrentou o mesmo problema do antecessor: bases parlamentares exíguas. Ao fim e ao cabo, o Partido Social Democrático (o PSD, que controlava o governo desde 1945) conduziu as negociações que levaram ao parlamentarismo e à manutenção da agremiação no comando do país, graças a sua base parlamentar.

Mas a coisa desandou. As portas seletivas para o exterior se tornaram inoperantes em meio a conflitos de todo tipo. No lado econômico, a produção industrial caiu e a inflação aumentou. No lado político, havia a pressão por direitos, que foi apoiada por João Goulart: as chamadas reformas de base, com a reforma agrária em primeiro lugar, entraram na pauta. Tratava-se de algo muito razoável num país no qual o sertão sempre ficara de fora do desenho do poder central. Mas, para ser favor, custava dinheiro, num momento em que o governo federal tinha as contas no bagaço – bem ou mal, a questão que elegera Jânio Quadros ia se mostrando pertinente. Tudo isso levou a um impasse.

CAPÍTULO 67
> *Ditadura militar e seus paradoxos*

Não resta dúvida de que a oposição radical à proposta das reformas de base e a perseguição – mais uma vez – aos comunistas estava na base da deposição do presidente João Goulart. Tal constatação, além de factual, serve muitas vezes como elemento explicativo de cunho ideológico para analisar o regime que veio em seguida. Mas certas nuances devem ser levadas em conta. Na manhã do dia 2 de abril de 1964, o país tinha três presidentes precários e um potencial. No Rio Grande do Sul, o presidente Goulart aguardava os acontecimentos. Nas primeiras horas do dia, em Brasília, o Congresso Nacional decretara vago o cargo maior do país e indicara o presidente da Câmara, Ranieri Mazzilli, para ocupar o posto. No Rio de Janeiro, o marechal Costa e Silva falava em nome do Supremo Comando da Revolução como autoridade de fato. Na mesma cidade, o marechal Castelo Branco tentava viabilizar sua indicação para a presidência.

Jango deixou o país, mas a situação de múltiplo comando perdurou por quatro dias, durante os quais não houve reação popular de monta. Quem acabou resolvendo tudo foram os parlamentares – os mesmos que haviam resolvido a crise que se seguiu à renúncia de Jânio Quadros, em 1961, com o parlamentarismo, e também os problemas do parlamentarismo, com o plebiscito de 1962 que restaurou o presidencialismo. Uma das primeiras providências de Ranieri Mazzilli foi nomear os comandantes militares como ministros, trazendo-os para o governo institucional. Por causa dessa capacidade de manobra, muitos dos que apoiaram o movimento militar para acabar com a carreira dos políticos iam se tornando políticos. Logo teriam motivos maiores para se preocupar.

No dia 7 de abril, na casa do deputado Joaquim Ramos, encontraram-se os próceres do PSD: Juscelino Kubitschek, Amaral Peixoto, José Maria Alckmin e Negrão de Lima. O marechal Castelo Branco lá chegou acompanhado do senador pessedista Luís Viana Filho. No registro do marechal, ficou apenas a afirmação de que se comprometera a cumprir a Constituição e o Ato Institucional. No relato de Juscelino (e de todos os políticos), o marechal entrou na conversa como candidato, afirmando que "respeitaria a Constituição e as eleições aconteceriam na data marcada [outubro de 1965]".[1]

O fato é que o marechal saiu da conversa como candidato firme à presidência, inclusive aceitando como vice o homem de confiança de Juscelino, José Maria Alckmin. Para fazer valer o acordo, o Congresso aprovou nada menos que sete reformas constitucionais em apenas quatro dias. A maior vitória dos defensores do arbítrio foi a promulgação de uma versão mais branda do Ato Institucional nº 1 pelos ministros militares em nome do governo. Ela aumentava os poderes do presidente em detrimento dos do Parlamento. Como prova desses poderes, foram cassados os mandatos de 40 parlamentares. No dia seguinte, 11 de abril, o Congresso elegeu Castelo Branco presidente para terminar o mandato de Jânio Quadros. Castelo Branco recebeu 261 votos, incluídos 36 vindos da bancada do PTB, o partido de João Goulart, e também o sufrágio do senador Juscelino Kubitschek. Apenas 72 deputados, por motivo de consciência, se abstiveram.

Completava-se assim um ritual. Não deixa de ser curioso indagar por que ele foi realizado. Apesar de terem o comando de fato, os vitoriosos preferiram submeter o escolhido a limitações, em troca da unção pública. E tudo isso seguiu um roteiro histórico. Os governadores-gerais se apresentavam perante as câmaras; o primeiro imperador e os constituintes lutaram pelo reconhecimento mútuo de suas posições relativas como detentores de duas soberanias nas cerimônias de abertura da sessão parlamentar; os republicanos se apresentaram perante a câmara do Rio de Janeiro no momento da vitória. Getúlio Vargas fugira à regra, mas em 1964 os militares recuperaram a tradição com um fim preciso. Queriam de fato um mandato, uma forma de evitar que o ungido se sobrepusesse à instituição armada como ditador. Nesse sentido adotavam um costume secular dos analfabetos: a rotação dos eleitos nas câmaras municipais sempre impedira ditaduras locais. O ritual de unção também se justificava por dois outros motivos: ajudou a criar consenso interno nas forças armadas e revestiu imediatamente de alguma legitimidade alguém que passava a ser presidente da República numa situação constitucional.

Mas não seria um presidente qualquer. Para empregar a linguagem de Campos Sales, seria um "depositário unipessoal", pelo qual se "eliminava a política de uma comunidade para concentrá-la na pessoa de uma suprema autoridade". E, para mostrar que era pessoa de suprema autoridade, uma das providências do presidente Castelo Branco foi cassar os direitos políticos de Juscelino Kubitschek. Era um sinal de que, como diziam os conservadores sobre o imperador, havia alguém que "reina, governa e administra". Alguém que saberia colocar os interesses da administração acima da política, como diria o visconde do Uruguai e repetiria Getúlio Vargas em seu diário: "A proximidade das eleições faz com que as conveniências vão se sobrepondo aos interesses da administração. É o mal que volta."[2] Renovada a velha crença dos conservadores, agora que reinstalavam um poder acima da representação, da soberania dos cidadãos expressa no voto, um mal estaria sendo afastado e um novo bem se instalaria a partir de uma ação "técnica", que se sobreporia às "conveniências" dos eleitores – uma situação que o monarquista João de Scantimburgo nomeava como "nostalgia do Poder Moderador".

Antes de entrar na articulação desse novo "bem", cabe aqui uma mirada sobre o mundo. Ao longo dos primeiros anos do pós-guerra a situação mundial havia gerado, com exceção dos Estados Unidos, políticas semelhantes àquelas adotadas no Brasil. Andrew Terborgh assim resumiu as opções europeias: "A situação após a Segunda Guerra Mundial fortaleceu as posições trabalhistas na Europa e deu poder a partidos de esquerda com bases operárias. Em troca da moderação nos pedidos de aumento salarial, os governos mantiveram compromissos com o pleno emprego e o desenvolvimento econômico. Esses acordos limitaram o poder das autoridades monetárias para eliminar déficits externos: o emprego de contração monetária para equilibrar as contas externas destruiria a acomodação entre capital e trabalho. Como consequência, os países europeus adotaram controles cambiais e o resultado foi que uma rede de pagamentos internacionais, tão benéfica para o comércio mundial antes de 1914, não se desenvolveu nos anos 50."[3]

Nada muito diverso do que aconteceu no Brasil. Mas então o cenário do comércio mundial começou a mudar. Em 1957, seis países europeus (Alemanha, Itália, França, Bélgica, Holanda e Luxemburgo) se reuniram para criar o Mercado Comum Europeu. Países que nos séculos anteriores viviam em guerra (só entre França e Alemanha houve quatro grandes conflitos nos dois séculos anteriores) abriram mão de parte da soberania nacional, algo inédito em termos históricos. Na base econômica da união estavam isenções tarifárias para a circulação de produtos industriais entre os países, proteção tarifária em defesa da produção agrícola dos membros e adesão à conversibilidade das moedas nos termos do tratado de Bretton

Woods. O realinhamento provocou uma aceleração imediata no crescimento do comércio internacional, invertendo uma tendência que vinha desde 1929. Nos primeiros anos do pós-guerra o crescimento interno das economias era maior que o do comércio internacional. Entre 1960 e 1963, as taxas de crescimento do comércio internacional se igualaram às dos mercados internos. A partir daí começaram a superá-las rapidamente, em taxas superiores a 8% anuais. Em suma, inverteu-se a situação que levara, em 1930, à criação do muro que protegeu o desenvolvimento do mercado interno brasileiro. Voltou o tempo das oportunidades no comércio internacional – Japão, Coreia e Cingapura, países com possibilidades menores nos tempos de isolamento, foram os primeiros a se aventurar nas novas ondas.

A nova frente de oportunidades estava aberta apenas para empresas, pois os Estados continuaram sendo nacionais. Para uma nação se aproveitar delas, teria de ter outro papel: em vez de defender fronteiras, precisaria incentivar as empresas que atuam fora das fronteiras nacionais, comprando e vendendo no comércio internacional – e, no sentido oposto, defender os setores mais fracos do assédio de competidores internacionais. Esse era o sentido da ação europeia e das nações asiáticas, com Cingapura e Japão à frente, que se lançaram atrás das oportunidades abertas pelo crescimento do comércio internacional. Um sinal evidente de que os pressupostos mundiais que justificavam o muro brasileiro como fator de desenvolvimento econômico não eram mais os mesmos.

Mas também um sinal que fazia pouco sentido para os novos donos do poder. Os militares assumiam o comando de uma economia que crescia ininterruptamente com taxas altas, maiores que a média mundial, havia setenta anos. Um período tão longo de progresso em meio a um Ocidente que conhecera duas guerras mundiais e uma grande crise afetando os países mais desenvolvidos não era pouco: a economia brasileira era, naquele momento, uma das que apresentavam maior crescimento no mundo no período entre 1890 e 1960. Em períodos diversos do cenário internacional, a fórmula brasileira fora a mesma: incentivar a indústria local e com isso obter uma taxa de crescimento do mercado interno maior do que a do setor exportador.

Também fazia parte da experiência brasileira a manutenção de um sistema político que se baseava no emprego do governo central como fornecedor de meios para o controle dos resultados eleitorais – sistema este que fora herdado intacto do Império e já tinha 120 anos de existência, além de ter sobrevivido à mudança de regime. A rigor, o rito militar de fusão com o Parlamento era uma aposta na continuidade desse controle, uma defesa contra a ameaça que o voto significava para os controladores dos recursos político-patrimoniais do centro.

Por isso os novos donos do poder sequer consideraram ler os eventos do mundo ao modo dos primeiros republicanos: como indicador de que valia a pena descentralizar poder, permitir o incremento de fluxos internacionais, confiar na imagem modernista de ligação entre sertão e vanguarda, buscar oportunidades novas no mundo.

Nesse contexto entrou em funcionamento a "administração" acima da "política" do novo regime, comandada por "técnicos". Dois funcionários públicos federais de carreira se encarregaram da condução da política econômica: Otávio Gouveia de Bulhões, ministro da Fazenda, e Roberto Campos, ministro do Planejamento. Eram ambos discípulos de Eugênio Gudin, economista conservador que passara as duas décadas anteriores criticando a inflação brasileira e tendo poucas palavras para explicar o desenvolvimento.

Com a mudança do regime, as ideias dos três sobre inflação passaram a nortear as ações do governo e foram expressas no Programa de Ação Econômica do Governo. A inflação era apresentada como "resultado da inconsistência da política distributiva, concentrada em dois pontos principais: (1) no dispêndio governamental superior à retirada do poder de compra do setor privado sob a forma de impostos ou de empréstimos públicos; (ii) na incompatibilidade entre a propensão a consumir, decorrente da política salarial, e da propensão a investir, associada à política de expansão do crédito às empresas. [...] Dentro deste quadro encontram-se as três causas tradicionais da inflação brasileira: os déficits públicos, a expansão do crédito às empresas e as majorações institucionais de salários em proporção superior à do aumento da produtividade".[4]

Havia um fator próprio do âmbito público e mensurável na argumentação: os gastos governamentais acima das receitas e financiados por emissão de moeda. Já os outros dois fatores são até hoje de quase impossível quantificação, além de confundirem a esfera do governo e a dos mercados. No caso do crédito às empresas, o lado financeiro do capital privado no processo, o termo "expansão" leva a supor facilidade para capitalizar empresas em geral, num país onde o fiado e a informalidade eram muito presentes e a capitalização dos empreendimentos, muito baixa – até as grandes empresas eram familiares, por falta de opção. Mais imprecisa e impossível de quantificar até hoje era a afirmação de que uma das causas da inflação estaria nos aumentos do salário mínimo em proporção maior que o aumento da produtividade. A maior parte do trabalho produtivo brasileiro naquele momento ainda era realizada pelo modo secular, por produtores independentes (tipo Jeca Tatu) no sertão ou em associação entre eles e outros empresários (parceiros, meeiros, diaristas etc.). O trabalho assalariado ainda estava restrito a uma minoria, e o salário mínimo afetava uma minoria nessa minoria. Nesse cenário, a proposição de que o aumento do salário mínimo gerava inflação era, no mínimo, imprecisa em termos quantitativos.

Mas essas eram as causas vistas pelos novos agentes de um Executivo com poderes muito reforçados – e, portanto, capazes de colocar a "administração" acima da "política". Agiram para atacar as causas que viam, e vieram os resultados. Para resolver o impasse dos gastos públicos, o governo "retirou poder de compra dos agentes privados" num ritmo inaudito. Thomas Skidmore resume: "As rigorosas medidas de arrecadação de impostos resultaram em significativa elevação da receita federal. Ela passou de 7,8% do PIB em 1963 para 8,3% em 1964, depois para 8,9% em 1965 e 11,1% em 1966. A combinação com o corte de despesas reduziu o déficit público de 4,2% do PIB, em 1963, para 1,6% em 1965."[5]

O governo federal estava longe de ser um gigante, mesmo após o processo de 34 anos de concentração de poderes no período pós-1930. Era ainda um governo que absorvia uma parcela relativamente modesta da produção total – ou seja, o setor privado continuava sendo o centro do processo de crescimento. A grande mudança do regime militar foi promover uma forte estatização, expandindo a presença do governo federal na economia. Em apenas três anos, a instância central de poder passou a abocanhar uma fatia da riqueza nacional 43% maior. E essa foi a parte menor da retirada de recursos do setor privado. O governo criou fundos compulsórios sobre o trabalho (o Fundo de Garantia por Tempo de Serviço, dinheiro retirado de trabalhadores e empregadores que era administrado pelo governo); transferiu compulsoriamente para a esfera federal todos os ativos do setor de previdência, com a criação do INPS; subordinou o novo instrumento das cadernetas de poupança a um banco oficial, o BNH, transformando-se no dono do crédito imobiliário em todo o país.

Ao mesmo tempo reorganizou a estrutura jurídica e ampliou sua atuação direta como gestor de empresas. Antes de 1964, apesar de o setor público federal ser relativamente modesto, o governo tinha uma empresa monopolista no setor de petróleo (a Petrobras), financiada por impostos gerais; tornara-se operador da maior parte das ferrovias com a criação da Rede Ferroviária Federal; controlava a maior mineradora, a Companhia Vale do Rio Doce, a maior siderúrgica (a Companhia Siderúrgica Nacional) e os maiores bancos (Banco do Brasil, Banco Nacional de Desenvolvimento Econômico, Caixa Econômica Federal); comprava com poderes monopolistas as produções agrícolas exportáveis, sobretudo a do café. E, como conseguiu muito dinheiro novo, tratou de ampliar a atuação como empresário, criando a Telebrás (telecomunicações), a Eletrobrás (energia elétrica) e a Siderbrás (siderurgia). Antes de 1964 havia 12 estatais; em três anos tornaram-se 44.

A mudança efetiva de estrutura aconteceu também na área financeira. A criação do Banco Central e uma lei de organização do sistema financeiro permitiram o surgimento de algo parecido com um mercado de capitais autônomo. Mas logo este estava a serviço de seu principal beneficiário: o próprio governo, que passou a ter condições de captar poupança privada para cobrir seus déficits, por meio de títulos indexados à inflação (as ORTN). Em suma, os agentes do poder agora discricionário empregaram seu poder para ampliar enormemente o governo federal. Ao modo que vinha dos séculos, os interesses da esfera central se confundiam com o bem comum e aqueles da sociedade eram apresentados como interesses "particulares". Assim eram pensados os interesses nos termos do Antigo Regime; a separação entre público (aquilo que a lei define) e privado (a esfera de liberdade para além da lei) não cabe bem para explicar a nova etapa de concentração de poder pela ditadura.

Com esse alerta se entende melhor um duplo prejuízo no setor privado. Do lado do capital no setor privado, os resultados foram inauditos. Durante a gestão de Castelo Branco, a indústria cresceu menos que a média do PIB brasileiro, algo que era constante apenas até o final da década de 1870 e depois ocorrera apenas com a recessão de Joaquim Murtinho (o ídolo de Eugênio Gudin). Do lado do trabalho, as coisas foram ainda piores. O governo federal aproveitou seu peculiar modo de ver os salários como elemento inflacionário para estatizar algo que antes era parte do jogo econômico do mercado: transformou reajustes salariais em norma governamental, decretando reajustes abaixo da inflação, algo só possível num país com sindicatos oficiais e uma lei que proibia greves. Desse modo, capital e trabalho foram subordinados ao governo federal, o grande beneficiado pela política.

A obra de concentração econômica teve como paralelo a concentração política. Do ponto de vista das instâncias de governo, a esfera federal se tornou proporcionalmente muito maior que as estaduais e municipais. Do ponto de vista da distribuição de poderes, o Executivo federal adquiriu um enorme domínio sobre o Parlamento. No que se refere à distribuição de poderes entre o eleitor soberano e a autoridade, a concentração foi ainda maior. Em 1966, a competência para eleger governadores e prefeitos das principais cidades do país foi retirada dos eleitores e transferida ao presidente da República – uma concentração maior do que no Império e pouco menor do que ocorrera no Estado Novo. Junto com essa concentração veio outra: o governo definiu por decreto a existência de dois partidos, um do governo e dos favores estatais, outro da oposição e das dores sociais. Com isso as eleições que restaram (para deputados estaduais, federais e prefeituras de cidades pequenas, as fontes históricas do poder representativo) se tornaram de novo mais rituais de sagração do que pleitos competitivos.

A grande expansão de poderes do governo federal no âmbito interno foi montada para realizar certos objetivos externos, assim resumidos por André Lara Resende: "A restrição do balanço de pagamentos era diagnosticada como séria limitação ao crescimento. Para superá-la o PAEG propunha uma política de incentivos à exportação, uma opção pela internacionalização da economia, abrindo-a ao capital estrangeiro, promovendo a integração com os centros financeiros internacionais e o explícito alinhamento com o sistema norte-americano da Aliança para o Progresso."[6] A política de incentivos à exportação estava na base de todos os projetos nacionais bem-sucedidos no mundo, num momento em que o comércio internacional crescia mais que as economias locais. Os países que cresciam incentivavam empresas que vendiam fora do país a entrar em outros mercados. Mas, na versão brasileira, essa parte do projeto ficou apenas no papel. O objetivo de exportar mais foi logo deixado de lado pelo regime militar: durante o governo Castelo Branco as exportações brasileiras se mantiveram na média histórica de 1,2 bilhão de dólares, sempre bem abaixo do recorde de 1951.

Com o Brasil fora da vida democrática ocidental e fora das trocas econômicas internacionais ascendentes, apenas a cultura acabou sendo o campo que recebia novidades – e logo expressava o choque entre o andamento otimista do mundo após a retomada do comércio internacional – expresso nessa área pelo rock, o movimento hippie, os protestos estudantis (tudo transmitido quase em tempo real via satélite, televisão, rádio) – e a opressão interna. O descompasso foi interpretado por grupos políticos que se inspiravam no exemplo de Fidel Castro para sustentar projetos de derrubada do regime pelas armas. Assim como a tentativa de Prestes em 1935, ou a pregação do perigo comunista pelos golpistas de 1964, a guerrilha foi o combustível que o governo empregou para atalhar as sobras relevantes do poder dos cidadãos. Em 1968, com o pretexto de combater a guerrilha, o Ato Institucional nº 5 determinou o fechamento do Congresso, a pena de morte, a censura à imprensa – enfim, a pletora de poderes discricionários dos autoritários republicanos. Manteve-se, no entanto, o rito de sagração: em 1969 o Congresso foi reaberto para eleger um novo ditador com mandato.

A política econômica ficou nas mãos de um mesmo homem entre 1967 e 1973. Antônio Delfim Netto, um novo tipo de tecnocrata, era professor de economia da Universidade de São Paulo. Mais ligado ao mundo da produção paulista do que ao das finanças federais, ele introduziu pequenas variantes no modelo, sobretudo na atenção às exportações, em especial do setor industrial. Em 1967, quando assumiu, as exportações foram de 1,4 bilhão de dólares, na média estagnada de todo o período pós-1930; em 1973, ao deixar o cargo, haviam alcançado 6,2 bilhões de dólares – mais do que quadruplicaram, aproveitando a onda de crescimento do comércio internacional.

O café, pela primeira vez desde a Independência, deixava de ser o principal produto de exportação – e, pela primeira vez desde a proclamação da República, deixava de ser a fonte maior da expansão do mercado interno, ordenando as trocas com o exterior. A indústria aparecia agora como um eventual novo passe para a criação de oportunidades num mercado mundial no qual o comércio crescia em proporção superior às economias locais, no qual empresas privadas atuando internacionalmente tomavam o lugar dos governos nacionais como centros dinâmicos de acumulação de riqueza. Mas, ao mesmo tempo, o poder discricionário e autoritário do governo federal chegara ao máximo.

CAPÍTULO **68**
> *O muro e a Grande Muralha*

No dia 15 de março de 1974, Ernesto Geisel tomou posse como ditador-mandatário em um momento crucial da conjuntura mundial: primeiro, em agosto de 1971 os Estados Unidos haviam tomado a histórica decisão de renegar os acordos de Bretton Woods, rompendo a promessa de trocar notas de dólares por determinada quantidade de ouro. Terminava ali a crença na relação entre metal e papel-moeda que sustentara as relações entre moedas nacionais durante séculos. Toda a moeda passava a ter valor apenas fiduciário, um valor que dependia somente da credibilidade no que estava impresso no papel.

O Brasil conhecia essa forma de moeda desde o Império. Gênios como o barão de Mauá souberam interpretar as vantagens dessa realidade, contra a então avassaladora crença metalista dos conservadores. A constatação de que o câmbio era um preço, e não um valor estável, permitiu a política monetária de Rui Barbosa, que mudou a face do crescimento na República. O mesmo conceito esteve na base da Caixa de Conversão criada com o Plano de Valorização do Café, que permitiu a industrialização acelerada. E também foi aproveitado por Getúlio Vargas em 1930, quando da proteção do mercado nacional. A globalização da moeda fiduciária trouxe consequências importantes para o Brasil. Com ela, todas as moedas podiam ser desvalorizadas – e desaparecia o elemento de proteção para o país em relação às grandes economias praticantes de câmbio fixo: a grande oportunidade a favor do país explorada pela Caixa de Conversão no Plano de Valorização do Café. Além disso, a decisão transformou uma montanha de papel impresso que podia ser trocado por ouro numa massa de moeda de reserva, e os Estados Unidos ganharam a monumental taxa de senhoriagem embutida na diferença. Como todas as grandes economias seguiram os Estados Unidos no abandono do padrão-ouro, houve um aumento potencial gigantesco de instrumentos de liquidez no cenário internacional. O fluxo de divisas entre nações voltou ao que era no século XIX: um atrator para negócios entre nações, pois agora, além do comércio, haveria um crescimento dos instrumentos de crédito para facilitar transações. Era mais que uma oportunidade para o Brasil rever a política de monopólio estatal nas transações com divisas, estabelecida no vórtice da crise de 1929.

Em segundo lugar, a Conferência de Estocolmo, promovida em 1972 pelas Nações Unidas, teve como tema as ações do homem sobre o meio ambiente, e sua conclusão foi de que se estava chegando ao limiar da capacidade de reposição do equilíbrio natural – o aquecimento global era uma das consequências visíveis desse processo. Para lidar com a questão foram tomadas várias medidas, entre as quais a criação do primeiro programa mundial de meio ambiente. Assim começou a surgir um consenso científico e a percepção de que se tratava de um problema global, que teria de ser resolvido por todas as nações e todos os homens ao mesmo tempo. Tal constatação implicava a revisão de um pressuposto conceitual comum aos iluministas e aos marxistas: a noção de "natureza" como algo inesgotável, um repositório do qual se pode sacar tudo gratuitamente e ao infinito. Todos os princípios fundadores do capitalismo e do socialismo se estruturavam em torno dessa noção.

Terceiro, outro sinal de mudança radical no mundo só aparecia em ambientes isolados e comunidades fechadas. Em outubro de 1969 foi efetuada a primeira transmissão de mensagens entre computadores. No mesmo mês, aconteceu a primeira interligação de computadores entre a Universidade de Stanford e a da Califórnia. No mês seguinte já estava em funcionamento uma rede de quatro computadores entre centros universitários, que seria o embrião da Internet. Em 1973 aconteceu outro evento relevante: Grã-Bretanha, Irlanda e Dinamarca passaram a fazer parte do Mercado Comum Europeu. Além da mera ampliação, isso marcou uma alteração do escopo do projeto original: começava a ser desenhado o mapa para a cessão de competências cada vez mais relevantes dos membros do grupo para a entidade supranacional. Era uma inovação extraordinária no convívio entre nações, permitindo que rivalidades seculares dessem lugar a convivência pacífica e respeito a tratados institucionais.

Esse conjunto de sinais anunciando novas perspectivas mundiais era forte o suficiente para permitir apostas ousadas de líderes nacionais. No início da década de 1970, embora a China comunista fosse o país mais populoso do mundo, sua economia não se destacava pela pujança: o PIB, em números absolutos, era menor que o do Brasil, e a renda per capita, muito menor. Era também uma economia fechada em si mesma, há milênios isolada do mundo. Quando os faraós ainda erguiam pirâmides, os chineses iniciavam a maior obra de construção de todos os tempos: uma muralha para separar a sua civilização da barbárie circundante. Foram precisos longos quatro séculos de contatos diretos com o Ocidente para que afinal os chineses concebessem a hipótese de um mundo formado por nações com iguais direitos e governos. Em 1949 o Império milenar e o imperador – considerado o elo entre os mundos terreno e divino – foram derrubados. O líder Mao-Tse-Tung fez o que pôde para mudar as coisas: acordos com a União Soviética, reeducação da elite burocrática, fuzilamentos em massa, envolvimento em duas guerras com os Estados Unidos. Ao fim e ao cabo constatou com humor que só conseguira mudar "alguns quarteirões na periferia de Pequim" e jogou uma cartada radical. Enviou sinais aos Estados Unidos e, em 1971, Henry Kissinger, então assessor de segurança nacional do presidente Richard Nixon, fez uma viagem secreta à China. No ano seguinte, o próprio Nixon trocou apertos de mão com o camarada Mao, indicando que a muralha seria aberta de dentro para fora.

O governo comunista da China foi o primeiro a decidir que o socialismo num só país era uma possibilidade sem futuro. Dali em diante, ainda que o Partido Comunista mantivesse o controle monopolista da política, o objetivo central da nação seria o da integração na economia global. Para seguir adiante, a China passou a admitir a entrada de empresas estrangeiras e, mais importante, a criar um setor privado nacional, capaz de atuar além das fronteiras nacionais, seguindo a receita que começava a se tornar norma. Era um projeto mais que incerto, na medida em que o país não tinha legislação apropriada sobre propriedade nem tradição democrática, e tampouco empresas empenhadas em negócios internacionais. Porém, como a iniciativa de abertura refletia a tendência mundial na direção da integração, logo apareceram os negócios.

Por fim, a posse de Ernesto Geisel coincidiu com um sinal que não podia ignorar: reunidos na OPEP, os países produtores de petróleo quadruplicaram o preço da mercadoria. Como esta era vendida para todo o mundo, os produtores passaram a receber quatro vezes mais – e a aplicar a maior parte desses recursos em compras no exterior. Com isso, os fluxos financeiros mundiais sofreram uma aceleração muito maior que a das economias nacionais ou mesmo do comércio internacional. Os bancos acumularam montanhas de dinheiro em depósitos e, como tinham de aplicar os recursos dos petroclientes, foram atrás de ativos e clientes interessados em dinheiro, tornando-se eles mesmos financiadores internacionais. De modo abrupto, desaparecia o gargalo na disponibilidade de crédito que havia marcado as décadas anteriores, assim como a época em que apenas agências de governo financiavam projetos de longo prazo. Agora havia abundância de dinheiro no mercado internacional.

Esse conjunto de sinais que apontavam uma nova configuração mundial chegou ao Brasil num momento em que os dados da sua economia também podiam ser lidos de modo otimista por um ditador. A tal ponto que o crescimento da economia entre 1970 e 1973 foi batizado pelos entusiastas do regime como "milagre brasileiro": em todos esses anos a taxa de crescimento do PIB foi superior a 10%; em 1973, chegou mesmo a 14,3%, com o setor industrial batendo nos 16,6%. Tal sucesso foi visto como prova do acerto da opção de aumentar a participação do governo central na economia, marca do regime. Num cenário de três gerações de crescimento alto quase ininterrupto, olhar para dentro fazia sentido.

Mas Ernesto Geisel era um autocrata militar, um homem da tradição conservadora, além de nacionalista. Diante do novo panorama mundial, desdenhou até mesmo das muralhas milenares que estavam sendo destruídas. Quando mirou o lado da economia interna, vislumbrou um futuro glorioso. Os conservadores sempre cultivaram uma visão muito peculiar do próprio papel no sucesso da nação. Essa concepção era reforçada pelo argumento oficial (demolido pela econometria) de que o crescimento brasileiro acontecera depois de 1930 – ou seja, após o momento em que o governo central passara a desempenhar papel relevante no crescimento econômico. Esse modo de entendimento era adequado para quem considerava a nação dividida entre uma elite com formação técnica e capacidade de pensar e um povo analfabeto e incompetente. De quem supunha estar fazendo o "milagre brasileiro". Uns poucos números demográficos embalavam o orgulho. A fatia da população urbana saltara de 31%, em 1940, para 44%, em 1960. Em 1970, a parcela dos brasileiros que moravam em cidades tornou-se majoritária, chegando a 56% da população total – doze pontos percentuais de aumento em apenas uma década.

Tudo isso dava margem a duas suposições plausíveis para um ditador: uma, a de que o controle monopolista das transações com divisas por parte do governo era um fator de grande crescimento; e, outra, de que a centralização de poder na ditadura ajudara a acelerar ainda mais o progresso, graças ao predomínio das decisões técnicas sobre as escolhas errôneas do povo e de seus representantes políticos pouco qualificados. Uma visão como essa leva obrigatoriamente a deixar de lado alguns aspectos na equação do progresso nacional. Em primeiro lugar, a distribuição do resultado da produção social entre aqueles que trabalham. Até a ditadura, o processo mais relevante dessa distribuição era o que formava um mercado interno crescente, baseado nas trocas entre os produtores independentes do sertão (a maioria da população rural que consumia produtos da indústria) e os capitalistas da cidade (onde se consumiam produtos rurais).

Esse era um processo quase "automático", que vinha acontecendo desde os tempos coloniais, com os mercados funcionando nas casas, os negócios realizados sem nenhuma intervenção do governo. Por muito tempo tudo acontecera sem necessidade de regulação e sem solavancos. Como resultado, as rendas no sertão continuaram a crescer no período republicano, mas em proporção menor que o incremento dos ganhos dos trabalhadores urbanos. Assim, à medida que apareciam as oportunidades, as pessoas iam se mudando para a cidade. A intervenção governamental se resumia à definição do salário mínimo, instrumento que afetava cada vez mais gente, mas não a maioria da população que continuava no campo, onde não valiam as regras de reajuste.

Tal equilíbrio automático pelas regras de mercado foi rompido com a ditadura – uma necessidade decorrente da violenta retirada de recursos da sociedade para o governo central. Os reajustes de salário abaixo da inflação trouxeram um resultado direto: uma queda violenta nos rendimentos dos mais pobres. Em 1960, a metade mais pobre da população tinha 17,4% do total da riqueza nacional; em 1970, sua fatia desse bolo era de 14,9% – ou seja, 15% menor. Já os 20% mais ricos aumentaram sua participação de 54,9% para 65,2%. A redução da renda dos mais pobres se espalhou do teto assalariado para o piso sertanejo, mas numa proporção muito difícil de ser medida, dado o caráter "informal" (ou seja, fora da proteção do Estado e das estatísticas oficiais) dessa produção. Uma medida indireta desse impacto é a própria forma que tomou a migração para as cidades. No período anterior à ditadura havia os tradicionais subúrbios, mescla do urbano e do rural nas franjas da cidade; eles se transformaram nas periferias, a versão urbana empobrecida de economia informal, que ia da posse do barraco até o bico no trabalho. No sentido oposto, a medida era a nova organização do sertão. O trem foi substituído pelas rodovias como elemento facilitador de uma penetração territorial que alcançou até mesmo a Amazônia. Tratores e motosserras derrubaram a mata como nunca antes, na maioria dos casos para colocar no lugar pastos e gado.

Tudo isso era visto como "progresso", como eliminação da parte da sociedade e da economia que não estava na esfera de influência do governo federal, ao mesmo tempo que este era pensado como único elemento construtor da nação. Com base em sua única experiência empresarial, à frente da empresa estatal que monopolizava a produção de petróleo, Geisel se tornou um entusiasta tanto do planejamento como das grandes possibilidades que pareciam surgir do controle estatal da economia. Diante das mudanças no plano internacional, o ditador decidiu seguir numa direção, cujo pressuposto central era tão simples que parecia simplório: a ação do governo federal sustentara o crescimento do país; a conjuntura externa trazia a grande oportunidade de acelerar ainda mais esse crescimento interno, levando a economia adiante por meio da ampliação em escala da mesma receita que dera certo, ou seja, a de desenvolver o mercado interno em ritmo maior do que o restante do mundo – tudo comandado por alguém que tinha poderes de ditador e fixação por enquadrar subordinados.

O fato mais relevante contra a ideia, o crescimento do comércio internacional em escala maior que os mercados internos nacionais, foi ignorado, e a ideia, colocada em ação. O instrumento de Geisel chamava-se Plano Nacional de Desenvolvimento. Nele havia previsão para construir, ao mesmo tempo, tudo o que faltava para o país virar uma grande potência: usinas nucleares, empresas petroquímicas, siderúrgicas, mineradoras, indústria pesada, novas ferrovias e rodovias, energias alternativas ao petróleo, hidrelétricas, centros de pesquisa – e o mais que a imaginação permitia colocar numa folha de papel. Como todos os planos ousados, o PND deixava de lado detalhes como custos exatos, viabilidade, disposição dos agentes. Através dele, e sob o comando de Mário Henrique Simonsen na área econômica, o governo federal passaria a exercer domínio quase absoluto sobre os grandes agentes privados, recorrendo ao método autoritário usual: dava proteção e dinheiro em troca de obediência. As tarefas privadas foram determinadas nos moldes das campanhas militares. O governo escolheu a parte que tocaria por si mesmo como empresário e a criação de empresas estatais virou prática corriqueira: era, em média, mais do que uma empresa nova por semana; ao final da gestão havia nada menos de 440 novas empresas estatais.

Esse era considerado o centro da economia, restando as margens para o setor privado. Em vez de aguardar a atuação de empresários que abrissem mercados, o governo passou a dizer-lhes de que forma iriam investir o dinheiro, que de resto já estava disponível. Havia regras prontas para tudo. O setor petroquímico seria formado por empresas com capital dividido em partes iguais entre o Estado, um grupo privado nacional e uma empresa multinacional – e assim foi feito. As indústrias de bens de capital seriam formadas pela expansão de grupos nacionais. O programa do álcool, substituto do petróleo, seria controlado pela Petrobras e realizado por grandes empresas agrícolas. Os problemas que surgiam iam sendo resolvidos com o que estivesse à mão, pouco importando os custos. Se não havia mercado para os projetos, logo vinha uma oferta de dinheiro sob a forma de subsídios. Em 1970, os subsídios admitidos oficialmente eram 0,8% de todo o PIB; em 1980, essa porcentagem havia quase quintuplicado, com o governo gastando nada menos que 3,6% do PIB nos mais variados campos: desde a criação de grandes empresas de bens de capital até a plantação de seringueiras, passando pelo programa do álcool ou a produção de filmes. Assim os investidores privados tornavam-se mera extensão da vontade nacional de crescer, cuja única representação era o governo central.

De onde vinha tanto dinheiro? Em vez de integrar o país nas oportunidades que se abriam no mundo, o ditador resolveu limitar essa integração a um ato que não apenas servia aos planos de expansão do Estado como mantinha o isolamento do país: o próprio governo se encarregava de tomar os empréstimos no mercado externo. Como diria um dos justificadores da opção, Carlos Langoni, era uma oportunidade imperdível de aproveitar o que pareciam ser erros dos países desenvolvidos: "Quase todos os países importadores de petróleo – desenvolvidos ou subdesenvolvidos – precisaram decidir como lidar com o severo desequilíbrio em suas contas externas produzido pelo choque do petróleo. Nesse ponto os padrões divergiram: os países desenvolvidos escolheram se ajustar prontamente, reduzindo seus déficits em conta corrente, ainda que a custa de um menor crescimento. Em contraste, a maioria dos países subdesenvolvidos decidiu financiar o desequilíbrio externo pela via do acesso ao renovado mercado financeiro internacional. [...] Entre 1974 e 1978 as taxas de juro reais eram negativas em 1%. Em outras palavras, havia literalmente fundos subsidiados emprestados a taxas menores que a inflação – uma oferta que ninguém podia recusar. Os países subdesenvolvidos pensavam ter encontrado a pedra filosofal."[1]

Assim se formou a corrente da felicidade. O governo ditatorial fazia planos envolvendo empresas estatais e o setor privado. As estatais pegavam dinheiro no exterior. O governo fazia o câmbio, entregando moeda nacional às estatais e usando os dólares emprestados a elas para pagar a conta do petróleo. Continuava comprando as principais produções agrícolas em moeda nacional, mantendo o controle sobre as divisas restantes. O resultado financeiro da operação aparecia como dívida externa. Ela era de 5,2 bilhões de dólares em 1970, o equivalente a dois anos de exportação. Cresceu para 17,1 bilhões em 1974, após o aumento do petróleo, o que representava 2,1 anos, dado o aumento das exportações no intervalo. Depois subiu sem parar, até atingir 49,9 bilhões de dólares em 1979, último ano do governo Geisel, quando equivalia a 3,3 anos de exportações. Na óptica de Ernesto Geisel, a obra era um sucesso. O objetivo do Plano Nacional de Desenvolvimento era o de empregar capital externo emprestado pelo governo federal para aplicar nas empresas estatais nacionais, isolando o Brasil dos fluxos internacionais de mercadorias. Pela avaliação de Dionísio Dias Carneiro no que se refere aos resultados do governo Geisel, o objetivo foi cumprido: "Talvez o aspecto mais surpreendente do governo Geisel tenha sido a rapidez com que as medidas lograram reduzir o coeficiente de importação da economia. Em 1974 as importações correspondiam a cerca de 12% do PIB. [...] Em 1978 o coeficiente importado já era de 7,25%."[2]

Importações proporcionalmente menores em relação ao todo da economia significavam também um muro com portas mais estreitas entre o Brasil e o mundo. O atingimento dessa meta era visto como potência em construção, de tal porte que permitia afinal remover alguns dos poderes concentrados na figura do ditador-presidente. Havia inclusive razões políticas para tal abertura. O primeiro teste real da eleição transformada em puro ritual de legitimação do regime, após o AI-5, deu-se em 1972, com a vitória arrasadora da ditadura. A mistura de censura com propaganda ufanista carreou quase 80% dos votos para o partido governista e o ditador da época deixou o governo com uma taxa de popularidade quase da mesma magnitude. Durou pouco. A retomada dos seus poderes pela soberania popular começou logo em seguida, pois apenas ditadores acreditam em sagração permanente pelas urnas. Em 1974 os eleitores votaram maciçamente em candidatos a senador da oposição – era o sinal possível da desaprovação popular do regime. Se fossem uma democracia e uma eleição para valer, cairia o governo. Como não eram, os ganhos de poder pela sociedade foram outros. Em 1976, foi abrandada a censura prévia a jornais e revistas. No mesmo ano pululara manifestações estudantis por todo o país. Dois anos depois foram decretadas greves operárias apesar da proibição legal, e revogadas as disposições arbitrárias do AI-5. Em 1979 foi decretada uma anistia, permitindo a volta ao país de centenas de exilados.

Os sinais de dentro também não foram ouvidos – e o sonho virou um gigantesco pesadelo. No auge do endividamento e da infinidade de obras em andamento, em 1979, os produtores da OPEP aumentaram ainda mais o preço do barril de petróleo: o patamar de 12 dólares, em 1978, foi sendo elevado continuamente até atingir 29 dólares, em 1980. Se a adaptação ao primeiro choque do petróleo havia sido difícil, o segundo exigia medidas drásticas. Em vez de repetir os métodos moderados de adaptação ao aumento de 1974, quando as taxas de inflação superaram algumas vezes as taxas de juros, possibilitando os empréstimos subsidiados que haviam atraído o Brasil, muitos países desenvolvidos tomaram a decisão radical de provocar uma recessão por meio do aumento das taxas de juros. Foi o que ocorreu na Europa, nos Estados Unidos e no

Japão. A taxa de juros real inglesa, por exemplo, passou de 1,66% ao ano em 1978 para 4,15% em 1979 e 7,39% em 1980. As taxas nominais passaram de 20%.

Ainda na etapa de concepção, planejamento e concretização, o movimento de marcha forçada econômica promovido pelo governo ditatorial viu-se submetido ao crivo das contas feitas com as novas taxas de juros. O castelo de cartas ruiu de imediato. O governo federal agora tinha muito buraco comercial para cobrir, muito juro para pagar, muita dívida vencendo. E com quem ficaria a conta? Claro que com o setor produtivo nacional, agora formado por centenas de estatais endividadas (muitas sem a menor perspectiva de faturar nem sequer uma fração dos empréstimos tomados), pelas empresas privadas que ainda tivessem lucro – e pelos cidadãos que pagavam impostos. Quem receberia? Os países que haviam apostado na globalização e preparado as suas empresas para aproveitar as novas oportunidades.

CAPÍTULO **69**
> *Cuidando da franguinha*

João Baptista Figueiredo tomou posse em março de 1979, com um mandato estendido para seis anos. Oficial de cavalaria, tinha certo pendor para metáforas cruas e diretas. Comunicou as seguintes ordens ao ministro Antônio Delfim Netto: "O Brasil é uma franguinha, o Geisel fez botar um ovo de avestruz. Tua missão é costurar a franguinha." Metáforas de mau gosto raramente sintetizam situações complexas. Mas essa, de alguma forma, ajuda a encaminhar o entendimento dos problemas brasileiros nos tempos subsequentes. A frase traz um sujeito pessoal que teria feito uma reforma, o Geisel. É proferida por outro sujeito que está no mesmo papel de demiurgo, delegando a missão a um auxiliar. Ambos os sujeitos são pensados como detentores de poderes muito grandes com relação ao corpo dilacerado da nação.

Um dos modos de entender o tamanho desses poderes, no momento em que a frase foi pronunciada, é medir sua concentração nessas figuras pessoais. Embora tivessem passado pelo ritual de unção no Congresso e aceitassem a limitação temporal de um mandato, ambos detinham poderes discricionários que, apesar da abertura em andamento, eram bem extensos. Ao longo do regime militar tais poderes foram sendo acumulados aos poucos, após serem retirados da esfera da sociedade, dos demais poderes nacionais, das instâncias descentralizadas de governo, de outros agentes privados da economia – e por meio da incorporação de franquias de exceção.

Começando pela sociedade, o poder retirado foi, basicamente, o de intervir nos destinos da nação por meio do voto – em outras palavras, a soberania geral perdeu atribuições para o arbítrio pessoal. O eleitor deixou de escolher o presidente da República, os governadores estaduais e os prefeitos das principais cidades. Os únicos representantes que continuaram a ser eleitos foram os parlamentares, mas as franquias do Legislativo também foram muito limitadas e transferidas ao ditador-presidente. Parlamentares não podiam criar partidos políticos; não podiam legislar sobre gastos, nem mesmo elaborar os orçamentos; os seus mandatos podiam ser cassados arbitrariamente pelo chefe do Executivo; e nem sequer tinham acesso a informações sobre a gestão financeira do governo. Processo semelhante ocorreu nas esferas locais de governo. Passaram dos eleitores para o poder pessoal do ditador-presidente a indicação dos governadores de estado (embora sujeitos a um ritual de sagração), dos prefeitos das capitais e das então chamadas "áreas de segurança nacional", um eufemismo para qualquer cidade importante.

A concentração incluía ainda os poderes retirados de várias outras competências e concentrados de maneira permanente na instituição crucial do AI-5: legislar por decreto em matérias de âmbito federal, estadual e municipal; decretar o recesso do Congresso; suspender os direitos políticos de qualquer cidadão; remover funcionários (inclusive juízes) por decreto; suspensão do habeas corpus; censura à imprensa; prisão sem processo. No campo dos resultados econômicos, a medida mais direta de concentração de meios na esfera central de poder é a da arrecadação de tributos pelo governo federal como porcentagem do total da riqueza nacional. Nos tempos do governo descentralizado do início da República, o governo federal arrecadava algo estimado em 4% do PIB. A partir da década de 1930, com toda a centralização, essa proporção oscilou em torno de 6%, com a carga tributária total ficando ao redor de 10%. No final da década de 1970 a carga tributária total havia mais que dobrado, passando a representar algo em torno de 25% do PIB. Toda a concentração se deveu ao governo federal, cujas receitas atingiram 19,45% do PIB em 1979. Ao longo de todo o regime militar a arrecadação dos estados se manteve em torno dos 5% e a dos municípios em torno de 1% do PIB.

Essa concentração de riqueza e meios nas mãos do governo federal compunha apenas uma parcela de seu poderio de intervenção na área econômica, aquele cuja contabilidade entrava no Orçamento da União. As 440 estatais do governo ficavam parcialmente fora dessa conta, competindo diretamente com o setor privado pelos recursos econômicos produtivos. Também ficavam fora da conta recursos de crédito nas mais diversas formas, como subsídios e empréstimos especiais, consignados em orçamentos separados; só os primeiros superavam 2% do PIB na virada para os anos 1980. Igualmente, faziam parte dos poderes as reservas legais de determinadas áreas da economia: petróleo, riquezas minerais, telecomunicações e energia eram setores nos quais tudo dependia de autorização do governo federal.

No setor financeiro, continuava valendo o monopólio da compra e venda de divisas que vinha desde 1930. Era monopólio do governo a administração dos fundos de previdência e das cadernetas de poupança, ainda que esses recursos fossem, teoricamente, privados. Apenas os bancos estatais tinham capacidade para realizar empréstimos de longo prazo. O governo federal captava ainda poupança privada, através da emissão de títulos da dívida pública. No campo das relações entre capital e trabalho, o governo detinha os monopólios de determinar os reajustes salariais por lei, autorizar e controlar o funcionamento de sindicatos, controlar a Justiça do Trabalho, fazer cumprir a lei que proibia greves, controlar os preços de venda de milhares de produtos por simples portarias.

Esse era o instrumental que permitira ao ditador gestar o ovo de avestruz com dinheiro externo e esperança de riqueza. Antes de terminadas as obras que iriam gerar a abundância nacional por meio da ação estatal, aconteceu o diálogo entre o presidente e seu ministro. E o ministro encarregado da missão entendeu-a do modo que interessava ao chefe piadista. Não se tratava de aliviar as dores da franguinha, mas de prepará-la para alimentar o avestruz do governo federal. O "sucesso" em estreitar as portas de importação e exportação, em manter sob estrito controle as portas do muro entre o Brasil e o mundo, apareceu, mas sob a forma de um fracasso irremediável. No lugar de ganhos na produção interna superiores às despesas para instalar tal produção, havia uma realidade inevitável: a captura de parte desses ganhos pelo governo que financiava as obras, e os pagamentos aos credores externos que haviam financiado a instalação. A elevação dos preços do petróleo em 1979 provocou a necessidade de mais idas e vindas de dinheiro e mercadorias pelas portas estreitas do muro. Num sentido, saíam os recursos para pagar o petróleo: 606 milhões de dólares em 1973; 2,5 bilhões em 1974; 4 bilhões em 1978; 6,2 bilhões em 1979; 9,5 bilhões de dólares em 1983.

Os recursos para saldar essa despesa adicional poderiam vir de maiores exportações brasileiras, mas era a diminuição da necessidade de importar e comerciar com o exterior que justificava o plano. O desempenho das exportações foi, previsivelmente, muito inferior ao crescimento das importações de petróleo: 6,2 bilhões de dólares, em 1973; 7,9 bilhões em 1974;

12 bilhões em 1978; 15,2 bilhões em 1979; 21,9 bilhões de dólares em 1983. A diferença entre os gastos ampliados com petróleo e o menor crescimento de exportações só deixou uma saída ao governo federal: buscar mais recursos no exterior. Como resultado, a dívida externa só cresceu, passando de 12,5 bilhões de dólares em 1973 para 17,1 bilhões em 1974, 43,5 bilhões em 1978, 50 bilhões em 1979 e 81,3 bilhões de dólares em 1983.

Em decorrência disso, as portas dos fluxos internacionais mais estreitas ficaram instáveis por causa dos fluxos de capitais muito aumentados. No centro de toda essa instabilidade estava o governo federal, comprometido com o endividamento e pressionado pelos credores externos. De 1980 em diante toda a política econômica resumiu-se a tirar mais da franguinha para alimentar o avestruz governamental que devia ao mundo pelo dinheiro para as obras do "milagre". Para tanto, o governo recorreu a diversos métodos.

O primeiro instrumento heterodoxo fora aplicado pelo próprio Delfim Netto pouco depois da conversa com Figueiredo: fixação prévia dos índices de indexação da economia em 45%. Como houve um "pequeno" erro na previsão – 45% de correção por estimativa e 110% de inflação real em 1980 –, os ativos dos credores internos (o maior dos quais era o próprio governo) foram reduzidos à metade; já os devedores do governo que tanto precisava de dinheiro tiveram suas dívidas reduzidas na mesma proporção. O ato trouxe à luz o parceiro gêmeo da dívida externa, a inflação. Nos mesmos anos dos indicadores mostrados anteriormente, eis seu comportamento: 15,6% em 1973; 26,9% em 1974; 49,7% em 1978; 77,3% em 1979; 211% em 1983.

Dessa maneira, a inflação se tornou o principal meio pelo qual o governo federal passou a extrair riqueza da franguinha para pagar as contas. O sonhado método seria o aumento da arrecadação, uma vez que se previa um crescimento da economia da ordem de 10% anuais em média. Mas a realidade era que os tempos do crescimento contínuo da economia começavam a ficar para trás. O incremento do PIB teve o seguinte comportamento (com os números do PIB da indústria entre parênteses): 14% (16,6%) em 1973; 9,0% (7,8%) em 1974; 4,8% (6,1%) em 1978; 7,2% (6,9%) em 1979 – e -3,1% (-10,4%) em 1981; -2,8% (-6,1%) em 1983.

O desastre estava feito. Assim se tornou crônica a queda de desempenho da economia brasileira em relação ao mundo que crescia com a globalização. Por meio de inflação e recessão, fazendo aumentar a distância que separava as duas realidades, o ministro foi arrancando do setor privado o alimento para o avestruz. Os instrumentos para manter o setor privado pagando a conta do desequilíbrio financeiro do governo federal foram se tornando cada vez mais violentos: congelamentos de preços, confiscos, moratórias.

No lado de lá do muro, as apostas no posicionamento dos governos como incentivadores das empresas privadas (as únicas capazes de atuar em âmbito global) para que buscassem oportunidades nas trocas internacionais foram se mostrando vencedoras. Na década de 1970, o comércio internacional cresceu num ritmo superior ao dobro do crescimento das economias nacionais. O impacto das crises do petróleo interrompeu um pouco o processo, mas a retomada da tendência anterior foi clara: entre 1985 e 1990 a média do crescimento das economias nacionais foi de 3,9%, contra 5,8% do comércio internacional. A tendência acelerou-se ainda mais no quinquênio seguinte: 2,7% para as economias nacionais, 6,1% para o comércio internacional.

Já o Brasil foi ficando para trás. Em 1973, o país era a economia que mais crescera no mundo nas oito décadas anteriores: a República permitira o aproveitamento das oportunidades num mundo de comércio aberto, e com elas houve retomada do crescimento (como nos tempos coloniais); a revolução de 1930 criara as condições para o crescimento num mundo fechado. Então o pagamento da conta do muro que separava o Brasil da globalização era mais que justificado naquele cenário: as taxas de crescimento internas haviam ficado muito acima da média mundial. Agora a situação se invertia. Enquanto o muro brasileiro ampliado levava a dívidas externas, desequilíbrio da economia interna e taxas pífias de crescimento médio, os sinais do mundo continuavam indicando outras direções. Ao longo da década de 1980, outros Estados nacionais – Grécia, Portugal e Espanha – aderiram ao projeto europeu de criação de um ente supranacional, formando uma massa crítica suficiente para ensaiar um passo mais ousado: a criação da Comunidade Europeia e de uma moeda única, o euro. Tudo visando ampliar a escala das trocas internacionais, diminuir custos e aumentar a competitividade de cada economia.

No Brasil, porém, a ditadura ampliara as barreiras, deixando a conta para a nação. Sair dessa situação só era possível com a diminuição dos poderes concentrados no governo federal. A ditadura manteve a mesma marca de busca de legitimidade do modelo positivista gaúcho que lhe deu origem (e que Getúlio Vargas não copiou em seu período como ditador pleno): uma concessão à "ideia metafísica" da representação, através da manutenção de mandatos e da realização de eleições. No projeto dos construtores do sistema, essas eleições deveriam ser como eram as do Império: pura sagração da sabedoria do alto, nunca expressão da soberania vinda de baixo.

Para tanto o sistema partidário fora ordenado, com a criação do partido do regime e do partido contrário ao regime. Cada eleição, portanto, deixava de ser um ritual de escolha livre dos cidadãos para se tornar um ritual de aprovação do regime. Tal concepção tornava imperiosa a intervenção do governo no pleito. Cada candidato que se apresentava em seu partido, por mais humilde que fosse, era um porta-voz do Estado na sociedade. Apresentavam-se com cargos oficiais, favores do governo ou outros signos da opulência daquilo que representavam. Mostravam aos eleitores a eficácia da ditadura, desde a colocação de um time local num campeonato nacional de futebol até obras faraônicas, tudo servia a esse propósito. Assim revestiam o lado adversário com a danação de Getúlio Vargas: "Aos amigos, tudo; aos inimigos, a lei." Os opositores eram presos, perseguidos, afastados dos favores, condenados à miséria. Eram, se tanto, as vozes da sociedade condenada a viver em sua miserável inferioridade.

No entanto, a falta de alternativas levou o ditador-presidente a iniciar a devolução de poderes ao eleitor soberano. O passo seguinte à anistia de 1979 foi a recuperação pelos cidadãos do direito de eleger governadores estaduais, em 1982. O eleitorado deu um recado claro, colocando oposicionistas nas principais cadeiras: São Paulo, Minas Gerais, Rio de Janeiro e Rio Grande do Sul. Em todos esses estados havia alguma condição para colocar em prática políticas alternativas, sobretudo na área social. Com elas, foi se tornando cada vez mais claro que os tempos do regime autoritário estavam contados.

Mas o regime ainda tinha força, derivada do fato de que o governo federal distribuía dinheiro público como instrumento de obtenção de aliados políticos, notícias favoráveis, eleitores desavisados. O Estado era, explicitamente, patrono de um partido político. Com o declínio da capacidade de se legitimar, cada vez mais o regime dependia desses instrumentos patrimonialistas para se manter no poder. Nesse contexto, preparou a sagração indireta do novo mandatário pelo Congresso, onde manobras de toda espécie (o Executivo podia indicar por decreto um terço do Senado, por exemplo) garantiriam uma maioria. A situação mudou quando milhões de brasileiros saíram às ruas em 1984 reivindicando eleições diretas para presidente. Uma emenda que viabilizaria a ideia foi derrotada no Parlamento, mas o movimento popular se mostrou suficiente para que o oposicionista Tancredo Neves acabasse eleito para suceder o piadista Figueiredo, em 1985.

A mudança aconteceu com a presidência da República caindo no colo do sempre governista (apoiava o regime desde 1964) José Sarney, que tomou posse no lugar do titular doente (e falecido logo em seguida). Embora a muitos parecesse pequena a mudança, abriu-se espaço para esperanças. As primeiras eleições da nova fase aconteceram sob o marco de uma decisão simbólica: em 1985, os analfabetos recuperaram o direito de votar, depois de 104 anos de proibição. Com a implantação do sufrágio universal, o Brasil voltava a se equiparar a todas as democracias do Ocidente e a outras tantas do Oriente, sem qualquer abalo no funcionamento do sistema, pois afinal haviam sido os analfabetos da colônia que ensinaram os letrados a votar e governar como representantes eleitos.

As esperanças de reversão do quadro tenebroso da economia explodiram no momento da campanha para a eleição da Assembleia Constituinte, por causa do êxito temporário da primeira tentativa de controlar a inflação num golpe, o que rendeu a eleição em massa de políticos criados na estrutura do regime militar, filhos dos favores explícitos do governo. Os trabalhos dos constituintes tiveram início no momento em que o plano fracassou, mas não as esperanças no futuro. Ainda pagando a pesada conta de manutenção do governo, ainda sob a pesada influência dos investimentos estatais na sagração de aliados, o Brasil recomeçou a pensar, com influência do soberano eleitor, em seu destino.

CAPÍTULO 70
> *Pasturo*

A DITADURA ENTREGOU O GOVERNO FEDERAL DE PORTEIRA FECHADA, NAS CONDIÇÕES lastimáveis em que estava: um futuro que era cada vez mais passado, um passado que tinha cada vez menos futuro. Mais do que os erros estratégicos em relação às circunstâncias mundiais, o crescimento econômico baixo, a dívida externa e a inflação, a reinstauração de um governo minimamente democrático exigia a superação de desafios que iam bastante além de recuperar o desempenho produtivo. A extrema concentração de instrumentos econômicos permitira que os governos militares – mais acentuadamente o governo federal, mas também os estaduais e as prefeituras –, atuassem não apenas em seus campos tradicionais, mas também na esfera do mercado, através das empresas estatais. Esse tipo de atuação econômica se caracteriza pelo emprego de capital e trabalho em empreendimentos que visam o lucro. Mas faz isso de forma muito diversa dos empresários comuns. No setor privado, o capitalista precisa acumular previamente o necessário para entrar na atividade: gasta sua poupança ou convence alguém com dinheiro a se associar. Contrata trabalho, produz, vende. Remunera-se pelo lucro, quando este existe. Se perde, o prejuízo é dele e/ou de quem empatou capital.

Já os governos entram nessa atividade de outra forma. Captam a poupança de empresários e trabalhadores via impostos, além de contraírem dívidas. Ou seja, retiram da poupança geral da sociedade os recursos que investem, transferindo-os para funções diferentes daquelas típicas de governo. Remuneram-se tanto pelo lucro como pelo aumento geral da arrecadação de impostos. Quando perdem, o prejuízo é socializado: a conta não fica para quem investiu, mas vai para todos. Se há dinheiro, pelo pagamento dos prejuízos com recursos públicos; se não há, por meio da emissão de dinheiro, algo fora do alcance dos empresários privados. Para obter os recursos que lhe permitiram atuar no mercado, a ditadura brasileira duplicou a retirada de poupança da sociedade por meio de impostos, desviando muito dinheiro para funções outras que não as tradicionais. As duras marcas desse processo apareceram já no período de acumulação, ainda antes do fracasso dos empreendimentos. Ao longo dos 75 anos entre 1889 e 1964 a economia brasileira foi uma das que mais cresceu no mundo. Além de crescer, distribuiu os frutos desse crescimento de forma razoavelmente equilibrada. O governo central custava relativamente pouco, mesmo depois de acumular novas funções econômicas em 1930. Com isso, restava nas mãos do setor privado muita riqueza, partilhada entre empresários que tinham lucro, trabalhadores que recebiam salários e os produtores autônomos do sertão, que constituíam a maioria da população em todo o período.

Após 1964, o governo central formou sua base de capital empresarial retirando recursos desses três setores. Dos detentores de capital, o governo conseguiu dinheiro suficiente para controlar os mecanismos financeiros de investimento. Em 1974, os bancos estatais responderam por 75% dos empréstimos de longo prazo; e, no ano seguinte, as empresas estatais não financeiras aplicaram 20,3% de todo o capital investido por empresas no país, tomando assim uma fatia dos empresários privados.

Do lado dos trabalhadores que recebiam salário, o dinheiro veio sobretudo dos impostos, dos recolhimentos compulsórios – e da política de reajuste salarial que retirava dinheiro dos trabalhadores em benefício do capital. Como resultado da violenta compressão, houve uma enorme queda real nos rendimentos do trabalho: entre 1964 e 1974 a perda de poder aquisitivo do salário mínimo (que fornecia a base para todos os reajustes) foi de nada menos de 42%.

A perda no lado do sertão, dos produtores independentes que até então formavam a base do mercado interno, pode ser medida com outros números. Para relembrar, em 1960, 56% dos brasileiros viviam e sobreviviam no campo. Em 1980, apenas 32% dos brasileiros moravam nas zonas rurais, e essa proporção cairia para 22% em 1991. Houve assim um êxodo maciço para as cidades. Até a década de 1960 essa migração era regulada pelo equilíbrio entre as atrações urbanas e as oportunidades próprias para que os Jeca Tatu ganhassem a vida como produtores e ficassem mais ricos, ainda que em ritmo menor que os trabalhadores urbanos.

A mudança de padrão promovida pelo regime militar foi de outra natureza distributiva. A entrada na atividade empresarial se fez com o governo federal retirando renda da sociedade como um todo (não apenas de capitalistas e assalariados, mas também da grande massa expulsa do sertão). Luiz Aranha Correa do Lago resume: "É particularmente impressionante a concentração nas mãos dos 5% mais ricos e dos 1% mais ricos. No primeiro caso, sua participação na renda passa de 28,34% em 1960 para 34,1% em 1970 e 39,8% em 1972. Em contraste, os 50% mais pobres recebiam 17,4% em 1960 e passaram a auferir apenas 14,9% em 1970 e 11,3% em 1972."[1] A migração para as cidades transformava produtores independentes rurais em trabalhadores precários nas periferias urbanas, com menor participação na riqueza e com menos oportunidades de sobreviver como empreendedores.

Tudo isso se refletiu no coeficiente de Gini, criado especialmente para medir os níveis de desigualdade social. Em 1960, esse índice era de 0,497 no Brasil. Em 1970 chegou a 0,562, o que já indica um aumento na concentração de renda. Em 1972 o índice atingiu 0,622, e manteve-se nesse patamar elevado até o final da década de 1980. De novo: embora o grau de concentração de recursos no topo, promovido pelo regime militar, não seja específico do desenvolvimento do capitalismo no Brasil, ele marca o período da intervenção do governo federal nas atividades empresariais.

Durante sete décadas vinha ocorrendo o desenvolvimento capitalista, com patamares elevados de acumulação, sob o comando do setor privado (e seus capitalistas ambiciosos) – mas mantendo um arranjo com o trabalho assalariado e os produtores independentes do sertão que resultava numa distribuição da riqueza por toda a sociedade de tal ordem que, comparada ao que se implantou na ditadura, era bastante justa. A desigualdade de renda foi apenas uma das consequências da entrada do governo no mundo dos negócios. Outra, não menos relevante, foi o fato de que essa decisão exigiu uma repartição interna de esforços estatais que não se mostrou nada favorável aos serviços tradicionais. Em termos proporcionais, atividades como educação ou saúde passaram a contar com menos recursos, o que levou à degradação desses serviços para a população.

Para completar, o governo fez maus negócios a partir da década de 1970. Investiu no mercado nacional, num tempo em que outras nações apostavam na abertura para o mercado mundial. Investiu na estatização, num momento em que os maiores ganhos estavam vindo de empresas privadas que atuavam em mais de um mercado nacional. Investiu com dinheiro emprestado de alto risco, imaginando que as vantagens seriam eternas, e acabou derrubado pela mudança de rumos. Num resumo bruto, nos tempos em que se evidenciou o fracasso da onda empresarial estatal, o governo central, no fim da ditadura, mais lembrava o que havia sido o governo central imperial: pomposo no todo e ineficiente no que interessava. Em vez da almejada economia líder em desenvolvimento, havia outra, marcada pelo atraso estrutural.

Não se sabia exatamente quão caro era esse governo, pois a população pagava a conta sobretudo pela via da inflação descontrolada, resultado do pagamento das dívidas públicas com papel impresso. Quão ineficiente também ninguém sabia, em decorrência de uma série de distorções internas (correção monetária, subsídios, preços controlados, reservas de mercado, tabelamentos etc.), que tornavam impossível a comparação com as economias do restante do mundo.

No contexto mundial, a oportunidade de repensar o papel do país com base em uma nova Constituição coincidiu com o avanço cada vez maior do comércio internacional. O processo ganhava força para romper muros, derrubar barreiras de imensas economias fechadas. Em 1986, Mikhail Gorbatchev assumiu o comando da União Soviética. Com treze anos de atraso em relação à China, impôs de maneira acelerada uma abertura econômica, criando às pressas um setor privado. Ao contrário do que ocorreu na China, porém, também promoveu uma abertura política para a democracia. Tudo isso acelerou muito o processo de trocas econômicas e a adoção de regras políticas estáveis entre nações, num processo já então conhecido como globalização. Todos que queriam crescer retiravam barreiras para aproveitar a proliferação de oportunidades internacionais.

Esse se tornara o grande dilema dos construtores da abertura política. Além das contas a pagar, tinham de lidar com um evidente atraso no posicionamento do país como um todo. Nesse cenário, o deputado Ulysses Guimarães, líder da oposição nos anos duros, fiador do novo regime e homem com poder para dirigir os trabalhos da Constituinte, optou por um caminho peculiar para o retorno a um regime constitucional democrático – um caminho tão peculiar que precisa ser explicado à luz da história.

Desde 1500 até 1987 o Brasil conhecera sete padrões de leis escritas. Em primeiro lugar, as Ordenações do Reino. Embora sendo lei escrita, regia-se inteiramente pelos moldes do Antigo Regime. No lugar de incluir as regras que valiam para todos, estabeleciam regras gerais para os vulgares e privilégios particulares para as pessoas de qualidade – fidalgos, clérigos, nobres e o rei. Quanto mais alto na escala, maiores os benefícios, menores as penas e os deveres. Por isso a aplicação da lei se fazia com o sentido de manter diferenças que a natureza criara, vistas pela metáfora do corporativismo e aplicadas com a noção dos direitos adquiridos. Nesse todo, a igualdade era apenas a parte reservada para os súditos no ponto mais baixo da escala social, aqueles que não tinham nenhum direito adquirido. Por isso a lei não era igual para todos, e apenas aplicada nas partes que se referiam a cada um. Sendo a colônia espaço de plebeus, as Ordenações foram a legislação vigente no território durante todo o período colonial, mas somente as partes que se aplicavam a eles.

Como muitas dessas partes eram de fato incentivadoras do empreendedorismo (na área econômica) – contendo instituições favoráveis à igualdade de oportunidades (heranças e dotes, por exemplo) e à organização de governos representativos (nas vilas) –, aquelas em vigor como lei comum no Brasil acabaram sendo adotadas após a Independência. Apesar da Constituição, os títulos só aos poucos foram sendo substituídos por legislação nova, num processo que durou até 1916, quando foi votado o Código Civil. O que de fato valia eram as partes que se adequavam aos costumes – as leis que davam certo.

Apenas a partir da Independência o Brasil conheceu constituições. A primeira delas, a de 1824, foi promulgada para dar conta da expansão das ideias iluministas, procurando amalgamar os princípios da universalidade da lei e da igualdade dos cidadãos com as tradições do corporativismo. Com seu ambíguo emprego de duas soberanias permitiu, ao fim e ao cabo, que o Poder Moderador comandasse rituais de sagração nas eleições nacionais, fazendo coexistir uma base de governos democráticos (dos nativos) e representativos (governos e câmaras locais) com o arbítrio da Coroa. Os conservadores exploraram cada aspecto da ambiguidade estrutural para tentar deter os espectros do capitalismo e da igualdade perante a lei, sobretudo aqueles que definiam poderes arbitrários para o monarca; por outro lado, os defensores dos princípios iluministas tentavam abrir brechas a partir do Parlamento, representante da soberania popular.

A primeira Constituição republicana, de 1891, extinguiu o poder arbitrário na lei. Ainda que com limitações para o exercício efetivo da soberania popular – mantendo o atraso com relação ao Ocidente que se acentuara no final do Império –, permitiu a implantação de muitas instituições fundadas na universalidade e na liberdade, em especial no âmbito dos negócios. Mesmo convivendo com a resistência dos costumes autocráticos conservadores, elas permitiram uma transformação radical na organização dos governos locais e no desenvolvimento econômico.

O muro estatal erguido após 1930 trouxe consigo um período de grande oscilação no que se refere às leis gerais. Em apenas 33 anos, entre 1934 e 1967, o país conheceu nada menos que quatro constituições, cada uma delas retrato das oscilações entre aspirações democráticas e desejos autoritários. Duas tiveram duração muito curta (a de 1934 vigorou por três anos; a de 1937, por oito anos). As que duraram mais (20 anos a de 1946 e 21 anos a de 1967) sofreram emendas violentas (parlamentarismo e legalização do regime militar, a primeira; atos institucionais e reformas, a segunda).

Todas essas Constituições – e todas as fases de ditadura no período – haviam deixado claro o problema fundamental: garantir que os governos (sobretudo o governo central) ficassem efetivamente subordinados à soberania dos eleitores, embora fossem discricionários na operação do muro. Ou seja, que a lei fosse de fato para todos, e não uma para os de baixo e outra para aqueles no poder. Que a relação entre as partes fosse de igualdade, e não de favorecedor e cliente. Com raríssimas e honrosas exceções, os ocupantes do governo central pensaram em si mesmos como os governantes nos tempos coloniais: como pessoas muito acima dos demais moradores, como iluminados obrigados a agir em nítido contraste com a gente comum ao redor. Assim foram os ditadores do regime militar, e o que entregaram não foi o produto de seu sonho "técnico", mas uma nação dilacerada pela concentração econômica e política, de um lado, e, de outro, pelo fracasso na produção e na gestão – tudo isso expresso no lastimável estado do governo central.

Em função disso, a fim de alcançar um equilíbrio, Ulysses Guimarães buscou implantar um projeto constitucional que tinha como eixo básico a afirmação de direitos das mais variadas espécies, vistos como forma de proteção contra o arbítrio. Embora não sendo um objetivo constitucional clássico, foi o caminho seguido. Em vez de um conjunto de normas gerais, afirmações apenas das leis que seriam iguais para todos, buscou-se a máxima participação, de modo que desejos sociais de justiça ficassem gravados na lei maior do país. Uma comissão de notáveis colheu previamente tais desejos na sociedade. Quando os representantes eleitos se reuniram para discutir o texto constitucional, encontraram todo esse material recolhido. E recorreram a uma metodologia de trabalho inversa à das Cartas anteriores, previamente esboçadas por especialistas: comissões temáticas cuidariam de esboçar trechos diferentes levando em conta as sugestões. Depois disso os trechos seriam votados em plenário.

Para se ter uma ideia do resultado basta o exame do Título II da Carta, uma declaração dos direitos fundamentais dos brasileiros, algo inexistente nas Constituições anteriores. Ali são listados nada menos de 78 direitos fundamentais, 10 direitos sociais e 34 direitos dos trabalhadores, afora os direitos políticos. Tal extensão só se tornou possível com o apelo à variedade. Alguns direitos são expressos por princípios gerais (do tipo "todos são iguais perante a lei" ou "homens e mulheres são iguais em direitos e obrigações"), típicos das Cartas iluministas. Outros estabelecem uma relação normativa de tutela entre a sociedade e o Estado, obrigando este a atuar numa série de áreas da vida prática ("O Estado prestará assistência jurídica integral e gratuita a todos os que comprovarem insuficiência de recursos" ou "O Estado promoverá, na forma da lei, o direito do consumidor") como supridor de meios – e, inversamente, retirando responsabilidades dos cidadãos para que a tutela seja possível.

Os procedimentos de responsabilização do Estado pela atuação em áreas práticas da vida social são repetidos em quase todos os demais capítulos. Eles vão definindo simetricamente direitos para a sociedade e obrigações tutelares para o Estado. Dois casos típicos e essenciais: "A saúde é direito de todos e dever do Estado" ou "A educação, direito de todos e dever do Estado e da família". O termo "família" traz uma lembrança importante para avaliar esse tipo de procedimento constitucional. O legislador lembrou-se vagamente de que existe o costume, que o cidadão é responsável, que a sociedade tem vida própria. Mas essa menção é uma exceção: na quase totalidade dos casos o texto faz uma reserva de áreas para a atuação do Estado – e, simetricamente, retira da sociedade (do ponto de vista político) e do setor privado (do ponto de vista econômico) um papel substantivo na área a que se refere o texto. Mas os detalhamentos legais foram além dessas assimetrias concernentes a temas práticos. Para se chegar a um número tão alto de direitos foi preciso elevar a situação de grupos sociais muito particulares ao estatuto de merecedores da consideração constitucional. Um caso típico: "Às presidiárias serão asseguradas condições para que possam permanecer com seus filhos durante o período de amamentação."

A lista das transformações de casos particulares em preceito geral é imensa. No caso dos direitos trabalhistas, até mesmo dilemas de conjuntura se transformaram em direito constitucional, como, por exemplo, "a proteção contra a automação, na forma da lei", o seguro-desemprego, o fundo de garantia, o décimo terceiro salário, a jornada de oito horas (e aquela de seis para quem trabalha em turno contínuo). Por todo o texto vão surgindo afirmações de interesses muito particulares como obrigação geral – nomeados pelas mesmas palavras que vinham desde o tempo das Ordenações: direitos adquiridos. A maior parte dessas disposições aparece nas garantias a servidores públicos. Entre os 22 direitos a eles garantidos (para além de todos os direitos gerais) estão detalhes que vão desde o período de validade de um concurso público (dois anos, prorrogáveis por mais dois) até uma amarração completa dos vencimentos de todos os funcionários ao salário dos juízes do Supremo Tribunal Federal, a obrigação do Estado de dar aumentos reais periódicos ou regras detalhadas para o acúmulo de cargos públicos.

Aberta a porteira, muitos passaram. Há casos quase folclóricos, como a garantia constitucional para os donos de cartórios ("Os serviços notariais e de registro são exercidos em caráter privado, por delegação do Poder Público"), para uma instituição pública de ensino em particular ("O Colégio Pedro II, localizado na cidade do Rio de Janeiro, será mantido na órbita federal") ou um caso microscópico ("É assegurado o exercício cumulativo de dois cargos ou empregos privativos de médico que estejam sendo exercidos por médico militar na administração pública direta ou indireta").

Criou-se assim uma ambiguidade estrutural. Há normas gerais, segundo a tradição iluminista, mas também enorme quantidade de normas que definem tutelas do governo sobre determinadas atividades, além de um número ainda maior de normas que regulamentam interesses particulares. Tal ambiguidade sustenta uma pergunta: mas, afinal, o que mesmo se universalizou? Seria o caso de repetir aqui, muito brevemente, algumas referências à doutrina portuguesa do corporativismo.

Tal doutrina se baseava numa noção de justiça formulada a partir da metáfora de um corpo, cuja saúde depende do reconhecimento das funções específicas de cada parte. Tal reconhecimento se faria com o soberano "dando a cada um o seu", o direito adquirido, inclusive em dinheiro. Esse modo de pensar não levava em conta o fato de que era necessário arrecadar e equilibrar contas. Como se viu no "Advertimento dos meios mais eficazes e convenientes que há para desempenho do patrimônio real", escrito por Baltazar de Faria Servetim no distante ano de 1607 para criticar esse tipo de procedimento: "Ordinariamente [os conselheiros] fazem uma descrição das grandes virtudes que há de ter o Príncipe: como há de ser justo, temente a Deus, misericordioso, liberal, afável, prudente e valoroso. Tratam mui difusamente da conveniência do Rei ter muitas rendas, grandes riquezas e tesouros e dizem muitas outras coisas que servem somente para pintar um perfeito Príncipe e uma perfeita República. São especulativos, não considerando mais que a bondade dos fins, sem darem regra de como se hão de achar os meios para estes fins se alcançarem."[2]

O ideal de legislar para "fazer justiça" – e pensar tal "justiça" caso a caso, em cada parte do corpo – acabou sendo mais presente no texto da nova Constituição do que as instruções de como achar os meios para alcançar esses fins. Mas havia sentido nos comandos contraditórios. Eles garantiam não só uma reserva de espaços para o setor público como retiravam o controle da ação estatal das esferas do Executivo e do Legislativo. A lógica da decisão sobre a parte válida dos comandos contraditórios pode ser eventualmente entrevista na já citada análise das relações entre a cabeça coroada e o corpo social feita por Xavier e Hespanha: "Uma vez que a doutrina corporativista estabelecia como núcleo dos direitos do rei o respeito à justiça, este ficava obrigado a observar o direito, quer como núcleo de comandos (dever de obediência à lei) quer enquanto instância geradora de direitos particulares (dever de respeito dos direitos adquiridos). [...] A derrogação de um direito adquirido – fosse a propriedade de bens, a posse de ofícios ou expectativas ligadas a estes – era possível apenas em sede judicial. Dito isto já se vê como os tribunais, como instância de salvaguarda da justiça e da defesa dos direitos adquiridos de cada um ocupam, na esfera do Antigo Regime, uma função constitucional determinante."[3]

Essas breves rememorações ajudam a vislumbrar um híbrido, que não é mais o original corporativo, com o rei no alto e os privilegiados abaixo, aquele que serviu de molde tanto para as Ordenações do Reino como para a Constituição imperial. Dessa vez, a "cabeça" é formada pelos princípios constitucionais iluministas, e o "corpo", pelas normas que reservam áreas para a ação estatal e pelas garantias constitucionais a pequenos grupos privilegiados – que passam a ter direitos adquiridos garantidos pela lei geral e defensáveis na justiça. Trata-se agora, portanto, de outra universalidade. Não são universais apenas os princípios gerais, mas universal é o clientelismo, o atendimento a setores inteiros da vida social ou o respeito às exceções particulares (e não privadas) gravadas na lei. E o juiz passa a ser aquele que "dá a cada um segundo o seu", e não mais o aplicador da norma universal, embora tenha o maior de todos os poderes, no molde corporativo.

Por isso tal imagem de híbrido talvez seja melhor definida pela expressão de José Bonifácio: como mais um passo no lento amalgamento dos metais diversos na composição de um todo brasileiro único. Dessa vez, com o domínio do moderno princípio da soberania popular servindo de abrigo para diversas soberanias particulares corporativas, aparentemente postas em posição subalterna. Em apenas um ano essa peculiar disposição constitucional foi submetida a um teste não previsto por seus autores. Na primeira eleição direta para presidente da República, em 1989, os brasileiros escolheram Fernando Collor de Mello, cujo programa pregava a reforma do Estado brasileiro e a abertura da economia para a globalização. Ulysses Guimarães foi apenas o sétimo colocado no primeiro turno do pleito.

Essa determinação do eleitor soberano mostrou um descompasso imediato entre a Carta recém-aprovada e o objetivo nacional escolhido nas urnas. Vale a pena notar a natureza desse descompasso: toda a vida brasileira estava legalmente estatizada. Qualquer mudança dependia de autorização. Qualquer corte significativo nos gastos estatais era agora quase impossível, pois exigiria uma reforma constitucional e a chancela do

Poder Judiciário, convertido em defensor dos direitos adquiridos fixados no texto, até mesmo contra determinações do Poder Legislativo.

Também não deixa de ser relevante notar que a globalização avançava a passos céleres. Em 1989, durante a campanha presidencial, moradores de Berlim demoliram o muro que dividia a cidade, símbolo da divisão entre capitalismo e socialismo na Guerra Fria. A Alemanha Oriental foi incorporada pela Ocidental, as nações do bloco comunista voltaram-se para a Europa e, em 1991, a própria União Soviética se desfez. A Rússia adequou-se à economia de mercado, as demais nações foram atrás de oportunidades globais. Quem ganhou imediatamente foi outra integração. Em 1992, foram criados a União Europeia, que expandiu a soberania extranacional para a cidadania, e o euro, a moeda única que tomaria o lugar de seculares moedas nacionais. Ao longo da década seguinte o número de países-membros chegaria a 28, em boa medida pela absorção das nações que haviam sido satélites da União Soviética. Esse também foi o período no qual a China emergiu como grande potência econômica. Apesar de o controle político continuar nas mãos do Partido Comunista, o crescimento todo era fundado no setor privado, que começava a se expandir para além das fronteiras nacionais, num ritmo bastante superior aos 10% anuais da média dos dois setores.

Até mesmo o mais jeca dos eleitores brasileiros dava mostras de perceber um fosso aumentando: entre 1985 e 1990 a média do crescimento das economias no mundo foi de 3,9%, contra 5,8% do comércio internacional. A tendência acelerou-se ainda mais no quinquênio seguinte: 2,7% para as economias nacionais, 6,1% para o comércio internacional. Enquanto isso, o Brasil vivia um pesadelo econômico. O crescimento interno passou a depender dos azares da conjuntura, indo e vindo com oscilações fortes: 7,9% em 1985; -0,1% em 1988; 3,2%, em 1989; -4,1% em 1990; 4,7% em 1993. As taxas de inflação variaram entre o mínimo de 15%, em 1987, e o máximo histórico de 1.782%, em 1989. Herdando tal recorde e tendo prometido aos eleitores que iria romper o muro brasileiro, Collor recorreu aos métodos heterodoxos típicos dos desesperados: confisco de poupanças, fechamento de setores inteiros da economia estatal (cinema, por exemplo), empréstimos compulsórios. O resultado, em termos de desenvolvimento, foi uma recessão brutal, acompanhada de surtos inflacionários. Houve também tragédias novas. A abertura da economia para a competição internacional inviabilizou milhares de indústrias que deviam sua existência ao muro, sobretudo nos setores que haviam apostado nos planos de Geisel (como o de bens de capital) e investido para abastecer um mercado interno maior. A concorrência com o mundo obrigou os sobreviventes a se adaptar ou morrer e gerou desemprego.

Por outro lado, registraram-se também ganhos efetivos. O Brasil teve papel fundamental na criação do Mercosul, a primeira iniciativa relevante para o país se posicionar no mundo global. Também conseguiu participação importante nas discussões sobre meio ambiente, hospedando a Rio 92, a tentativa inicial de se alcançar uma solução da mesma natureza que o problema, em âmbito global e para além dos Estados nacionais. Também ocorreu ligeira diminuição do papel do Estado na economia, com as privatizações de portos e ferrovias. No processo se revelou o valor das proteções constitucionais a muitos setores particulares dadas pela Constituição. Cada mudança exigia uma reforma constitucional, seguida de batalhas judiciais movidas pelos detentores de direitos adquiridos que se sentiam "prejudicados". Nessa luta veio à luz a parte híbrida do próprio presidente: enquanto abria a economia de um lado, alimentava-se com a ração do avestruz corporativista de outro. A corrupção maciça, agora que havia democracia, veio à luz, levando multidões às ruas em protesto e, por fim, ao próprio impedimento do presidente. Mas a abertura econômica prosseguiu.

CAPÍTULO 71
> *Desencalhe, reencalhe*

O VICE-PRESIDENTE DE FERNANDO COLLOR ERA ITAMAR FRANCO, UM POLÍTICO COM fama de estatista, paroquial e nacionalista. Como presidente, porém, soube realizar as promessas maiores embutidas no mandato recebido. Contra as próprias afinidades, privatizou a Companhia Siderúrgica Nacional, tida como o grande símbolo do governo-empresário que promovia o crescimento do país. A empresa continuou a produzir como se nada tivesse acontecido. O presidente não dava murro em ponta de faca. Trocou três vezes de ministro da Fazenda por falta de resultados, até colocar no cargo o chanceler Fernando Henrique Cardoso, que não tinha experiência anterior no Executivo nem na gestão econômica. Àquela altura o país completava uma década de desgovernos na área, mas acumulara alguns resultados: a dívida externa voltara a um patamar administrável, as contas públicas tinham um mínimo de ordem, a sociedade estava exausta da inflação.

E o Plano Real, lançado no final de fevereiro de 1994, conseguiu o milagre: depois de três décadas de inflação crônica, e uma década de hiperinflação, os preços da economia foram estabilizados. Dessa vez, não apenas como um golpe temporário. A diferença se fez com o esforço subsequente para impedir gastos do governo sem receitas prévias, inclusive com cortes no aparato estatal e abertura da economia. Os métodos arbitrários e os poderes excepcionais do governo federal começaram a ser domados.

Foram os resultados obtidos nesse sentido que embasaram a campanha que levou Fernando Henrique Cardoso a ser eleito presidente da República em primeiro turno nas eleições de 1994. E também o cerne do que veio a seguir. Como talvez não acontecia desde os tempos de Prudente de Morais, o fundamental era recolher demônios. Os demônios, nesse caso, tinham duas emanações. Uma delas surgia na obra de rescaldo, de remoção dos esqueletos de dívida pública que, vindos desde a ditadura, estavam espalhados pelos mais diversos itens dos orçamentos nacional e estaduais. Para que não se transformassem em focos inflacionários, era necessária uma operação de saneamento, capaz de tornar quantificáveis e registradas na forma de dívida as promessas de pagamento sem a devida cobertura de receitas. Na frase do encarregado da tarefa, o ministro da Fazenda Pedro Malan, "no Brasil, as incertezas da economia não são as do futuro, mas as do passado".

A tarefa de saneamento foi bastante ampla. Atingiu o governo federal; exigiu, entre outras medidas, assumir as dívidas de todos os estados (e a renegociação delas); obrigou a limpar os balanços (recapitalizar) bancos e empresas públicas, mudar os critérios de registro contábil do próprio governo, criar a Lei de Responsabilidade Fiscal, que tornou os administradores públicos responsabilizáveis em caso de gastos fora de padrão. Sem a inflação e os fantasmas, tudo isso resultou na contabilização das contas a pagar sob a forma de dívida pública, que chegou a 21,3% do PIB em 1989, e a 25,2%, em 1993, devido aos processos da era Collor que geraram canos aos credores. Daí em diante o total de débitos teve um crescimento contínuo: 27,9%, em 1994; 29,3%, em 1998; 35,6% em 2002. Esse aumento da dívida aconteceu apesar de forte aumento da carga tributária. Ela representava 25,6% do PIB, em 1993; passou para 27,9% no ano seguinte; chegou a 29,3%, em 1998, e atingiu 35,6% em 2002. O governo custava caro para os brasileiros, mas o impacto foi absorvido porque havia esperanças, oriundas de outra frente de combate aos demônios.

A segunda fonte de emanação de demônios era a crença de que reservas constitucionais para o governo central no campo da economia equivaliam a progresso – e, inversamente, que abrir a economia para o exterior seria perder oportunidades de crescimento. Nesse ponto, é esclarecedor seguir o argumento proposto por Thomas Piketty em seu livro *O capital no século XXI*, que divide em dois o período que vai de 1913 a 2012, tendo como marco de corte a década de 1970. No século como um todo, o crescimento da produção mundial seria de 3% ao ano, para um crescimento demográfico de 1,4% anuais, com a renda per capita mundial crescendo, portanto, 1,6% ao ano. No período que vai de 1913 até a década de 1970, essa tendência mundial se reflete na economia brasileira, que teve um dos melhores desempenhos, em termos de crescimento econômico per capita, de todo o planeta. Todavia, a partir da década de 1970 há um descolamento entre o ritmo mundial e o local.

No cenário mundial, a grande mudança é o aumento exponencial da atuação de empresas mundiais em mercados regulamentados por Estados nacionais. Essas empresas passaram a ser a maior fonte de acumulação de riquezas – e de fortunas privadas – em todo o mundo. Sua peculiar forma de distribuir a riqueza obtida, sob a forma de dividendos sobre os lucros, faz com que os resultados se transformem em estoque de riqueza dos mais ricos nos países em que estão sediadas. Os dados para os países mais ricos do planeta (Estados Unidos, Alemanha, Reino Unido, Japão, Canadá, França, Itália e Austrália) revelam uma linha clara, assim enunciada por Piketty: "Há uma tendência de longo prazo no conjunto dos países ricos entre as décadas de 1970 e 2010. No início da década de 1970 o valor total da riqueza privada – subtraídas as dívidas – era de entre 2 e 3,5 anos da renda nacional em todos os países ricos de todos os continentes. Quarenta anos mais tarde, no início dos anos 2010, a riqueza privada representa entre 4 e 7 anos de renda nacional, também em todos os países estudados. A evolução geral não deixa dúvida alguma: além das bolhas, estamos assistindo à volta triunfal do capital privado nos países ricos."[1]

Uma afirmação como essa poderia levar a supor que o fenômeno da acumulação de riqueza pelo setor privado estaria limitado aos ganhos da globalização pelos países ricos em detrimento dos menos desenvolvidos. Mas a parte seguinte do livro traz estatísticas comparadas de distribuição de riqueza em diversas economias, inclusive de países ricos menores (Suécia) ou com menor renda per capita (Índia, Indonésia, África do Sul, China, Argentina e Colômbia). A conclusão é igualmente uniforme: "As ordens de grandeza obtidas para a parcela do centésimo superior na renda nacional das nações pobres ou emergentes são, a princípio, extremamente próximas das observadas nos países ricos. Durante as fases de maior desigualdade, em particular ao longo da primeira metade do século XX, [...] o centésimo superior detinha em torno de 20% da renda nacional nos quatro países considerados [Índia, África do Sul, Indonésia e Argentina] [...]. Nas fases de maior igualdade, ou seja, entre os anos 1950 e 1970, a parcela do centésimo superior caiu para níveis de 6-12%, de acordo com o país [...]. A partir dos anos 1980, assistimos a uma recuperação mais ou menos generalizada da parcela do décimo superior."[2]

A tendência vale inclusive para a China: "Na China observamos um forte aumento da parcela do centésimo superior na renda nacional ao longo das últimas décadas, mas que partiu de um nível relativamente baixo, quase escandinavo, em meados dos anos 1980: menos de 5% da renda nacional para o centésimo superior. [...] O aumento das desigualdades chinesas foi muito rápido após o movimento de liberalização da economia nos anos 1980 e durante o crescimento acelerado dos anos 1990-2000, mas, de acordo com nossas estimativas, a parcela do décimo superior [...] situa-se em torno de 10-11% da renda nacional."[3] E também para a Suécia: "A Suécia não é o país estruturalmente igualitário que costumamos imaginar. A concentração de riqueza na Suécia por certo atingiu nos anos 1970-80 o ponto mais baixo observado em nossas séries históricas, [...] [mas ela] aumentou sensivelmente desde os anos 1980-1990."[4]

Os dados evidenciam uma tendência relativamente universal de concentração de riqueza no setor privado a partir da década de 1970, tanto nos países ricos como nos hoje chamados emergentes. Tal uniformidade não exclui nem mesmo os antigos países socialistas que conseguiram redirecionar suas economias visando o aumento da atividade produtiva. Aqui caberia uma inferência para além do campo da economia. A lista de países que apresentam a mesma tendência de acumulação de riqueza no setor privado abrange variantes políticas expressivas: regimes dominados por um partido único, como a China; governos predominantemente social-democratas, como a Suécia; países com o Estado grande, como a França ou a Itália, que alternaram políticas conservadoras e de esquerda, sem que isso afetasse a tendência de concentração; a Alemanha, onde se alternam os social-democratas e os conservadores; o Japão, majoritariamente dirigido por forças centristas; o Reino Unido e os Estados Unidos, onde os conservadores neoliberais se alternaram no poder com os trabalhistas e os democratas – tanto uns quanto outros incapazes de alterar a tendência geral. Em outras palavras, o processo de globalização se tornou impositivo porque foi carreando para si todos os Estados nacionais, independentemente das opções políticas ou ideológicas locais. Ter um setor privado forte, atuante no mundo inteiro, capaz de competir em escala mundial passou a ser a regra do jogo. Manter o isolamento, os apanágios nacionais, o mercado fechado, as regras idiossincráticas tornou-se a marca dos perdedores – o caso do Brasil nesse período.

A obra de desencalhe desse isolamento prejudicial, inaugurada em 1990 e continuada no mandato popular seguinte, tinha um ponto fulcral:

remover as barreiras que reservavam ao governo federal (seja por administração direta ou por meio de empresas estatais) o domínio monopolista de uma série de atividades econômicas. Cada quebra de monopólio exigiu a privatização de empresas estatais ou uma ou mais reformas constitucionais, pelas quais afinal o setor privado ganhava autorização para investir capital de risco. No primeiro caso, o destaque ficou com o setor de telecomunicações. Em 1994, o país mal tinha telefones fixos para uma minoria da população; a transmissão de dados entre computadores dependia de uma morosa empresa estatal com monopólio estendido inclusive a transmissões privadas. Com a privatização, esse quadro foi alterado, justamente no período em que a Internet e os celulares se tornaram os meios relevantes de comunicação, e em menos de uma década todo o setor foi modernizado.

No segundo caso, o modelo de sucesso foi a privatização da estatal Vale do Rio Doce. Também em menos de uma década ela deixou de ser o braço provincial de um governo local para se tornar uma grande empresa mundial de mineração, passando inclusive a controlar ativos no exterior. Um terceiro modelo de sucesso foi aplicado no caso do petróleo. Rompido o monopólio estatal da empresa governamental, foi possível atrair empresas e capitais do mundo inteiro. Num primeiro momento elas vieram trazendo capitais de risco para explorar o potencial de muitas reservas, sobretudo na plataforma continental.

À medida que se livrava de esqueletos do passado e deixava de atuar em áreas nas quais não conseguia ser empresário eficiente, o governo federal passou a dispor de mais recursos para cuidar das áreas prioritárias. E nenhuma delas deu um resultado maior que a educação: em 2002, último ano da gestão de Fernando Henrique Cardoso, o número de crianças na escola fundamental passou de 83% (em 1994, ano de estreia no governo) para 99%. Esse era um sinal maior de uma tendência geral de melhoria de todos os indicadores sociais: mortalidade infantil (caiu de 47,1 de cada mil nascidos vivos, em 1990, para 34,4, em 2002), expectativa de vida (aumentou de 66 anos para 68,6, entre 1991 e 2000), distribuição de renda (o índice de Gini caiu de 0,636, em 1989, para 0,6 em 1995 e 0,58 em 2002), porcentagem de alunos no ensino superior, renda do trabalho, proporção de homicídios.

Ao mesmo tempo foram implantadas duas políticas de importância histórica. A maior reforma agrária da história brasileira, seguida de uma política de crédito para a agricultura familiar, permitindo a diminuição no ritmo de esvaziamento do sertão: a proporção da população rural caiu apenas dois pontos percentuais (de 24% para 22%) entre 1991 e 2000. Ao mesmo tempo, implantou-se uma política efetiva de demarcação de terras indígenas – uma dívida de cinco séculos começava a ser resgatada –, o que fez com que essa população passasse a crescer. Outra inovação fundamental, a partir das experiências de Ruth Cardoso: graças ao emprego de métodos modernos de informática, teve início, com o programa Bolsa Escola, a transferência direta de renda do Estado para a população mais pobre, sem os tradicionais intermediários clientelistas.

Tudo isso levou a população brasileira a acreditar que a democracia estava de fato ganhando um significado maior. A democracia – secular como sistema de representação nos municípios, e também secular nos parlamentos – estava afinal deixando de ser o instrumento de sagração do chefe dos executivos estaduais – e sobretudo do nacional – para se tornar um mecanismo substantivo de representação. Os programas prometidos aos eleitores por Collor foram, bem ou mal, cumpridos. Aqueles de Fernando Henrique Cardoso, em grau muito maior, também.

E as eleições de 2002 apresentaram uma escolha promissora. Luiz Inácio da Silva, o Lula, tinha uma biografia que era um retrato da transformação da vida do brasileiro pobre da época – inclusive no que se refere a oportunidades de ascensão social. Nascido em 1945 em Garanhuns, Pernambuco, migrou para São Paulo aos 7 anos. A mãe carregou os filhos para São Paulo, atrás do marido que viera antes, numa viagem num caminhão pau de arara que durou 22 dias. Começou a trabalhar vendendo laranja no cais de Santos e catando siri no mangue. Entrou na escola pública, na qual foi alfabetizado. Mudou-se com a mãe para São Paulo e, aos 14 anos, passa a trabalhar com carteira assinada como operário metalúrgico. Com 19 anos de idade, um acidente com o torno mecânico o fez perder o dedo mínimo da mão esquerda. Em seguida, em 1966, foi trabalhar numa grande indústria, a Villares, onde, mais tarde, fez carreira como sindicalista. Em 1973 recebeu formação da central sindical norte-americana AFL-CIO e começou a a se destacar no meio sindical propondo o fim da CLT e fazendo oposição às tradicionais lideranças vindas do varguismo. Tornou-se um líder efetivo ao comandar as primeiras greves em mais de uma década, enfrentando a dura repressão do regime militar. Em 1980, Lula acumulara prestígio suficiente para ser a grande figura em torno da qual gravitavam os grupos que fundaram o Partido dos Trabalhadores. Foi reforçando a imagem de seu partido e a sua por meio de candidaturas a cargos majoritários: governador de São Paulo em 1982 e quatro vezes candidato a presidente da República a partir de 1989. Apenas uma vez se elegeu nesses anos, para deputado constituinte em 1986. Teve atuação relativamente apagada, pela qual permitiu manter a CLT contra a qual tanto havia lutado.

Mas era um líder partidário incontestável – e de um partido que fazia duras críticas ao programa de Fernando Henrique Cardoso. As críticas do PT fundavam-se na análise do processo de globalização feita a partir da disjuntiva direita/esquerda de uma Guerra Fria já encerrada: na repartição entre capitalismo e socialismo, o governo seria "neoliberal", enquanto a alternativa petista era apresentada como sendo "de esquerda" e priorizando os pobres e o Brasil. Já o candidato foi para a televisão contando da fome pela qual passara e prometendo acabar com ela através de um programa chamado Fome Zero. Ganhou as eleições e foi muito pragmático: trocou o programa de seu partido por uma ampliação do Bolsa Escola, que passou a se chamar Bolsa Família e foi apresentado como presente paternalista do presidente. Ganhou imensa popularidade, mas não apenas por isso. Manteve a política econômica do governo anterior – o que lhe garantiu apoio de empresários –, mas interrompeu as reformas no Estado, o que lhe assegurou o apoio dos funcionários públicos e dos interesses corporativistas. Como logo vieram anos muito bons para as exportações brasileiras, o crescimento econômico, embora modesto para os padrões anteriores aos da década de 1980, chegou a ser alentador, aumentando tanto o nível de emprego como a renda dos trabalhadores.

Tudo isso o transformou num líder que efetivamente cumpria as promessas feitas aos mais pobres. As pesadas marcas sociais deixadas como herança pela ditadura pareciam estar sendo curadas. O prestígio do presidente era de tal ordem que foi reeleito no segundo turno em 2006, apesar de um processo por corrupção aberto contra os principais líderes de seu partido e alguns aliados no governo. Nesse cenário ainda dominado pelo otimismo vem outra notícia econômica relevante, em 2007: a intensificação das pesquisas petrolíferas implantada com o fim do monopólio estatal do petróleo levara à descoberta de gigantescas reservas na plataforma marítima brasileira, tão grandes que poderiam impulsionar um novo surto de progresso do país.

Mas veio uma crise mundial em 2008 – e tudo voltou para trás. A resposta do governo foi atualizar os pressupostos nacionalistas do governo Geisel: valia a pena cercar essas reservas por um muro protetor, investir nelas como um monopólio nacional e carrear os lucros maiores para o interior da nação. Toda a máquina relacionada a essa espécie de pensamento foi posta para girar: as regras para o petróleo foram mudadas no meio do jogo, com uma legislação que colocou o governo brasileiro como detentor exclusivo do comando e a estatal do setor como agente obrigatória, sócia reguladora de todos os passos da exploração petrolífera. Ao mesmo tempo, reforçou-se o programa pelo qual determinadas empresas nacionais teriam o monopólio de fornecimento de equipamentos e serviços, ainda que estes custassem muito mais do que no mercado internacional. Linhas de financiamento subsidiadas com dinheiro público foram abertas não só para essas empresas, mas também para outras indústrias locais. Tudo isso aumentou a estima de empresários que sentiam desconforto em competir nas circunstâncias de abertura progressiva para o mundo global e que agora eram favorecidos pelo dinheiro público.

As mudanças se estenderam ao campo político. Para aprovar tudo no Parlamento, o governo apresentou uma perspectiva de tal abundância futura que seria necessário mudar as leis. Primeiro, para garantir o financiamento da educação e da saúde, bastaria parte dos ganhos; os rendimentos restantes seriam colocados em um fundo soberano a ser criado. A reação brasileira foi ampliar muito todos os tipos de crédito, a fim de evitar o contágio maior de uma recessão que se espalhava pelo mundo. Além do setor da construção civil, um dos grandes beneficiários foi a indústria automobilística. Com isso atenuou-se o impacto da crise mundial e a popularidade do presidente garantiu a eleição da candidata proposta por seu partido: Dilma Rousseff, que se tornou a primeira mulher a presidir o Brasil.

Em sua gestão as políticas de gasto público prosseguiram em ritmo acelerado, mesmo depois de passada a onda recessiva internacional. Para manter a roda do gasto foi preciso ir ultrapassando limites: primeiro o da prudência, logo em seguida o das formalidades: implantou-se a chamada "contabilidade criativa", que permitiu a retomada da prática de ocultação dos esqueletos financeiros. Mesmo com os truques, a percepção de que havia problemas nesse modelo acabou derrubando o crescimento econômico. Ainda assim, Dilma Roussef conseguiu se reeleger em 2014.

Todo o investimento público havia sido feito com o pressuposto de receitas proporcionadas por um patamar de preço do barril de petróleo da ordem de 120 dólares. No entanto, ao longo de 2015 esse patamar foi baixando até se estabilizar em 30 dólares, fazendo ruir o castelo de sonhos do crescimento, como nos tempos de Geisel. Ficou para o país, como antes, a obrigação de pagar o preço da aposta perdida contra a globalização. Esse preço vinha dessa vez como prejuízo gigantesco da estatal de petróleo, falência dos empresários que se associaram à aposta, rombo nas contas públicas (que toda a população precisaria cobrir) – e uma gigantesca recessão, de magnitude muito maior que a de 1929. Pior ainda, com o agravante de ser uma recessão apenas brasileira, levando o perdedor para muitas casas abaixo na economia globalizada. Não bastasse isso, acabou emergindo à luz toda a parte perversa do investimento clientelista: a empresa estatal não apenas aceitou como incentivou a aprovação legal do plano; contratou privilegiados a preços sabidamente mais caros dos que poderia pagar de outra forma; os privilegiados pagaram pelo privilégio – e os recebedores (da propina) estavam no governo federal e no sistema político que aprovou o plano. Além da aposta perdida, o método era o único possível para alcançar um objetivo protecionista quando já não havia sentido econômico para isso no mundo.

Tudo isso levou as pessoas de novo às ruas, o Congresso acabou por votar um novo impedimento de presidente e, em 2016, Michel Temer assumiu a presidência da República apresentando um plano chamado Ponte Para o Futuro. Por ele comprometia-se a fazer o governo federal controlar seus gastos num patamar suportável. Ao mesmo tempo, procuradores concentravam investigações sobre o setor privado, tido por muita gente como o único responsável pela situação. Com isso, numa sociedade dominada por costumes igualitários e globalizados, o corporativismo luta para sobreviver no poder, para manter a imagem hierárquica como modelo. O amálgama das leis aos costumes está ainda em processo – e como será deste ponto em diante já não é mais história.

POSFÁCIO
Quinta-feira, 20 de abril de 2017

Diante de mim está uma edição da *História do Brasil*, do frei Vicente do Salvador. Esse livro sempre fica à mão porque era de minha mãe, Carmen Pires do Rio Caldeira, formada em História e muito capaz de instilar no filho a paixão pelo passado do país. Acabo de concluir o capítulo anterior e continuo a escrever aqui, em parte porque a *História* do frei me traz recordações e reflexões para dividir com você, amável leitor. Há uma questão de tempos: um da história, outro da vida real. As passagens entre eles podem ser muito bruscas.

Há exatos 38 anos, lá pelas cinco da tarde, passei na casa de meus pais. Fui visitar minha avó Odila, que estava se recuperando de uma fratura no fêmur. Desci as escadas na companhia de minha mãe, nos despedimos. Fui para o lançamento de um livro do Celso Favaretto (meu professor de filosofia no colegial) sobre a Tropicália. Encontrei amigos, decidimos ir a uma festa. Ninguém sabia direito chegar ao lugar – algo que naquele tempo se resolvia com a consulta a guias de ruas. Como estava passando quase na porta da casa de meus pais, parei para consultar um. Mal abro a porta, encontro minha tia Molly, irmã de minha avó, aos gritos: "Tua mãe morreu! Um acidente horrível!"

Atarantado, saio pela porta pensando em avisar os amigos. Não consigo pronunciar frase nenhuma. O longo pesadelo da ausência, que hoje completa 38 anos, começara. Só agora consigo escrever sobre isso. E penso: realmente é preciso tempo para contar a história, para o vivido ser narrado de um modo que faça sentido. Sempre fui muito cuidadoso com esse preceito, tentando escrever apenas sobre aquilo que já assentou. Desta vez fui além, abri uma exceção, entrei onde não devia, a área contaminada pelo presente ou, pior ainda, pelas expectativas em relação ao futuro.

Governantes cuidam melhor do presente, com sua obrigação de resolver os problemas do dia; economistas se arriscam pelo futuro porque o veem como resultado de proposições que consideram científicas. Historiadores que trazem a narrativa até o presente podem apenas falar de vagas sensações, de movimentos tectônicos que um dia podem – ou não

– virar terremoto. E falo dessas intuições apenas para que fique a certeza de que esta narrativa sobre os séculos se desdobrará em eventos que a modificarão. Alguns certamente terão acontecido entre o momento em que estas linhas são digitadas e o momento em que serão percorridas por seus olhos, leitor. Nesse intervalo muito terá acontecido, e muito mais virá a seguir.

Sinto tensão nos encontros entre diversas placas. Até os papas sabem que existe o risco de uma catástrofe global, afetando a vida no planeta como um todo. Esse é um risco e tanto, porque só pode ser eliminado com uma mudança no modo de pensar a atividade humana que abandone os ideais iluministas. Todos: Adam Smith ou Marx, e o leque inteiro de seus seguidores. Deixarão de ter sentido tanto a noção de natureza como um repositório infinito e gratuito para o proveito humano como a noção de que todo valor econômico está na marca deixada pelo trabalho no objeto natural. Isso é de fato novo, totalmente novo – e assusta. Sobretudo aqueles cuja identidade humana está baseada na acumulação e começam a sentir o pânico pelo que terão de enfrentar. A negação das evidências científicas não chega a ser uma solução.

Os sinais econômicos de um encerramento do ciclo de aproveitamento do cenário internacional como oportunidade para maiores ganhos são cada vez mais evidentes, ao menos se formos pensar como o velho Marx: um dia alguém não aceita um crédito e aí a onda se espalha pelo planeta. Foi difícil conter as consequências em 2008, pode ser mais difícil adiante. Sim, leitor. Não sei o que vai acontecer. Apenas espero que este pobre escrito tenha ajudado você a pensar em algo mais acabado do que pude fazer. Por isso tenho confiança no futuro, no país – nos cidadãos, todos iguais, empenhados na busca conjunta, na diversidade que ensina – e em governos que levem isso em conta para nos levar adiante.

NOTAS BIBLIOGRÁFICAS

PARTE I > 1500-1508

CAPÍTULO 1: COSTUMES E PROBLEMAS DE ESCRITA

1. Pierre Clastres, *A sociedade contra o Estado*. São Paulo: Cosac Naify, 2003, p. 212.
2. Jorge Caldeira, "A teoria do valor Tupinambá", em Idem, *Nem céu nem inferno*. São Paulo: Três Estrelas, 2015, pp. 21-22.

CAPÍTULO 3: GOVERNO PORTUGUÊS: TEORIA, ESCRITA E IGREJA

1. Aristóteles, *Política*. Brasília: Editora da UNB, 1997, p. 18.
2. "De potestate civili", n. 8, in *Obras completas de Francisco Vitória*. Madri: BAC, 1960.
3. Angela Barreto Xavier & Antonio Manuel Hespanha, "A representação da sociedade e do poder", em José Matoso (org.), *História de Portugal*. Lisboa: Estampa, 1998, v. 4., p. 125.
4. Ibid., pp. 129-30.
5. Ibid., p. 142.
6. Ibid., p. 130.

CAPÍTULO 6: GOVERNO-GERAL

1. Regimento de Tomé de Sousa, em *Viagem pela história do Brasil*, seção "documentos" (CD–Rom). São Paulo: Companhia das Letras, 1997.
2. Ibid.
3. Ibid.
4. Ibid.
5. Manuel da Nóbrega, "Diálogo sobre a conversão do gentio" (1556), em Serafim Leite (org.), *Cartas dos primeiros jesuítas do Brasil*. São Paulo: Comissão do IV Centenário da Cidade de São Paulo, 1956-57, v. 2, p. 337.
6. Ibid., p. 450.

CAPÍTULO 7: GOVERNO FRANCÊS, CORPO E ESPÍRITO

1. Ferdinand Denis, *Brasil*. São Paulo / Belo Horizonte: Edusp / Itatiaia, 1980, p. 58.
2. Carta de Luís de Góis a d. João III, em *Documentos interessantes*, v. 1. São Paulo: Archivo do Estado, 1917, p. 11.
3. Charles W. Baird, *History of the Huguenot emigration to America*. Nova York: Dodd, Mead & Company, 1885, v. 1, pp. 32-33. (Trad. do autor)
4. Ibid., pp. 39-40.
5. Ibid., p. 42.
6. Jean de Léry, *Viagem à terra do Brasil* (1578). São Paulo: Martins / Edusp, 1972, pp. 159; 171-72.
7. Carl Gustav Jung, *O símbolo da transformação na missa*. Petrópolis: Vozes, 2011, p. 34.
8. Sérgio Buarque de Holanda & Olga Pantaleão, "Franceses, ingleses e holandeses no Brasil quinhentista", em Sérgio Buarque de Holanda (dir.), *História geral da civilização brasileira*. São Paulo: Difusão Europeia do Livro, 1960, t. 1, v. 1, p. 156.
9. Nicolas Durand de Villegagnon, "Carta aos de Genebra, Paris, 6 de julho de 1560", apud Frans Leonard Schalwijk, "O Brasil na correspondência de Calvino", *Fides Reformata*, 1 (2004), pp. 101-28.
10. Sérgio Buarque de Holanda & Olga Pantaleão, op. cit., pp. 156-57.
11. Ibid.
12. Montaigne, *Ensaios*, livro I, cap. 23.
13. Ibid.
14. Ibid.

CAPÍTULO 8: ALIANÇA GERAL

1. Serafim Leite (org.), *Cartas dos primeiros jesuítas do Brasil*, op. cit., v. 2.
2. Alvará de 20 de março de 1570.
3. Joseph C. Miller, "A dimensão histórica

da África no Atlântico: açúcar, escravos e plantações", em *A dimensão atlântica da África*. II Reunião Internacional de História da África. Rio de Janeiro / São Paulo: CEA-USP / SDG-Marinha / Capes, 1997, pp. 25-26.
4. Frei Vicente do Salvador, *História do Brasil*. Rio de Janeiro / São Paulo: Versal / Odebrecht, 2008, cap. 3, fl. 6.
5. Ibid.
6. Ibid.

CAPÍTULO 9: GOVERNOS DA ESPANHA

1. Blas Garay, "Prologo", em Nicolas del Techo, *Historia de la Provincia del Paraguay de la Compañia de Jesus*. Madri: La Uribe, 1897, p. 20.
2. Carta do superior Nicolás Durán ao padre Francisco Crespo, in Anais do Museu Paulista, 1922, v. 1, t. I, p. 170.
3. Ibid., pp. 179-80.
4. Cédula Real de 12/09/1628, em Ibid., p. 182.
5. Archivo General de las Indias, Charcas 30, R. 1, n. 1, bloque 2.
6. "Testemunho de fatos ocorridos no Paraguai", Anais do Museu Paulista, 1922, p. 256.

CAPÍTULO 10: GOVERNOS DA HOLANDA

1. Betty Wood, *The origins of American slavery*. Nova York: Hill and Wang, 1997, pp. 99-100. (Trad. do autor)
2. Niels Steensgaard, "Violence in the rise of capitalism", *Review. A Journal of the Fernand Braudel Center*, v. 2, n. 5, p. 257. (Trad. do autor)
3. Eric Williams, *From Columbus to Castro – The History of Caribbean, 1492-1969*. Nova York: Vintage Books, 1984, p. 112. (Trad. do autor)

CAPÍTULO 12: GOVERNO CENTRAL E ECONOMIA

1. Bartolomeu Lopes Carvalho, "Manifesto ao Rei", em Juarez Donizete Ambires, "Os jesuítas e a administração de índios em São Paulo" (dissertação de mestrado, FFLCH-USP), p. 195.

CAPÍTULO 13: GOVERNOS LOCAIS E COSTUMES

1. Apud Jorge Caldeira, *O banqueiro do sertão*. São Paulo: Mameluco, 2006, v. 2, p. 37.
2. Rae Jean Dell Flory, "Bahian society in the mid-colonial periods: the sugar planters, tobacco growers, merchants, and artisans of Salvador and Reconcavo" (tese de doutorado, University of Texas, Austin, 1978), p. 172. (Trad. do autor)
3. Ibid., p. 146.

CAPÍTULO 14: POLÍTICA MISERÁVEL E CARANGUEJO

1. Frei Vicente do Salvador, op. cit., cap. 2, fl. 4.
2. Ibid.
3. Ibid.
4. Ibid.
5. Evaldo Cabral de Mello, *Rubro veio: o imaginário da restauração pernambucana*. Rio de Janeiro, Nova Fronteira, 1986, p. 194.

CAPÍTULO 15: BRASILEIROS

1. José Miguel Wisnik, "Introdução", em *Poemas escolhidos de Gregório de Matos*. São Paulo: Companhia das Letras, 2011, p. 13.
2. Frei Vicente do Salvador, op. cit., cap. 3, fl. 6.
3. Ibid.

CAPÍTULO 16: GOVERNO-GERAL NO SERTÃO

1. José Ferreira Carrato, *Igreja, iluminismo e escolas coloniais*. São Paulo: Nacional / Edusp, 1968, p. 13.
2. Carta de Artur de Sá e Menezes a D. Pedro II, apud Jorge Caldeira, *O banqueiro do sertão*. São Paulo: Mameluco, 2006, v. 2, p. 481.
3. Patente dada por Artur de Sá e Menezes a Manuel de Borba Gato, em Ibid., p. 489.
4. Carta de Bento Fernandes Furtado, em Ibid., p. 493.
5. Afonso de E. Taunay, "Prefácio", em Pedro Taques de Almeida Paes Leme, *Nobiliarquia paulistana histórica e genealógica*. São Paulo: Martins, s/d, v. I, pp. 15-16.

6. José Francisco Rocha Pombo, *História do Brasil*. Rio de Janeiro: Benjamin de Aguila, s.d., v. 5, pp. 454-501.

CAPÍTULO 17: OS FAVORES DA CABEÇA

1. Arquivo Nacional da Torre do Tombo, ms. 1607.
2. Antonio Manuel Hespanha & Ângela Barreto Xavier, op. cit., p. 236.
3. Ibid., p. 130.
4. Ver Jorge Caldeira, *A nação mercantilista*. São Paulo: Editora 34, 1999, pp. 173-268.

CAPÍTULO 18: OURO E REDISTRIBUIÇÃO DOS GOVERNOS NO TERRITÓRIO

1. José Antonio Caldas, *Notícia geral de toda esta capitania da Bahia desde o seu descobrimento até o ano de 1759*. Salvador: Tipografia Beneditina, edição fac-similar, 1951, p. 63.
2. Ibid., p. 71.

CAPÍTULO 19: RIQUEZA E EMPREENDEDORES

1. Fréderic Mauro, "A conjuntura atlântica e a independência do Brasil", em Carlos Guilherme Mota (org.), *1822: Dimensões*. São Paulo: Perspectiva, 1986, p. 44.
2. José Jobson A. de Arruda, *O Brasil no comércio colonial*. São Paulo: Ática, 1980, p. 612.
3. João Luís Ribeiro Fragoso, *Homens de grossa aventura*. Rio de Janeiro: Arquivo Nacional, 1992, p. 23.
4. Tais proporções encontradas por Nathaniel Leff são muito semelhantes àquelas da primeira década do século atual. Em 2008 o mercado interno representava 86,7% do PIB nacional.
5. Iraci del Nero da Costa, *Arraia miúda: um estudo sobre os não proprietários de escravos no Brasil*. São Paulo: MGSP, 1992, pp. 11-56.
6. Francisco Vidal Luna & Herbert S. Klein, "Economia e sociedade escravista: Minas Gerais e São Paulo", em Vv. Aa., *Escravismo em São Paulo e Minas Gerais*. São Paulo: Edusp / Imesp, 2009, p. 197.
7. Francisco Vidal Luna & Herbert S. Klein, *Evolução da sociedade e economia escravista de São Paulo, 1750-1850*. São Paulo: Edusp, 2006, p. 197.

CAPÍTULO 20: GOVERNOS LOCAIS E COSTUMES NA MINERAÇÃO DO OURO

1. Luciano Figueiredo, *Barrocas famílias: a vida familiar em Minas Gerais no século 18*. São Paulo: Hucitec, pp. 25-26.

CAPÍTULO 21: COSTUMES E LEI CIVIL APÓS O OURO

1. Karl Marx, *O capital*. México: Fondo de Cultura Económica, 1978, v. 1, p. 52.
2. Thomas Piketty. *O capital no século XXI*. Rio de Janeiro: Intrínseca, 2014, pp. 353-54.
3. Muriel Nazzari, *O desaparecimento do dote*. São Paulo: Companhia das Letras, 2001, p. 28.
4. Ibid., pp. 264-65.
5. Lúcia Maria do Amaral Azevedo & Martha Maria do Amaral e Azevedo, "A família brasileira", Anais do II Congresso Latino-Americano de Psicologia Jungiana. Rio de Janeiro: Paulus, 2001, pp. 313-18.
6. Francisco Vidal Luna & Herbert S. Klein, "Economia e sociedade escravista", op. cit., pp. 197-200.
7. *Dicionário Morais Silva*. Ed. fac-similar. Rio de Janeiro: 1813, v. 2, p. 29.
8. *Dicionário Houaiss*. Rio de Janeiro: Objetiva, 2002, p. 1334.
9. Hebe Maria de Castro Mattos, *Ao sul da história*. São Paulo: Brasiliense, 1987, p. 110.
10. Ibid., p. 111.
11. Marquês do Lavradio. Apud. Caldeira, Jorge, *A nação mercantilista*. São Paulo: Editora 34, 1998, p. 304.

PARTE II > 1808-1889

CAPÍTULO 22: TEORIA DOS GOVERNOS: UMA REVOLUÇÃO

1. Fernando A. Novaes, *Portugal, o Brasil e o antigo sistema colonial*. São Paulo, Hucitec, 1995, pp. 142-43.

2. Apud C. R. Boxer, *A idade do ouro*. São Paulo: Nacional, 1963, p. 279.
3. Jean-Jacques Rousseau, *Discurso sobre a origem e os fundamentos da desigualdade entre os homens*. São Paulo: Nova Cultural, 1999, p. 61.
4. Ibid., p. 94.
5. Ibid., p. 110.
6. Ibid., p. 112.
7. Jean-Jacques Rousseau, *Do contrato social*. São Paulo: Martin Claret, 2013, p. 27.
8. Ibid., p. 75.
9. Norberto Bobbio, "O modelo jusnaturalista", em Norberto Bobbio & Michelangio Bovero, *Sociedade e Estado na filosofia política moderna*. São Paulo: Brasiliense, 1996, pp. 44-45.
10. Jean-Jaques Rousseau, *Do contrato social*, São Paulo: Abril Cultural, 1973, p. 75.
11. Aristóteles, *Política*, op. cit., p. 27.
12. Adam Smith, *A riqueza das nações*. São Paulo: Abril Cultural, 1981, p. 53.
13. Ibid., p. 285.
14. Ibid., p. 286.
15. Ibid., p. 290.

23: REINO COLONIAL, SONHO DE REAÇÃO
1. Joaquim José da Cunha de Azeredo Coutinho, "Análise da justiça do comércio de escravos com a costa da África", em Idem, *Obras econômicas*. São Paulo: Companhia Editora Nacional, 1966, p. 233.
2. Ibid., p. 236.
3. Ibid., p. 246.
4. Ibid., pp. 241-42.
5. José da Silva Lisboa, *Princípios de economia política*. São Paulo: Pongetti, 1956, p. 118.
6. Ibid., p. 121.
7. John Luccock, *Notas sobre o Rio de Janeiro*. Belo Horizonte / São Paulo: Itatiaia / Edusp, 1975, p. 383.

CAPÍTULO 25: A CONSTITUIÇÃO DE 1834
1. Jorge Caldeira, *A nação mercantilista*, op. cit., p. 288.
2. José Bonifácio de Andrada e Silva, "Representação à Assembleia Geral Constituinte do Império do Brasil sobre a escravatura", em Jorge Caldeira (org.), *José Bonifácio de Andrada e Silva*. São Paulo: Editora 34, 2002, p. 202.
3. Ibid., p. 36.
4. Antônio Carlos Ribeiro de Andrada, discurso na sessão de 26 de junho de 1826, em Marcelo Bueno Mendes, *Antonio Carlos na formação do pensamento político-constitucional brasileiro*. Curitiba: Juruá Editora, 2017, p. 168.

CAPÍTULO 26: DANDO PARA SI MESMO
1. Visconde de Cairu, "Observações sobre a franqueza de indústrias e o estabelecimento de fábricas no Brasil", em Antonio Penalves Rocha (org.), *Visconde de Cairu*. São Paulo, Editora 34, 2001, p. 226.
2. Ibid., p. 221.
3. François Quesnay, "Cereais", em *François Quesnay*. São Paulo: Nova Cultural, 1996, p. 302.
4. Ibid., p. 306.
5. Karl Marx, *Teorias de la plusvalia*. Madri: Alberto Corazón, 1974, v. 1, p. 278.
6. Ibid., p. 30.
7. Carlos Pelaez & Wilson Suzigan, *História monetária do Brasil*. Brasília: Editora da UNB, 1981, p. 150.

CAPÍTULO 27: PODERES EM CONFRONTO
1. <diplomata austríaco>
2. Apud Jorge Caldeira, *Mauá, empresário do Império*. São Paulo: Companhia das Letras, 1995, p. 104.
3. Ibid. p. 106.
4. Ibid., p. 126.

CAPÍTULO 28: REGÊNCIAS E LIDERANÇAS
1. Jorge Caldeira (org.), *Diogo Antonio Feijó*. São Paulo: Editora 34, 1999, p. 22.
2. Ibid., p. 104.
3. Ibid., p. 109.
4. Ibid., p. 123.
5. Ibid., p. 68.

CAPÍTULO 29: EXECUTIVO ELEITO
1. Apud José Murilo de Carvalho (org.), *Bernardo Pereira de Vasconcelos*. São Paulo, Editora 34, 1999, p.

CAPÍTULO 31: MAUÁ E A REAÇÃO
1. Apud Jorge Caldeira, *Mauá, empresário do Império*. São Paulo: Companhia das Letras, 1995, p. 242.
2. Ibid., p. 245.
3. Ibid., p. 266.
4. Ibid., p. 267.
5. Ibid., p. 268.
6. Ibid., p. 269.
7. Apud Jorge Caldeira, *Júlio Mesquita e seu tempo*. São Paulo: Mameluco, 2014, v. 1, p. 64.
8. Carlos Manuel Pelaez & Wilson Suzigan, *História monetária do Brasil*. Brasília: Ed. da UNB, 1981, p. 100.

CAPÍTULO 32: O ARBÍTRIO ILUSTRADO
1. Anais da Câmara dos Deputados, 06/07/1853.
2. Instruções do imperador ao ministério organizado pelo marquês de Paraná, 6/9/1853. Biblioteca Nacional, Seção de manuscritos.
3. Eduardo Kugelmas, "O jurista e a Coroa", em Idem (org.), *Marquês de São Vicente*. São Paulo: Editora 34, 2002, p. 49.
4. Ibid., p. 87.
5. Ibid., p. 205.
6. Ibid., p. 206.
7. João Camillo de Oliveira Torres, *A democracia coroada: teoria política do Império do Brasil*. Petrópolis: Vozes, 1964, p. 89.
8. Paulino José Soares de Sousa (visconde do Uruguai), "Do poder administrativo ou da administração, sua divisão", em José Murilo de Carvalho (org.), *Visconde do Uruguai*. São Paulo: Editora 34, 2002, pp. 131-32.
9. Ibid., p. 437.
10. João Camillo de Oliveira Torres, *A democracia coroada*, op. cit., pp. 71-72.
11. Ibid.
12. Ibid.

13. Braz Florentino Henriques de Sousa, *Do poder moderador: ensaio de direito constitucional contendo a analise do titulo V, capitulo I, da Constituição política do Brasil*. Recife: Tipografia Universal, 1864, p. 469.
14. Ibid., p. 507.
15. Ibid., p. 536.

CAPÍTULO 33: REPUBLICANOS
1. Discurso de Nabuco de Araújo na Câmara dos Deputados (17/7/1868), em Joaquim Nabuco, *Nabuco de Araújo: Um estadista do Império, sua vida, suas opiniões, sua época: 1866-1878*. Rio de Janeiro/Paris: Livraria Garnier, 1927, t. 3, p. 121.
2. Ibid.
3. Ibid.
4. Ibid.
5. Ibid.
6. Ibid.
7. George C. A. Boehrer, *Da monarquia à república: história do partido republicano do Brasil (1870-1889)*. Rio de Janeiro: Ministério da Educação e Cultura, Serviço de Documentação, s/d., p. 21.
8. "Manifesto republicano", apud Jorge Caldeira, *Júlio Mesquita e seu tempo*. São Paulo: Mameluco, 2015, v. 1, p. 115.
9. Ibid., p. 116.

CAPÍTULO 34: OCASO
1. Raffaele Romanelli, "Electoral systems and social structures: a comparative perspective", em Raffaele Romanelli (org.), *How did they become voters? The history of franchise in modern European representation*. Holanda: Kluwer Law International, 1998, p. 4.
2. Arnaldo Testi, "The construction and deconstruction of the U.S. electorate in the age of manhood suffrage, 1830s-1920s", em Raffaele Romanelli (org.), op. cit., p. 389.
3. Kenneth F. Warren (org.), *Encyclopedia of U. S. campaigns, elections and electoral behavior*. California: SAGE, 2008, pp. 822-23.

4. Tracy Campbell, *Deliver the vote: a history of election fraud, an American political tradition, 1742-2004*. Nova York: Carrol & Graf, 2005, p. 77.
5. Leticia Bicalho Canedo, "Les listes electorales et le processus de nationalization de la citoyennete au Brésil (1822-1845)", em Raffaele Romanelli (org.), op. cit., p. 196.
6. Carlos Dardé & Manuel Estrada, "Social and territorial representation in Spanish electoral systems: 1809-1874", em Raffaele Romanelli (org.), op. cit., p. 153.
7. Manuel Loff, "Electoral procedings in Salazarist Portugal (1926-1974): formalism and fraud", em Raffaele Romanelli (org.), op. cit., p. 230.
8. Birgitta Bader-Zaar, "From corporate to individual representation: the electoral systems of Austria, 1861-1918", em Raffaele Romanelli (org.), op. cit., p. 311.
9. Lars I. Andersson, "How did they become voters: Sweden after 1866", em Raffaele Romanelli (org.), op. cit., p. 349.
10. Jaap Talsma, "Accomodation and conflict: traditional politics, religion and social relationships in the Dutch electoral process", em Raffaele Romanelli (org.), op. cit., p. 375.
11. I. G. C. Hutchison, "The electorate and the electoral system in Scotland, c1800-c1950", em Raffaele Romanelli (org.), op. cit., p. 420.
12. Arnaldo Testi, "The construction and deconstruction of the U.S. electorate in the age of manhood suffrage, 1830s-1920s", em Raffaele Romanelli (org.), op. cit., p. 389.
13. Discurso de Cansansão de Sinimbu na Câmara dos Deputados (20/12/1878), Anais de 1878, v. 1, p. 105, em *Organizações e programas ministeriais: regime parlamentar no império*. 3. ed. Brasília: Instituto Nacional do Livro, 1979. p. 177.
14. Decreto n. 3.029, de 9/1/1881, em Nelson Jobim & Walter Costa Porto (orgs.), *Legislação eleitoral no Brasil: do século XVI a nossos dias*. Brasília: Senado Federal, 1996, v. 3, p. 214.
15. Ibid., p. 217.
16. Ibid.
17. Decreto n. 7.981, de 29/1/1881, "Manda observar as instruções para o primeiro alistamento dos eleitores a que se tem de proceder em virtude da lei n. 3.029 de 9 de janeiro corrente ano", em Nelson Jobim & Walter Costa Porto (orgs.), op. cit., p. 237.
18. Decreto n. 3.029, 9/1/1881. Reforma a legislação eleitoral, em Nelson Jobim & Walter Costa Porto (orgs.), op. cit., v. 3, p. 217.
19. Ibid., p. 218.
20. Ibid., p. 219.

CAPÍTULO 35: FIM

1. Escritura de constituição da Sociedade Promotora da Imigração, reconhecida em São Paulo em 2 de julho de 1886 e no Rio de Janeiro em 22 de dezembro, em Helena da Silva Prado, *In Memoriam: Martinho Prado Junior: 1843-1943*. São Paulo: [s.e.], 1944, pp. 369-71.
2. Cincinato Braga, *Problemas brasileiros: magnos problemas econômicos de São Paulo*. Rio de Janeiro/São Paulo: Livraria José Olympio Editora, 1948, p. 254.
3. Maria Silvia C. Beozzo Bassanezi et al., *Atlas da imigração internacional em São Paulo 1850-1950*. São Paulo: Editora UNESP, 2008, p. 21.
4. Cálculos realizados com base em Wilson Cano, *Raízes da concentração industrial em São Paulo*. São Paulo: DIFEL, 1977, p. 36.
5. "Quadro nº 1: E. F. Leopoldina – suprimentos fornecidos à lavoura", em Rui Barbosa, *Obras completas: Anexos ao relatório do ministro da Fazenda, 1891*. Rio de Janeiro: Ministério da Educação e Saúde, 1949, v. 18, t. 2, p. 143.
6. Gustavo H. B. Franco, *Reforma monetária e instabilidade durante a transição republicana*. Rio de Janeiro: BNDES, 1983. p. 22.
7. Affonso de E. Taunay, *História do café no Brasil: no Brasil imperial (1872-1889)*. Rio de Janeiro: Departamento Nacional do Café, 1939, v. 6, t. 4, p. 256.
8. Rui Barbosa, *Obras completas: Relatório do ministro da Fazenda*. Rio de Janeiro: Ministério da Educação e Saúde, 1949. v. 18, t. 3, p. 251.

9. "Quadro nº 7: Estado da dívida interna fundada até 30 de setembro de 1890", em Rui Barbosa, *Obras completas: Anexos ao relatório do ministro da Fazenda, 1891*. Rio de Janeiro: ministério da Educação e Saúde, 1949. v. 18, t. 4, p. 462.
10. Gustavo H. B. Franco, "A primeira década republicana", em Marcelo de Paiva Abreu (org.); Dionísio Dias Carneiro et al., *A ordem do progresso: cem anos de política econômica republicana, 1889-1989*. Rio de Janeiro: Campus, 1992, p. 17.
11. Rui Barbosa, *Obras completas: Anexos ao relatório do ministro da Fazenda, 1891*. Rio de Janeiro: Ministério da Educação e Saúde, 1949. v. 18, t. 2, p. 157.
12. Ilmar Rohloff de Mattos, *O tempo saquarema: a formação do Estado imperial*. São Paulo: Hucitec, 1990, p. 284.

CAPÍTULO 36: BALANÇO DO IMPÉRIO

1. Nathaniel H. Leff, *Subdesenvolvimento e desenvolvimento no Brasil: reavaliação dos obstáculos ao desenvolvimento econômico*. Rio de Janeiro: Expressão e Cultura, 1991. v. 2, p. 26.
2. Evaldo Cabral de Mello, *O Norte agrário e o Império: 1871-1889*. Rio de Janeiro / Brasília: Nova Fronteira / Instituto Nacional do Livro, 1984, pp. 98-99.
3. Ibid., p. 255.
4. Angus Maddison, *Monitoring the world economy (1820-1992)*. Paris: OECD Development Centre, 1995 , p. 25.

PARTE III > 1889-1930

CAPÍTULO 37: GOVERNO PROVISÓRIO E DITADURA

1. Câmara dos Deputados, *O apostolado positivista e a República*. Brasília: Editora Universidade de Brasília, 1981, p. 6.
2. Fragmento de texto de Miguel Lemos e R. Teixeira Mendes, em Câmara dos Deputados, *O apostolado positivista e a República*, op. cit., pp. 50-51.
3. Aristides Lobo, *Cartas do Rio. Diário Popular* (São Paulo), 18/11/1889, em José Murilo de Carvalho, *Os bestializados: o Rio de Janeiro e a República que não foi*. São Paulo: Companhia das Letras, 1987, p. 9.
4. Apud Jorge Caldeira, *Júlio Mesquita e seu tempo*. São Paulo: Mameluco, 2015, v. 1, p. 228.
5. Ibid., p. 229.
6. Ibid., p. 229.

CAPÍTULO 38: REFORMAS FUNDAMENTAIS

1. Rui Barbosa, *Obras completas: Anexos ao relatório do ministro da Fazenda, 1891*. Rio de Janeiro: Ministério da Educação e Saúde, 1949. v. 18, t. 4, p. 23.
2. Ibid., v. 18, t. 2, pp. 52-53.
3. Ibid.
4. Steven Topik, "The state's contribution to the development of Brazil's international economy, 1850-1930", *Hispanic American Historical Review* (Nova York, 1985), v. 65 (2), pp. 203-228.
5. Ibid., p. 208.
6. Ibid., p. 209.

CAPÍTULO 39: NOVA LEI, VELHOS COSTUMES

1. Carta do barão de Lucena ao Dr. Américo Brasiliense de Almeida Melo (5/3/1891), *Revista do Arquivo Municipal* (São Paulo), v. 67 (maio 1939), p. 217.
2. Anne G. Hanley & Renato Leite Marcondes, "Bancos na transição republicana em São Paulo: o financiamento hipotecário (1888-1901)", *Estudos Econômicos* (São Paulo), v. 40, n. 1 (jan.-mar. 2010), p. 112.
3. Anne G. Hanley, *Native capital: financial institutions and economic development in São Paulo, Brazil, 1850-1920*. Stanford: Stanford University Press, 2005, p. 97.
4. Rui Barbosa, *Obras completas: Anexos ao relatório do ministro da Fazenda, 1891*, op. cit., v. 18, t. 2, p. 158.

5. William Roderick Summerhill, *Order against progress: government, foreign investment, and railroads in Brazil, 1854-1913*. Stanford: Stanford University Press, 2003, p. 69.
6. Eduardo Modiano, "A ópera dos três cruzados: 1985-1989", em Marcelo de Paiva Abreu (org.); Dionísio Dias Carneiro et al., *A ordem do progresso: cem anos de política econômica republicana, 1889-1989*. Rio de Janeiro: Campus, 1992, p. 388.
7. Kris James Mitchener & Marc D. Weidenmier, *The Baring crisis and the great Latin American meltdown of the 1890s*. Cambridge, MA: National Bureau of Economic Research, 2007, p. 33.
8. Gustavo H. B. Franco & Winston Fritsch, "Aspects of the Brazilian experience with the gold standard", em Pablo Matín Aceña & Jaime Reis (orgs.), *Monetary standards in the periphery: paper, silver and gold, 1854-1933*. Londres: Macmillan Press, 2000, p. 6.
9. "Discurso de Tristão de Alencar Araripe, ministro da Fazenda" (21/2/1891), em Dunshee de Abranches, *O golpe de Estado: atas e atos do governo Lucena*. Rio de Janeiro: Jornal do Brasil, 1954, p. 159.
10. "Relatório de Rodrigues Alves, ministro da Fazenda" (1892), em Rui Barbosa, *Obras completas: anexos ao relatório do ministro da Fazenda, 1891*, op. cit., v. 18, t. 2, p. lx.

CAPÍTULO 40: A ESFINGE
1. Marechal Floriano Peixoto, "Manifesto à nação" (23/11/1891), em Edgard Carone, *A Primeira República: texto e contexto (1889-1930)*. São Paulo: Difusão Europeia do Livro, 1973, pp. 23-24.
2. Ibid.
3. Francolino Cameu & Artur Vieira Peixoto, *Floriano Peixoto: vida e governo*. Brasília: Editora da Universidade de Brasília, 1983, p. 99.

CAPÍTULO 41: PRESIDENTE ELEITO
1. "Discurso de posse de Prudente de Morais no Congresso Legislativo" (4/5/1893), em Antônio Barreto do Amaral, *Prudente de Morais: uma vida marcada*. São Paulo: Instituto Histórico e Geográfico de São Paulo, 1971, p. 184.
2. "Ata da sessão da Convenção do Partido Republicano Federal, realizada no dia 23 de setembro de 1893", em José Sebastião Witter, "A primeira tentativa de organização partidária na República: o Partido Republicano Federal (1893-1897)" (tese de doutorado). Faculdade de Filosofia, Letras e Ciências Humanas, Universidade de São Paulo, 1971, p. 150.
3. "Discurso de Manoel Vitorino na sessão da Convenção do Partido Republicano Federal, realizada no dia 23 de setembro de 1893", em José Sebastião Witter, op. cit., pp. 151-52.
4. Visconde de Taunay, *O encilhamento: cenas contemporâneas da bolsa do Rio de Janeiro em 1890, 1891 e 1892*. São Paulo: Melhoramentos, s.d., p. 59.
5. Ibid., p. 136.
6. Ibid., p. 301.

CAPÍTULO 42: A ARTE DE ENSACAR DEMÔNIOS
1. Luiz Felipe d'Ávila, *Os virtuosos: os estadistas que fundaram a República brasileira*. São Paulo: A Girafa, 2006, p. 75.
2. "Carta de Prudente de Morais a Bernardino de Campos" (18/11/1891), em Antônio Barreto do Amaral, *Prudente de Morais: uma vida marcada*, op. cit., pp. 221-22.
3. Oleone Coelho Fontes, *O Treme-Terra: Moreira César, a República e Canudos*. Petrópolis: Vozes, 1995, p. 167.
4. Euclides da Cunha, *Os sertões*. São Paulo: Brasiliense / Secretaria do Estado de Cultura, 1985, p. 325.
5. Brígido Tinoco, *A vida de Nilo Peçanha*. Rio de Janeiro: José Olympio, 1962, p. 92.
6. Antônio Barreto do Amaral, *Prudente de Morais*, op. cit., p. 295.
7. Euclides da Cunha, "Canudos (Diário de uma

expedição) – Canudos, 1º de Outubro", *O Estado de S. Paulo*, 25/10/1897.
8. Silveira Peixoto, *A tormenta que Prudente de Morais venceu*. São Paulo: Imprensa Oficial do Estado, 1990, p. 243.
9. Edgard Carone, *A República Velha: a evolução política (1889-1930)*. São Paulo: Difel, 1977, v. 2, p. 182.
10. Prudente de Morais, "O atentado à nação", *O Estado de S. Paulo*, 7/11/1897.

CAPÍTULO 43: PRIMEIRA DÉCADA: ALTERNÂNCIA E MERCADO
1. "Evolução da população amazônica da região Norte (censos de 1872 a 1980)", em Samuel Benchimol, *Amazônia legal na década de 70/80: expansão e concentração demográfica*. Manaus: CEDEAM/UA, 1981, p. 7.
2. Bernardino de Campos, *Relatório do ministro dos Negócios da Fazenda de 1898*. Rio de Janeiro: Imprensa Oficial, 1898, p. 421.
3. Ibid., p. 201.
4. Flávio Saes, "São Paulo republicana: vida econômica", em Paula Porta (org.), *História da cidade de São Paulo: a cidade na primeira metade do século XX, 1890-1954*. São Paulo: Paz e Terra, 2004, v. 3, p. 224.
5. Wilson Suzigan, *Indústria brasileira: origem e desenvolvimento*. São Paulo: Brasiliense, 1986, p. 241.
6. Odilon Nogueira de Matos, *Café e ferrovias: a evolução ferroviária de São Paulo e o desenvolvimento da cultura cafeeira*. Campinas: Pontes, 1990, p. 142.
7. Thomas H. Holloway, *Imigrantes para o café: café e sociedade em São Paulo, 1886-1934*. Rio de Janeiro: Paz e Terra, 1984, p. 261.
8. "Receita com porcentagem da receita federal, da Secretaria da Fazenda de São Paulo, de 1879-1940", em Joseph L. Love, *A locomotiva: São Paulo na federação brasileira (1889-1937)*. Rio de Janeiro: Paz e Terra, 1982, p. 415.
9. "Dados orçamentários da Secretaria da Fazenda de São Paulo, de 1879-1940", em Joseph L. Love, op. cit., p. 416.
10. "Sources of Bank funds, 1889-1906", em Anne G. Hanley, *Native Capital*, op. cit., p. 157.
11. "Investment of Commercial Banking earning assets, 1892-1906", em Anne G. Hanley, *Native Capital*, op. cit., p. 166.
12. "Quadro das fábricas de tecidos instaladas em Minas Gerais entre 1872 e 1900", em Alisson Mascarenhas Vaz, *Cia. Cedro e Cachoeira: história de uma empresa familiar (1883-1987)*. Belo Horizonte: Companhia de Fiação e Tecidos Cedro e Cachoeira, 1990, p. 25.
13. Nilton Baeta, *A indústria siderúrgica em Minas Gerais*. Belo Horizonte: [s.e.], 1973, p. 261.
14. "Quadro do valor total do charque exportado e sua participação no valor total das exportações do Rio Grande do Sul", em Pedro Cezar Dutra Fonseca, *RS: economia & conflitos políticos na República Velha*. Porto Alegre: Mercado Aberto, 1983, p. 130.
15. William R. Summerhill, *Order against progress*, op. cit., p. 66.
16. Ibid., p. 138.
17. Stephen Haber, "The efficiency consequences of institutional change: financial market regulation and industrial productivity growth in Brazil, 1866-1934", em John H. Coatsworth & Alan M. Taylor (orgs.), *Latin America and the world economy since 1800*. Cambridge, MA: Harvard University Press / David Rockefeller Center for Latin American Studies, 1999, p. 311.

CAPÍTULO 44: PRIMEIRA DÉCADA: SERTÃO E CAPITALISMO
1. Antônio Delfim Netto, *O problema do café no Brasil*. Rio de Janeiro: Fundação Getúlio Vargas / Ministério da Agricultura / Suplan, 1979. p. 34.
2. Hebe Maria da Costa Mattos Gomes de Castro, *Ao sul da história: lavradores pobres na crise do trabalho escravo*. São Paulo: Brasiliense, 1987. p. 183.
3. Ibid., p. 179.
4. João Heraldo Limia, "Café e indústria em Minas Gerais no início do século: algumas observações", *Estudos Econômicos* (São Paulo), v. 8, n. 2 (1978), pp. 216-17.

5. Jorge Caldeira, *História do Brasil com empreendedores*. São Paulo: Mameluco, 2009, p. 201.
6. Barbara Weinstein, *A borracha na Amazônia: expansão e decadência (1850-1920)*. São Paulo: Hucitec / Editora da Universidade de São Paulo, 1993, p. 41.
7. Karl Marx, *O capital*, op. cit., v. 3, p. 315.
8. Barbara Weinstein, *A borracha na Amazônia*, op. cit., p. 205.
9. Ibid., p. 207.
10. Ibid., p. 209.
11. Robert Levine, *A velha usina – Pernambuco na federação brasileira, 1889-1937*. Rio de Janeiro: Paz e Terra, 1980, pp. 59-60.

CAPÍTULO 45: PRIMEIRA DÉCADA: AMÁLGAMAS E INCRUSTAÇÕES

1. Michael Schudson, *Discovering the news: a social history of American newspapers*. Nova York: Basic Books, 2010, p. 15.
2. Ibid.
3. Henry B. Turner, *When giants ruled: the history of Park Row, New York's great newspaper street*. Nova York: Fordham University Press, 1999, pp. 8-9.
4. Michael Schudson, op. cit., p. 25.
5. Max Leclerc, *Cartas do Brasil*, São Paulo, 1942, apud Nelson Werneck Sodré, *História da imprensa no Brasil*. Rio de Janeiro: Civilização Brasileira, 1966, p. 288.
6. Ibid., p. 289.
7. Bernardino de Campos, *Relatório do ministro de Estado dos Negócios da Fazenda para o ano de 1897*. Rio de Janeiro: Imprensa Nacional, 1897, p. 132.
8. "Carta de Prudente de Morais ao *Jornal do Commercio*" (19/11/1898), em Antônio Barreto do Amaral, *Prudente de Morais*, op. cit., pp. 342-43.

CAPÍTULO 46: CAMPOS SALES E O PLANO REGRESSIVO

1. Campos Sales, "Manifesto inaugural à nação" (15/11/1898), em Campos Sales, *Manifestos e mensagens 1898-1902*. São Paulo: Imprensa Oficial do Estado de São Paulo / Fundap, 2007, pp. 39-40.
2. Célio Debes, *Campos Sales*. São Paulo: IHGSP, 1977, v. 2, p. 77.
3. Joaquim Murtinho, "Introdução ao relatório do ministro da Indústria, Viação e Obras Públicas" (1897), em Nícia Villela Luz (org.). *Ideias econômicas de Joaquim Murtinho*. Brasília / Rio de Janeiro:: Senado Federal / Fundação Casa de Rui Barbosa, 1930, p. 148.
4. Ibid., p. 147.
5. Ibid., p. 143.
6. Ibid., p. 148.
7. Ibid., p. 171.
8. François Quesnay, "Cereais", em François Quesnay, *Quadro econômico dos fisiocratas*. São Paulo: Nova Cultural, 1996, p. 302.
9. Karl Marx, *Teorias de la plusvalia*, op. cit., pp. 27-28.
10. Joaquim Murtinho, op. cit., p. 144.
11. Ibid., pp. 144-45.
12. Ibid.
13. Campos Sales, "Manifesto lido no banquete político realizado na capital do Estado de São Paulo em 31 de outubro de 1897", em Campos Sales, *Manifestos e mensagens*, op. cit., p. 17.
14. Ibid., pp. 23-24.
15. Ibid., pp. 11 e 13.
16. Ibid., p. 24.
17. Ibid., p. 26.
18. Campos Sales, *Da propaganda à presidência*. São Paulo / Lisboa: A Editora, 1908, p. 164.

CAPÍTULO 47: O CARANGUEJO E A OSTRA

1. "Carta de Campos Sales a Prudente de Morais" (14/2/1898), em Silveira Peixoto, *A tormenta que Prudente de Morais venceu*. São Paulo: Imprensa Oficial do Estado, 1990, p. 279.
2. Prudente de Morais, "Manifesto à nação" (3/5/1897), em Câmara dos Deputados. Centro de informação e documentação. *Mensagens presidenciais, 1890-1910*. Brasília, 1978, p. 167.
3. Ibid.

4. Campos Sales, *Da propaganda à presidência*, op. cit., p. 170.
5. Gustavo H. B. Franco, *A década republicana: o Brasil e a economia internacional – 1888/1900*. Rio de Janeiro: IPEA, 1991, p. 59.
6. Tobias Monteiro, *O presidente Campos Sales na Europa*. Belo Horizonte / São Paulo: Itatiaia / Edusp, 1983, pp. 102-03.
7. Campos Sales, "Manifesto inaugural à nação, de 15 de novembro de 1898", op. cit., pp. 39-40.
8. Ibid., p. 46.
9. Campos Sales, "Mensagem apresentada na terceira sessão da terceira legislatura do Congresso nacional em 3 de maio de 1899", em Campos Sales, *Manifestos e mensagens*, op. cit., pp. 62-63.
10. "O terceiro regime" (12/5/1899), em Rui Barbosa, *Obras completas: A imprensa, 1899*. Rio de Janeiro: Ministério da Educação e Cultura, 1965, p. 25.
11. "Política interior" (13/5/1899), em Rui Barbosa. *Obras completas: A imprensa, 1899*. op. cit., p. 29.
12. João Camillo de Oliveira Torres, *A democracia coroada: teoria política do império do Brasil*. Petrópolis: Vozes, 1964, p. 126.
13. Ibid., p. 119.
14. "Política interior" (13/5/1899), em Rui Barbosa, *Obras completas: A imprensa, 1899*, op. cit., pp. 30-31.
15. "Administração" (17/5/1899), em Rui Barbosa, *Obras completas: A imprensa, 1899*, op. cit., pp. 52-53.

CAPÍTULO 48: A PÉROLA HEREDITÁRIA

1. Joaquim Murtinho, "Introdução ao Relatório do Ministério da Fazenda em 1899", em Nícia Villela Luz (org.), *Ideias econômicas de Joaquim Murtinho*. Brasília / Rio de Janeiro: Senado Federal / Fundação Casa de Rui Barbosa, 1930, p. 184.
2. Ibid., p. 176.
3. Ibid., pp. 179-80.
4. Ibid., p. 208.
5. Ibid., p. 185.
6. Ibid.
7. Ibid., p. 232.
8. William R. Summerhill, *Order against progress*, op. cit. p. 68.
9. Anne G. Hanley, *Native capital*, op. cit., p. 174.
10. Joaquim Murtinho, "Introdução ao Relatório do Ministério da Fazenda em 1900", em Nícia Villela Luz (org.), *Ideias econômicas de Joaquim Murtinho*, op. cit., p. 219.
11. Campos Sales, *Da propaganda à presidência*, op. cit., p. 234.
12. Ibid., p. 250.
13. Ibid.
14. Ibid., p. 252.
15. João de Scantimburgo, *O poder moderador: história e teoria*. São Paulo: Secretaria do Estado da Cultura / Pioneira, 1980, p. 30.

CAPÍTULO 49: GOVERNO CENTRAL REACIONÁRIO

1. Afonso Arinos de Melo Franco, *Rodrigues Alves: apogeu e declínio do presidencialismo*. Rio de Janeiro / São Paulo: José Olympio / Edusp, 1973, v. 1, p. 183.
2. José Ênio Casalecchi, *O Partido Republicano Paulista: política e poder (1889-1926)*. São Paulo: Brasiliense, 1987, pp. 187-88.
3. Joseph L. Love, *A locomotiva: São Paulo na federação brasileira (1889-1937)*, op. cit., p. 163.
4. Campos Sales, *Da propaganda à presidência*, op. cit., pp. 244-45.
5. Ibid., p. 246.
6. Isidro Molas, *Os partidos políticos*. Rio de Janeiro: Salvat Editora do Brasil, 1979, p. 23.
7. Ibid., pp. 26-27.
8. Ibid., pp. 29-30.
9. Ibid., pp. 32-33.
10. Ibid., p. 34.
11. Robert Michels, *Political parties: a sociological study of the oligarchical tendencies of modern democracy*. Gloucester: Dodo Press, 2009, pp. xiv-xv.
12. Ibid., p. iv.

13. "Manifesto político aos nossos cidadãos", *O Estado de S. Paulo*, 6/11/1901.
14. Ibid.
15. Ibid.
16. Ibid.
17. Eduardo Kugelmas, "Difícil hegemonia: um estudo sobre São Paulo na Primeira República" (tese de doutorado). Faculdade de Filosofia Letras e Ciências Humanas, Universidade de São Paulo, 1986, p. 77.

CAPÍTULO 50: FOSSO

1. "Balanço político", *O Estado de S. Paulo*, 20/7/1901.
2. Ibid.
3. Ibid.
4. Gustave Le Bon, *The crowd*. Nova York: Ballantine Books, 1969, pp. 22-23.
5. Gabriel Cohn, *Sociologia da comunicação: teoria e ideologia*. São Paulo: Pioneira, 1973, p. 20.
6. Júlio Mesquita, *O Estado de S. Paulo*, 27/7/1901.
7. Gabriel Cohn, *Sociologia da comunicação: teoria e ideologia*, op. cit., p. 49.
8. Ibid., p. 67.
9. Paulo Egydio, "A opinião e a multidão por G. Tarde", *O Estado de S. Paulo*, 2/1/1902.
10. Júlio Mesquita, "A revisão", *O Estado de S. Paulo*, 29/7/1901.
11. Campos Sales, *Da propaganda à presidência*, op. cit., pp. 346-47.
12. Ibid., pp. 348-49.
13. Ibid., p. 357.
14. "Manifesto do Partido Socialista Brasileiro", *O Estado de S. Paulo*, 28/08/1902.
15. Everardo Dias, *História das lutas sociais no Brasil*. São Paulo: Alfa-Ômega, 1977, pp. 47-48.
16. Ibid., p. 50.
17. José Veríssimo, "Uma história dos sertões e da Campanha de Canudos", *O Estado de S. Paulo*, 5/12/1902.
18. "Discurso de Arthur Orlando na 95ª sessão ordinária da Câmara dos Deputados do Estado de São Paulo, em 25 de setembro de 1906." Anais da sessão ordinária de 1906, da Câmara dos Deputados do Estado de São Paulo, 3º ano da 6ª legislatura, p. 558.
19. José Maria Bello, *História da República (1889-1954)*. São Paulo: Companhia Editora Nacional, [1958], p. 198.
20. "Discurso de Leopoldo de Bulhões na Câmara dos Deputados, na 66ª sessão de 02 de agosto de 1893", em Leopoldo de Bulhões, *Discursos parlamentares*. Brasília: Câmara dos Deputados, 1979, p. 297.

CAPÍTULO 51: O PLANO DO CAFÉ: SOCIEDADE E LEGISLATIVO ESTADUAL

1. Ficha do professor doutor Augusto Ferreira Ramos, [s.d]. Arquivo histórico da Escola Politécnica da Universidade de São Paulo, pasta "Prof. Dr. Augusto Ferreira Ramos".
2. Francisco Ferreira Ramos, "A defesa do café", *O Estado de S. Paulo*, 25/9/1921.
3. Antonio Carlos Botelho Souza Aranha, *Carlos Botelho: nasceu no século XIX, viveu no XX e vislumbrou São Paulo do século XXI*. São Paulo: Ed. do Autor, 2011, p. 12.
4. Warren Dean, *A industrialização de São Paulo (1880-1945)*. São Paulo: Difel, s.d., p. 82.
5. *O Estado de São Paulo*. Barcelona: Monte Domeq, 1918, p. 555.
6. Warren Dean, *A industrialização de São Paulo*, op. cit., p. 83.
7. *O Estado de São Paulo*, op. cit., p. 562.
8. Wilson Suzigan, *Indústria brasileira: origem e desenvolvimento*. São Paulo: Brasiliense, 1986, p. 237.
9. Antonio Francisco Bandeira Junior, *A indústria no estado de São Paulo em 1901*. São Paulo: Tip. Diário Oficial, 1901, p. 218.
10. Maria Cecília Brotero Pereira de Castro (org.). *A família Souza Queiroz de 1874 a 2004 e a Associação Barão de Souza Queiroz de proteção à infância e à juventude*. São Paulo: Instituto Dona Ana Rosa, 2004, p. 15.
11. Renato Monseff Perissinotto, "Estado e capital cafeeiro: burocracia e interesse de

classe na condução da política econômica (1889-1930)" (tese de doutorado), Instituto de Filosofia e Ciências Humanas, Universidade Estadual de Campinas, 1997, p. 418.
12. Ibid., p. 414.
13. "Associação Agricola Commercial Paulista", *Correio Paulistano*, 22/1/1902.
14. Augusto Ramos, "Valorização do café (III)", *O Estado de S. Paulo*, 10/5/1902.
15. "Exposição de Augusto Ramos" (21/7/1906), em Câmara dos Deputados, *Política Econômica: Valorização do Café (1895-1906)*. Rio de Janeiro: Tip. do Jornal do Commercio, 1915, p. 381.
16. Augusto Ferreira Ramos. *Valorização do café: artigos publicados no Jornal do Commercio e Estado de São Paulo em 1902*. São Paulo: Tip. Diario Oficial, 1902, p. 30.
17. Ibid., p. 18.
18. Augusto Ramos, "Valorização do café (IV)", *O Estado de S. Paulo*, 11/5/1902.
19. Augusto Ferreira Ramos, *Valorização do café*, op. cit., p. 9.
20. Augusto Ramos, "Valorização do café (III)", *O Estado de S. Paulo*, 10/5/1902.
21. Augusto Ferreira Ramos, *Valorização do café*, op. cit., p. 28.
22. "Discurso de Rubião Junior na 56ª sessão ordinária da Câmara dos Deputados do Estado de São Paulo, em 30 de outubro de 1902", Anais da sessão ordinária de 1902, da Câmara dos Deputados do Estado de São Paulo, 2º ano da 5ª legislatura, p. 819.

CAPÍTULO 52: O PLANO DO CAFÉ: OS ESTADOS

1. Augusto Ramos, "Valorização do café: a resistência II", *O Estado de S. Paulo*, 8/5/1903.
2. Augusto Ramos, "Valorização do café: a resistência III", *O Estado de S. Paulo*, 9/5/1903.
3. Ibid.
4. Ibid.
5. Ibid.
6. Augusto Ramos, "Valorização do café: a resistência V", *O Estado de S. Paulo*, 13/5/1903.

7. Francisco de Assis Barbosa (org.), *Ideias políticas de João Pinheiro*. Brasília / Rio de Janeiro: Senado Federal / Fundação Casa de Rui Barbosa, 1980.
8. "Carta de João Pinheiro da Silva a Pandiá Calógeras", 25/2/1905, apud Marcos Fábio Martins de Oliveira & Ana Carolina Ferreira Caetano, "A trajetória de um propagandista no início da república: o discurso de João Pinheiro da Silva em prol do desenvolvimento", Anais do XIV Seminário sobre a Economia Mineira, n. 68. Cedeplar / Universidade Federal de Minas Gerais, 2010. Disponível em: <http://ideas.repec.org/s/cdp/diam10.html>.
9. Resumo do pronunciamento de João Pinheiro no Congresso das municipalidades do norte (Diamantina), apud Marcos Fábio Martins de Oliveira & Ana Carolina Ferreira Caetano, "A trajetória de um propagandista...", op. cit.
10. Cláudia Maria Ribeiro Viscardi, *O teatro das oligarquias: uma revisão da política do 'café com leite'*. Belo Horizonte: C/Arte, 2001, p. 150.
11. Boletim do Centro Industrial do Brasil. [s.l], v. 1, 1904-1905. p. 3-17, apud Edgard Carone, *O Centro Industrial do Rio de Janeiro e a sua importante participação na economia nacional (1827-1977)*. Rio de Janeiro: CIRJ; Cátedra, 1978. p. 73.
12. Ibid., p. 74.
13. Ibid.
14. John D. Wirth, *O fiel da balança: Minas Gerais na federação brasileira*. Rio de Janeiro: Paz e Terra, 1985, pp. 83-84.
15. "Discurso proferido na sessão de encerramento do Congresso Agrícola, Industrial e Comercial, Belo Horizonte, 20 de maio de 1903", apud Francisco de Assis Barbosa (org.), *João Pinheiro: documentário sobre a sua vida*. Belo Horizonte: Arquivo Público Mineiro, 1966, pp. 121-22.
16. Alexandre Siciliano, "Valorização do café", *O Estado de S. Paulo*, 24/8/1903.

CAPÍTULO 53: O PLANO DO CAFÉ: O MERCADO INTERNACIONAL

1. Rodrigo Soares Júnior, *Jorge Tibiriçá e sua época*. São Paulo: Companhia Editora Nacional, 1958, pp. 447-51.
2. Augusto Ramos, *A indústria cafeeira na América hespanhola*. São Paulo: Secretaria da Agricultura, Commercio e Obras Públicas do Estado de São Paulo, 1907, p. 4.
3. Ibid., pp. 60-63.
4. Ibid., pp. 63-65.
5. Ibid., p. 66.
6. Augusto Ramos, *Valorização do café: estudo sobre o projeto de A. Siciliano*. São Paulo: Typ. Diário Oficial, 1905. p. 04-05.
7. Ibid., p. 7.
8. Ibid., pp. 11-12.
9. Ibid., p. 16.
10. Ibid., pp. 19-20.
11. Ibid., p. 35.

CAPÍTULO 54: O PLANO DO CAFÉ: OPORTUNIDADE QUASE MILAGROSA

1. Gustavo Barroso, "Pinheiro Machado na intimidade – Evocações", *Revista do Instituto Histórico e Geográfico Brasileiro* (Rio de Janeiro), v. 211 (abr.-jun. 1951), p. 92.; Joseph L. Love, *O regionalismo gaúcho e as origens da revolução de 1930*. São Paulo: Perspectiva, 1975, p. 147.
2. Rodrigues Alves, "Eleição presidencial – candidaturas", apud Afonso Arinos de Melo Franco, *Rodrigues Alves: apogeu e declínio do presidencialismo*. Rio de Janeiro / São Paulo: José Olympio / Editora da Universidade de São Paulo, 1973, v. 2, p. 527.
3. Ibid., p. 528.
4. Carta de Campos Sales a Arnolfo de Azevedo (4/10/1904), em Célio Debes, *Campos Sales: perfil de um estadista*. São Paulo: Instituto Histórico e Geográfico de São Paulo, 1977, t. 2, pp. 193-94.
5. Carta de Campos Sales a Pinheiro Machado (5/3/1905), em Célio Debes, *Campos Sales*, op. cit., pp. 195-97.
6. Entrevista concedida por Pinheiro Machado, "Presidência da República", *O Estado de S. Paulo*, 6/5/1905.
7. Entrevista concedida por Bernardino de Campos, "O programa do Dr. Bernardino de Campos", *O Paiz* (Rio de Janeiro), 26/6/1905.
8. Entrevista de Bernardino de Campos, op. cit.; Cláudia Maria Ribeiro Viscardi, *O teatro das oligarquias*, op. cit., p. 109.
9. Américo Jacobina Lacombe, *Afonso Pena e sua época*. Rio de Janeiro: José Olympio, 1986, p. 262.
10. Ibid., p. 276.
11. Carta de Afonso Pena a Francisco Salles, 27/7/1905, em Américo Jacobina Lacombe, *Afonso Pena*, op. cit., p. 290.
12. Carta de Bias Fortes a Afonso Pena, Barbacena, 2/3/1905, em Américo Jacobina Lacombe, *Afonso Pena*, op. cit., pp. 263-64.
13. Carta de Rodrigues Alves a Afonso Pena, Petrópolis, 15/3/1905, em Américo Jacobina Lacombe, *Afonso Pena*, op. cit., pp. 255-57.
14. Carta de Rodrigues Alves a Bernardino de Campos, Rio de Janeiro, 13/8/1904, em Motta Filho, *Uma grande vida: biografia de Bernardino de Campos*. São Paulo: Companhia Editora Nacional, 1941, pp. 280-81.
15. Ibid., p. 204.
16. "A renúncia", *O Estado de S. Paulo*, 18/8/1905.

CAPÍTULO 55: O CONVÊNIO DE TAUBATÉ

1. "Discurso de Siqueira Campos no Congresso Legislativo do Estado de São Paulo em 16 de agosto de 1905", Anais do Senado do Estado de São Paulo, 21ª sessão ordinária, p. 123.
2. Peter Louis Blasenheim, "A regional history of the Zona da Mata in Minas Gerais, Brazil: 1870-1906" (tese de doutorado), Departamento de História, Universidade de Stanford, 1982, p. 244.
3. Marcos Fábio Martins de Oliveira, "O pensamento econômico de Francisco Salles, João Pinheiro e João Luís Alves e o desenvolvimento de Minas Gerais (1889-1914)"

(tese de doutorado), Faculdade de Filosofia Letras e Ciências Humanas, Universidade de São Paulo, p. 77.
4. "Valorização do café", *O Estado de S. Paulo*, 23/9/1905.
5. Congresso Legislativo do Estado de São Paulo, 25/9/1905. Anais do Senado do Estado de São Paulo, 47ª sessão ordinária, p. 259.
6. Renato Monseff Perissinotto, "Estado e capital cafeeiro", op. cit., p. 418.
7. Alberto Sousa, *Memória Histórica sobre o Correio Paulistano (1854-1904)*. São Paulo: Arauco, 2010, p. 84.
8. Discurso de Luiz Piza no Congresso Legislativo do Estado de São Paulo em 26 de setembro de 1905. Anais do Senado do Estado de São Paulo, 48ª sessão ordinária, p. 273.
9. Ibid.
10. Ibid.
11. "Discurso de Luiz Piza no Congresso Legislativo do Estado de São Paulo em 29 de setembro de 1905", Anais do Senado do Estado de São Paulo, 51ª sessão ordinária, pp. 301-02.
12. "Discurso de Luiz Piza no Congresso Legislativo do Estado de São Paulo em 3 de outubro de 1905", Anais do Senado do Estado de São Paulo, 54ª sessão ordinária, p. 312.
13. "Discurso de Luiz Piza no Congresso Legislativo do Estado de São Paulo em 17 de agosto de 1905", Anais do Senado do Estado de São Paulo, 22ª sessão ordinária, p. 135.
14. Thomas H. Holloway, *Vida e morte do Convênio de Taubaté: a primeira valorização do café*. Rio de Janeiro: Paz e Terra, 1978, p. 28.
15. Joaquim Murtinho, "Discurso sobre as candidaturas de Afonso Pena e Nilo Peçanha à presidência e vice-presidência da República", em Nícia Villela Luz (org.), *Ideias econômicas de Joaquim Murtinho*, op. cit„ p. 301.
16. "Programa Presidencial", *Correio Paulistano*, 14/10/1905. Transcrição de discurso de Afonso Pena.
17. "Cartas do Rio", *O Estado de S. Paulo*, 27/10/1905.
18. Afonso Arinos de Melo Franco, *Rodrigues Alves*, op. cit., v. 2, p. 456.

56: A GUERRA: O FRONT PARLAMENTAR
1. Carta de Leopoldo de Bulhões a Afonso Pena, 27/2/1906, em Américo Jacobina Lacombe, *Afonso Pena*, op.cit., pp. 304-06.
2. Ibid., pp. 307-10.
3. Brasil: Política econômica, Valorização do café (1895-1906). Rio de Janeiro, Tip. do Jornal do Commercio, i195, v.1 pp. 205/206. Coleção Documentos Parlamentares.
4. Ibid., p. 207.
5. Ibid.
6. "Discurso de Paulino de Souza na 79ª sessão ordinária da Câmara dos Deputados, em 3 de setembro de 1906", Anais da Câmara dos Deputados. Rio de Janeiro: Imprensa Nacional, 1907, p. 124.
7. Ibid.
8. Ibid., p. 126.
9. Ibid., p. 128.
10. Ibid.
11. Ibid.
12. Ibid.
13. Ibid.
14. Ibid.
15. Ibid., p. 210.
16. Ibid.
17. Ibid.
18. Ibid.
19. Ibid., p. 131.
20. Ibid. p. 134.
21. "Discurso de José de Barros Franco Júnior na 102ª sessão ordinária da Câmara dos Deputados, em 5 de outubro de 1906", Anais da Câmara dos Deputados. Rio de Janeiro: Imprensa Nacional, 1907, p. 142.
22. Ibid., p. 143.
23. Ibid.
24. Ibid.
25. Ibid., p. 145.
26. Ibid., p. 146.
27. Ibid.

28. Ibid.
29. Ibid., p. 147.
30. Ibid., p. 148.
31. Ibid., p. 149.

CAPÍTULO 57: A GUERRA: O QUEBRADOR DE OSSOS

1. "Notas e informações", *O Estado de S. Paulo*, 10/2/1906.
2. Ficha do prof. Dr. Francisco Ferreira Ramos, [s.d.]. Arquivo Histórico da Escola Politécnica da Universidade de São Paulo, pasta "Prof. Dr. Francisco Ferreira Ramos".
3. "Notas e informações", *O Estado de S. Paulo*, 18/2/1906.
4. "Santos, 21", *O Estado de S. Paulo*, 22/2/1906.
5. "Notas e informações", *O Estado de S. Paulo*, 4/4/1906.
6. "Notas e informações", *O Estado de S. Paulo*, 4/4/1906. Francisco Ferreira Ramos, "La question de la valorization du café au Brésil". *Conférence faite au cercle d'études coloniales d'Anvers, le 29 janvier 1907*. Antuérpia: J. E. Buschmann, 1907, p. 7.
7. Institut Royal Colonial Belge, *Biographie coloniale belge*. Bruxelas: Librairie Falk, 1948, t. I, pp. 180-03. Disponível em <http://www.kaowarsom.be> Acesso em 22/3/2015.
8. William Harrison Ukers, *All about coffee*. Nova York: The Tea and Coffee Trade Journal Company, 1922, p. 519. (Trad. do autor)
9. "Crossman's estate valued at $5,310,953; Coffee importer bequeathed $1,000,000 to Herman Sielcken, his partner", *The New York Times*, 31/8/1913. (Trad. do autor)
10. "Sugar Men Retaliate: the Havemeyers Buy a Coffee Refinery and Get a Manager", *The New York Times*, 22/12/1896. (Trad. do autor)
11. Thomas H. Holloway, *Vida e morte do Convênio de Taubaté: A primeira valorização do café*. Rio de Janeiro: Paz e Terra, 1978, p. 70.
12. "How Brazil cornered the world's coffee market; though flying in the face of the law of supply and demand, the valorization plan worked so well that now steps are being taken to find the 'coffee trust'", *The New York Times*, 26/5/1912. (Trad. do autor)
13. "O café", *O Estado de S. Paulo*, 27/7/1906.
14. Thomas H. Holloway, *Vida e morte do Convênio de Taubaté*, op. cit., p. 70.

CAPÍTULO 58: A GUERRA: A BATALHA DOS CHEQUES

1. Antônio Delfim Netto, *O problema do café no Brasil*. Rio de Janeiro: Fundação Getúlio Vargas; Ministério da Agricultura – Suplan, 1979, pp. 50-1.
2. Francisco Ferreira Ramos, "A defesa do café". *O Estado de S. Paulo*, 25/9/1921.
3. Ibid.
4. Ibid.
5. "How Brazil cornered the world's coffee market; though flying in the face of the law of supply and demand, the valorization plan worked so well that now steps are being taken to find the 'coffee trust'", *The New York Times*, 26/5/1912. (Trad. do autor)
6. Francisco Ferreira Ramos, "A defesa do café", *O Estado de S. Paulo*, 25/9/1921.
7. Pierre Denis, *Brazil*. Londres: Fisher Unwin, 1911, p. 255.
8. Carta de Jorge Tibiriçá a Pinheiro Machado (5/7/1906), em Rodrigo Soares Júnior, *Jorge Tibiriçá e sua época (1855-1928)*, op. cit., pp. 540-1.
9. Charles A. Gauld, *Farquhar, o último titã – Um empreendedor americano na América Latina*. São Paulo: Editora de Cultura, 2006, p. 232.
10. Ibid.
11. "Discurso de Barata Ribeiro na 63ª sessão ordinária do Senado Federal, em 3 de agosto de 1907", Anais do Senado Federal. Rio de Janeiro: Imprensa Nacional, 1908, p. 144.
12. Ibid., p. 145.
13. Ibid., p. 146.
14. Ibid., p. 156.
15. "Notas e Informações", *O Estado de S. Paulo*, 14/05/07.
16. M.J. Albuquerque Lins "mensagem enviada

ao Congresso Legislativo a 14 de julho de 1908. O Estado de S. Paulo, 15 jul. 1908, pp 1-2.
17. Mensagem de Afonso Augusto Moreira Pena ao Congresso Nacional, 10/11/1908, em Rio de Janeiro: Tip. do Jornal do Commercio, 1916, v. 2. p. 9.
18. Discurso de Pandiá Calógeras na 145ª sessão ordinária da Câmara dos Deputados, em 18 de novembro de 1908. Anais da Câmara dos Deputados. Rio de Janeiro, Imprensa Nacional, 1909, pp. 603-4 v. XI.
19. Ibid., p 596.
20. Thomas H. Holloway, *Vida e morte do Convênio de Taubaté*, op. cit., p. 79.
21. Ibid., p. 81.

CAPÍTULO 59: A GUERRA: BRASILEIROS CONTRA BRASILEIROS

1. Augusto Ramos, "Valorização do café (III)", *O Estado de S. Paulo*, 10/5/1902.
2. Antônio Delfim Netto, *O problema do café no Brasil*, op. cit., pp. 55–6.
3. Carta de Rui Barbosa a Afonso Pena, 16/12/1908, em Américo Jacobina Lacombe, *Afonso Pena*, op. cit., p. 407.
4. Ibid., p. 408.
5. Ibid., p. 444.
6. Rui Barbosa, "A situação política", *O Estado de S. Paulo*, 21/5/1909.
7. Ibid.
8. Rui Barbosa, "A conferência da Bahia", *O Estado de S. Paulo*, 16/1/1910.
9. Discurso de Hermes da Fonseca no Teatro Municipal do Rio de Janeiro, em 26 de dezembro de 1909, em "A presidência da República", *O Estado de S. Paulo*, 27/12/1909, pp. 3-4.
10. Leopoldo de Bulhões Jardim, *Relatório de Bulhões Jardim para o ano de 1910*. Rio de Janeiro: Ministério da Fazenda / Imprensa Nacional, 1910, p. xxii.
11. Discurso de Josino de Araújo na Câmara dos Deputados, em 15 de dezembro de [1910], op. cit., p. 331.

12. Discurso de Cincinato Braga na Câmara dos Deputados (10/11/1910), em "A taxa cambial", *O Estado de S. Paulo*, 12/11/1910.
13. Winston Fritsch, *External constraints on economic policy in Brazil, 1889-1930*. Pittsburgh: University of Pittsburgh Press, 1988, p. 24.

CAPÍTULO 60: CAPITALISMO NO TOPO DA VELOCIDADE DO MUNDO

1. Carlos Manuel Peláez & Wilson Suzigan, *História monetária do Brasil: análise da política, comportamento e instituições monetárias*, op. cit., p. 152.
2. Piketty, Thomas. *O capital no século XXI*, op. cit., pp. 78-79.
3. *Estatísticas históricas do Brasil: séries econômicas, demográficas e sociais de 1550 a 1988*. Rio de Janeiro: IBGE, 1990, pp. 569-74.
4. Ibid., pp. 385 e 569-70.
5. Augusto Ramos, José de Barros Franco et al., "Pela estabilidade do câmbio: à nação e aos seus representantes no Congresso Nacional (Manifesto do Comitê de Defesa da Produção Nacional)", *O Estado de S. Paulo*, 22/7/1910.
6. Ibid.
7. Ibid.
8. Ibid.
9. Ibid.
10. Ibid.
11. Ibid.
12. Ibid.
13. Ibid.
14. Ibid.
15. Ibid.
16. Wilson Cano, *Raízes da concentração industrial em São Paulo*, op. cit., pp. 235-36.

CAPÍTULO 61: 1910-1918: TEMPOS EXCRUCIANTES I

1. "A revolta da armada: a bordo dos dois dreadnoughts", *O Estado de S. Paulo*, 26/11/1910.
2. O *Minas Gerais* virou sucata em 1953 e seu grande comandante temporário viveu como marinheiro civil, cidadão pobre e digno, até 1969.

3. Paulo R. Pestana, "O progresso paulista", *O Estado de S. Paulo*, 14/2/1909.
4. Anne G. Hanley, *Native capital*, op. cit., p. 179.
5. Discurso de Francisco de Paula Rodrigues Alves no banquete do Partido Republicano Paulista, São Paulo, 16/1/1912, em Eugênio Egas, *Galeria dos presidentes de São Paulo*. São Paulo: Publicação Oficial do Estado de São Paulo, 1927, v. 2, pp. 411-12.
6. Ibid., pp. 412-13.
7. Altino Arantes, "Meu diário: registro íntimo de factos e de impressões", v. 4. Arquivo Histórico da Academia Paulista de Letras.

CAPÍTULO 62: 1917-1930: TEMPOS EXCRUCIANTES II

1. Júlio Mesquita, *A guerra (1914-1918)*. São Paulo: Estado de S. Paulo / Terceiro Nome, 2002, v. 4. p. 745.
2. Ibid.
3. Rui Barbosa. *Obras completas: Campanha presidencial*. Rio de Janeiro: Ministério da Educação e Cultura, 1956. v. 46, t. 1, p. 6.
4. Ibid., p. 51.
5. Ibid., p. 81.
6. Ibid.
7. Ibid., p. 110.
8. Ibid., p. 117.
9. Ibid., p. 82.
10. Epitácio Pessoa, *Pela verdade*. Rio de Janeiro: Francisco Alves, 1925, p. 157.
11. José Pires do Rio, *Relatório de 1919*. Rio de Janeiro: Ministério da Viação e Obras Públicas / Imprensa Oficial, 1920, p. 86.
12. Ibid., pp. 293, 353.
13. Conferência de Menotti del Picchia, 15/2/1922, em Gilberto Mendonça Teles, *Vanguarda europeia e modernismo brasileiro: apresentação de 1922*. Petrópolis: Vozes, 1997, pp. 287-88.

CAPÍTULO 63: 1889-1930: UM BALANÇO

1. *Estatísticas históricas do Brasil*. Rio de Janeiro, Fundação IBGE, 1990, p. 34.
2. Ibid., p. 74.
3. Ibid., p. 382.
4. Ibid., p. 493.
5. Ibid.
6. Ibid., p. 474.
7. Ibid., p. 457.
8. Ibid., p. 463.
9. Ibid., p. 385.
10. Ibid., p. 350.
11. Alberto Carlos Almeida, "O Brasil no final do século XX: Um caso de sucesso", *Dados* (Rio de Janeiro), v. 41, n. 4 (1998). Disponível em: http://dx.doi.org/10.1590/S0011-52581998000400004 <acesso em 20/03/2017>.
12. José Bento Monteiro Lobato, "Urupês", *O Estado de S. Paulo*, 23/12/1914.

PARTE IV > 1930-2017

CAPÍTULO 64: CENTRALIZAÇÃO COM SENTIDO

1. Lira Neto, *Getúlio*. São Paulo: Companhia das Letras, 2012, v. 1, p. 100.
2. Ibid.
3. Mario Henrique Simonsen, "Oswaldo Aranha e o Ministério da Fazenda", em *Oswaldo Aranha, a Estrela da Revolução*. São Paulo: Mandarim, 1996, p. 384.
4. Marcelino Martins, *150 anos de café*. São Paulo: Salamandra, 1992, p. 369.
5. Ibid., p. 383.
6. Mario Henrique Simonsen, "Oswaldo Aranha e o Ministério da Fazenda", op. cit., pp. 398-405.
7. *Estatísticas nacionais*, op. cit., p. 385.

CAPÍTULO 65: A SONHADA DITADURA

1. Apud Leon Trotsky, *Revolução e contra revolução na Alemanha*. São Paulo: Ciências Humanas, 1979, p.153.
2. Ibid., pp. 25-29.
3. Oliveira Viana, *Evolução do povo brasileiro*. Rio de Janeiro: José Olympio, 1956, pp. 219-50.
4. Decreto 19.770, de 19/3/1931.

5. *Diário Carioca*, 24/2/32, apud Lira Neto, *Getúlio Vargas*, op. cit., v. 2, p.29.
6. Ibid., p. 35.
7. Oliveira Viana, *Problemas de política objetiva*. Rio de Janeiro: Record, 1974, pp. 121-41.
8. Ibid., p. 81.
9. Ibid., p. 36.
10. Lira Neto, *Getúlio*, op. cit., v. 2, p. 226.
11. Ibid., p. 258.
12. *Diário Carioca*, 3/3/45.

CAPÍTULO 66: DEMOCRACIA POPULISTA

1. Antonio Candido, *Os parceiros do Rio Bonito: Estudo sobre o caipira paulista e a transformação dos seus meios de vida*. São Paulo: Duas Cidades / Editora 34, 2001, p. 105.
2. Ibid., p. 273.
3. Sergio Besserman Viana, "Política econômica externa e industrialização, 1946-1951", em Marcelo Paiva Abreu (org.), *A ordem do progresso*. Rio de Janeiro: Campus, 1992, pp.106-07.

CAPÍTULO 67: DITADURA MILITAR E SEUS PARADOXOS

1. Claudio Bojunga, *JK*. Rio de Janeiro: Objetiva, 2001, p. 817.
2. Getúlio Vargas, *Diário*. São Paulo / Rio de Janeiro: Siciliano / FGV, 1995, p. 203.
3. Andrew G. Terborgh, "The post-war rise of world trade: does the Bretton Woods system deserve credit?", working paper 78/03, Department of Economic History, London School of Economics, 2003. (Trad. do autor)
4. Ministério do Planejamento e Coordenação Econômica, *Programa de Ação Econômica do Governo, 1964-1966*, Documentos Epea, Rio de Janeiro, novembro de 1964, p. 28.
5. Thomas Skidmore, *Brasil de Castelo a Tancredo*. Rio de Janeiro: Paz e Terra, 1988, p. 75.
6. André Lara Resende, "Estabilização e reforma", em Marcelo Abreu (org.), *A ordem do progresso*, op. cit., p. 215.

CAPÍTULO 68: O MURO E A GRANDE MURALHA

1. Carlos Langoni, "The development crisis". São Francisco: International Center for Economic Growth, 1987, p. 19.
2. Dionísio Dias Carneiro, "Crise e esperança, 1974-1980", em Marcelo Abreu (org.), *A ordem do progresso*, op. cit., p. 311.

CAPÍTULO 70: PASTURO

1. Luiz Aranha Corrêa do Lago, "A retomada do crescimento e as distorções do milagre", em Marcelo Abreu (org.), *A ordem do progresso*, op. cit., p. 290.
2. Ibid., p. 203.
3. Antonio Manuel Hespanha & Ângela Barreto Xavier, op. cit., pp. 129-30.

CAPÍTULO 71: DESENCALHE, REENCALHE

1. Thomas Piketty, *O capital no século XXI*, op. cit., p. 171.
2. Ibid., p. 318.
3. Ibid.
4. Ibid., p. 337.

Este livro foi editado na cidade de São Sebastião do Rio de Janeiro no inverno de 2017.
 Foram usados tipos TheAntiqua e TheSans criados por Lucas de Groot.

◆ ESTAÇÃO ◆
BRASIL

Estação Brasil é o ponto de encontro dos leitores que desejam redescobrir o Brasil. Queremos revisitar e revisar a história, discutir ideias, revelar as nossas belezas e denunciar as nossas misérias. Os livros da Estação Brasil misturam-se com o corpo e a alma de nosso país, e apontam para o futuro. E o nosso futuro será tanto melhor quanto mais e melhor conhecermos o nosso passado e a nós mesmos.